# JAVIER REVERTE

**Javier Reverte** (Madrid, 1944) es un autor de larga experiencia y uno de los grandes trotamundos entre los escritores españoles de hoy. Ha publicado artículos y reportajes en los más importantes periódicos españoles y ha trabajado como reportero y guionista de series documentales y de ficción para diversas televisiones y radios del país. No hay género periodístico que no haya practicado ni continente que no haya visitado en sus largos viajes. Como escritor, es autor de poemarios, *Metrópoli* y *El volcán herido*, y de un puñado de novelas: *Muerte a destiempo*, *Campos de fresa para siempre*, *Sinfonía bárbara*, *El penúltimo día* y *La dama del abismo*, además de esta *Trilogía de Centroamérica* que ahora ve la luz en edición de bolsillo. En los últimos años se ha convertido en uno de los escritores españoles más leídos, con tres libros de viajes: *El sueño de África* (1996), *Vagabundo en África* (1998), *El corazón de Ulises* (1999), con la novela *Todos los sueños del mundo* (1999) y con la biografía de Pedro Páez *Dios, el diablo y la aventura* (2001). En 1997 obtuvo el premio Elle de literatura en el apartado no-ficción, por *El sueño de África*, un premio otorgado directamente por el voto de las lectoras, sin intervención de ningún jurado literario.

JAVIER REVERTE

# Trilogía de Centroamérica

PLAZA & JANÉS EDITORES, S.A.

DEBOLS!LLO

**Nota sobre la fotografía de la cubierta**

La fotografía que aparece en la portada me la entregaron, para que la utilizase en un periódico, unos sacerdotes españoles de Centroamérica que trabajaban, socorriendo a los refugiados, en territorio mexicano, en las cercanías de la frontera con Guatemala. La imagen lo dice todo y yo no puedo añadir otra cosa salvo que se trata de un campesino guatemalteco que huye de las persecuciones del ejército.

Nunca supe el nombre del anónimo autor de tan importante testimonio.

JAVIER REVERTE

Primera edición: septiembre, 2001



Printed in Spain – Impreso en España

ISBN: 84-8450-710-6
Depósito legal: B. 32.359 - 2001

Fotocomposición: Lozano Faisano, S. L.

Impreso en Novoprint, S. A.
C/. de la Tècnica, s/n
Sant Andreu de la Barca (Barcelona)

P 807106

# ÍNDICE

# PRÓLOGO DEL AUTOR

Para un escritor, recuperar viejos libros que ya creía perdidos para siempre es un placer parecido al encuentro con un hijo que regresa de un largo viaje. El chico ha cambiado, hay rasgos en su físico y en su carácter que no reconoces muy bien. Pero es tu hijo y tu corazón se alegra. Eso me sucede con esta *Trilogía de Centroamérica*, tres novelas publicadas entre 1986 y 1992 y que ya habían desaparecido de los catálogos y las librerías hace tiempo. Ahora, al repasarlas para su nueva publicación, no me reconozco en muchas de sus páginas. Sin embargo, y aunque hay algunos libros de mi pasado que nunca querré recuperar, estas tres novelas siguen gustándome.

Tienen su historia. En 1983 viajé por varios países de Centroamérica cuando esta región del mundo vivía días muy dramáticos. Iba enviado por un periódico para escribir varios reportajes y, durante casi un mes, recorrí la geografía del dolor de aquellas tierras, donde las gentes vivían sumidas en la miseria y en la guerra. Quedé hondamente impresionado; en especial, por lo que vi y viví en Nicaragua, donde la revolución sandinista había triunfado unos años antes sobre el dictador Somoza y cuyo nuevo régimen, en los días de mi viaje, libraba una nueva guerra contra las guerrillas de la llamada «contra», un movimiento rebelde financiado por los Estados Unidos para derrocar al sandinismo.

Lo que me impresionó no fue la pugna ideológica y bélica que se libraba en el país, sino el sufrimiento que debían soportar las gentes comunes y las contradicciones vitales que se abrían en muchas almas implicadas en la guerra. Eran cosas que no podían contarse tan sólo en un reportaje, que requerían de la literatura, y un año después de aquel viaje regresé de nuevo, por mi propia cuenta, y permanecí durante casi dos meses en Nicaragua, tratando de captar el carácter y el espíritu de los «nicas», a través de las gentes que encontraba y con las que convivía. Me empapé de Nicaragua y, a mi regreso, escribí *Los dioses debajo de la lluvia*, la primera novela de esta trilogía. Aunque tuvo buenas críticas y obtuvo el Premio Ateneo de Santander en su convocatoria de 1986, y logró una venta aceptable en librerías, no pasó de un círculo reducido de lectores. Pero a mí me dejó satisfecho el trabajo que había hecho.

Unos meses después de publicar *Los dioses...*, mi amigo Luis Pancorbo, escritor y caminante impenitente, me habló de Guatemala, país que yo había visitado en mi primer viaje durante tan sólo unos pocos días. Me habló de su belleza, me habló de las atrocidades que el ejército cometía sobre las poblaciones indias —un verdadero genocidio— y también de las guerrillas que combatían a la dictadura militar. Y me animó a escribir una novela sobre ello. Así que en 1987 hice las maletas y me planté en Guatemala, en cuyas selvas, al norte del país, viví un par de meses. A mi regreso, escribí y publiqué *El aroma del copal*, en 1988. La novela, ignorada por la crítica, tuvo menos suerte que *Los dioses...* y logró escaso eco entre el gran público. A mí, sin embargo, me gustaba. Todavía estoy orgulloso de que fuese prohibida en Guatemala por diversos gobiernos, incluso democráticos, a causa de los relatos que incluía sobre la persecución militar contra los indígenas.

Y en fin, el tres es un número que me atrae en literatura. Si había hecho dos libros sobre Centroamérica, ¿por qué no cerrar una trilogía? Y me fui a las costas del norte de Honduras en 1989 y, tres años después, mi relato ganaba el Premio Feria del Libro de Madrid, otorgado por los libreros de la capital. Se publicó en una pequeña editorial ya desaparecida y jamás vi un solo ejemplar en ninguna librería. Pero a mí el libro me gustaba.

Me fui a África en ese mismo año y escribí al regreso *El sueño de África*, un libro de viajes que rechazaron al menos seis editoriales. Al fin, logré publicarlo en 1996, con una corta tirada inicial y al principio casi ignorado por los medios de comunicación. Pero de pronto los lectores me quisieron y me han seguido queriendo en los libros que he publicado después: *Vagabundo en África*, *Corazón de Ulises*, también relatos viajeros, y la novela *Todos los sueños del mundo*. Desde entonces, muchos amables lectores se me han acercado a preguntarme por mis obras anteriores, y yo sólo podía responderles que todas estaban descatalogadas. Por eso, porque estas tres novelas me gustaban —hay otras cosas que hice antes que no me gustan— me llenó de alegría que Plaza y Janés me propusiera esta reedición que ahora ve la luz. Espero que a los lectores les guste como a mí.

Esta edición conjunta de las tres obras es una edición revisada. He dado un leve repaso a los diálogos, suprimido adjetivos y cambiado algunas expresiones en los textos, porque mi manera de escribir se ha transformado desde entonces: ahora pretendo ser más austero en mi lenguaje y mi aspiración última de escritor sería lograr un sonido de canto de agua con las palabras. También he descargado algo los contenidos de «actualidad» que podían encontrarse en los textos: referencias de personajes históricos, por ejemplo, que hoy se han esfumado en la Historia y a los que casi nadie recuerda. Pero en su esencia, las tres novelas son lo que fueron en su día y la intención que me empujó a escribirlas continúa intocada en sus páginas. Yo quería hablar de un mundo humano, duro y difícil, que crecía o moría en los territorios de una hermosa geografía. Quería hablar de almas y de contradicciones. Del dolor, de la muerte y también del amor. Y de la justicia y la intransigencia. Y de todo aquello que nos convierte a los hombres, en momentos dramáticos, en seres perplejos.

Las tres novelas no tienen otros nexos entre ellas que la geografía donde se desarrollan: la hermosa Centroamérica, y la época en que transcurren, un tiempo de tragedias y guerras no tan lejano a nuestros días. Son tres novelas con personajes diferentes, con historias diferentes y situadas en tres países distintos. Quiere decirse que el lector, si se anima a abrir y leer el libro, puede comenzar por cualquiera de ellas. El orden que les he dado no es otro que el de la cronología de su publicación.

En los viajes que llevé a cabo aquellos años por los escenarios donde transcurren las tres historias, y que me llevaron en total algo más de seis meses —a cargo de mi entonces escaso presupuesto personal—, visité pueblos perdidos, usé de transportes locales, dormí en pensiones miserables y comí lo que buenamente encontraba. Por fortuna, siempre había ron a mano. Y hablé con innumerables gentes, bebí sus modos de expresión, sus bromas y sus historias trágicas o alegres. La verdad es que fueron tres viajes muy emotivos en los que dejé atrás estupendos amigos. Además de eso, aprendí a bailar salsa.

¿Por qué no haber hecho con ellos tres libros de viajes en lugar de tres novelas? Sencillamente porque busqué acercarme a la perplejidad del alma humana más que a la crónica de un tiempo amargo. Hay algo de crónica, desde luego, en los libros; y hay viaje, por supuesto. Pero precisaba de la ficción para explicar con mayor vigor y hondura cuanto vi y cuanto viví. Un personaje literario es un ser nuevo, nunca es igual a un hombre que conoces, sino tal vez la suma de varios hombres, si lo que intentas es retratar mejor la complejidad del alma humana. La historia literaria tampoco puede ser un episodio que te han contado, la reproducción de algo que ha sucedido en la realidad, sino un paradigma para expresar una idea o una intención. Luego, manda el talento, que eso es un don del cielo, como diría el poeta Claudio Rodríguez. Y ahí quien juzga no es el autor, sino el lector, que espero que sea benévolo con estos libros.

En todo caso, y aunque sean hijos venidos de lejos, yo los concebí poniendo en ellos mi mejor sementera literaria de entonces. Y los sigo queriendo.

JAVIER REVERTE

# LOS DIOSES
# DEBAJO DE LA LLUVIA

HONDURAS
EL SALVADOR
Waspam
Río Coco
Santa Marta
Puerto Cabezas
Bonanza
La Rosita
Jalapa
Bambana
Mar del Caribe
Ocotal
CORDILLERA ISABELLA
Palmera
Somoto
Makantaka
Estelí
Jinotega
Golfo de Fonseca
Río Grande
Villa Nueva
Matagalpa
Tapales
Río Grande
Karawala
Los Zarzales
NICARAGUA
Tasbapauni
Chinandega
Chichigalpa
El Paraíso
Boaco
Corinto
León
Escondido
MANAGUA
Tipitapa
Juigalpa
Volcán Masaya
Masaya
Bluefields
Granada
COSTA DE LOS MOSQUITOS
Jinotepe
Zapatera
Ometepe
Punta Gorda
Rivas
Lago Nicaragua
Isla de Solentiname
Bahía de Punta Gorda
San Juan del Sur
San Carlos
Océano Pacífico Norte
COSTA RICA

¿Quién no estuvo sentado con miedo ante el telón de su propio corazón?

Rainer Maria Rilke
Cuarta Elegía del Duino

# 1

Lo que allá en el frente de combate, como otras veces, le llamaba la atención y le hacía estremecer en algún punto remoto de su sensibilidad, era la ausencia de sonidos familiares. Ni siquiera se oía el trino de los pájaros cantores, ni podía contemplarse el vuelo grácil de las garzas grises o blancas. Algún zopilote que otro merodeaba a veces por aquellos contornos, pero este pariente centroamericano del buitre es animal familiarizado con la muerte. El resto de las aves huyen de los frentes de batalla, escapan y anidan en otros lugares donde el silencio de las horas de tregua o el estruendo de los combates no aterroricen sus frágiles corazones.

Podía sentirse, junto a la quietud y el silencio, una cierta tensión en el aire, como si la atmósfera se volviera más espesa en aquel breve rincón del mundo donde las armas cargadas aguardaban que un breve sonido anunciase una tormentosa fusilería desde el otro lado o presagiara la letal sinfonía de los morteros.

Y Rubén Vivar, sin escuchar ahora un solo ruido, mientras se dejaba envolver por la sensualidad del aire denso y perfumado, en aquel día en que el viento bajaba débilmente desde las montañas que eran ya territorio hondureño, se sentía alejado de su propio cuerpo, como si se contemplara desde fuera. Estaba allí, junto a la línea de trincheras, a una veintena de kilómetros de Jalapa, y al mismo tiempo creía notar que no era él quien allí se encontraba. Podía verse como el protagonista de una historia ajena, cumpliendo un doble papel de actor y espectador. Y tal vez por esa razón no le producían miedo aquellas manchas blancas que, a unos ochocientos o mil metros de distancia, se distinguían con claridad en la falda verdosa de los cerros, aquellos puntos que escondían un francotirador o una ametralladora pesada de la guerrilla enemiga.

El pueblo quedaba atrás, aproximadamente un kilómetro y medio a sus espaldas. Se llegaba al frente de combate a través de un camino de arena, que serpenteaba entre altivas plantaciones de caña y bosquecillos de orgullosos guineos. No se trataba con exactitud de un pueblo, sino de un asentamiento campesino, construido poco más de un año antes. Lo conformaban medio centenar de casas, levantadas con adobe y techado de tejas, y un interior compuesto por dos o tres habitaciones. El asentamiento se llamaba El Ranchito, y vivían allí algo más de trescientas personas.

Oyó que le llamaban.

—Volvemos, amigo.

Había permanecido absorto en la contemplación del paisaje, indiferente a cuanto hacía el resto del grupo. Se dio la vuelta y encontró el rostro tostado del capitán.

—¿Fue aquí? —preguntó.

—Sí, aquí, unos cuantos pasos a su izquierda, amigo.

Ahora le sonreía el tipo, bajo los bigotes de agresivo color negro. Tendría el capitán Julio poco más de veinticinco o veintiséis años, y vestía un uniforme de camuflaje, con pistolera al cinto y un gorro de visera de color verde olivo. Antes, a primera hora de la mañana, le había preguntado:

—¿Y usted quién es, amigo?

—Soy periodista.

—¿De dónde?

—Soy el corresponsal en Nueva Segovia del *Nuevo Diario*, un periódico amigo del gobierno.

—Ta bien entonces. Si fuera enemigo, se podía volver por donde llegó.

El resto de los hombres aguardaba a espaldas del capitán: otros dos soldados con ropa de camuflaje y los fusiles Kalashnikov echados al hombro; dos milicianos, unos chiquillos que no pasarían de los quince años; el padre Luis y el otro sacerdote que había llegado desde Managua enviado por el obispo. Echó a andar hacia ellos y el grupo tomó con fatiga la senda de regreso al asentamiento.

Se quedó algo rezagado mientras el camino se hundía entre las altas cañas, coronadas por los penachos blancos que pregonaban su florecimiento. De inmediato el terreno se inclinaba en un descenso pronunciado, con la vereda de tierra mordida por las huellas de los vehículos militares. Suponía que todavía estaban a tiro del enemigo, al menos de sus morteros y de las ametralladoras de mayor calibre. Pero seguía sin sentir miedo, y permanecía aquella sensación de distancia que le dominó desde el momento en que pisara el frente de combate. Tal vez no era exclusivamente suya la impresión de lejanía: los soldados que se movían en las trincheras de primera línea parecían poseer una mirada perdida. Incluso, cuando hablaba con ellos, podía creerse que su pensamiento estaba en otro lado. Desde luego que eran distintos a los soldados de la retaguardia, a las tropas que esperaban acantonadas en Ocotal o en Jalapa. En la retaguardia, todos ellos, o al menos una buena mayoría, hablaban sin descanso de patria, de lucha, de desprecio a la muerte. En las trincheras, los soldados miraban con asombro a quienes les mencionaban tales cosas. Preferían hablar de su comida, del frío de las noches serranas, del calor del día, del tedio y de la tensión de las largas horas de guardia.

Los héroes vivían siempre en la retaguardia. En primera línea nunca se topaba uno con ellos. Allí sólo había hombres que reflexionaban sobre las cuestiones más inmediatas de la vida: comer, dormir..., hombres que, tal vez, como él, en los largos días y en las largas horas de calma, mientras esperaban un combate que podía surgir en cualquier impensado momento, se veían a sí mismos como seres ajenos a sí mismos. Era la infinita paradoja de la vida: que en la cercanía de la muerte, nadie parecía capaz de aceptarla como una realidad próxima.

Mientras descendía tras el grupo, sus ojos se toparon dos veces con la mirada del padre Luis. Iba unos metros delante, separado del otro sacerdote, el recién llegado de Managua. Al parecer, no habían cruzado muchas palabras entre ellos en el curso de aquella mañana. Desde luego, él no les había visto conversar. Tenían los dos sacerdotes aspectos muy distintos, como si vinieran de dos mundos diferentes. El hombre de Managua vestía un pulcro traje gris, zapatos y camisa negra y un inmaculado alzacuello cuyas puntas se levantaban hasta rozar la nuez en una milagrosa simetría. Era un tipo alto, de miembros largos, pelo liso oscuro con dos franjas de canas en las sienes. El padre Luis lucía un cierto desaliño, ataviado con una guayabera de color azul pálido, agujereada por las brasas de los cigarrillos en dos o tres lugares de la pechera. Era de estatura media, ancho cuerpo y algo barrigudo. Sus pantalones color crema asomaban bajo los faldones de la camisola, llenos de manchones que el jabón nunca borraría. El pelo, negro y ensortijado, coronaba un rostro amplio de tez blanquecina.

En la cabeza del grupo marchaban los dos milicianos. Pequeños de estatura, con los enormes sombreros de pita enterrados en la cabeza, parecían incapaces de cargar con los pesados mosquetones. Uno de ellos, el que intentaba aparentar mayor edad con un bigote que era casi una sombra de pelos indecisos, se cubría con una vieja camiseta en cuya pechera podía leerse Oxford University. El otro, de aire más aniñado y pelo color pajizo, llevaba una blusa ligera a cuadros con llamativos colores: verde, naranja, azul añil, rojo carmín, amarillo. Ambos vestían estrechos jeans, con bolsillos traseros bordados en brillantes dibujos dorados.

Detrás de ellos, seguían el capitán y el sacerdote de Managua. Un poco rezagado marchaba el padre Luis, cuya mirada, al cruzarse con la suya en dos ocasiones, le había parecido invadida por un cierto temor. O quizás era timidez.

Cerraban el grupo los dos soldados. Uno de ellos, el de cuerpo más espigado, no había cesado de charlar con él en el camino de ida. Rubén no llegó a comprender con exactitud lo que quería decirle, pues en su apresurada palabrería se mezclaban confusas expresiones en las que quería hacer notar su disposición a matar un centenar de enemigos, su desprecio a la muerte, su amor a la libertad y a la patria rebelde..., un típico héroe de las retaguardias, y con alguna frase punzante consiguió al fin quitárselo de encima.

El descenso concluyó y el camino, enterrado casi en una hondonada del terreno, atravesó las plantaciones de guineos. Las yerbas salvajes, crecidas en un campo que llevaba meses sin cuidar, se enredaban en los vigorosos troncos, mientras las anchas hojas verdosas trepaban a la altura y ponían sobre la tersura del cielo un manchón de color mineral. De algunas plantas colgaban racimos de plátanos, pesadas estructuras carnosas que tal vez nadie, por causa de la guerra, llegaría a recolectar. Más adelante, al pie de un grupo de bananos, se alzaban seis cruces construidas toscamente en madera, recuerdo del lugar donde otros tantos campesinos habían sido decapitados a machetazos por las tropas enemigas. Al decir de algunos testigos, después de la ejecución, los guerrilleros cambiaron de lugar las cabezas de cada uno de los muertos, dejándolas sobre troncos que no les correspondían. Aquel horror había sido el tema de una de sus crónicas.

El camino ascendía ahora entre variados árboles de enorme tamaño. Vio detenerse al sacerdote de Managua. El padre Luis Ribera llegó a su altura y pareció dudar entre parar a su lado o seguir caminando. Dio un leve traspié. Luego, giró a la izquierda y continuó ascendiendo cansinamente junto a los dos soldados.

Rubén se acercó hasta el sacerdote llegado de Managua. Reparó en el sencillo crucifijo de plata que pendía sobre la pechera negra de la camisa del hombre.

—Usted se llama Vivar, ¿no? —preguntó el sacerdote.

—Sí, Rubén Vivar.

Hubo unos segundos de silencio. La cuesta era empinada. Oía su propia respiración agitada y la del sacerdote que marchaba a su lado.

—¿Qué cree que sucedió? —preguntó el cura.

—No sé más que usted.

—Pero usted conocía al padre Servando...

—Sí, pero no estuve aquí cuando pasó todo. He venido por lo mismo que usted, para saber un poco más, ver el lugar..., a mí me pagan por escribir de estas cosas.

—¿Es usted sandinista?

Miró el rostro del sacerdote. Tenía una sonrisa de esas que no surgen solas, sino que se aprenden.

—No soy del partido sandinista... Fui antisomocista.

—¿En la guerrilla?

—No exactamente.

—¿Y por qué trabaja en *Nuevo Diario* si no es usted sandinista?

—Quizá por lo mismo que está usted en Managua pudiendo vivir en el Vaticano.

—No se moleste, por favor... Es que todo esto es muy extraño.

—¿Qué es extraño?

—Lo del padre Servando.

—Bueno, acá en el frente suceden siempre cosas extrañas. Un día mueren niños; otro, campesinos; al día siguiente, soldados... Dios es un lotero imprevisible.

—Esto no es cuestión de Dios, por favor.

—Pongamos entonces que del Diablo.

El sacerdote guardó silencio. Rubén escuchó el sonido más acelerado de su propia respiración. Una breve nube cruzó el cielo y, por unos instantes, cubrió el sol y echó un manto de sombra sobre el camino. Las copas de los árboles eran ahora más altas, y cerraban la senda de tierra como un techado artificial.

—¿Entonces no tiene usted una opinión de lo que sucedió aquí? —preguntó el sacerdote.

—No, padre. Yo nunca tengo opiniones sobre estas cosas. Me contento con mirar, escuchar lo que han visto los otros y tomar notas.

La ascensión se hacía de nuevo más pronunciada. El camino giraba en curvas múltiples, y no parecía que aquella empinada cuesta fuese a terminar nunca. Delante de ellos, el padre Luis se apartó del camino y buscó asiento bajo un árbol. Todos los otros le imitaron.

—Se hace dura la guerra en estas latitudes, ¿no, padre? —preguntó Rubén.

—La guerra se hace dura en todas partes..., supongo.

—No crea, se combate mejor en el llano.

Las nubes corrían ahora con rapidez en grupos de pequeñas bolas de algodón. Tapaban y descubrían el sol, y parecía que el cielo proyectase sobre la tierra un juego de luces y de sombras. Una ardiente brisa arrojaba sobre ellos el calor del mediodía.

—No he logrado averiguar si el padre Servando llevaba un fusil...

—¿Y qué importaría eso?

—Quizás usted no lo entienda, señor Vivar. Pero es importante para la Iglesia saber si sus pastores usan o no armas.

—¿Para la Iglesia o para el Obispado de Managua?

—Es lo mismo.

Rubén se encogió de hombros.

—He oído decir que, hace unos pocos años, un sacerdote irlandés decía misa en Guatemala con revólver al cinto. En algún libro está escrito, según creo. Puede que su nombre fuera Sean..., pero, claro, todos los irlandeses se llaman Sean.

—Eran otros tiempos.

—Pero usted escuchó la historia, ¿no, padre?

—Escuché algo parecido. Es un tema que ya no importa. Aquel sacerdote acabó dejando los hábitos.

—Bueno, aquí hay un mártir de la Iglesia que empuñó las armas: el cura Laviana. Era comandante sandinista; y español, como Servando.

—Fueron otros tiempos, señor Vivar.

—¿Y qué importaría si el padre Servando llevaba un fusil? Lo que sucedió finalmente quita importancia a ese detalle.

—Usted no comprende. No es un detalle más, es algo esencial.

—Yo no sé si llevaba o no llevaba armas. ¿Preguntó a los chavalos, a los milicianos?

—No estaban allí en ese momento.

—¿Y qué le dijo el padre Luis?

—Él dice que se sentía muy impresionado y que no reparó en detalles. Pero aún tenemos que charlar él y yo un buen rato.

—¿Y por qué me cuenta a mí estas cosas, por qué me insinúa la posibilidad de una mentira del padre Luis? Él y yo somos amigos.

—No sea tan suspicaz. Intento averiguar..., sólo eso. ¿Qué opina del padre Luis?

—Le dije que es amigo mío. Usted, por ahora, no lo es.

—Yo creo que es usted un hombre franco.

—No haga caso de las apariencias. En cuanto a lo del

padre Servando, mire, yo creo que los civiles no debemos meternos en los problemas internos de las Iglesias, lo mismo que los sacerdotes no deberían meterse en los problemas internos de las sociedades civiles.

—Algunos lo hacen, como el padre Servando.

—También su obispo.

—Eso no es cierto. La Iglesia nunca pretende intervenir en la política, y claro, no quiere que los políticos intervengan en las cuestiones de la Iglesia..., ni que sus sacerdotes se inmiscuyan en cuestiones terrenales.

—Mire, padre..., padre..., ¿cómo se llama?

—Roberto Ramírez.

—Padre Ramírez; pues mire, tengo ya cuarenta años y he nacido y vivido en Managua. He viajado por algunos países de este continente y anduve un poco de tiempo en Europa. No me diga que la Iglesia no interviene en cuestiones políticas, no me diga eso.

—Le reconozco que en ciertas épocas históricas eso ha sucedido. No es el caso ahora.

—Padre, siempre fue el caso.

Rubén se levantó y empezó a caminar sin esperar contestación, avanzando unos pasos delante del sacerdote. Le oyó respirar hondo a sus espaldas. El resto del grupo había también recomenzado su ascensión.

Doblaron una nueva curva. Se sentía fastidiado, pero no sabría decir si a causa de aquella empinada cuesta o por la conversación con el cura recién llegado de Managua.

Remontaron la loma y, a unos doscientos metros de distancia, asomó el asentamiento campesino. El aire caliente soplaba más fuerte allá arriba, un aire húmedo y cargado de olores a yerba. Llovería sin duda.

Las casas se alineaban en filas regulares. Todo el campo, en un radio de unos cincuenta metros alrededor de El Ranchito, aparecía despoblado de árboles y el terreno allanado. A espaldas del asentamiento crecían dos o tres breves cerros, y a su derecha caía un pronunciado barranco en cuyas laderas se enredaban y trepaban las plantas salvajes. Detrás de ellos podían distinguirse nuevos cerros, más allá de la hondonada y del llano excavado de trincheras. Todas las alturas de aquella sierra aparecían cubiertas por los ocotes, el esbelto y delicado pino del norte de Nicaragua.

La gente aguardaba. Para aquellos campesinos, la llegada de forasteros podía constituir un motivo de fiesta, más aún si dos de ellos eran sacerdotes. Algunas de las casas dejaban escapar un humo blanquecino por sus chimeneas. Olía a molienda de caña, un dulce aroma que a Rubén le trajo el inconfundible presagio del ron.

Los lugareños se concentraban en la entrada del asentamiento. En aquellos días nadie acudía a los campos: había constantes infiltraciones de guerrillas desde territorio hondureño. Algunas tardes, a la caída del sol, podían escucharse al otro lado el ronroneo de los camiones de tropas y las hélices de algún helicóptero que nunca, al parecer, llegaba a despegar. También algunos días se oía el estallido de un mortero y el silbido del proyectil que brotaba más allá de la sierra e iba a estallar en el interior de los campos nicaragüenses.

El grupo se había detenido y recuperaba fuerzas después de la trabajosa caminata. Rubén se encontró al lado del capitán sandinista.

—¿Tiene un cigarrillo, amigo?

Rubén le tendió el paquete. Los soldados siempre pedían cigarrillos, con la esperanza, tal vez, de encontrar en el bolsillo forastero tabaco rubio norteamericano con filtro.

—Es nicaragüense —advirtió el capitán.

Le dio fuego mientras el otro buscaba aún cerillas en sus bolsillos.

—Ésta era, hasta hace bien poco, una zona tranquila, ¿no, compa? —preguntó mientras el capitán expulsaba el primer humo del cigarrillo.

—Aquí en el norte no hay zonas tranquilas, amigo. Está bien revuelto siempre, a toda hora. Aquí, sí, no hubo mucho movimiento los últimos meses, desde los ataques del pasado año. Pero estas dos últimas semanas... Mire, amigo, no podemos movernos desde la ofensiva del otro día. Los milicianos solos no podían contenerlos.

—¿Hay muchos al otro lado?

—¿Y quién lo sabe, amigo? —respondió el otro mientras se encogía de hombros—. Pueden ser doscientos y pueden ser seis mil. Nosotros no tenemos aviones de reconocimiento como ellos. Hacen ruido, mucho ruido, a lo mejor para que creamos que son más y, entretanto, meten el grueso de la tropa por otro lado. En la zona de Jinotega andan ahorita pegando. Y aquí nos tienen quietos desde hace dos días. Ya ve.

Dio otra chupada al cigarrillo y lo arrojó casi entero al suelo, aplastándolo con la bota.

—Creo que les han preparado comida a usted y a los curas. Y luego hay misa, no lo olvide.

—¿Misa campesina?

El capitán sonrió echando hacia atrás la cabeza.

—Más bien misa vaticana, amigo.

Grupos de niños salían a recibirles. Muchos iban descalzos y algunos de ellos, los más pequeños, vestidos tan sólo con un blusón, con el sexo asomando como un dedo por debajo de los faldones de la camisa. Detrás, en la entrada del poblado, los campesinos, las mujeres y los jóvenes milicianos armados aguardaban en pie. Vestían pobremente, con trajes y pantalones de confección doméstica. La mayoría de los hombres cubrían sus cabezas con sombreros de pita de ala recogida o gorras de visera de tela de lona. Algunas mujeres llevaban el pelo enrollado en decenas de pequeños rulos y dos o tres de ellas portaban en los brazos niños de pecho. Varios perros corrían entre la gente, perros de colores desvaídos, de cuerpo magro y costillas marcadas bajo la piel.

Los niños pugnaban por besar las manos de los sacerdotes mientras daban gritos alborozados:

—¿Qué trajeron los padres, qué trajeron los padres?

Uno de ellos, que apenas levantaba setenta u ochenta centímetros del suelo, lloraba apartado de los otros, desnudo de cintura para abajo, mientras mantenía un dedo índice hundido dentro de la boca.

El padre Luis se abría camino, trabajosamente, entre los chavales, acariciando el pelo de algunos, retirando con timidez la mano que querían besarle, con una sonrisa en los labios que podía ser la sonrisa de alguien que se siente culpable de hacer lo que está haciendo. La sonrisa del padre Ramírez, sin embargo, era gentil y tranquila. Su mirada se posaba cansadamente sobre los niños y dejaba caer su mano lacia a lo largo del cuerpo, permitiendo que una y otra vez la alzaran para depositar en ella besos húmedos y largos.

Un hombre se adelantó. Retiró el sombrero de pita de su cabeza y con las manos lo recogió y lo apoyó contra su pecho. Se inclinó levemente ante los sacerdotes.

—Hemos preparado comida para ustedes. Y también para el capitán y para el periodista... Y todo está listo para la misa..., después de comer, si no tienen inconveniente.

Les condujeron hacia una de las viviendas del interior del poblado, mientras los niños corrían a su alrededor y los grupos de gente caminaban en silencio detrás de ellos. Habían colocado una rústica mesa y varias sillas en el porche de una de las casas y del interior salía una columna de humo y un fuerte olor a fritura. El campesino que parecía oficiar la ceremonia de salutación se sentó a la mesa junto a ellos, mientras los niños y parte de los habitantes de El Ranchito permanecían alrededor, algunos en cuclillas junto a las sillas, otros apoyados en las columnas de tosca madera que sujetaban el tejado del porche. Varias mujeres entraban y salían apresuradamente de la vivienda, trayendo a la mesa tortillas y cubiertos. Sirvieron gallopinto, el sabroso revuelto de arroz y fríjoles, y vasos de tiste, un refresco hecho con maíz. Rubén bebió de un solo trago el contenido de uno de los vasos y, al dejarlo de nuevo sobre la mesa, volvieron a llenárselo al instante.

El campesino, ceremoniosamente, hizo la presentación de la generosa fuente de pescados de río que una mujer trajo desde el interior de la casa.

—Son guapotes. Los pescó ayer Margarito del río San Fernando. ¿No es verdad, Margarito?

Otro campesino, de edad indefinida, rostro curtido por el sol, barba entrecana de varios días y facciones marcadas por la rotundidad de los huesos, se acercó hasta la mesa, con el sombrero de paja sujeto contra el pecho. Se inclinó un par de veces ante los invitados.

—Sí, sí, son fresquitos, recién los agarré ayer mismo. Espero que sean de su gusto y que le hagan buen provecho a sus ilustrísimas.

Saltaban las gallinas ahora entre las sillas y los grupos de gente, picoteando los restos de comida que caían de la mesa. Dos pequeños cerdos correteaban también al lado de los niños, lanzando roncos gruñidos y olisqueando el suelo. En algunas casas cercanas, se veían caballos de corta alzada atados a las columnas de los porches, ensillados y enjaezados, con los grandes faldones de cuero repujado que descendían desde el asiento hasta tapar el vientre del animal.

—Con el permiso de sus señorías —dijo el campesino—, hay unos niños que quisieran cantarles una canción, si sus señorías no tienen inconveniente.

El padre Ramírez asintió con una sonrisa cortés mientras el padre Luis cruzaba una mirada furtiva con Rubén. Salieron de entre las manos de la gente tres guitarras y unas maracas. Un grupo de hombres, tocados con gorras de lona y camisas de color rojo, se abrió paso hasta quedar delante de la mesa. Dos niños surgieron de entre las piernas de los mayores. Todo eran sonrisas en la mesa y en los grupos de gente. Las guitarras comenzaron los compases de un corrido mexicano. Los rostros de los niños se iluminaban mientras echaban a cantar: rostros de grandes ojos negros, rostros donde las huellas de mucosidades recientes se resistían a abandonar el refugio de las narices. El estribillo se repetía un par de veces detrás de cada estrofa:

*Encima de un hormiguero*
*te voy a dejar sentada,*
*pa ver qué carita pones,*
*carita de picoteada.*
*Me hiciste llorar,*
*me hiciste sufrir,*
*piquetes de hormigas*
*tendrás que sentir.*

Rubén miró hacia el cielo mientras invitados y lugareños aplaudían a los niños y una sonrisa universal parecía haberse apoderado de todos los rostros. Le embarazaba aquella situación, le producía una sensación de vergüenza ajena. Y se sentía fastidiado. De alguna manera, todo aquel escenario le recordaba lejanamente escenas que se le hacían desagradables, escenas salidas de películas de Hollywood: por ejemplo, la llegada de unos cazadores blancos a una tribu de negros harapientos, en el corazón de África, y las eternas danzas que los nativos exhibían en honor de Stewart Granger o de Robert Taylor. Aquello era un poco lo mismo: llegaban los tres grandes hombres desde el gran poblado, y la pobre gente sacaba de sus casitas lo mejor que tenía y entonaba canciones para agradar a los hombres importantes, a ellos, a los protagonistas de la historia, a los actores de Hollywood... Sólo les faltaba un inmaculado salacot sobre la cabeza y un pañuelo de colorines al cuello.

Detestó su propio papel y sintió deseos de buscar al campesino de los pescados, a aquel Margarito, para pagarle por el servicio. O para pedirle excusas por haber devorado unos peces que debió de ir a buscar muy lejos, seguramente temprano en la mañana, sus buenas tres horas a lomos de un caballo o de una mula.

Rechazó el café que le ofrecían pero aceptó un vaso de ron. Los niños cantaban otra vez y el padre Ramírez contemplaba con gesto paternal cuanto acontecía. No le había simpatizado aquel sacerdote desde el momento en que le conoció, cuando salieron de la Casa Cural de Jalapa en el jeep que conducía el padre Luis. Pero ahora deseaba insultarle, porque sentía que, en alguna medida, él era el causante de aquella ridícula ceremonia. Y se apiadó al tiempo del padre Luis, que parecía tan mínimo, hundido en su silla, los ojillos de miope saltando de un lado a otro detrás de las gafas de gruesos cristales, con un gesto de tierra trágame que podía ocultar sentimientos parecidos a los suyos.

Deseó levantarse e irse del poblado. Pero no tuvo valor para hacerlo y compuso el rostro con una sonrisa semejante a la de todos los que le rodeaban. Alzó el vaso de ron y lo bebió de un trago.

El campesino que se sentaba junto a ellos insistía en que el padre Ramírez dijera la misa.

—Bueno..., no venía preparado, hijo —se excusaba el otro.

—Padre, es domingo y no siempre los domingos vienen los sacerdotes a decir misa en El Ranchito. Todos estamos esperando.

El padre Luis abandonó por unos instantes su mutismo.

—En el jeep va todo lo necesario, padre Ramírez. Siempre llevamos ahí un Evangelio, una cruz y una estola por si hacen falta...

—Pero una misa requiere de preparativos, padre Luis.

—Tal vez en Managua; no en las montañas. Déles usted unas rebanadas de pan para la comunión. Así se hacen aquí las cosas, pues.

—Pero yo no sé los himnos de la misa campesina, si es eso lo que quieren.

—Sólo queremos una misa, padrecito —intervino el campesino.

Ramírez accedió al fin, componiendo un gesto de ceremoniosa resignación. Todos se levantaron de la mesa.

—Hemos preparado lo necesario en una casa de aquí al lado —seguía diciendo el campesino—. Está vacía y hemos llevado la misma mesa de otras veces para el altar. Es donde decía la misa el padre Servando cuando venía por acá.

Rubén se quedó atrás mientras la gente, con los curas y el campesino a la cabeza, se alejaba pueblo adentro. Se sentía aliviado ahora que se quedaba solo. Sacó la pequeña petaca de cuero del bolsillo y dio un nuevo trago de ron.

La comida y la bebida comenzaban a producirle un cierto sopor. Buscó el porche de una casa de apariencia deshabitada, se sentó en el suelo y apoyó la espalda y la cabeza contra la pared. En el cielo, las nubes parecían ir aumentando de tamaño, y eran ahora más densas, de un color hondamente gris. No tardarían mucho en llegar las grandes, las que arrojarían sobre los valles y las montañas una catarata de agua tan urgente como torrencial.

Se adormiló un poco mientras oía el monocorde rumor de las oraciones. Una plácida sensación de bienestar invadió sus miembros. Sus pensamientos cabalgaban dispersos, entre el sueño y una vaga conciencia de sí mismo. Se repetían en su mente las imágenes de las horas anteriores: los soldados de rostro asombrado agachados en las trincheras que daban frente al territorio hondureño y a las líneas de la «contra»; el sacerdote de Managua, evitando con ágiles saltos los barrizales y los charcos; la mirada huidiza del padre Luis, su silencio y su temor escondidos; el joven capitán de rostro moreno y brazos cortos y musculosos; y él mismo, allí en aquel frente, un convidado de piedra que nadie acertaba a saber lo que pintaba allí.

La sensación de una presencia le hizo abrir los ojos. Ante él, en pie, esperaba uno de los jóvenes milicianos que aquella mañana les acompañaron al frente. Era el más rubio, el de rostro algo aniñado, con su multicolor camisa cuadriculada. Al verle abrir los ojos, el muchacho hizo un amago de saludo militar, alzando la mano hasta rozar el ala de su sombrero. Rubén buscó en el bolsillo de su americana el paquete de cigarrillos. Le tendió uno.

—¿Fumas ya, chavalo?

El otro sonrió, aceptó el cigarrillo, se quitó el sombrero y fue a sentarse a su lado. Tomó la cerilla que le ofrecía Rubén y aspiró el humo, expulsándolo sin haberlo tragado. Permanecía con el viejo mosquetón sujeto entre las rodillas, el cañón dirigido hacia el tejado del porche.

—¿Cuántos años tienes, chavalo?

—Quince, señor.

—Casi eres un cipotino... ¿Y llevas mucho tiempo aquí en El Ranchito?

—Bueno, como tres meses. Debería volver ahora a Estelí..., yo soy de allá, ¿sabe usted?, y estudio mecánica... Pero el enemigo monta ahora buenas fregadas y creo que nos quedamos otros cuantos meses.

—¿Ya peleaste?

—Bueno, sí, ya anduve en algunos tiroteos. Les hemos vergueado unas cuantas veces. Pero se meten por todas partes, la frontera es muy larga..., el ejército solo no puede cubrirlo todo. Claro, nosotros no peleamos como el ejército, somos sólo milicias. Hacen falta todos los brazos.

—Dime, chavalo, ¿estabas el otro día, cuando lo del cura?

—Sí, pero no allí mismo. Estaba un poco más lejos. No vi lo que pasó. Sólo estaba cerca el padre Luis, y nadie más... Los dos bajaron a ver a unos heridos, unos soldados que iban a morir. Para darles la absolución y esas cuestiones.

—¿Llevaba fusil el padre Servando?

—No, fusil no. Sólo un revólver de esos de seis tiros.

—¿Se lo has contado al sacerdote que vino de Managua?

—No, él no me preguntó eso.

—No se lo digas entonces.

—Yo nada digo si no preguntan..., yo, además, apreciaba al padre Servando.

—¿Ibas a sus misas?

—A sus misas, sí. A las otras, no. Yo no soy creyente. La mayoría de los compas sí lo son, pero yo no. Pero en sus misas se hablaba de muchas cosas.

—Una misa es siempre una ceremonia religiosa,

—Él decía que los que no creíamos en Dios podíamos ir también al cielo si éramos verdaderos revolucionarios. Yo soy revolucionario.

—Vaya, chavalo..., dices que no eres creyente y esperas ir al cielo por revolucionario. Eso suena raro...

—Bueno, lo decía el padre Servando. Era un hombre inteligente que sabía muchas cosas..., había estado antes en Brasil, según me dijeron. Y yo no soy creyente, pero no se sabe lo que puede pasar después de que le maten a uno.

—Es una buena teoría, supongo.

—Yo no sé si será así. Pero no es malo pensar que pueda pasar eso si a uno le mata el enemigo. Y ya me han tenido una vez casi muerto.

—¿Te hirieron?

—No me dieron. Fue hace dos meses. Yo estaba con otros milicianos guardando la primera línea y atacaron de pronto, al amanecer. Eran hormiguero: cuatrocientos, quinientos, no sé... Las balas nos caían por todas partes y, aunque matamos bastantes, se echaban encima de nosotros. Atacaban recio. Entonces un compa que estaba a mi lado me dijo: «Venga, vámonos.» Yo salí del pozo y eché a correr, con las balas silbando por todos lados. Nos echamos al monte, a escondernos en el bosque. Conquistaron nuestras trincheras y nosotros tuvimos que irnos detrás de sus líneas, porque seguían llegándose hacia aquí. Desde las colinas se les veía por todas partes. Una patrulla nos avistó y tuvimos que seguir metiéndonos en su territorio. Mi compañero se perdió y ya no volví a verlo nunca más. Pasé toda la noche solo, muerto de frío y de miedo. Luego, al amanecer, llovió mucho, y me perdí. Estaba desorientado, no sabía dónde quedaba Nicaragua y dónde Honduras. Cuando bajaba a los valles, me encontraba patrullas enemigas, y tenía otra vez que echar a correr al monte. Una vez me vieron y me dispararon. La segunda noche, había extraviado ya las botas. Sentía mucho frío, llovía otra vez y yo me eché a llorar y me decía: «Mamita linda, me van a matar.» Pero a la mañana siguiente, después de correrme varios rodeos por los cerros, bajé al llano y encontré a los compas. Me dio una alegría enorme. Cuando me quedé solo, ya con ropa seca y con comida, pensé que me habría gustado que hubiera cielo y Dios, si el enemigo me hubiera agarrado. Y bueno, yo soy revolucionario un poco por eso también.

—Eres un bravo soldado, chavalo.

—No crea, yo no soy aventado, no soy muy valiente. Soy normal. Pero no quiero que ellos entren acá.

Se escuchaban cantos desde la casa que habían habilitado como capilla. Podía ser el *Gloria a Cristo Jesús*, o algún himno parecido. Rubén se levantó y estiró sus miembros fatigados.

—¿Y llegaron a entrar en El Ranchito?

—No, acá arriba estaban unos cuantos soldados y algunos milicianos. El enemigo quiso subir por el camino y el barranco, y desde aquí arriba era como tirar al blanco. Mataron a los seis campesinos en el camino... y bueno, de mi grupo, de los que estábamos en primera línea, nos salvamos diecisiete de los cuarenta que defendíamos las trincheras. Fue duro. Pero no tomaron El Ranchito, les quebramos bien.

—Me alegro por ti, chavalo. Mejor estás en la tierra que en los cielos.

Rubén echó a andar hacia la casa donde la misa parecía ir entrando en sus últimas ceremonias. Algunos campesinos ya habían salido al porche, y Rubén distinguió también las figuras del capitán y del padre Luis. Arriba, el cielo iba cubriéndose de amenazadoras nubes de profundo color plomizo. Se escuchaba el eco de algún trueno lejano, al otro lado de las montañas que coronaban el territorio de Honduras. El aire se había levantado con cierta fuerza y empujaba un frescor húmedo hasta su rostro.

Llegó a donde se encontraban los otros, al tiempo que el padre Ramírez, con el Evangelio en la mano y la estola rodeando su cuello, salía de la casa. Niños, hombres y mujeres se apretaban junto a él para besarle la mano y despedirle.

—Debemos irnos —dijo Rubén—. Se acerca la lluvia y será una tormenta de las grandes.

Caían ya las primeras gotas cuando llegaron al vehículo. El padre Ramírez ocupó el asiento delantero, mientras Rubén se acomodaba en uno de los bancos laterales de la parte trasera del jeep. Los goterones de la lluvia golpearon ruidosamente el techo metálico del todoterreno.

Con la lentitud de un gran animal, el vehículo tomó la senda que se alejaba del pequeño asentamiento campesino. Era un camino de tierra y piedras, sembrado de numerosos baches, que a lo largo de una decena de kilómetros, conducía a la vía principal, la que unía Ocotal y Jalapa, una carretera también de tierra donde aún quedaban restos de un antiguo asfalto y donde los riachuelos cruzaban en ocasiones sobre el camino, rotos los frágiles puentes por las crecidas que provocaban las tormentas. Hasta llegar al cruce, el vehículo marchaba entre los cerros, brincaba ruidosamente entre los bosques, corría junto a las quebradas y los barrancos. En ocasiones, era casi un abra, un estrecho sendero al que la naturaleza profusa iba robando espacio centímetro a centímetro.

Iniciaban una subida cuando el cielo pareció estallar de pronto. La luz de un relámpago atravesó las nubes oscuras. Y mientras el trueno anunciaba las heridas del cielo, el agua se volcó en cataratas desde lo alto, como si una mano poderosa e invisible hubiera soltado las compuertas de una presa gigantesca. La lluvia caía sobre la tierra semejante a una plateada sábana de agua, a modo de un oleaje ininterrumpido que ocultaba la visión de todo cuanto había seis o siete metros delante. Las varillas del parabrisas luchaban inútilmente por retirar aquel torrente que la naturaleza enviaba sobre el vehículo, que ahora parecía, desde su interior, una frágil habitación móvil e inerme ante la cólera incontenible de la tormenta. El padre Luis redujo la marcha mientras inclinaba el cuerpo hacia delante e intentaba distinguir los bordes del camino entre los grises cortinajes de la lluvia. Los relámpagos se sucedían cada pocos segundos, y los truenos rugían de inmediato, dando fe de que el temporal estaba exactamente encima de ellos.

Coronaron la loma; el camino, ahora, parecía estrecharse en el descenso. El agua corría entre los bordes de aquel sucedáneo de carretera y le confería el aspecto de un riachuelo enfurecido y sucio. El padre Luis detuvo el coche.

—No podemos seguir si no queremos correr el riesgo de salirnos y caer en la quebrada. Mejor nos echamos a un lado, aquí en la loma, y esperamos a que despeje. Yo desde luego no puedo conducir: no veo nada.

En silencio, los tres hombres escuchaban el golpear del diluvio contra el techo de metal. La intensidad de la caída del agua apenas dejaba distinguir otro ruido que aquel estruendo permanente. Con las varillas del parabrisas detenidas, el velo húmedo de la lluvia oscurecía el interior del vehículo, lo convertía en un lúgubre aposento donde respiraban y se movían inquietos tres seres que podían parecer los últimos supervivientes de un mundo convocado a la catástrofe. Rubén se entretenía pensando en una imagen así: tres náufragos encerrados dentro del cascarón de un huevo gigantesco, de un huevo prehistórico, al que las olas de un mar embravecido arrojaban caprichosamente de un lado a otro, con el riesgo de estrellarlo contra el murallón de piedras de cualquier costa.

Cuando los relámpagos o los rayos estallaban en el interior de la tormenta, no alcanzaban tampoco a ver el paisaje que les rodeaba, tal era la densidad del agua que caía ante ellos. Sucedía tan sólo que la lluvia tomaba un fulgurante color dorado, como si la metálica apariencia del aguacero se pusiera súbitamente al rojo vivo, al arrimo de un ascua gigantesca. Los truenos, la furia del temporal, ahogaban cualquier otro sonido posible, y apenas si podían comunicarse entre ellos cuando uno de los tres intentaba hablar.

—¿Estamos en lugar seguro? —preguntó el padre Ramírez.

—¿Cómo? —respondían a gritos sus interlocutores.

—¡Pregunto que si estamos seguros aquí!

Y Rubén se encogía de hombros mientras el padre Luis mostraba las palmas de sus manos en un gesto de impotencia; el padre Ramírez ponía sus ojos en uno y en otro, alternativamente, como si anhelase encontrar un simple gesto de seguridad y confianza en cualquiera de los dos rostros.

Rubén no había mirado su reloj, pero calculó que

habría transcurrido una media hora desde que la tormenta entró en su apogeo hasta que la tromba de agua comenzó a remitir. Las formas oscuras de los árboles y los cerros empezaron a dibujar sus sombras al otro lado del parabrisas; las gotas de la lluvia diluían su escandalera sobre el techo del vehículo. No obstante, aún permanecieron detenidos sobre la loma otros diez o quince minutos, mientras el fragor de los truenos iba alejándose hacia el sureste y los rayos y los relámpagos se hundían en el horizonte, iluminando las crestas de las lejanas cumbres de los cerros.

Arrancaron al fin. Rubén percibió en su interior un leve estremecimiento al contemplar la pendiente que ahora enfilaba el vehículo: descendían sobre un barrizal en el que el agua oscura caía en violentos riachuelos por las hendiduras del estrecho camino. El peso del agua inclinaba sobre la carretera las copas de los madroños y los mangos silvestres, y el cielo, tachonado de nubes y aún oscuro, ponía un tétrico fondo sobre aquel paisaje asolado y catastrófico. Toda la senda aparecía cubierta de ramajes partidos por la lluvia, de hojas caídas que alborotaba el paso del agua sucia.

Ascendían y descendían en pronunciadas pendientes y el padre Luis debía poner con frecuencia la tracción especial del vehículo para evitar que patinase sobre las densas sabanas de barro. Aún caían algunas gotas de lluvia y el cielo seguía sin despejarse. En tres ocasiones, antes de llegar a la carretera general, hubieron de descender del coche para retirar una gruesa rama o el tronco de un árbol joven derribado por la tormenta. El elegante terno del padre Ramírez aparecía manchado de lodo hasta más arriba de las rodillas.

Pasaban las cinco y media de la tarde cuando llegaron al cruce. El cielo se iba limpiando de nubes, pero el sol se había ocultado detrás de las montañas y el día comenzaba su declive. Tenían por delante casi una hora de camino antes de llegar a Jalapa. Todavía hubieron de aguardar varios minutos en el cruce de caminos, pues una gran manada de ganado vacuno ocupaba de un lado a otro la carretera general. Los chepudos lomos de los bramanes blancos se alzaban sobre la marea de animales, mientras los largos cuernos brotaban de aquel tropel como las puntas de las lanzas de un regimiento medieval de lanceros. Media docena de jinetes conducían la vacada. Hacían restallar sus fustas en el aire, con un ágil y elegante movimiento; arrojaban guijarros a los toros que trataban de abandonar la senda y sus silbidos semejaban los agudos de una orquesta sobre el fondo de graves que componían los mugidos de las reses. Entre las vacas que encabezaban la manada, un perrillo trotaba ligero y revoltoso, lanzando agudos ladridos que bien podrían haberse atribuido a los quejidos de un animal moribundo.

Con la carretera ya libre, el viejo todoterreno tomó mayor velocidad. Apenas se cruzaban con otros vehículos, y sí con nuevos grupos de reses que los vaqueros regresaban a sus corrales. La fatigada luz del día se cerraba en el cielo oriental y la línea de las montañas comenzaba a confundirse con las primeras sombras de la noche.

—Parece que pasó lo peor… —comentó relajado el padre Ramírez.

Rubén sintió deseos de zaherirle:

—No crea, padre. Pasó lo mejor. Vamos a llegar de noche, y ahora es cuando la guerrilla sale a dar golpes de mano en los ranchitos y las carreteras.

El otro giró el rostro hacia él.

—Pero no atacarán a cualquiera, supongo…

—No sé lo que sucede en otros lugares del país. Acá en las montañas, primero se dispara y luego se pregunta.

—Yo imagino que en un vehículo donde van sacerdotes…

—¿Y quién se ocupa de noche en mirar a los ocupantes de un vehículo? Se ven los faros en la carretera y eso ya es un objetivo militar... Mire, padre Ramírez, no sé lo que le habrán contado de lo que sucede por aquí. ¿Quién cree usted que es la guerrilla «contra»? Son mercenarios, muchos de ellos antiguos guardias de la dictadura..., no son gente de cultura, sólo han aprendido a matar. Ellos no saben quién es quién. Tienen una orden precisa: atacar y atacar, aterrorizar esta franja del país, quemar las cosechas y los graneros. ¿Usted cree que van a preguntarle a nadie quién es? Y en ocasiones, más vale que no lo sepan. Los sacerdotes católicos no tienen muy buena fama entre las guerrillas. A usted no va a preguntarle nadie si es papista o si apoya al sandinismo. Y si le preguntan quién es, ¿cree que un guerrillero de ésos, incultos como campesinos y salvajes como tigres de la montaña, va a entender los líos que se traen ustedes entre Roma y la Iglesia de por acá? ¿Piensa que un mercenario salvaje sabe distinguir a Juan Pablo II de un cura sandinista? Rece para que no anden por aquí esta noche. Pero si escucha un disparo, agáchese, que el padre Luis va a pisar el acelerador hasta donde le alcance el pie.

—¿Tiene un cigarrillo, por favor? —respondió el sacerdote.

—Con gusto, broder.

Cayó la noche sobre ellos y el cielo, con la luna cubierta por las nubes rezagadas de la tormenta, se cerró sobre el camino. Sólo alcanzaban a ver los troncos de los árboles y los arbustos de baja altura cuando los faros del vehículo los alumbraban. Hubieron de atravesar dos riachuelos que saltaban la carretera, con el agua de la crecida llegando casi hasta cubrir las ruedas del coche. Nadie cruzaba aquellos parajes a esa hora, y ni siquiera alcanzaban a distinguir las luces de los ranchitos ocultos entre la maleza ni las grandes estructuras de los secaderos de tabaco que se alzaban en la entrada del valle. Ni los extensos campos de maíz, de caña o de café. La oscuridad de la noche ofrecía la impresión, tan sólo, de que estuvieran rodeados por un paisaje fantasmal, por una selva densa y amenazadora.

Al fin, tras una curva del camino, toparon de bruces con las primeras casas del pueblo. Algunas bombillas de escasa potencia alumbraban desde los altos postes de madera y desde las puertas de algunas viviendas. Pero Jalapa, en la noche, semejaba ser un pueblo sin vida, carente de luz, las calles sin asfaltar y convertidas en turbios barrizales por causa de la tormenta; el frío de las noches de noviembre empujando a sus habitantes al interior de sus viviendas o a las dos cantinas con que contaba el pueblo.

Pasaron junto al extenso campo del cementerio y distinguieron la blancura de las cruces de tres o cuatro tumbas, iluminadas débilmente por una bombilla. Siguieron hasta el matadero municipal y doblaron a la izquierda. Medio centenar de metros más adelante, los faros del vehículo alumbraron la iglesia y, tras ella, la Casa Cural. El ronroneo del motor se mantuvo unos segundos, lanzando intermitentes explosiones, después que el padre Luis hubiera retirado las llaves del encendido.

—Habrá que dar un repaso al motor de arranque un día de éstos —comentó mientras abría la puerta. Rubén reparó en que era la primera vez que el padre Luis hablaba desde hacía largo tiempo.

Descendieron y el padre Ramírez echó a andar ligero hacia la Casa Cural. Se detuvo en la puerta.

—¿No entran?

—Yo voy a cenar algo a «Sandra». ¿No vienen ustedes? —preguntó Rubén.

—Debo cambiarme..., y el día ha sido fatigoso —respondió Ramírez.

El padre Luis se encogió de hombros:

—Iré contigo —contestó.

—Yo creo que les veré mañana —concluyó Ramírez—. Al menos a usted, padre Luis. Todavía no hemos podido hablar...

—Sí, hablaremos mañana, pues —respondió el padre Luis con gesto vago.

—Está bien. Buenas noches a los dos.

Rubén miró de reojo al hombre que caminaba a su lado con el cuerpo levemente encorvado hacia delante y la barbilla casi reclinada sobre el pecho. Sentía afecto hacia aquel cura tímido. Rubén nunca había simpatizado con los sacerdotes, pero durante los dos últimos meses, en sus largas estancias en Jalapa, había compartido con el padre Luis muchas noches de charla..., de charla y de tragos de ron que aquel cura tomaba casi con la misma rapidez que Rubén, aunque parecía no emborracharse nunca.

La calle era un completo lodazal y, a causa de la escasa luz del pueblo y del cielo aún encapotado y sin luna, los dos hombres caminaban casi a tientas, de puntillas, intentando eludir los lugares más embarrados:

Llegaron por fin a «Sandra» y buscaron una mesa en el fondo. La máquina de discos lanzaba el estribillo de una melodía de moda:

*Hasta aquí he podido aguantar,*
*pero ya no habrá adiós*
*sin mil abrazos;*
*que esta noche te voy a estrenar*
*y a beberme tu amor*
*de un solo trago.*

Sandra les dejó en la mesa dos vasos de plástico azul, media botella de ron blanco, un recipiente con hielo y un platillo de limones pequeños y verdosos cortados por la mitad. Trajo también unas «bocas» de cortezas de cerdo.

—¿No está Bluefields? —preguntó Rubén.

—Luego vendrá. Anda con un teniente —respondió la dueña del local.

Sirvió Rubén las bebidas y los dos devoraron con prontitud las pequeñas raciones de comida. La melodía insistía en su morbosa temática:

*No me dejas que te toque*
*ni la sombra de tu pelo,*
*no me dejas que te roce*
*tu mejilla con un beso.*

Rubén encendió un cigarrillo. Tendió luego lumbre al sacerdote.

—No has hablado mucho hoy. No te simpatiza el cura de Managua, ¿eh?

El padre Luis le miró a través de las gruesas gafas mientras mantenía el vaso apoyado contra los labios. Encogió los hombros por única respuesta.

—Pero tampoco Servando era un santo de tu devoción. Estás entre dos fuegos, ¿eh, broder? Mala cosa estar entre dos fuegos; eso no funciona en un país como éste... O en ninguno.

Luis apoyó el vaso sobre la mesa, tomó un pedazo de limón y exprimió un poco de jugo en el ron.

—¿Cuándo vas a Ocotal? —preguntó el sacerdote.

—Quizás en unos días. Quizá mañana. Espero encontrar algún vehículo. Desde aquí no puedo enviar la crónica... y tengo asuntos allá.

—¿Vas a contar que iba armado?

—¡Ah...! ¿Iba armado el cura?

—Lo sabes tan bien como yo, pues.

—Sí, claro..., mi obligación es contar lo que pasó.

—Al Obispado de Managua le gustará verlo publicado. Es lo que vino a buscar ese sacerdote. Si él no lo averiguó, lo encontrarán en tu periódico. Es cuanto necesitan: el sacerdote iba armado, la guerrilla queda exculpada. Mejor todavía si viene en un periódico que simpatiza con los sandinistas... Los otros dan el pretexto, la justificación de lo que sucedió. No hace falta que ellos inventen nada.

—¿Y por qué no hablas tú? Yo puedo hacerte una entrevista.

—No quiero ser parte de esa guerra.

—Mala cosa, broder, mala cosa.

—¿Qué cosa, pues?

—Lo tuyo..., estar entre dos fuegos.

Bebieron al mismo tiempo. Rubén tomó la botella y volvió a llenar los vasos.

—¿Y tú? —siguió hablando el periodista—. ¿Qué vas a contarle mañana a tu colega de Managua?

—Nada, yo no vi nada.

—¿Seguro?

—Tú sabes bien todo..., ¿lo contarás en tu periódico?

Rubén dio un sorbo de ron sin retirar la mirada del rostro de Luis. Seguía llegando la melodía desde la vieja máquina de música:

*Ya está bien de niñerías,*
*ya está bien de tanto miedo,*
*ya no soy ningún muchacho,*
*sabes bien que te deseo.*

Dejó caer el vaso sobre la mesa. Luis eludía ahora su mirada.

—Ya te he dicho otras veces —le respondió— que yo sólo sé lo que veo, lo que cuentan los otros algunas veces y lo que dicen mis notas... Mis intuiciones, mi imaginación, todo eso queda en la recámara.

—¿Y qué imaginas?

—No quiero imaginar sobre los amigos ni me gusta que me cuenten nada inconfesable. Lo que más detesto en la vida es ser cómplice de cualquier cosa. Sólo sé lo que me han contado los testigos. Y tú, broder, ni viste nada ni sabes nada. ¿Es así?

—Sí, pero hay cosas que pueden atormentar a un hombre y que ese hombre puede necesitar contar.

Rubén insistió:

—Nunca a un amigo periodista o a un amigo que no tenga vocación de cómplice. Echa un trago largo, ándale.

Alzaron las copas. Luis bebió con el cuerpo tendido hacia delante, apenas mojándose los labios, los ojos retirados del rostro de Rubén.

—Hola. —La voz de la muchacha sonó a sus espaldas.

Rubén volvió la vista y contempló el rostro ancho de la mulata, las formas redondas que sobresalían de su cuerpo pequeño. Echó una silla a un lado y se la ofreció con un gesto:

—¿Qué tal fue con el teniente?

—Oh, muy lindo. Es casi un paisano, de Puerto Cabezas, de la costa. ¿Cómo le va, padre?

Luis la saludó con gesto sonriente.

—¿Qué tal, Bluefields?

—¿Puedo tomar un mechazo?

—Sí, claro —respondió Rubén—. Pide un vaso a Sandra, o bebe del mío si no le haces asco.

—¿Cómo voy a hacerle, mi amor? Con la de veces que he bebido de tus labios…

Hizo un ademán de brindis.

—¿Y cómo les fue el día? —preguntó la muchacha.

El padre Luis encogió los hombros y Rubén alzó la mano derecha y movió levemente los labios. La melodía seguía haciéndose oír desde la máquina de discos.

—Poco habladores les veo hoy… Ay, padre Luis, ¿no le gusta esa canción?

—Pues no la conozco, Bluefields.

—Mala oreja tiene usted. La ponen aquí todos los días diez o doce veces.

—Qué quieres, pues… No me suena.

—Bien bonita que es… y estupenda para que le enseñe a bailar.

El sacerdote sonrió con tristeza, mientras jugaba con el vaso de plástico entre las manos.

—No me sigas insistiendo... Un día vas a conseguir que peque contigo, Bluefields.

—Ay, padre..., si eso no es pecado. Mire que se lo tengo dicho: que lo que es bueno en la vida no puede ser malo para Dios. Dios quiere lo que es bueno, ¿no? Amarse y hacerse el amor es rico, ¿no? Pues Dios no puede estar en contra.

—Bluefields... —respondió el sacerdote al tiempo que intentaba apartar de la mesa, con golpes de la mano, una brasa caída de su cigarrillo.

—Ay, padre. Si muchos como usted tienen amiga. No me diga que no lo sabe...

—Déjalo pues, niña.

—Anda, Rubén, dile tú que eso no es malo. Díselo, mi amor.

Rubén sonrió.

—Ella no deja de tener razón, broder.

—¿Por qué no lo discutimos otro día, Bluefields?

—Ta bien padre, ta bien... ¿Y tú, no me sacas a bailar, Rubén?

El periodista negó con la cabeza. Bluefields se levantó.

—Bueno, buscaré quien me quiera. Luego vuelvo.

Quedaron solos de nuevo. Vieron a la mulata dirigirse a una mesa del fondo. Un soldado se levantó a su encuentro: bailaron enlazados en un firme abrazo, en el centro de la pista cuadrangular de suelo duro de tierra.

—¿Tienes ya hambre, broder?

—No, creo que no cenaré. ¿Cuándo regresas a Ocotal?

—Mañana tal vez, o en tres o cuatro días, ya te dije. ¿Y tú qué harás? Te veo un poco ajeno... con la cabeza en otro lado,

—¿Qué voy a hacer? Seguir aquí, pues.

—Mañana se vuelve tu colega a Managua, ¿no?

—Eso creo.

—Tienes que hablar con él temprano...

—No tengo nada que decirle.

—Espero que no le comuniques tus tormentos interiores.

—No bromees. Si supieras...

—Ya te dije que no quiero saber. Bebe otro poco.

Alzó la botella y la dirigió hacia el vaso del sacerdote. Pero el padre Luis lo tapó con la palma abierta de la mano.

—No, no quiero más. Me voy.

—¿Te vas?

—Tengo que pensar.

—¿El peso de la conciencia moral? Creí que tú estabas algo lejos de esas cosas.

—No creo que nadie lo esté.

—Bueno, si tienes mucho empeño en hablar...

Luis se levantó y le tendió la mano.

—No, ya no. No deben forzarse las cosas.

—Okey, broder. Va pues, hasta luego. —Estrechó su mano sin levantarse del asiento.

Vio alejarse al sacerdote, y a Bluefields agitar la mano desde la pista de baile en un saludo al que el padre Luis no respondió. Cruzó el cura la puerta y su ancha figura se perdió de vista. Rubén exprimió dos pedazos de limón en el interior de su vaso, echó algunos trozos de hielo y removió el contenido con el dedo índice. Luego, llevó el dedo mojado a sus labios y lo chupó lentamente.

Bluefields volvía.

—¿Qué tal el baile? —preguntó al tiempo que ella se sentaba.

—Muy rico.

—¿No te vas con el soldado?

—No, mi amor, te prefiero a ti. ¿Quieres esta noche?

—¿Por qué no?

—Qué lindo, Rubén... Oye, ¿y al cura qué le pasaba?

—Nada especial, Bluefields. Problemas de conciencia moral que tú jamás has tenido y que quizá nunca entenderás.

—Lo que no se entiende no merece, mi amor.

## 2

Salió Luis de «Sandra» y contempló la luna que se abría paso entre los últimos jirones de nubes oscuras. Notó que sus zapatos se hundían en aquel barrizal que cubría de un lado a otro la calle y percibió el frescor de la noche que se metía entre los hilos de la guayabera de algodón y acariciaba su piel. Sintió entonces que bien podría estar viviendo en Jalapa desde muchos años atrás, o incluso que toda su vida hubiera transcurrido en las callejuelas de aquel pueblo del norte de Nicaragua. Y sin embargo, apenas habían transcurrido tres meses desde que llegó al lugar.

Todo final, toda destrucción y toda gloria no aspiran a recordar los momentos fulgurantes del pasado, sino que comportan en sí mismos un sentimiento de permanencia, una sensación de eternidad. Y el padre Luis Ribera, solo ahora en la calle de aquel poblado perdido de Centroamérica, sobre el lodo y bajo la luna creciente, obedecía ese destino inapelable de los que se saben perdidos y se sienten al mismo tiempo nobles. Y era capaz, en ese momento, de reproducir mentalmente su biografía, volver la vista a los años transcurridos y a su peripecia individual. Pero su prisma de contemplación del pasado llevaba grabado el signo de la catástrofe. Podía pensar que su nacimiento fue un hecho importante para un puñado de gente; que sus primeros pasos y balbuceos, allá en la casa paterna, habían sido saludados con sonrisas y tal vez con aplausos. Podía imaginar sus iniciales tentativas por salvar los primeros obstáculos que propone la vida: sus primeras hazañas, sus primeras caídas y desánimos. Podía recordar aquel orgullo con el que vencía los desfallecimientos y su vigor al levantarse de nuevo, casi renacido; su lucha de otras horas por abrirse paso en un mundo hostil y comprender un poco más ese mundo. Podía adivinar, incluso, dónde radicaban las señales iniciales de su derrota. Pero a la postre, su corazón y su pensamiento no habían podido escapar de las redes de una trampa ineludible que parecía estar esperándole, allí en Jalapa, desde siempre, desde aquel nacimiento en su remota Navarra.

No deseaba recordar. Pero el torrente de sensaciones y de hechos recientes, se sucedían en su espíritu con asombrosa velocidad. Anhelaba correr hacia la Casa Cural, buscar su cama, hundirse en el calor de las sábanas y las mantas y dormir su pensamiento, liberarlo para que el sopor lo poseyera. Pero su anhelo se disipaba cuando advertía la amenaza de las pesadillas, la posibilidad de que sus obsesiones tomasen por asalto el territorio libre de su sueño. Deseaba evadirse, escapar de una honda realidad que advertía catastrófica; pero temía el peso de su propia culpa gritando desde el fondo de su corazón, echándole a la cara la crudeza de todo cuanto quería olvidar ahora.

Muy distinto de aquel mediodía en que vino a Jalapa... No llegaba, desde luego, como los curitas jóvenes, recién salidos del seminario, que buscan la senda de la evangelización desde el instante en que ponen el pie en su punto de destino. Luis ya conocía algo el corazón de los hombres y un poco también su propio corazón. Pero al menos aguardaba ese reencuentro saludable con el mundo de la misión. El padre Luis Ribera no se consideraba un redentor de almas, y la tarea del misionero se reducía, a sus ojos, a la posibilidad de poder prestar alguna ayuda práctica a las gentes necesitadas. Lo suyo no era abrir los caminos del Cielo y de la Eternidad a las almas ignorantes o a las pecadoras. Aspiraba a intentar hacer la vida algo más agradable a quienes le rodeaban; más confortable, más sana y, quizás, un poco más lúcida. Sus años en África le habían enseñado mucho. Y al mismo tiempo, deseaba reencontrar aquel espíritu libre que todo misionero siente cuando es algo así como el reyezuelo de un lugar apartado del mundo, de un lugar remoto e ignorado, pero que puede tener para una persona el valor de un imperio. Luis no abrigaba ningún remordimiento al pensar en estas cosas. Hacía tiempo que había determinado, para sí mismo, que el pecado es, en la mayor parte de las ocasiones, un hecho casual, y por lo mismo no condenable. Que en todo caso, el pecado absoluto era una circunstancia extraña. Y aceptaba pensar que él, también él, tenía derecho a ciertos placeres de la vida, y entre ellos el placer de sentirse a su gusto en un lugar perdido del planeta donde podría ser considerado alguien relevante e, incluso, por qué no, casi un rey.

También llegaba preparado para lo más duro, lo más insólito. Cuatro años en Madrid, después de haber pasado los seis anteriores en el Gabón, no habían dormido la fortaleza con que él sabía enfrentarse al dolor. Estaba dispuesto para afrontar lo terrible, para dar la cara a todo aquel espanto que le habían dicho se vivía en Nicaragua. Él había visto antes atrocidades, hechos aterradores, situaciones que pocos corazones humanos podrían soportar: muertes gratuitas, matanzas políticas, epidemias letales. Y en su propia carne el paludismo se había instalado hacía mucho tiempo. A veces, incluso, se sonreía recordando cómo, en sus primeros días de misionero en el Gabón, se había estremecido en un mercado indígena con la contemplación de los animales muertos que se exponían para la venta. Había ciervos y cerdos enteros, aún sin desollar y despiezar. Y había unos monos grandes, como del tamaño de un niño crecido, que tenían las facciones y la expresión más parecidos al hombre que él nunca había visto en su vida. Los cuerpos de aquellos antropoides, diez o doce, tendidos sobre los puestos del mercado, como los peces en las pescaderías, parecían los cadáveres de verdaderos seres humanos: ojos aterrados, un último gesto de dolor en los labios, los hilillos de la sangre que brotaba de las fosas nasales, las manos abiertas que mostraban dedos perfectos y ya inútiles... Le atemorizó aquel escenario, le provocó un estremecimiento interior que, años más tarde, le hacía sonreír, acostumbrado ya a la muerte, habituado a la imagen de mujeres que lloraban junto a los cadáveres de sus hijos destruidos por el cólera, de aquel bebé en una aldea del interior que se aferraba todavía al pecho de su madre recién fallecida por la hambruna, intentando rescatar de su pezón los últimos restos del alimento. Las fosas comunes que se abrían para alojar los cuerpos de los hombres acuchillados por el ejército, después de aquellas batidas en que se buscaban, rebeldes contrarios al régimen de Libreville, a los que se cazaba en la selva como animales salvajes.

Él estaba habituado al horror y, al mismo tiempo, era capaz de reconocer, sin espíritu de culpa o de pecado, sus propios pequeños egoísmos y pasiones. Era el suyo un espíritu endurecido y capaz al tiempo de ser feliz.

Le había gustado Nicaragua. Le gustó Managua los primeros días. Y le gustó Jalapa. Todo parecía convocar a unos años prósperos, fructíferos, donde lo terrible tendría su sitio inevitable, pero también su propio antídoto. Era agosto algo avanzado, y aquel calor húmedo y pegajoso que sintió en el aeropuerto al descender las escalerillas del avión, y aquel olor a yerba y a simiente, le trajeron de pronto el recuerdo de su amada África, llenaron su corazón de esperanzadores presagios.

Permaneció algo más de un mes en la ciudad desintegrada. Sí, ése era el nombre con que él mismo había definido Managua cuando comenzó a conocerla: la ciudad desintegrada. Aún ahora, dos meses después de haber abandonado la capital y marchado a Jalapa, trescientos kilómetros al norte de Managua, si alguien le afirmara rotundamente que aquella ciudad no existía, que había sido un sueño, que se trataba tan sólo de un fantasma de su propia imaginación, Luis podría llegar a pensar que era cierto.

Pero había terminado amándola a pesar de todo. Quizá de la misma manera que se adora lo irreal. La ciudad crecía sin centro urbano, sin nombres en las calles, sin apenas luces de tráfico... Doce años antes, un terremoto había reducido a polvo, cascotes y ceniza lo que en otro tiempo fuera una bonita y amable capital. «El cielo se puso oscuro desde horas antes —contaban los testigos— y luego, las nubes parecieron despedazarse y transformarse en miles de pelotas de algodón negro, como si las estrellas del cielo se hubieran apagado y convertido luego en sucias manchas de carbonilla. El primer movimiento echó abajo la mitad de la ciudad. Duró medio minuto, pero parecía la Eternidad. Los edificios se desmoronaban, como si fueran construcciones de barro, y levantaban una gran polvareda. Había un sonido hondo y continuado, parecía que el pecho de la Tierra roncara, que el suelo fuera el pulmón de un gigante tuberculoso. Las calles se movían hacia arriba y hacia abajo; parecían el oleaje del mar. De pronto, la ola rompía, la tierra se rasgaba y se abrían boquetes del ancho de un carro. Cuando cesó el furor, toda Managua era un alarido, un solo grito de los millares de heridos y de las gentes aterrorizadas. Media hora después, el terremoto volvió. Otros treinta segundos eternos. Lo que antes había quedado en pie, vacilante, se derrumbó hecho pedazos. Pasó el horror y se inició el fuego. Desde lejos, Managua semejaba una gigantesca antorcha, con el cielo cubierto todavía por miles de pavesas que, en la proximidad de la luz, parecían brasas de una fogata. Tras el incendio, vinieron las epidemias, el saqueo, la lucha por sobrevivir de quienes habían escapado de la muerte durante el terremoto. Los perros se comían los cadáveres abandonados, grandes fosas comunes acogían los centenares de muertos desconocidos, un hedor insufrible impregnaba el aire y manadas de ratas hambrientas corrían entre las ruinas de la urbe destruida. La mayor parte de la ayuda internacional, cientos de miles de dólares, se la comió el dictador Somoza. Y al mismo tiempo, la ciudad convertida en un verdadero solar plagado de cascotes, le sirvió para especular con la propiedad de la tierra y doblar su fortuna.» Managua era más que un óleo del Bosco, que un aguafuerte de Goya, una pintura negra, el retrato de una realidad terrible, el corazón del espanto.

Luis llegó a amarla, llegó a sentir una hipnótica fascinación por aquella ciudad que, tras el terremoto, surgió a la vida sin nombres en las calles, sin apenas plazas, sin catedral, sin cafés de antaño..., una ciudad que se levantó con miedo, alzando pequeñas construcciones de una sola planta, generalmente con paredes de adobe u hormigón y techo liviano de latón, una ciudad que no ordenó su trazado nunca más y creció dejando espacios muertos entre las casas, espacios en los que la naturaleza saltaba exuberante, en los que crecían los madroños y los plátanos, los malinches, los jícaros y los nopales... Una ciudad misteriosa y fantasmal, donde los habitantes perseguían frenéticamente los transportes públicos y se perdían en los innumerables barrios de la urbe: Ciudad Jardín, El Carmen, El Recreo, Bello Horizonte, Venezuela, Javier Cuadra, Santa Ana. Paisanos cargados de innumerables bultos que paseaban de un lado a otro, sin destino concreto, como las hormigas que han perdido su senda camino del hormiguero con su enorme miga de pan prendida entre las pinzas; soldados que cruzaban en tropa una ancha avenida; milicianos solitarios o en grupos de dos o tres, pistola al cinto o fusil ametrallador al hombro; la policía sandinista apretada en patrullas de cinco o seis agentes en el espacio de los pequeños jeeps; los centenares de taxis, de vieja carrocería y asientos destrozados, cargando con todos los pasajeros que su estructura podía soportar y realizando una ruta colectiva, como si de pequeños autobuses de línea se tratara, en direcciones incomprensibles, indescifrables, «taxeando» en aquella intrincada selva urbana que sólo unos pocos parecían tener el don de conocer. Y los carros tirados por bueyes o borricos, y algunos coches de caballos que cumplían también el oficio de taxi. Y los escasos autobuses que transportaban hombres y mujeres agarrados incluso a la baca, a los guardabarros traseros, o colgados de las ventanillas.

La guerra del norte contribuía al desarrollo de aquel proceso ininterrumpido de desintegración. La escasez de carburante y de alimentos de primera necesidad provocaba grandes aglomeraciones de gente en las estaciones de gasolina y en los mercados y pulperías. A primeras horas de la mañana, el Mercado Oriental tomaba ya la apariencia de un enjambre donde miles de personas, como insectos, se movían de un lado a otro, anárquicamente en apariencia, pero con un orden interno determinado por el instinto. El calor apretaba desde bien temprano y la gente se lavaba el rostro y los brazos en grandes bidones de agua que podían encontrarse entre los tenderetes de ropa o de comida. Y junto a los mercados populares, florecían los prohibidos: el mercado negro de divisas, el mercado negro de bonos de gasolina, de la marihuana, el de la cucusa, un aguardiente de maíz que podía dejar ciego o llegar a matar si se ingería en grandes cantidades. Apenas si se veían niños durante el día, pues habían sido mayoritariamente escolarizados por el nuevo régimen sandinista. Los zanates, una especie de cuervo de largo pico y color gris azulado, invadían todos los rincones de la ciudad, cumpliendo gratuitamente el papel de un esmerado servicio de basuras.

Luis se hospedaba en un centro religioso perteneciente al Obispado, en una colina de la parte occidental próxima a la carretera del Sur. Se levantaba temprano, de amanecida casi. Una bruma húmeda solía permanecer prendida sobre Managua en aquellas mañanas y podía contemplar la insólita imagen de la ciudad: brillaban los techos de latón entre los árboles y los matorrales y, desde lo alto, parecía que hubieran arrojado un espejo roto en mil pedazos minúsculos sobre una alfombra de vegetación. Sólo se distinguía el trazado de algunas avenidas, por donde circulaban los vehículos oscuros como pulgones. A veces, el humo del ferrocarril que seguía la línea de los bordes del gran lago, se alzaba blanco entre la bruma plateada del amanecer, e iba fundiéndose camino de la altura hasta desaparecer en el cielo sin sol... y sí, el enorme lago, el gigantesco Xolotlán, la colosal brecha que se instalaba en la barriga misma del país como una úlcera de color perla, se abría en las puertas mismas de la ciudad, se extendía hasta las lejanas colinas azules, dejaba ver en su interior la oscura presencia de algunos islotes y llenaba los sueños de los temerosos con la mitología de sus tiburones de agua dulce, la única especie en todo el mundo de escualo trasplantado fuera de los océanos, un animal voraz que podía llegar a medir tres metros y que cercenaba con frecuencia el vientre y las patas de las reses que los vaqueros se atrevían a pasar nadando de un punto a otro de la costa. Aquel ser fantasmal, que habitaba las hondas aguas del Xolotlán, había llegado en una lejana prehistoria, quizá remontando el río San Juan desde el Pacífico y atravesando luego el río Tipitapa hasta alcanzar el lago. Se contaban horrendas historias sobre sus hazañas, y sus aterradoras mandíbulas decoraban algunas cantinas próximas a la costa.

Luis no seguía ningún tipo de cursillos en aquella residencia. Pero en las horas de la mañana mantenía conversaciones con otros sacerdotes de la confianza del obispo. Le hablaban de la evangelización en el país, de los problemas de la Iglesia frente al avance de las sectas protestantes y, sobre todo, frente al poder político sandinista. Le hablaron también de la «Iglesia Popular», de las tesis de la Teología de la Liberación, de las amenazas de cisma, de los peligros que podían detectarse en ciertas teorías no muy ortodoxas que defendían muchos sacerdotes católicos, de la condena papal a la presencia de religiosos en el gobierno del país... Recordaba en especial aquella conversación con el padre Alberto:

—Mire, padre Luis. Sobre todo, los nuevos sacerdotes que ahora están llegando deben tener bien presente algo: hay que recuperar el ser esencial de la Iglesia, el ser profundo de su tarea pastoral. Venimos aquí a salvar almas... y nada más. La tarea de los hombres de la Iglesia no es inmiscuirse en los asuntos terrenales. Nuestro territorio es el de las almas. Usted, en sus pláticas, en sus sermones con los campesinos, debe dejar varias ideas bien claras: que la «Iglesia Popular» es una teoría casi herética y un peligro para los fieles; que el sandinismo ha traído quizá cosas buenas, pero coarta la libertad religiosa y la educación católica; que coartar la educación religiosa es fomentar el ateísmo; que la jerarquía eclesiástica es la médula de la organización eclesiástica, y sin jerarquía no hay organización, y sin organización no hay Verdad.

Luis era consciente de que aquellas conversaciones comportaban concretos intereses políticos, pero él no daba importancia a la cuestión. Su fascinación ante el nuevo país, ante los nuevos derroteros que tomaba su vida, llenaban su tiempo, su cabeza y sus emociones. Anhelaba llegar pronto a Jalapa; pero sabía que sentiría dejar Managua... A la tarde, después de comer, el día era ya suyo. Y se echaba a la ciudad sin rumbo fijo: a la plaza de España, donde había librerías; o a Bello Horizonte, donde las gentes traficaban con casi todo, desde el tabaco a los cuerpos de hombres y mujeres. A él le atraía precisamente aquello: la humanidad volcada sobre la calle, la pasión del corazón humano transformada en múltiples rostros y tareas; tareas virtuosas o pecaminosas, qué más daba; humanas al fin. En aquellos lugares residía la clave de su fascinación: la sospecha en un principio, y la confirmación al paso de los días, de que en Managua todo estaba sin hacer, todo había sido desintegrado previamente, nada tenía un rumbo fijo y, sin embargo, todo se movía; la certeza de que en aquella ciudad se vivía al límite del corazón y de la audacia, lo que daba a sus habitantes un carácter especial: la virtud de lo arriesgado, la virtud de lo que no permanece estable y se transforma una y otra vez... o concluye con una súbita y violenta muerte que a nadie parece preocupar demasiado. Porque en Managua, la presencia de la muerte podía presentirse por todas partes, aunque el frente de combate estuviese muy lejano. Se captaba la fragilidad de la vida, y el temor a perderla por cualquier capricho estúpido de la fortuna. Se veía en las puertas y en las salas de los dispensarios médicos, donde la gente acudía a pedir pastillas, pomadas e inyecciones sin aducir ninguna razón concreta para solicitarlas. Aquella fragilidad de la vida, aquella movilidad permanente, aquella inestabilidad y aquella desintegración urbana y social fascinaban a Luis, le hacían ir empujando hacia el último rincón de su memoria los años pasados en África; le hacían vivir con plenitud el presente y, lo que era más importante, anhelar el próximo futuro.

Al anochecer, cuando regresaba a su residencia, la ciudad comenzaba a dormirse. Muy pocas farolas iluminaban las calles y las pequeñas bombillas cubrían con poca fortuna la casi ausencia de alumbrado. Bandas de polillas de alas blancas giraban alrededor de las luces mustias y el concierto de los grillos se hacía oír en todas las barriadas. Luis notó, por vez primera en su vida y a pesar de ser hombre nacido en el campo, que no todos los grillos cantaban de igual manera, y que podían distinguirse los tonos diferentes que había entre ellos. Quizás era así sólo en aquella urbe, y pensarlo no resultaba extraño, tal era el grado de irrealidad de la ciudad.

Algunas noches, ruidosas tormentas tropicales estallaban sobre Managua. Duraban poco tiempo, pero mientras persistían, parecía que el cielo hubiera decidido arrojarse sobre la capital nicaragüense para acabar con ella ahogándola. Estallaban los truenos y los rayos caían sobre los tejados de las casas. A veces había muertos, pues en Managua casi no existían los pararrayos. Y al retirarse la lluvia, mientras millares de ranas croaban en toda la ciudad con un sonido que parecía el de dos palos huecos al chocar entre sí, se alzaba un olor fétido desde el suelo: el olor de las mofetas, los «zorrillos», un animal que habitaba por centenares en las galerías que excavaba bajo las calles y las casas de Managua.

Metido en sus reflexiones y en sus recuerdos, el padre Luis reparó en que había llegado a la Casa Cural. A la izquierda se alzaba la torre de la iglesia y, frente a él, estaba el parque de Jalapa, en realidad una plazuela de medianas proporciones donde crecían algo más de una decena de árboles. Se detuvo ante la puerta. Toda la realidad del presente, y de su propia realidad destruida, volvió a instalarse en su espíritu. Se había dejado llevar por su memoria amable. Pero la entrada de la Casa Cural le devolvía al implacable vértigo de las cosas reales. Allá dentro dormiría ya el padre Ramírez, en la misma cama donde, hasta unos días antes, había dormido también Servando. Su corazón le pedía no entrar, como si sintiera que, una vez en la casa, ya no podría volver a salir jamás, que ya no sería capaz de ser otra vez el Luis que antes había sido. ¡Oh, Dios mío! ¿Cómo había llegado hasta aquel punto, cómo había podido hundirse en aquella catastrófica realidad irreversible? ¿Por qué, Señor, no querrías ejercer el poder de borrar de un golpe los días pasados, regresar una semana en el tiempo el devenir de las cosas? ¿Acaso no enseñaban que Tú eras el Hacedor de los milagros?

Pero entró. La luz de la salita estaba encendida. Brillaba la sonrisa del Che Guevara, sobre la leyenda que adornaba el cartel: «Siempre con nosotros.» A su lado, otro afiche mostraba la oscura silueta del primero de los luchadores nicaragüenses. «A cincuenta años, Sandino vive», podía leerse a los pies de la figura. Un tercer cartel, más voluminoso que los otros dos, exhibía el rostro alegre de un religioso: «Queremos obispos como monseñor Romero.» Finalmente, un cuarto afiche, en la pared de enfrente, estaba dedicado a Gaspar García Laviana, el sacerdote español muerto, con las armas en la mano, en la lucha contra Somoza cinco años atrás. En la fotografía, Laviana vestía una camisa militar color verde olivo y una boina negra. Sonreía. El hombre debió de ser grueso, a juzgar por el tamaño de sus mejillas y la anchura de sus hombros. Bajo la foto, un lema: «Comandante Gaspar, ¡presente!»

No había otros adornos en la pared, salvo un calendario del año, del que todavía no habían arrancado la página correspondiente al mes de octubre, que mostraba la fotografía de un hórreo gallego en su parte superior. En la sala podían verse varias sillas desperdigadas, y una mesa de madera que servía, indistintamente, para comer o como escritorio. Grandes manchas de humedad decoraban el techo.

Luis atravesó la salita y fue a una pequeña habitación contigua que hacía las veces de cocina. Puso a calentar agua en el hornillo y echó una bolsa de té en una taza. Cuando estuvo lista la infusión, regresó al otro cuarto y tomó asiento junto a la mesa. Dio vueltas al azúcar mientras sus ojos quedaban fijos en el retrato de enfrente, en el retrato de Gaspar Laviana, el cura guerrillero.

Era un ídolo, casi un nuevo santo a quien venerar,

para muchos sacerdotes españoles que llegaban a Nicaragua. Había trabajado con las primeras Comisiones Obreras que, en Madrid, se enfrentaban a la dictadura franquista a finales de los años sesenta. Luego partió hacia Centroamérica y fue párroco de San Juan del Sur, una pequeña ciudad próxima a la frontera de Costa Rica. Sus biógrafos contaban que diseñó un plan para atentar contra la vida del dictador Somoza, en el año 1973. Ingresó por aquel tiempo en el Frente Sandinista e hizo famosa una de sus frases: «Ahora no hacen falta sermones; hacen falta fusiles.» Cayó en un combate contra la Guardia Somocista unos meses antes del triunfo de la revolución, cuando ya ostentaba la categoría de comandante en las filas sandinistas.

Luis miraba aquel rostro que sonreía frente a él mientras recordaba su biografía. «Comandante Gaspar Laviana, ¡presente!» Había muchos pequeños Lavianas en Nicaragua, muchos otros que pensaban, incluso ahora, que la importancia de los fusiles estaba por encima de los sermones. También Servando...

Encendió un cigarrillo y lo dejó prendido entre sus labios mientras sus manos jugaban con la taza de té. No retiraba la mirada de aquel afiche, y hasta le dio la impresión, por un instante, de que el rostro de Laviana se movía levemente. No le parecía que aquel retrato mostrase los rasgos determinados, duros, típicos de un hombre de acción. Antes semejaba el rostro de alguien amable, tranquilo y sencillo. ¿Cómo era posible que una cara de gestos pacíficos pudiera esconder un corazón apasionado, desde luego capaz de la violencia y, quizá, tormentoso? Puede que fuera ése el gesto de los hombres convocados, desde siempre, a una misión, a plantearse la vida como una gesta o como una decisión del destino. A Laviana debió invitarle todo a su misión específica, tal vez desde niño. ¿Y a los otros, y a él mismo?

Quizás en otros días, quizá cuando ingresó en el seminario a comienzos de los años sesenta, allá en Navarra... Pero el paso del tiempo había ido alejando de él ese espíritu que puede animar a los predestinados, y tal vez había cambiado las rutas de su propia suerte. El mismo seminario había dormido ya muchos de sus sueños. Recordó las pequeñas mezquindades que se vivían en la cotidianidad de aquel caserón cerrado al mundo, recordó sus primeras tentativas de abandono y aquella conversación con su director espiritual:

—Pero Luis, ¿cuál es la razón por la que quieres abandonar?

—Me gustan las mujeres, padre.

—Te voy a ser franco, Luis, muy franco... A un sacerdote se le pueden perdonar ciertas tentaciones. Y más cuando vayas a otros países, cuando seas ya misionero.

—Pero me gustan demasiado, padre.

—Me obligas a ser más crudo: mira, los curas no tenemos graves dificultades para arreglar eso. No lo olvides. Y quítate de la cabeza eso de marcharte del seminario. Darías un disgusto grande a tus padres y, además, ¿adónde irías?

La virtud..., aquella cualidad soñada y venerada, no formó parte nunca más de su misión, de su propia misión... ¿Y los otros? Él no creía que nadie debiera tomar las armas si había elegido el camino del sacerdocio, o quizá no debería tomarlas nunca nadie. En África, al menos, él jamás había pensado en hacer cosa semejante, incluso cuando contemplaba los sangrientos resultados de las grandes masacres políticas. Nicaragua era diferente. Pero ¿bastaba para liberar al hombre el tomar un fusil, cerrar el libro de sermones y lanzarse a combatir al Diablo?

Quizá sucedía, tan sólo, que él no había estado a la altura de aquella misión que se le ofrecía como a tantos otros. No le gustaban los sacerdotes que encerraban su vida en una lujosa oficina, allá en Europa, y repetían mecánicamente los ceremoniales de la liturgia. Tampoco creía en la necesidad de que existiese aquel gigante burocrático que, al paso de los siglos, había llegado a ser el Vaticano. Y casi detestaba a los obispos que, como el de Managua, ocultaban a duras penas sus concretas inclinaciones políticas, naturalmente dirigidas hacia los más poderosos.

Dos días antes de abandonar Managua, él y otros cuantos sacerdotes habían sido recibidos por el obispo. Era un hombre de cuerpo grande que cubría su voluminosa barriga con la faja roja. Tendría cerca de sesenta años y gastaba gafas oscuras. Uno a uno, todos los sacerdotes fueron inclinándose ante él y besando su mano. Les habló luego, durante unos minutos, del mensaje de Cristo y del papel de la Iglesia. Palabras huecas, un lenguaje vacío que Luis había escuchado muchas veces antes y al que, de nuevo, no prestó atención. Después, al abandonar su despacho, el secretario los condujo a una pequeña salita y, durante casi una hora, repitió con matemática precisión aquellas normas que Luis había oído tantas veces desde que llegó a Managua: la «Iglesia Popular» es condenable, la enseñanza laica fomenta el ateísmo, la jerarquía es la Verdad de la Iglesia... Como otras veces, al salir y respirar el aire de la calle, Luis se olvidó del catálogo de consignas que él, desde luego, no pensaba aplicar.

Pero ahora sabía que todo aquello tenía un sentido preciso, como lo tenían también el retrato de Laviana y la habitación donde tantas veces había visto a Servando, aquella habitación decorada por Servando, que olía aún al tabaco de Servando.

Todas aquellas cosas a las que él no había dado importancia... Él había creído aprender en África que no todo se reduce a elegir entre el bien y el mal, que el maniqueísmo es negado día a día por la vida, que incluso no podía justificarse el mal simplemente como liquidador del mal. Pero Nicaragua... Nicaragua era diferente. Aquí sí podía establecer y ver la diferencia entre el bien y el mal, distinguir esa fina línea, ese borde donde el equilibrio es imposible, que separa el abismo de la bondad del precipicio del mal. El mal existía, como años atrás pregonaban sus maestros. Y el bien, tal vez, era sólo la ausencia del mal. Él mismo, Luis Ribera, podía ser considerado como parte de ese Mal universal que se oponía a la realización del Bien absoluto.

La ceniza del cigarrillo, arrastrando una pequeña brasa, cayó en el pecho de su guayabera. La sacudió con la mano y apagó el cigarrillo en el suelo, aplastándolo con el pie. Quizá, se dijo, él había comenzado a recorrer aquel camino inevitable desde los primeros días del seminario. Se comenzaba por abandonar la virtud, o ciertas virtudes, como él había hecho en África sin ningún pudor ni remordimiento. Y luego se iban dejando a un lado muchas otras cosas: la conciencia de pecado, la absoluta Fe, la confianza en la propia institución eclesial, el Vaticano, la jerarquía... Pero él tampoco se sentía identificado con aquellos que reclamaban para sí, como Laviana, como Servando, una misión liberadora. Recordó lo que le había dicho Rubén: «es malo estar entre dos fuegos». Él lo estaba. Y quizás ellos, el obispo y Servando, Roma y Laviana, se parecían mucho más entre sí que él mismo a cualquiera de los otros. Sí, entre el fuego del bien y el fuego del mal, él había caído en el segundo. ¿Y ahora? ¿Con quién estaba ahora? ¿Con los sacerdotes que seguían las instrucciones del Obispado, o con aquellos que vivían, predicaban y, en ocasiones, hasta morían combatiendo en las montañas?

Sus últimas acciones no se justificaban tampoco por algún género de inocencia. Rubén lo había dicho, y él estuvo de acuerdo, en una discusión a propósito, precisamente, de Servando: «No se puede ser virtuoso sin dejar de ser inocente. La inocencia excluye la virtud, porque la virtud es siempre reflexión, es el fruto de la voluntad inteligente.» Más o menos, ésas fueron sus palabras, y él estuvo de acuerdo: su propia inocencia, si es que la hubo, no servía para justificar su pecado, para excusar el mal.

Quizá todo había empezado en el seminario, sí... Y había seguido luego en los años pasados en África. Tal vez debería haber dejado para siempre el sacerdocio cuando en un principio se planteó hacerlo; pero no supo resistir a las presiones. Y no estuvo ya nunca a la altura de la misión que se le exigía y que él mismo, alguna vez, se había exigido.

Aquellos primeros días en África..., una tarde, a poco de llegar a Libreville, había caminado por los suburbios pobres de la ciudad. Conforme avanzaba, la miseria de las gentes iba en aumento. Pasaban a su lado los leprosos, algunos ya mutilados de una mano o de un pie, y le miraban con ojos de asombro inocente, sin odio y sin afecto. Otras miradas eran hoscas, como la de aquella vieja mujer que fumaba en pipa en la puerta de su chabola y que escupió a sus pies cuando cruzó ante ella. La calle se extendía entre casas bajas de adobe cubiertas por simples techados de paja o de latón. Todo el suelo era un barrizal de lodo blando y negro, que se hundía a sus pies hasta sobrepasar la suela de las sandalias. Los grandes buitres volaban muy bajo, casi rozando los techos de las cabañas, y a veces aterrizaban junto a los montículos de basura, caminando entre los desechos con pasos torpes, girando el cuello a un lado y a otro, vigilantes, tal vez porque intuían que su propia carne correosa podría ser comestible para aquellos seres miserables que se llamaban hombres. De las casas salía un fuerte olor que impregnaba el aire cálido, un olor dulzón, un olor pegajoso que permanecería luego, durante horas, agarrado al olfato de Luis, un olor de podredumbre y miseria, de carroña y mierda.

Entonces Luis sintió que caminaba hacia un punto

concreto que él desconocía, pero que estaba aguardándole al fondo de aquella horrible calle, una calle en la que, conforme avanzaba, los rostros iban tornándose más hoscos y la indigencia creciendo más todavía. Sintió miedo, casi pavor, y su camino le pareció ya irreversible, como si para siempre, desde ese momento, hubiera abandonado la civilización y en su propio espíritu se borrasen definitivamente todos los rastros de cultura, dando paso a la barbarie. ¿Fue aquello un presagio, o puede que un aviso, de lo que luego iba a acontecer, de lo que en Nicaragua, unos años más tarde, ya había sucedido?

Se levantó, apagó la luz del saloncito y, a tientas, ganó su cuarto. Se acostó vestido, echando por encima de sus piernas la manta que reposaba en el lecho. Desde hacía tres días, la mujer que cuidaba la casa no acudía a limpiar, a causa tal vez de los últimos acontecimientos, y él no había tenido ganas de arreglarse la cama, que era un revoltijo de sábanas en las que se iba aposentando un tenue color gris. Encendió otro cigarrillo y fumó expulsando el humo contra la brasa, para poder distinguirlo en la oscuridad. A través de la ventana, llegaba el canto de los grillos y el clamor de varios gallos. Aún faltaban varias horas para el amanecer; pero en Jalapa, extrañamente, los gallos cantaban durante la mayor parte de la noche.

Arrojó el cigarrillo finalmente a un extremo de la habitación. Vio la brasa partirse en varios pedazos de mínima luz y dejar enseguida de alumbrar. Cerró los ojos e intentó apartar de su mente cualquier pensamiento obsesivo. Apoyó el antebrazo derecho sobre su frente y respiró hondo, tratando de lograr un ritmo acompasado.

Entraba ya en el territorio del sueño cuando el ruido de una ráfaga de ametralladora le sobresaltó. Se sentó en la cama casi de un brinco. Luego, maldijo en voz alta:

—¡Cago en ti...!

Volvió a tenderse. Se sentía invadido por un tenso

malhumor. No podía remediarlo: sabía que, muchas noches, los milicianos o los soldados se emborrachaban y jugaban a disparar al aire sus metralletas. En cierta ocasión, un soldado había matado a un campesino a tiros en una riña. Y él, cuando escuchaba los disparos, siempre se despertaba asustado, temiendo un ataque de la guerrilla antisandinista, inquieto ante el presagio de la batalla.

Intentó nuevamente conciliar el sueño. Pero sus obsesiones, la memoria de los últimos días, regresaban en tromba a su pensamiento. Y aquella idea pertinaz..., el mal no puede justificarse tampoco en la liquidación del mal. No le era posible dormir: lo mismo que las noches anteriores, en las que apenas si había podido descabezar breves sueños. Maldijo el canto de los gallos, maldijo el concierto de los grillos, maldijo Jalapa.

Se levantó y volvió a la salita. Encendió la luz e, intencionadamente, se sentó en una silla, junto a la mesa, dando la espalda al afiche de Gaspar Laviana. Frente a él, la sonrisa del Che, la silueta de Sandino y los ojillos inquietos de monseñor Romero parecieron brindarle una nueva compañía. «Che, siempre con nosotros», «A cincuenta años. Sandino vive», «Queremos obispos como monseñor Romero», leía una y otra vez las frases, como las había leído tantos otros días sentado en aquella misma salita..., con Servando. Pero ahora parecía que aquellos eslóganes se convirtieran, al fondo de sus oídos, en un griterío multitudinario: «... ¡con nosotros..., Sandino vive..., como monseñor Romero...!», era casi un zumbido, cual si voces oscuras surgidas de su propio interior repitieran la letanía en un acompasado «¡Che..., a cincuenta años..., monseñor Romero!».

Se levantó otra vez, caminó hasta la pared y, uno tras otro, fue arrancando los afiches. Sobre la pintura blanca, quedaron cuatro manchas más claras en el espacio que antes habían ocupado los carteles.

Iba a romperlos, pero calculó que el ruido podría

despertar al padre Ramírez, y no se sentía con fuerzas para esbozar una explicación con aquel estirado sacerdote llegado de Managua. Optó por salir a la calle.

Se oía más fuerte afuera el canto de los gallos y el clamor de los grillos. No había nadie a la vista, y la luna había trepado ya hasta la punta de los cerros próximos. Apenas si se distinguía rastro de nubes. Dudó sobre qué rumbo tomar y al fin se decidió por caminar hacia el parque, una treintena de metros a su derecha.

Se sentó en uno de los bancos y, minuciosamente, fue partiendo en pedazos los afiches y depositando los trozos a sus pies. Cuando hubo concluido la tarea, se apartó hacia un lado y arrimó una cerilla a los papeles; en unos instantes comenzaron a arder. Permaneció allí quieto, contemplando la hoguera. Se consumían con rapidez aquellos rostros partidos y aquellas palabras ya inconexas, carentes de sentido. Las llamas amarillas fueron perdiendo poco a poco vigor. Algunos trozos de papel convertido en ceniza saltaban desde el fuego, volaban unos segundos encima de la lumbre, y luego caían de nuevo sobre la hoguera, con un planear triste y resignado. Al fin, los últimos lengüetazos de las llamas se extinguieron, y de las cenizas comenzó a brotar un humo blanco. Luis se levantó y, con el pie, completó la tarea de destrucción.

La plaza había quedado oscurecida una vez desaparecida la fogata. Las únicas luces llegaban desde una bombilla situada en un poste próximo a la iglesia, frente a la Casa Cural. Los cedros, los pinos, los plátanos y los grandes arbustos proporcionaban al lugar un aspecto sombrío e inquietante. Luis se levantó y caminó hasta el monumento que se alzaba en el centro de aquel pequeño parque, un simple monolito con un escudo en el que se veía la cabeza de un león y una inscripción: «Este parque fue construido por el Club de Leones de Jalapa. Leonismo es fraternidad y servicio.» Lo leyó manteniendo a la altura de la frase una cerilla encendida, que sopló y apagó cuando la llamita llegaba a sus dedos. Por primera vez en varias horas, o tal vez en varios días, Luis sonrió: «Leonismo es fraternidad y servicio», le hacía gracia la frase. ¿Y quiénes eran los leones de Jalapa? ¿Una masonería local? En alguna ocasión anterior había leído aquella inscripción, pero nunca hasta esa noche despertó su curiosidad. «Leonismo...» ¿Podría decirse lo mismo del catolicismo? «Catolicismo es fraternidad y servicio.» Valdría la frase en teoría..., pero ¿y en la práctica? ¿Había sido él mismo fraternal y servicial con los otros? ¿Eran los sacerdotes católicos fraternales y serviciales con sus semejantes? Probablemente no, probablemente habría que comenzar a aprender un poco de aquellos desconocidos leones que se escondían Dios sabe en qué rincones de Jalapa. O tal vez era tan sólo un club que existió allí antes de la caída de Somoza y nadie se había ocupado, por ahora, de retirar el monolito.

Dio la vuelta y echó a andar hacia la casa. No deseaba volver a ella. Pero ¿adónde podría ir a esas horas?

Alcanzó la casa, cerró la puerta sin ruido y se sentó nuevamente junto a la mesa. Le alivió no ver los afiches y distinguir las huellas claras que habían dejado sobre las paredes. Imaginó el rostro de Laviana, sus mejillas carnosas, su boina negra y la camisa verde olivo. ¿Y qué tal le iría un eslogan diferente, por ejemplo aquel de «Leonismo es fraternidad y servicio»? No hubiera estado mal. Tal vez, en lugar de quemar el cartel, debería haberlo dejado allí, y escribir encima la leyenda de los leones. Cuando menos, hubiera resultado original y exótico.

Se levantó, fue a la cocina y regresó con un vaso y una botella mediada de ron. Se sirvió una generosa porción y bebió apresuradamente. El licor se arrastró por su garganta como una lengua afilada y fogosa.

Notaba que su malhumor, con el paso del tiempo, había ido creciendo, y se había convertido casi en una honda irritabilidad, en una vehemencia contenida. Y le agradaba sentirse así. Era algo contradictorio, pero su propia cólera le confería una especie de seguridad interior, una cierta reconciliación consigo mismo y con sus actos. La quema de los carteles de Servando, que en un principio acometió impulsivamente, le parecía ahora un hecho necesario, el primer acto de una nueva actitud. Sí, le reconciliaba aceptar su ira, dejar que su furor se manifestase hacia fuera con hechos y con gestos. Le gustaría tener ahora delante alguien a quien detestar para poder gritárselo a la cara. Revivía en él un remoto coraje que, en otras épocas de su vida, había sentido florecer, y que casi siempre había ocultado u obligado a dormir en su interior.

Apuró el resto del ron que quedaba en el vaso y lo llenó otra vez. La botella quedó vacía, y Luis contuvo sus deseos de estrellarla contra la pared. No, tampoco había llegado al extremo de perder por completo el dominio de sí mismo. Y en fin de cuentas, se dijo mientras sonreía, aquella botella podría servirle para estrellarla en la cabeza de algún imbécil. Por ejemplo, en la del padre Ramírez. Una leve risilla salió de sus labios mientras alzaba de nuevo el vaso y miraba burlón hacia la puerta del dormitorio del sacerdote de Managua.

Y entonces, en medio de su burla y de su cólera, se dio cuenta de que, a lo largo de su vida como religioso, muchos sacerdotes no le habían gustado…, como Ramírez, el propio Servando, bastantes compañeros del seminario, el obispo de Managua, su secretario, los sacerdotes que charlaban con él antes de venir a Jalapa. Y aquel cretino de Jordi Cumeyes…

Volvió a la cocina y, rebuscando en el armario, encontró otra botella mediada. Regresó con ella al salón y llenó el vaso hasta los bordes. El recuerdo de Cumeyes había acentuado su malhumor. No le había gustado desde el comienzo, desde aquel mediodía en que le conoció, dos meses atrás, cuando viajó de Managua hasta Ocotal, camino de Jalapa.

Había salido temprano de la capital, a la amanecida, en un autocar atestado de pasajeros que hacía la ruta de Estelí. Eran tierras llanas las que cruzaba el vehículo camino del norte, una vez que dejaron atrás las montañas que bordeaban el lago Xolotlán. El tráfico era muy escaso en aquel tramo de la Panamericana y se hacía aún más raro conforme se acercaban al norte. Luis se sentía pleno de vida, eufórico ante el futuro que comenzaba a abrirse delante de él. Ya amaba Nicaragua desde los primeros días transcurridos en Managua; pero le emocionó la visión de aquellos dulces valles cubiertos de verdor y las colinas azuladas que se alzaban en el horizonte en línea quebrada. Y aún había más razones para su euforia: el viaje en sí, la sensación de libertad que crecía dentro de él, sabedor de que atrás no dejaba nada, que cualquier cosa que quedara tras él carecía ya de importancia, mientras que delante se abría lo ignorado, lo remoto, gentes que no conocía, hombres de los que en su vida había oído hablar y que, en poco tiempo, serían sin embargo sus amigos.

Tipitapa, Terrabona, Sebaco, San Isidro, La Trinidad..., los pequeños poblados que la línea roja de la carretera significaba en el mapa con pequeños círculos negros, iban apareciendo en la realidad, ante sus ojos: en uno, el mercadillo abierto y los vendedores que intentaban aproximarse al vehículo exhibiendo sus mercancías; en otro, las casitas de madera con apariencia de abandono pero que se animaban de pronto con el rostro de un niño asomado a su puerta; en un tercero, los vendedores de animales vivos: loros, zanates, serpientes y enormes lagartos de color gris oscuro.

En Estelí cambió de transporte. Consiguió hueco, casi por milagro y apenas una hora después de haber llegado, en la parte trasera de una furgoneta perteneciente a una cooperativa agraria. Su condición de sacerdote le sirvió para lograr la plaza:

—Venga pues, padre, que nos apretaremos para dejarle lugar —le dijo el que parecía ser el jefe de aquel puñado de campesinos.

Desde Estelí, la carretera se hizo más sinuosa. Subían entre lomas de suaves perfiles cubiertas de decenas de especies de árboles y matorrales. Por los postes del teléfono trepaban enredaderas repletas de campanillas rosáceas. Nubes pequeñas y redondas, como pelotitas de algodón, corrían por el cielo, donde a veces se veían volar halcones solitarios y verdosos guardabarrancos. Cuando la carretera descendía, atravesaban ríos de aguas fangosas. Luis vio los primeros pinos, los primeros ocotes, en las alturas de las colinas más elevadas. Condega, el desvío a Palacagüina, Yalagüina..., los pequeños poblados y las encrucijadas seguían sucediéndose, tal como marcaba aquel mapa en el que la tierra era amarilla, las carreteras rojas, los pueblos negros y el mar azul. Casi cinco horas después de haber salido de Managua, llegaba a Ocotal. Ya no habría carretera asfaltada de allí en adelante. Y a partir de ese punto, según anunciaba un cartel, el ejército no garantizaba la seguridad de ningún viajero.

Como habían acordado por teléfono, el padre Jordi Cumeyes le esperaría a las doce en el restaurante «El Conquistador». Era una de las citas, pues el transporte en Nicaragua nunca aseguraba que se pudiese llegar a ningún sitio a la hora prevista e, incluso, en ocasiones, podía uno retardarse hasta casi un día entero. Luis había anotado los puntos en que Cumeyes esperaría cada hora y cuando descendió en la plaza de Ocotal, eran las doce menos diez. En unos minutos el otro sacerdote llegaría al restaurante. Se informó de que quedaba a tan sólo cuatro cuadras de la plaza, y hacia allá dirigió sus pasos.

Parecía una ciudad alegre, la gente yendo de un lado a otro, sorteando tenderetes donde se vendía comida y ropa. Los vehículos militares eran casi tan numerosos como los civiles. Las paredes de las casas, en su mayoría, aparecían cubiertas de lemas políticos: «No pasarán», «Todos los recursos para los combatientes»; las siluetas, en rojo o en negro, de Sandino, en las que destacaba el enorme tamaño de su sombrero, y el inexcusable lema que cubría las fachadas de casi todo el país: «A cincuenta años, Sandino vive.»

Un coche conducido por dos hombres cruzó a su lado. Llevaba un megáfono, se movía a marcha lenta y por su altavoz repetía, en breves intervalos de tiempo, un mensaje solemne y grave: «Doña Marina de Cabrera ha muerto. Dios la tenga en su gloria. Sus familiares comunican a los amigos que el velatorio comenzará esta noche a las ocho en punto, en casa de la fenecida.»

No había ningún cliente en el comedor cuando Luis entró. Era un local oscuro, con paredes pintadas de verde y un ventilador de grandes aspas que colgaba del techo. Las mesas lucían tapetes rojos y las ventanas visillos blancos de encaje. Numerosas moscas volaban sobre el mobiliario de la sala. La música de un gramófono hacía sonar corridos mexicanos. El único adorno de la estancia lo constituía una especie de escudo suspendido en una pared, en el que un caballero medieval embutido en una armadura montaba un caballo cubierto de hierros con un gran penacho de plumas sobre la cabeza. El título El Conquistador, escrito en letras plateadas, destacaba sobre el fondo rojo del emblema.

Reconoció a Cumeyes cuando éste apareció en la puerta. Era un hombre de estatura media, flaco, de hombros anchos, rostro angulado y pelo claro, lacio y escaso. Vestía unos jeans desgastados, sandalias de cuero y una camiseta blanca de manga corta en la que varias rayas rojas y amarillas se dibujaban a la altura de su ombligo. De uno de sus hombros colgaba una bolsa negra.

—Padre Luis Ribera, ¿no? —le dijo al tiempo que tendía hacia él su mano.

Luis la estrechó mientras asentía. El otro le indicó una de las mesas.

—Mejor que comamos algo. ¿Qué tal el viaje? Llegaste a la hora.

—Hubo mucha suerte.

Tomaron asiento y Cumeyes, sin preguntarle, pidió dos cervezas Victoria.

—Es la única marca que no sabe a agua —le explicó mientras espantaba las moscas de su rostro.

—Se hace raro que dos españoles se encuentren aquí... —comentó Luis.

—Bueno, yo soy catalán —respondió Cumeyes.

Pidieron «gallopinto» y pollo frito.

—Cuéntame... —comenzó Luis—. ¿Cómo están las cosas en Jalapa?

—¿Desde qué punto de vista?

—Eso..., un poco de todo: la guerra, el trabajo... No sé mucho sobre aquello.

—El trabajo es duro, pero es hermoso. Y en cuanto a la guerra, ¿qué quieres? Muere mucha gente. Jalapa es un punto vital, esos chacales contrarrevolucionarios de la «contra» quieren convertirlo en su capital si logran conquistarla. Los yanquis apoyarían que se formase allí un gobierno provisional de esos perros somocistas. Pero la gente lucha, se deja la vida antes que ceder un metro al enemigo.

—Ya... Y tú, ¿cuándo te marchas definitivamente?

—En un par de días.

—¿Y adónde vas?

—Me envían al Ecuador.

—Supongo que cubriré dignamente tu puesto.

Cumeyes se encogió de hombros.

—¿Sientes dejar Nicaragua?

—No era todavía el momento de irme, queda trabajo por hacer.

—No te vas por tu gusto, pues.

El otro dejó los cubiertos sobre el plato, apoyó los codos sobre la mesa y cruzó las manos bajo su barbilla. Le miró a los ojos.

—¿Es que quieres hacer que no lo sabes?

—No sé de qué hablas.

—¿No te has enterado de que me sacan de Jalapa por mis actividades..., por mis actividades, digamos poco ortodoxas?

—No sabía nada.

—Vamos, padre Luis... No me tomes por tonto. Tú has sido enviado por el Obispado para cortar una situación que en Managua no se ve con agrado. Es igual, no vas a conseguir mucho.

—Te equivocas. No sé de qué me hablas.

El otro tomó de nuevo los cubiertos y se afanó en partir el pollo.

—Bueno, da lo mismo. Vengas aquí o no con una misión específica, da lo mismo.

—Vengo aquí como cualquier sacerdote, nada más.

—Te digo que poco importa si me mientes o no. Aquí es difícil trabajar de otra forma a como lo hacemos Servando y yo, a como lo hacen muchos otros en toda Nicaragua, en toda Centroamérica. La Iglesia Popular es una realidad, y ni el Vaticano ni el Obispado de Managua pueden parar eso.

—Te insisto en que a mí no me envía nadie para hacer nada contra la Iglesia Popular.

—Bah, déjalo.

—No, no lo dejo. Eso quiero que quede bien claro.

—Bien, hombre, bien. Si tú lo dices, te creo... Y de todas formas, te guste o no, vas a tener que adaptarte a como se trabaja aquí... Los campesinos participan en lo que hacemos, no como en otros lugares. Y aunque no somos muy ortodoxos, eso lo reconozco, a ellos les gusta más una Iglesia como la nuestra que como la entienden los vaticanistas.

—No soy un novato, ¿sabes? Estuve unos cuantos años en África, en Gabón, y no era fácil trabajar allí.

—Bah; África no es Centroamérica, Gabón no es Nicaragua. Aquí la gente lucha por su liberación. Y se está con ellos o se está contra ellos. No hay más cáscaras. Si Roma no quiere ver eso, es que está ciega. Pero somos muchos dentro de la Iglesia los que pensamos así. Las cosas están cambiando, algo va a pasar.

—¿Qué va a pasar pues?

—No sé; no soy teólogo y no me gusta andarme con teorías. Pero algo tiene que pasar cuando muchos sacerdotes, y también muchos obispos, están de acuerdo aquí en América en que las cosas no son como las plantea el Vaticano.

—¿Hablas de cismas?

—Te digo que no sé. Pero sí tengo claro que este Papa está haciendo de pelele de los yanquis y que es un aliado del imperialismo. Y la Iglesia aquí, mientras tanto, es en muchos sitios una enemiga jurada del imperialismo. Saca tú las consecuencias si te gusta teorizar.

—¿No simplificas?

—Yo no simplifico nunca... Pero, anda, vámonos ya, que el camino a Jalapa no es un paseo campestre.

Pagó cada uno su parte y salieron a la calle. Aparcado junto al restaurante, Luis vio un jeep manchado de barro y polvo que alguna vez pudo ser de color blanco. Acomodó su equipaje en la parte trasera del vehículo y se sentó junto a Cumeyes.

—Es un Toyota, ¿no?

—Sí, pertenece a la parroquia. ¿Sabes conducir?

—Sí, claro; en la selva de Gabón teníamos también un todoterreno.

—Aquí tendrás ocasión de llevarlo de un lado a otro. Hay mucho que hacer en Jalapa. Y esto no es sólo selva, hay más tomate.

Dejaron a sus espaldas Ocotal tras descender la cuesta pronunciada de una calle. Cruzaron un puente de madera y ascendieron de nuevo al otro lado del barranco. La carretera era de tierra. Tan sólo un kilómetro más adelante, les detuvo la primera patrulla de la policía sandinista.

—¿Hay movimiento, compa? —preguntó un Cumeyes jovial al agente, mientras le tendía la documentación de ambos.

—No, padre, todo está tranquilito. ¿Tienen unos cigarrillos norteamericanos?

—No, yo no... ¿Tienes tú, Luis?

—Tampoco.

—Lo siento, compa.

—Va, pues. Y suerte, padre. Patria libre o morir.

—Venceremos —respondió Cumeyes al lema.

Ante ellos, a uno y otro lado, siluetas de nuevas colinas azuladas cerraban el paisaje. En sus alturas, se agarraban las últimas nubes supervivientes al empuje de un cielo poderoso y limpio. Cruzaban junto a campos de maíz y de arroz, feraces valles donde también crecían el café y el tabaco. Olía a yerba húmeda, a estiércol en ocasiones, como en las tierras de África.

Luego, el terreno se hizo más abrupto. Atravesaban cañadas tapizadas de densos bosques, pequeños puentes de madera sobre el cauce de ríos estrechos y poco profundos. A los lados, se distinguían cercados para el ganado y ranchitos de tosca construcción de madera. El tráfico escaseaba: en ocasiones, algún vehículo militar lanzado a buena velocidad, pasaba en dirección contraria, llenando de polvo blanco el interior del Toyota. Cruzaron también junto a un autobús de línea al que el conductor reparaba el pinchazo de una de las ruedas, mientras los pasajeros aguardaban sentados en la cuneta. Era un bus pequeño, destartalado y viejo, en el que resultaba milagroso que pudiera caber tanta gente como la que esperaba al lado. Pomposamente, lucía en su chapa un nombre: «El rey de la selva.»

Eran algo más de setenta kilómetros los que separaban Ocotal de Jalapa, aunque nadie había llegado a calcularlos con exactitud, y la carretera atravesaba algunas poblaciones que no pasarían de una docena de casas: San Fernando, Santa Clara, San Pablo, Los Gallos, Mosonte... Con frecuencia, encontraban jinetes solitarios, sobre caballos de poca alzada y hermosas sillas de cuero repujado que caían por los flancos del animal como faldones. En las laderas de las montañas, medio ocultas entre los ocotes, pastaban las reses de chepuda espalda y cuernos altos y vigorosos. Sobre la carretera volaban bandadas de zanates, y el vehículo espantaba a veces grupos de palomas torcaces que correteaban sobre el camino. Vieron algunos zopilotes planeando en lo alto del cielo. El fuerte aroma de los pinares fue sustituyendo el olor del estiércol, conforme se adentraban en las montañas camino de Jalapa y los valles próximos a Ocotal quedaban detrás de ellos.

Apenas hablaron en todo el viaje, salvo para hacer breves comentarios insustanciales sobre el tiempo y el paisaje. Dos veces más se detuvieron en los controles policiales y ya en La Milla, unos kilómetros antes de llegar a su destino, Cumeyes paró el vehículo ante las insistentes señas de dos milicianos armados.

—¿Van a Jalapa?

—Sí, suban ahí atrás.

Los dos soldados se acomodaron a sus espaldas y Luis giró levemente el cuerpo hacia ellos. Vestían uniforme verde olivo. Uno de los hombres gastaba sombrero de lona de alas plegadas, mientras que el otro se cubría con una boina negra. Apoyaron sus armas sobre las rodillas, sus bocas apuntando hacia el exterior, los cañones asomando fuera de las ventanillas, uno a cada lado. Luis notó que uno de ellos, el de la boina negra, lucía un llamativo crucifijo de plata bajo la camisa abierta.

Cumeyes pareció más animado.

—¿Mucho jaleo, compas? —preguntó mientras miraba por el retrovisor y sonreía.

—No mucho estos días —dijo el de la boina.

—¿De dónde sois?

—Yo de León; él es de Masaya.

—¿Y desde cuándo en Jalapa?

—Yo un año; él algo menos. ¿Tienen cigarrillos con filtro?

—No, tenemos sólo nacionales.

—Déjelo entonces; de ésos llevamos nosotros. Si gustan uno...

Luis aceptó el pitillo que le tendían, lo encendió y pasó el fuego a los de atrás.

—Ustedes no son de por acá, ¿no?

—Somos sacerdotes europeos —respondió Cumeyes—. Pero ya va para tres años que estoy aquí en Jalapa. Él es nuevo.

—Yo soy católico —dijo el de la boina.

—¿Y usted? —preguntó al otro Cumeyes mirando el retrovisor.

—También, pero no practico mucho.

—No importa. Ahora lo que hay que hacer es defender la patria, y tú con eso tienes bastante que hacer, ¿me equivoco?

—No, padre, no se equivoca.

—¿Habéis combatido ya?

—Yo desde los días de Somoza —respondió el de la boina—. Él lleva tres años en la milicia.

—Es que yo entonces no tenía conciencia política —dijo el otro—. Ahora ya la tengo.

—Eso está bien, compa —afirmó Cumeyes, que no cesaba de sonreír al retrovisor.

Entraron en los valles de Jalapa. Las tierras llanas se abrieron a la vista: nuevos maizales y cafetales, naves grandes de madera destinadas a secaderos de tabaco, cañaverales en flor. Luis percibió el olor dulzón de la molienda. Fijó luego los ojos en el borde de las nuevas sierras que cubrían el horizonte. Aquellas montañas eran territorio de Honduras y allí mismo estaba ya la guerra. Se estremeció unos instantes al pensarlo.

Allí estaba la guerra y allá aguardaba su destino, un destino que no era ya un sueño, sino una realidad precisa, un decorado concreto, un paisaje donde las colinas se alzaban hacia el cielo como el afilado borde de un serrucho, quebrando el aire azul, mientras que las nubes, desgajadas de la altura, rodaban igual que jirones de tela rota ladera abajo. Los agudos cerros cerraban por el norte, el este y el oeste aquel fecundo y dulce valle, formando un círculo que podría haber sido casi perfecto si la carretera no rompiera uno de sus bordes y dejase una puerta abierta para que las tierras escaparan al cerco de las montañas. En su interior, Jalapa extendía sus casas hasta rozar las faldas de las colinas, como si quisiera protegerse, a su abrigo, de la guerra y de la muerte. Luis quedó absorto contemplando la vista que se tendía ante sus ojos: notaba crecer en su ánimo un sentimiento de plenitud. «Jalapa, entre la amenaza de la guerra y la alegría de sus valles, entre la horrenda muerte y la vida exuberante.» Se sintió dispuesto a amar aquel lugar como había llegado a amar Managua durante los días del pasado inmediato.

Las palabras de Cumeyes le sacaron de sus pensamientos.

—Te hemos reservado cama en una pensión, no lejos de la Casa Cural. Una o dos noches todo lo más, hasta que yo me vaya y quede libre mi habitación. Te llevaré allí directamente.

—¿Y Servando?

—Está en la montaña, en un asentamiento campesino. Quizá no baje ya hoy. Mañana podrás venir a conocerle a la casa. Te enseñaremos la iglesia y todo eso...

Dejaron a los milicianos en la entrada del pueblo y luego tomaron una de las calles que subían en dirección a las colinas. El vehículo botaba sobre un suelo de barro endurecido. Ocho o diez cuadras más arriba, giraron a la derecha y el jeep marchó trabajosamente entre casas de adobe sin remozar y techos de latón.

—Ya estamos. Como ves tu pensión se llama «El Progreso», un nombre bien moderno.

Descendieron junto a una puerta de hierro pintada de verde, cruzaron el umbral y entraron en una sala de medianas proporciones. En la parte izquierda de la estancia se tendía un mostrador. En la pared, una estantería exhibía productos a la venta de variada especie: zapatos, ropa, conservas, tarros de caramelos... Al frente, una puerta se abría hacia un pasillo oscuro, y por ella asomó una mujer delgada, de edad avanzada, cubierta con un desgastado vestido color malva y que peinaba sus cabellos en una larga y gruesa coleta blanca y amarilla que caía sobre el pecho saliendo desde la nuca.

—Doña Obdulia... —Cumeyes le tendió la mano.

—¿Qué tal, padre Jorge, qué tal?

—Jordi, doña Obdulia, Jordi.

—Sí, padre Jordi. ¿Usted es el otro sacerdote? —dijo a Luis al tiempo que le miraba con sus hermosos ojos azules.

—Encantado, señora.

—Ya le preparé su habitación. Es la mejor que tengo.

—Bueno... —comenzó diciendo Cumeyes al tiempo que hacía un ademán de despedida.

—Pero, padre Jorge, se tomará un cafecito...

—Mil gracias, doña Obdulia, ahorita tengo que hacer. Lo dejamos para otra ocasión. Lo tenemos pendiente. Debo irme.

—Ustedes siempre con tanta prisa. No importa. ¿Y cómo se llama usted, padre?

—Luis, Luis Ribera.

—Ah, padre Luis, gusto en tenerle aquí, aunque sea pocos días.

—Un placer, doña Obdulia.

—Bueno, yo debo irme —cortó Cumeyes dirigiéndose a él—. Baja mañana a la casa, a eso de las ocho, cuando te levantes. Quizá Servando estará ya de vuelta.

—¿Y dónde está la casa?

—Aquí cerca. Te lo indicará cualquiera, esto es pequeño. Procura descansar y toma una ducha, estás lleno de polvo. Doña Obdulia, me debe usted un café que aceptaré en otra ocasión.

—Usted es siempre bien venido, padre Jorge.

—Padre Jordi…

—Sí, padre Jordi.

Hundido en sus recuerdos, Luis notó que había concluido los restos de la segunda botella y que la claridad de las primeras horas del día iba filtrándose a través de la ventana. No se notaba, sin embargo, afectado por el alcohol. Si acaso, su irritabilidad había aumentado. Los gallos cantaban con más fuerza en los corrales de Jalapa y los grillos habían enmudecido.

El reloj marcaba las cinco pasadas. Se levantó, apagó la luz y regresó al dormitorio. Volvió a tenderse en la cama e intentó dormir.

Algo más tarde de las siete, la luz de la ventana le despertó. Pensó en intentar regresar al sueño, pero se sentía inquieto, desazonado, y optó por levantarse y preparar café.

La puerta que daba del salón a la calle estaba abierta y vio en el porche, recortada contra la luz del día, la figura del padre Ramírez. Ignorándole, dirigió sus pasos hacia la cocina y puso agua a calentar.

Preparaba la cafetera cuando notó a sus espaldas la presencia del otro sacerdote.

—Parece que hemos madrugado los dos… —le oyó decir.

—¿Quiere un café? —respondió sin volver el rostro.

—No vendría mal.

Tomó otra taza de la estantería y, dando aún la espalda a Ramírez, retiró el agua del fuego y llenó el recipiente de la cafetera.

—Usted y yo deberíamos hablar un poco antes de mi regreso a Managua —dijo el otro.

Giró el cuerpo y dio frente a Ramírez. Se había cambiado de ropa y aparecía tan remilgado como el día anterior.

—¿Y qué tenemos que hablar?

—De Servando, claro..., y de cuanto sucedió.

No respondió. Tomó una de las tazas y la cafetera humeante; echó a andar hacia el salón.

—Coja su taza y póngase el azúcar que quiera —le dijo ya sentado junto a la mesa.

Ramírez se acomodó a su lado y se sirvió café.

—¿A qué hora se va? —preguntó Luis sin mirar al otro.

—El chófer regresará a buscarme a eso de las ocho y media o nueve. Debo llamar antes a Managua. ¿Dónde está la central telefónica?

—Al fondo de la calle.

—¿Y se retardan mucho las llamadas a la capital?

—Unos días más que otros.

Luis sorbió café y el sabor fuerte y caliente entró en su garganta y le produjo un breve estremecimiento. Ramírez, frente a él, le observaba con atención.

—Creo que debería contarme su versión de lo que sucedió.

—Ya le dije ayer que no vi nada.

—Pero usted estaba allí.

—Sí, pero no exactamente donde Servando.

—¿Iba armado?

—No sé, lo mío no es cachear a la gente.

—Está usted irritado.

—Puede ser.

—¿Era muy amigo suyo?

—No, no era amigo mío. Pero no veo en qué puede eso preocuparle...

—Quizá quiera usted ayudarle.

—De poco le serviría mi ayuda.

—Servando era..., ¿cómo decirlo...?, un poco exaltado, según tengo entendido.

—Tenía sus ideas.

—Sí, ya sé, la Iglesia Popular, la Teología de la Liberación, todo eso... Pero yo quiero saber hasta qué punto llegaba en la, digamos, práctica de su teoría.

—¿Qué quiere decir?

—Bueno, lo que quiero es saber hasta qué punto se identificaba con los sandinistas y su revolución.

—Simpatizaba. ¿Sólo quiere saber eso?

—¿Y participaba en algo?

—Que yo sepa, no.

Ramírez tomó un largo trago de café mientras paseaba la vista por la pared que daba a la espalda de Luis.

—Veo que quitó usted la decoración de esta sala. Está bien así, mejor que antes. De usted no hay malas referencias en Managua. No piensa como pensaba Servando, o como Cumeyes, el sacerdote a quien usted sustituyó. No me equivoco, ¿verdad?

—No, no se equivoca. Pero tampoco pienso como usted.

Ramírez dejó la taza sobre la mesa. Sus mejillas palidecieron durante unos breves instantes.

—No sé qué quiere decir...

—Lo que he dicho. Ni más ni menos. Que no soy como Servando ni soy como usted.

—Pero yo no tengo nada que ver con Servando.

Luis se levantó. Fue hacia la puerta, pero se detuvo en el umbral y se volvió hacia Ramírez.

—Pues para mí está claro. Usted no pasa de ser un

embajador de la muerte. Servando se planteaba la vida como una lucha de liberación en la que quizá es necesario morir, y usted se plantea liberar a los hombres a través de la oración y con la esperanza de otra vida mejor en el más allá. En el fondo, la liberación, para usted, llega sólo a través de la muerte. Ésas no son las cosas en las que yo creo.

Ramírez se levantó y se acercó hasta Luis.

—¡Qué dice, por Dios! Yo no afirmo la muerte; yo sólo digo que no es el papel de los sacerdotes identificarse con los procesos revolucionarios. La Iglesia no tiene nada que ver con el marxismo.

—La Iglesia es una oficina de pompas fúnebres y usted es un sepulturero más.

—¿Se da cuenta de lo que está diciendo? Yo puedo contar esta conversación en Managua, y el resultado no sería bueno para usted.

—Me da igual lo que cuente usted en Managua. Hasta ahora no había conocido de cerca la figura del sacerdote espía. Pero le añadiré que ni usted ni su obispo son santos de mi devoción. Y le diré también que haga el favor de no irritarme más. No tengo los oídos para ruidos esta mañana. Lárguese de una vez a Managua y déjeme tranquilo.

Ramírez atravesó la puerta y salió al porche. Aún se volvió visiblemente alterado y miró de frente a Luis.

—Supondrá que esto no termina aquí...

—No lo supongo, lo sé.

—Diga a mi chófer que me espere.

—Dígaselo usted si quiere, no voy a estar aquí para recibirlo a él ni para despedirle a usted.

Creyó oír algo parecido a un bufido en los labios de Ramírez. Luego, giró sobre sí mismo, miró unos instantes la habitación, de nuevo se dio la vuelta y bajó de un salto los dos escalones del zaguán. Echó a andar calle adelante, una decena de metros a la espalda del padre Ramírez.

—Vete a la mierda pues, petimetre... —dijo Luis en

voz alta, y no llegó a saber si el otro pudo escuchar sus palabras.

## 3

—Se acabó el ron. ¿Quieres algo de comer? —preguntó Rubén.

—No tengo mucha hambre, mi amor. Pide unas cuantas «bocas» —respondió Bluefields.

Rubén hizo señas a Sandra, que se movía entre las mesas del amplio local, atendiendo a los clientes que ahora, conforme la noche avanzaba, entraban en mayor número. Era viernes, y como todos los viernes, los campesinos y los soldados se mezclaban en «Sandra» para cenar, bailar y beber hasta altas horas de la madrugada. La enorme estancia se transformaba en un nido de ruidos, en el que el vocerío de la gente se confundía con el atronador volumen de la máquina de discos. Los ritmos de salsa, la cumbia y el palo de mayo alternaban con canciones melódicas y sensuales, y la pista de baile, poco a poco, se iba convirtiendo en el escenario de las piruetas y las caricias de una multitud de hombres y mujeres. Sonaba la salsa a voz en grito:

*Mamá, el negro está furioso*
*quiere pelear conmigo*
*decíselo a mi papá.*
*Mamá, yo me acuesto tranquila,*
*me tapo de cabeza*
*y el negro me destapa.*
*Mamá, qué será lo que quiere el negro.*
*Mamá, qué será lo que quiere el negro.*

La sala mediría alrededor de cuatrocientos metros cuadrados. Se notaba un fuerte olor a pino fresco, a causa de las maderas utilizadas para la reparación del techo. Entre los tablones que se ajustaban en variadas formas geométricas para sostener el cobertizo, podía verse parte del metal del tejado. De algunos de los maderos colgaban bombillas que iluminaban la estancia, pero tan sólo lograban convertirla en un salón en penumbra.

La pista de baile era amplia y de forma rectangular. Su suelo de baldosines, sobre el que todavía quedaban, pese a la actividad de los danzantes, restos de serrín, aparecía cerrado por rejas pintadas de negro. Próxima a la entrada, la máquina de discos, iluminada en su interior por luces de colores, parecía un ingenio rescatado del futuro en aquel local desvencijado y lóbrego. Al fondo de la sala, una lámpara de carburo arrojaba su llameante luz sobre el mostrador, en el que Sandra y otras dos camareras desplegaban una vertiginosa actividad, recogiendo las botellas y los platos de comida que llegaban desde la ventanilla que daba a la cocina. Alrededor de la pista, las mesas y las sillas de plástico rojo acogían a varias decenas de personas: soldados que dejaban apoyadas sus armas junto a las paredes; campesinos que cubrían su cabeza con sombreros de pita y de hoja de palma; muchachas engalanadas con vestidos de colores llamativos... Un perro lanudo, de pelaje blanco, entraba y salía por los huecos del enrejado. Dos o tres gatos se afanaban bajo las mesas en hacerse con los pedazos de comida que caían al suelo.

Llegó el ron, acompañado de unas pocas costillas de cerdo y trozos de churrasquito.

—Deja que yo lo ponga, mi amor; tú llenas tanto los vasos que dejas las botellas vacías en dos vueltas.

Bluefields le dio con el dedo un leve golpe en la nariz.

—Qué lindo es estar en un lugar con música y bebida —dijo mientras servía el ron.

—Ándale, mujer, echa un poco más.

—No, luego..., así dura más tiempo.

—No importa, puedo pagar las botellas que quiera.

—¿Hiciste un buen negocio?

—No, mujer, es que aquí el guaro es más barato que en Ocotal o en Managua.

—Da lo mismo, mi amor. Si la llenas mucho, la vacías luego en dos mechazos. Bebe sorbito a sorbito.

—Bueno, mujer.

—No quiero que te pongas bolo esta noche.

—¿Y para qué me quieres sobrio?

—Ay, mi amor..., tú ya lo sabes. Cuando estáis bolos os da siempre por hablar. A mí me gusta platicar, tú sabes..., pero en los lugares donde debe platicarse. Y por la mañana, con la goma, os da triste, echáis un olor ácido. Ay, no me gustan los bolos. Bebe suavito y no te llenes los vasos, anda. ¿Le das el gusto a Bluefields?

—Mujer, me recuerdas a mi vieja. ¿Tú nunca te has emborrachado?

—No sé. Pero nunca me pone triste el guaro, no como a vosotros. A los hombres os trastorna; a nosotras nos alegra. A lo mejor porque lo bebemos más despacio, sin ansias. Y, además, cuando estáis bolos, muchas veces os da por armar la del diablo. No, no me gustan los hombres cuando están bolos.

—Bueno, a tu salud.

Dio un pequeño sorbo.

—¿Así está bien, mujer? —dijo luego.

—Sí, claro, mi amor —respondió Bluefields al tiempo que arrimaba su cabeza hasta él y la apoyaba en su hombro. Comenzó a frotar sus cabellos contra las mejillas de Rubén.

—Pareces un gato.

—Es que me gustas.

—¿Sólo yo te gusto?

Ella retiró la cabeza. Sonreía y los ojos se achicaban en su cara tostada y ancha.

—¿Eso son celos?

—No, mujer, claro que no. Si alguien fuera celoso contigo estaría condenado a vivir todo el día en el infierno.

—¿Y qué hay de malo?

—Nada, claro.

—Hay muchos hombres lindos, mi amor. Y tú eres uno de ellos.

—Me parece bien; no te excuses. No se puede pedir fidelidad a quien se paga.

—¿Y qué hay de malo en pagarme?

—Tampoco hay nada malo.

—Si haces un trabajo porque te gusta y además puedes vivir de eso, pues tanto mejor, ¿no te parece, mi amor?

—Es una buena razón, desde luego.

—Yo, si no me gustara, buscaría otra ocupación. Pero los otros trabajos no me gustan.

—¿Cuánto llevas aquí en Jalapa, Bluefields?

—Huy, casi dos años y medio.

—¿Y te complace el lugar?

Ella se encogió de hombros.

—No es mejor ni peor que otros. Claro, me gustaba más la costa, era mi tierra. Pero aquí hay hombres. Bueno, allí también los había, pero nadie pagaba. A todo el mundo allí le gusta el amor, a los hombres y a las mujeres. Por acá, y también en Managua, los hombres pagan. Y tengo las dos cosas: el gusto y el dinero para vivir.

—El tuyo sí que es sentido práctico.

—Pero añoro mi tierra, añoro Bluefields. Allá, por las noches, me iba a la playa. Me bañaba y fumaba buena manteca. Y siempre tenía uno o dos de esos negritos de allá. Son tan ricos..., te ponen en todas las posturas, te lo hacen todo muy sabroso.

—¿Y por qué no seguiste allá?

—No había dinero, mi amor. No podía vivir sin tener para comer.

—Una pena: acá no hay muchos negritos.

—Algunos llegan, no creas. Y bueno, algunos blanquitos no lo hacéis mal. Tú siempre me has gustado.

—Gracias, Bluefields, es un buen cumplido.

—Mira, yo no sé cómo los hombres, bueno, muchos de ellos, son a veces tan torpes. Las mujeres no somos tan difíciles…, es cuestión de buscarnos, de tener paciencia para encontrarnos el gusto. Un día te explicaré bien algunas cosas que no fallan.

—Explícamelas ahora.

—Ay, no… Luego en mi casa, si quieres. Y tú ya sabes, además. Pero te contaré lo que yo opino que hay que hacer.

—Me dejas intrigado.

—Huy, mejor, así te intereso más, mi amor.

Las parejas llenaban ahora la pista de baile, atraídas por el ritmo de una cumbia. Atronaba la música:

*Qué hiciste, abusadora, qué hiciste…*
*Abusadora, abusadora.*
*La mujer que quise me dejó y se fue,*
*y ahora allá quisiera volver.*
*Qué hiciste, abusadora, qué hiciste.*
*Abusadora, abusadora…*

—¿Por qué no bailamos, mi amor?

—Déjalo, Bluefields, no tengo edad para eso. Prefiero el ron. Baila con otro, hay muchos chavalos bailones.

—Mira, saldré a la pista y que venga a bailar el que quiera. Ya verás cómo sale alguno piqueteando detrás mío…, y no te me pongas celoso, ¿eh, mi amor?

—Ya te dije que tener celos contigo es como condenarse al infierno. Pero no te comprometas para luego.

Bluefields le guiñó un ojo y le arrojó un beso al tiempo que se levantaba y se dirigía hacia la pista de baile. Rubén contempló el cuerpo pequeño y redondo de la muchacha mientras caminaba contorneándose. Apuró los restos de ron de su vaso y se sirvió otra larga porción. Puso hielos y exprimió en el líquido dos rodajas de limón. Cuando alzó los ojos, vio que Bluefields ya bailaba, en el extremo más próximo de la pista, con un llamativo movimiento de caderas y de hombros. Dos jóvenes soldados danzaban alrededor de ella y a Rubén se le antojó que, al lado del grácil erotismo de la muchacha, parecían marcar los pasos de una marcha militar en lugar del ritmo de la cumbia.

—¿Le importa si me siento, amigo?

Le sonreían los labios del capitán Julio detrás de los bigotes negros y densos.

—Con gusto; tome una copa de ron, yo le invito.

—No, muy agradecido. Pediré mejor una cerveza.

—Como le plazca.

El militar sacó un paquete de cigarrillos del bolsillo de su camisa y le ofreció a Rubén.

—No, gracias; soy poco fumador.

—Hoy nos encontramos en todas partes, amigo —dijo el capitán al tiempo que dejaba escapar de sus labios, con voluptuosidad, la primera bocanada de humo.

—Si usted fuera de la policía, pensaría que andan siguiéndome.

—A los periodistas del *Nuevo Diario* no les sigue nadie.

—¿Y a los de otros periódicos?

—Aquí vienen de vez en cuando colegas suyos de *Barricada* y de la Radio.

—Ninguno de *La Prensa*, ¿eh?

—No creo que les den el salvoconducto en Managua. Aquí no viene ninguno de ésos desde que yo estoy. A lo mejor es por esa razón que nunca informan en ese periódico de los asesinatos de la «contra».

—Puede ser.

—¿Y eso le preocupa a usted?

—¿El qué, lo que dice el periódico?

—No, que no se les deje entrar aquí.

—No me importa nada.

—Me alegro. Son unos reaccionarios y unos colaboracionistas del imperialismo.

—Yo no estoy muy seguro de eso.

—¿No, amigo? Pues yo sí que lo estoy. ¿A qué viene entonces ignorar lo que está sucediendo en esta guerra y andar siempre proponiendo que pactemos con los somocistas, que nos entreguemos atados de pies y manos a nuestros enemigos?

—Bueno, ellos tienen sus ideas, capitán...

—Eso no son ideas; son sucios intereses.

—Déjelo, ande. El tema me aburre.

Julio sonrió y guardó silencio unos instantes. Alzó la barbilla y miró hacia el mostrador. Hizo señas a Sandra de que se acercara.

—Entonces..., le aburre la política.

—No crea..., me parece que la política es la cuestión que más me ha interesado en mi vida. Incluso demasiado en otro tiempo. Pero, mire, estamos en un baile y me encuentro bien con un vaso de ron delante de mí. No tengo ganas de política en estos momentos. Dejemos ese debate para otra ocasión.

—Como quiera. Si lo desea, me voy.

—No, quédese. Usted me agrada; pero dejemos ahora la política, si le da igual. Deme ese cigarrillo que ofreció antes.

Sandra llegó hasta la mesa y el capitán Julio pidió una cerveza. Tendió una cerilla encendida hacia el cigarrillo que pendía de los labios de Rubén mientras éste, inútilmente, buscaba en los bolsillos de su chaqueta de algodón. Luego, el capitán mojó en saliva las yemas de dos de sus dedos y, con morosidad, los cerró sobre la cabeza del fósforo. Un hilo de humo, fino y denso, subió a enredarse en sus bigotes.

—O tal vez me equivoco y usted sí es de la policía..., de alguna clase de policía.

—Es usted quien habla ahora de política, amigo.

—No, simplemente hablo de oficios.

Llegó la cerveza. El capitán la levantó ante los ojos de Rubén y bebió con cierta ansiedad. Sus ojos negros bizquearon un instante tras el cuello de la botella alzada ante su rostro. La depositó después sobre la mesa, paseó la lengua sobre sus labios y se llevó el antebrazo hasta ellos para limpiarlos.

—Esa historia de los curas parece haberle interesado. ¿Escribirá sobre ello?

—Sí, claro, a eso vine.

—¿Y qué dirá?

—No sé todavía... Sé lo que voy a escribir exactamente a partir del momento en que empiezo a escribirlo. Creo que escribiré lo que me han contado.

—¿Incluso lo de la pistola?

—¿Llevaba pistola?

—No me diga que no lo sabía.

—Digamos que usted me lo ha confirmado.

—No, amigo, yo no confirmo nada. Guárdese de poner mi nombre en lo que escriba.

—Eso suena a amenaza.

—No, por favor. Es una petición que le formulo con educación.

—Si es así, cuente con que no escribiré nada que lleve su nombre.

—Muchas gracias, amigo. ¿Y dirá lo de la pistola?

—Posiblemente.

—Quizá sea un error... Eso puede traer una fregada política importante.

—Puede que sí, lo reconozco, capitán. Pero los líos políticos no son de mi incumbencia. Yo tengo que escribir sobre lo que veo y lo que me cuentan.

—¿Nunca reflexiona sobre las consecuencias de sus artículos? Eso suena un poco, ¿cómo le diría...?, un poco a inconsciencia, y no me tome a mal la expresión.

—No se lo tomo a mal. Es probable que yo sea un inconsciente.

—Creo que los periodistas están obligados a medir las consecuencias de lo que hacen.

—Los periodistas están obligados a contar la verdad, diría yo. Y no me tome por un puritano, que no lo soy.

—¿Y entre dos verdades que se hacen daño la una a la otra?

—¿Cuáles?

—Bueno, amigo..., me explicaré mejor: el hecho de que se sepa que el cura llevaba pistola va a dar que hablar. Era verdad, pero va a dar que hablar. Y los sectores más reaccionarios de la Iglesia tendrán un buen motivo para hacer ruido. Habrá una buena fregada y eso va a hacer daño al gobierno, usted lo sabe. Es otra verdad. ¿Ve?, las dos verdades chocan. ¿Qué escoge?

—Me quedo con las dos, probablemente.

—Es usted testarudo.

—Al contrario. Lo que sucede es que no me gusta asumir el papel de juez de las verdades. Hay mucha gente con vocación de hacerlo, y muchos otros lo hacen por mí.

—¿En su periódico?

—Sí, en mi periódico, por ejemplo. Supongo que mi director se ocupará de poner las dos verdades en un platillo y ver cuál pesa más. Ésa es su tarea; la mía es enviarle lo que encuentro por ahí.

El capitán le sonrió al mismo tiempo que movía la cabeza hacia los lados.

—No, no... Hay decisiones que los hombres tienen que tomar por ellos mismos, y no descargarlas en los hombros de otros.

—Algunos hombres; no yo.

—Mire, amigo, yo también tengo dos verdades: una, que usted va a enviar un artículo verdadero pero comprometedor; otra, que mi deber es informarlo. ¿Qué cree que haré?

—Puede hacer lo que le dé la gana. A mí me da lo mismo.

—Naturalmente, lo más probable es que cumpla con mi deber.

—Bueno, sobre la prioridad de sus deberes yo también tengo mis dudas. Pero es usted muy libre.

Rubén bebió de su vaso sin apartar los ojos del rostro del otro. El capitán seguía moviendo la cabeza hacia los lados.

—En fin, amigo, yo que usted lo pensaría un poco más antes de decidir.

—Ése es un buen consejo, capitán. Siempre me ha gustado que los hombres más jóvenes que yo me aconsejen. Yo practicaba mucho esa costumbre hace años.

—Pero..., dígame otra cosa. Hubo más en esa historia. El otro cura, el otro cura español, el padre Luis Ribera..., estaba allí aquel día.

—Habían ido juntos, según creo, a dar servicio religioso a unos heridos que agonizaban.

—¿Y nada más?

—No, hasta donde yo sé.

—Ustedes son amigos, ¿no?

—Buenos amigos. Por eso puedo casi afirmarle que no hay nada más. No, Luis no estaba cerca cuando todo ocurrió.

—Ya.

Bluefields se acercaba a la mesa. El capitán la saludó alzando la botella ante sus ojos.

—¿Qué tal? —dijo la muchacha.

—¿Se conocían? —preguntó Rubén.

—Sí, claro, hace meses —respondió el capitán al tiempo que se levantaba de la silla.

—¿Se va usted?

—Le dejo en buena compañía. ¿Me invita finalmente a la cerveza?

—Desde luego.

—No olvide reflexionar sobre la verdad y sobre su deber, amigo.

—Pierda cuidado, capitán. Esta noche tendré sueños filosóficos y morales. Aunque tengo la impresión de que mis conclusiones no van a contar demasiado en todo este asunto.

—Va pues —dijo el capitán.

—¿Qué le traía? —preguntó Bluefields mientras el otro se alejaba.

—¿Te divirtió el baile?

—Huy, mucho... Pero, dime, ¿qué quería él?

—No te cae bien, parece.

—No, no me gusta ese tipo. No me gusta cómo mira.

—¿Le conoces mucho?

—Le he visto por Jalapa, nada más. Pero no me gusta. ¿De qué hablaban?

—De los curas españoles. De Servando, del padre Luis.

—¿Le pasa algo al padre Luis?

—No, ya le pasó todo lo que debía pasarle.

—Lo sentiría, yo le aprecio.

—Yo también lo lamentaría.

Bluefields había arrimado su silla a la de él y pegaba ahora su muslo a la rodilla de Rubén. Él no la miró, sin embargo, y permaneció con los ojos detenidos sobre el vaso que sus manos sostenían. Se repetía sus propias palabras, su última frase: «Yo también lo lamentaría.» Había sentido un breve estremecimiento al decirlo, algo parecido a un mal presagio. ¿Pero qué podría sucederle a Luis? No era racional aquella desazón que se había instalado en su ánimo. Quizás el ron comenzaba a hacer efecto sobre su espíritu.

Pero Bluefields volvía a apoyar la cabeza sobre su hombro y restregaba su cuerpo contra el suyo. Giró el rostro y posó un leve beso en los labios de la muchacha.

—Estás melosa, ¿eh?

—Estoy calentita y deseosa. ¿Nos vamos ya a mi casa?

—Espera otro poco, anda. Quiero beber algo más, me cae bien esta noche el ron.

—Ay, mi amor, no vayas a ponerte bolo.

—No te apure eso, Bluefields. Hay días que el ron mejora las cosas en lugar de empeorarlas. Deja que beba algo más. Pediré sólo media botella, ¿de acuerdo?

—Llevas mucho bebido, mi amor.

Rubén hizo gestos a Sandra que, desde lejos, asintió cuando él le mostró la botella vacía.

—¿Tienes problemas, mi amor?

—No, ninguna clase de problemas. Me siento muy a gusto.

—¿Es por la conversación con el capitán?

—No, no, de veras. Sólo quiero beber. ¿Por qué no vuelves a bailar otro poco?

—*Okey*, *okey*... Los hombres sois a veces como chigüines de nueve o diez años.

—Sí, claro. Algún escritor ha dicho que todos llevamos dentro el niño que una vez fuimos.

—Ay, pues yo no leí eso.

—Claro, Bluefields; pero tú eres una chica inteligente. Anda, ve a bailar un rato.

—De acuerdo, mi amor. Guárdame un poquito de ron.

De nuevo su contoneo invadió la pista de baile. Varias decenas de hombres y mujeres se afanaban en mover hombros y caderas en el amplio rectángulo. La salsa atronaba desde la máquina de discos:

*Mamá no quiere que yo colé,*
*mamá no quiere que yo colé.*
*Colé, colé, colé, colé,*
*colé, colé, colé, colé...*

En las mesas vecinas iban acumulándose las botellas vacías de cerveza. Algunos bailarines mostraban ya los primeros síntomas de embriaguez, siguiendo con pasos torpes, a veces a trompicones, el ritmo de la música.

Le había alterado el recuerdo de Luis, el mal presagio que, por unos instantes, había cruzado por su cabeza. Hacía años que no dejaba en su mente espacio para los recuerdos. Se había acostumbrado a concentrarse en el presente, quizá porque su oficio consistía tan sólo en contar las cosas, no en buscar su sentido profundo. Sus recuerdos terminaban exactamente el día en que, cuatro años atrás, había decidido abandonar el partido sandinista. Desde entonces, intentaba no explicarse a sí mismo el mundo ni tratar de imponerle a nadie una explicación propia. Ésa era también una de las causas por las que eludía escuchar los graves problemas de los otros, incluso de los mejores amigos. ¿Qué podría él decir a nadie? ¿Unas frases de consuelo? Tal vez. ¿Y eso bastaría, serviría de algo? Se negaba a juzgar los actos ajenos, a calificarlos moral o prácticamente; las grandes teorías no bastaban para justificar un acto humano gratuito, y una simple estupidez de un solo hombre podía poner en cuestión todo el saber acumulado en las grandes enciclopedias del mundo. En realidad, detestaba desde años atrás cualquier tipo de fe. Y también a sus servidores. La mayoría de los hombres piensan que por su corazón cruza el sentido del Universo y que su paso por la Tierra no es un hecho gratuito. Algunos aplican ese convencimiento a una supuesta misión de la humanidad en su conjunto, o cuando menos de un país o simplemente de un grupo de hombres iluminados por la luz de la verdad. Él había apartado de sí, tiempo atrás, ese tipo de creencias. Se veía a sí mismo como un hecho gratuito rodeado de paradójicas casualidades. Y prefería escabullirse de que otros le planteasen dudas morales, porque él, a su vez, eludía planteárselas.

Pero Luis era algo más que un simple amigo. Y tenía derecho a ser escuchado por él. En cuanto a sus actos, en cuanto a las responsabilidades de Luis en lo que había sucedido, nada sabía, entre otras cosas porque no le había dejado explicarlas. Pero quien es cómplice de los pensamientos de otro es también cómplice de sus actos, y eso no podía ignorarlo ahora.

En cierta forma, y aun siendo sacerdote, Luis era un hombre de su misma estirpe. Como él, hacía tiempo que evitaba las grandes explicaciones sobre el mundo. Y como él, parecía condenado a una suerte de vagabundeo en el que tan sólo se buscaban unas gotas de afecto en los otros y una cierta dosis de emoción ante los hechos nuevos.

Había descubierto eso el primer día, allí mismo, en «Sandra», la tarde de un sábado. Rubén se sentaba a una de aquellas mesas junto a Bluefields y frente a una botella de ron. Luis se adentró en el local con pasos inseguros y al cruzar a su lado le dio un golpe involuntario. Rubén le hizo una seña y le indicó una de las sillas vacías junto a su mesa.

—Eh, broder, ¿busca sitio?

El otro dudó, en pie frente a él, esbozando una sonrisa.

—No tenga apuro. No hay lugar en ninguna parte. Siéntese y no le dé violencia. Eso es normal aquí en la frontera. Y esta silla vacía no va a durar así mucho tiempo.

Con ademanes torpes, Luis se sentó a su lado.

—Bueno, gracias…, es usted muy amable.

—¿Quiere un trago, broder? Aún queda ron en la botella.

—No sé si aceptarle.

Rubén no esperó respuesta y le sirvió en el vaso de Bluefields.

—No tenga reparos, ella no quiere beber hoy, ¿verdad?

—Tú solito acabarás con todas las botellas de acá si sigues así, mi amor.

—No haga caso, broder; ella no es de la liga antialcohólica. Le gusta pincharme un poquito. Así son algunas mujeres: picotean a los hombres que quieren. Ella lo hace conmigo, es un signo de cariño. Se llama Bluefields, por el lugar donde nació; yo mismo no sé su verdadero nombre..., pero prefiero que se conserve el misterio. Y yo soy Rubén Vivar.

Le tendió la mano por encima de la mesa.

—Yo me llamo Luis Ribera; encantado. Pero tal vez molesto..., usted está con la señorita.

—No sea tímido, yo no le hubiera invitado a sentarse si molestara y ella está acostumbrada a estar con muchos hombres, ¿verdad, Bluefields?

—Ay, sí..., sois tan ricos casi todos.

—¿Lo ve? Ustedes los españoles son a veces demasiado refinados.

—¿Cómo supo que era español?

—No es tan difícil conocer su acento. Ustedes hablan duro y en Latinoamérica hablamos dulce. Y bueno, yo estuve en España un tiempo.

—Ah, conoce mi país.

—Madrid y poco más; pasé allá unos seis meses.

—¿Por razones de trabajo?

—No, por razones de política. Era un exiliado.

—Es usted sandinista, pues.

—No; lo era.

—Ya no está de acuerdo.

—Eso no tiene que ver.

—Perdone si he preguntado sobre algo personal.

—A todos los hombres nos gusta que nos pregunten por cosas personales. No es eso; es que se hace difícil de explicar así, de pronto, en un lugar como éste. Otro día se lo cuento, broder.

—¿Bailamos un poco, mi amor? —interrumpió Bluefields.

—Mujer, todos los días la misma murga. ¿Sabe usted?, ella quiere siempre bailar y a mí no me gusta nada. ¿Por qué no baila con ella? ¿No le gustaría aprender a mover las caderas como las movemos acá? Ella es una buena profesora.

—No, yo...

—No le apure, broder, entre ella y yo sólo hay cariño, nada de compromisos. Es melosa y baila sabroso. ¿No la encuentra bonita? Anda, Bluefields, enséñale unos pasos de cumbia al amigo.

—No, no puedo. Yo..., bueno, yo soy sacerdote.

—¿Cómo dijo?

—Que soy sacerdote.

Rubén alcanzó su vaso y bebió sin dejar de mirar en los ojos de Luis.

—Vaya —dijo al concluir el sorbo—, es usted un redentor.

—No un redentor. He dicho sacerdote. No le simpatizan los sacerdotes, según veo.

—Pues, francamente, broder, nunca me he llevado muy bien con los embajadores del cielo.

—En mi oficio hay de todo. Como en el suyo, supongo.

—Mire, ésa es una apreciación inteligente. Así que usted no es un redentor, ¿eh?

—Por Dios, le he dicho que no lo soy.

—¿Y qué puede ser un sacerdote si no es un redentor?

—Un hombre como cualquier otro.

—No le veo muy místico.

—¿Y usted, a qué se dedica?

—Soy periodista. Pero no estamos hablando de eso. Hablamos de curas. ¿Le molesta el tema?

—No me molesta. Tengo asumido que lo soy, qué quiere, y no me parece ni mejor ni peor que otra cosa.

—¡Vaya con el cura! Si usted cree que el suyo es un trabajo normal, ¿por qué sigue siendo cura?

—Probablemente por la misma razón por la que otros siguen haciendo lo que hicieron siempre... y, bueno, se puede ayudar un poco a la gente.

—¿Sólo ayudar o también salvarla?

—He dicho ayudar.

—O sea, que usted no quiere salvar almas.

—Yo no sé si tengo capacidad para salvar almas. Me bastaría con salvar vidas.

—Eso suena a herético.

—No, no creo que sea herético. Es la línea, bueno, la línea del Vaticano II.

—Vaya, es usted un cura de la liberación, de esos que andan por acá, por América. Tenemos algunos de ellos en el gobierno de Managua.

—Tampoco soy eso.

—Ya, a fin de cuentas salvar..., ustedes se pasan la vida salvando, incluso a gente que no quiere ser salvada. ¿Intentaría usted salvarme ahora si le dijera que quiero suicidarme?

—Usted no lo haría. Y si lo hiciera, sería su propia decisión, la decisión de un hombre inteligente. Contra eso no hay nada que hacer.

—No me trabaje la vanidad que estoy de vuelta, broder.

—Bueno, creo que me voy.

Luis hizo ademán de levantarse.

—No se vaya, no se rinda tan pronto.

Le puso una mano sobre el brazo. Bajó el tono de voz al seguir hablándole:

—No vea agresividad en mí; soy el tipo menos agresivo de este país. Pero me gusta dialogar. Beba otro poco.

Sirvió ron en los dos vasos.

—Te me vas a poner bolo, mi amor —dijo Bluefields.

—Déjalo, cariño, déjalo. A este amigo le va el trago,

y me gusta beber con gente. ¿Por qué no bailas un poco? Así no te aburres.

—Ta bueno…, pero bebe poco, que luego te me desplomas en la cama.

La muchacha se alejó hacia la pista de baile. Rubén levantó el vaso ante los ojos de Luis.

—Brinde conmigo. Por ejemplo, brindemos por la vida eterna.

—¿Y por qué no por ésta? La tenemos más a la mano.

—Por lo que usted quiera.

—Por ésta, pues.

—Le da usted fuerte al trago, broder —dijo Rubén al tiempo que se secaba los labios con el dorso de la mano.

—Los navarros estamos habituados.

—Ah, navarro. ¿No será usted del Opus Dei?

—Desde luego que no.

—En Navarra había mucho de eso.

—También en otros sitios. Es una organización muy poderosa.

—Dicen que el Papa lo es.

—No sé. Pero simpatiza con el Opus, según cuentan.

—Y usted no, desde luego.

—No.

—Cada vez le veo más herético.

—No crea.

—Usted me descoloca. Parece más una paradoja que un sacerdote.

—No veo por qué.

—Quizás es la fachada.

—¿Tan falso le parezco?

—No se enfade. Mire, iba a ir ahora a una gallera; hay buenos combates de gallos esta noche, unas cuadras más arriba. ¿Viene conmigo?

—Nunca estuve en una pelea de gallos. Creo que es cruel.

—¿Le asusta la sangre?

—He visto suficiente como para no asustarme. Anduve seis años por África, como misionero.

—¿Y no le cocieron en un puchero antes de comerle? Tuvo suerte.

—No bromee. África no es eso.

—Bueno, será elefantes y leones. ¿Viene o no a la gallera?

—No tengo gran interés.

—Vaya, se me rajó usted. Ahora ya no me descoloca. Le veo más en sacerdote.

—No es por eso por lo que puedo parecerle sacerdote. Iré pues, si tan esencial le parece el asunto.

—Bravo, broder, me gustan los tipos aventados.

—¿Aventados?

—Así llamamos acá a los hombres decididos, con reaños como dicen ustedes. Aguarde que aviso a Bluefields.

Se acercó a la pista de baile y buscó a la muchacha. Danzaba al fondo entre un grupo de gente que se afanaba en seguir los pasos del ritmo de un palo de mayo. Llegó a su altura.

—Vamos a los gallos —casi le gritó.

—¿A los gallos? —Ella seguía bailando a su lado.

—Sí, ¿vienes?

—Ay, no. Me da mucho asco.

—Bueno, espera aquí. Tardaré un rato. Si te enamoras de otro, no me aguardes.

—No, mi amor, yo te espero siempre que dices que vuelves. Pero hazlo, ¿eh?

—Sí, vidita, yo no te cambio por un cura.

Regresó al lado de Luis. El otro aguardaba en pie junto a la mesa.

—Beba el ron que queda, ya está pagado.

Salieron. La noche era estrellada, sin luna, y apenas si se distinguía el trazado de las calles bajo la luz macilenta de las bombillas.

—Es cerca, no se apure. Lo que es la vida, ¿quién iba a decirme a mí que esta noche acabaría yendo con un sacerdote a la gallera?

—Los caminos del Señor son inescrutables.

—Vaya, tiene sentido del humor. Me gusta usted, broder.

—Usted tampoco me cae mal. Dígame, ¿quién es esa muchacha?

—Es una prostituta de Jalapa.

Luis guardó silencio.

—¿Le asusté?

—No. He visto muchas prostitutas antes. Mire, yo sé un poco de la vida, aunque usted crea que los sacerdotes no la conocemos. Pero siento lástima por las mujeres que deben dedicarse a la prostitución.

—No es el caso de Bluefields, usted no la conoce. Ella lo hace porque le gusta. Si un tipo no le cae bien, no se va con él. Aquí en el frente tiene para escoger: hay mucho hombre y poca mujer, y las que hay, son mujeres de los campesinos, no están en el juego en su mayor parte. Bluefields vive a su gusto.

—¿Usted le paga?

—Claro, broder. Ella vive de eso. Sería una explotación no hacerlo.

Desde fuera, el local parecía una casa más del pueblo, si se exceptuaban el griterío humano y la algarabía de numerosos gallos que llegaba hasta la calle. Rubén sintió un escozor profundo en los ojos al cruzar la puerta de la gallera, tal era la densidad del humo de los cigarrillos que se consumían allí dentro. Casi dos centenares de personas llenaban el amplio recinto. Se procedía a la ceremonia del pesaje de las dos aves que iban a enfrentarse en la próxima pelea y la gente se concentraba en grupos, comentando el combate anterior o evaluando las posibilidades de los nuevos contendientes. El kikiriqueo ininterrumpido de los gallos, encerrados en jaulas de madera individuales que se repartían por todos los rincones de la estancia, encendía el ambiente. Abundantes bombillas iluminaban el salón y el pequeño coso de los combates, un rectángulo cercado por maderas pintadas de vivos colores y con suelo duro de tierra, sobre el que dos rayas blancas marcaban el sitio reservado para los animales. En un rincón de la sala, una mujer de avanzada edad asaba sobre una plancha pedazos de pollo y tostones de banana.

—¿Le gusta, broder? —casi gritó Rubén para hacerse escuchar por su acompañante.

Luis se encogió de hombros por toda respuesta.

—Bebamos entonces una cerveza, ¿le parece?

Luis asintió.

—¿Quiere un poco de pollo?

—No.

—Le aseguro que no son trozos de los animales que mueren aquí.

—No tengo hambre, gracias.

Se abrieron paso a duras penas entre la gente. Cerca de la plancha, el humo y el calor de las fritangas hacían casi irrespirable el aire. Rubén tomó las cervezas y empujó a Luis hacia el coso.

—Abra usted camino antes de que nos ahoguemos.

La gente se acodaba ya sobre los bordes del recinto de peleas, donde los más avispados habían logrado hacerse con unas sillas de tijera. En el centro de la pista, bajo la mirada atenta del árbitro, los dueños de los animales procedían con esmero a atar las navajas a las patas de los gallos. Uno era blanco, moteado de manchas negras; el otro, rojo, con plumas que tomaban un tono dorado en los extremos de las alas y la cola.

—Vaya, en la pelea tendrá usted un compatriota, broder.

—¿Un compatriota?

—Sí, hombre. El gallo blanco es un «español», una

de las razas mejores de por acá. Ustedes son buenos gallos, ¿no? Aquí en el continente dejaron un buen puñado de hijos.

—¿Y el otro gallo qué es?

—Me parece que un «chile». ¿No conoce las razas?: están los «chambos», los «madroños», los «calcuta». Pero los «españoles» son de los mejores. Yo apostaría por él. ¿Le hacen quinientos córdobas?

—Eso quiere decir que, si gana el blanco, yo le pago a usted el dinero.

—Exacto.

—Pero a mí me gusta el blanco.

—Bien, cambiemos la apuesta. Yo me quedo con el «chile», ¿le hace?

—De acuerdo, van los quinientos córdobas.

—Se me está haciendo usted un cura cada vez más raro.

—Rezaré por usted si pierde.

Rubén alzó la botella:

—Por el «chile».

La vació de un trago y Luis le imitó.

—Cae bien, ¿eh, broder? Déme la cerveza, le traeré otra.

Alguien acudió con un tercer gallo, sujeto por la parte inferior del cuerpo. Los otros dos hombres acercaron a sus respectivos animales y, por turno, los azuzaron contra el recién llegado. Las primeras plumas quedaron flotando en el aire.

Rubén regresó con las cervezas.

—¿Qué hacen ahora? —preguntó Luis.

—Los encolerizan para que peleen duro. Ese gallo es el «espadrote», un antiguo luchador, una especie de «sparring». Él ya no vale para las peleas, porque lo despataron en alguna. Pero sigue siendo bravo y enfurece a los otros. Así combatirán hasta la muerte.

—¿Hasta la muerte?

—Bueno, si la pelea pasa de quince minutos, se para y se determina el ganador. Pero es raro que duren tanto tiempo. Parece que le va gustando esto, ¿eh, broder?

—Resulta curioso.

Retiraron al «espadrote» y los dos «echadores» quedaron frente a frente en el centro del coso. Se alzó entonces un fuerte vocerío entre la gente. Algunos hombres se levantaban de sus asientos gritando, al tiempo que agitaban al aire los fajos de billetes. «Cojo, cojo», voceaban unos; «pongo, pongo», clamaban otros.

—¿Qué dicen?

—Macean.

—¿Cómo?

—Unos cogen apuestas, otros las ponen. Macean, apuestan...

Los «echadores» se adelantaron y acercaron los gallos, todavía sujetos, el uno frente al otro. Los dos animales se lanzaron violentos picotazos y nuevas plumas quedaron en el aire. Luego, los dos hombres retrocedieron unos pasos y, a la altura de las dos rayas blancas, dejaron libres a las aves. La sala enmudeció por unos segundos. Separaba a los dos luchadores un metro escaso de distancia.

Comenzó entonces una extraña ceremonia. Los animales, alzado el cuello y henchido el pecho, se movían lentamente, parecían estudiarse. Caminaban a pasos cortos, sin cesar de contemplarse, levantando con gracia y lentitud sus patas en el avance. Poco a poco reducían distancias, se aproximaban el uno al otro en movimientos laterales, el pico cerrado, las alas encogidas, la cola tensa, las agudas navajas brillando a la luz de las bombillas. Nadie hubiera dicho en aquel instante que los dos gallos se preparaban para una violenta pelea en la que uno de los contrincantes resultaría probablemente muerto y el otro malherido. A los ojos de un profano, aquella ceremonia bien podría parecer una danza, una exhibición impúdica de belleza y elegancia. Como el baile lento de dos hermosos boxeadores que, durante meses, han puesto a punto su físico, han llegado a lograr que sus musculaturas alcancen el grado supremo de la belleza y de la fuerza…

—Es una pena, son tan bonitos… —comentó Luis.

—Broder, no se me ponga ahora sentimental.

—Me parece penoso que de tal hermosura salga luego un destrozo como el que imagino.

—Es la vida, broder.

Sin alterar su paso y su prestancia, los dos animales llegaban ya casi a rozarse.

—No parece que quieran pelea.

—Espere, broder, espere unos segundos…

Durante unos instantes, el «español» y el «chile» quedaron detenidos frente a frente. Apenas si movían los músculos de sus cuerpos y sólo las cabezas, en nerviosos giros a izquierda y derecha, parecían revelar una actitud agresiva. El silencio del público acompañaba la quietud de los dos animales.

Súbitamente, los dos gallos se alzaron al tiempo sobre sus patas y agitaron las alas mientras se levantaban del suelo. Las plumas de sus cuellos se erizaron, sus picos se abrieron, resplandecieron los espolones armados en velocísimos golpes. Durante dos o tres minutos, el escenario del combate semejó un torbellino de colores agitados vertiginosamente por un misterioso mecanismo. El gallo rojo se alzaba de pronto al aire y golpeaba al blanco desde lo alto; volaban plumones dorados, albos y amarillos, las gotas de sangre saltaban y manchaban la arena y el palenque del circo. Tan raudos eran los golpes y picotazos que se hacía casi imposible distinguir cuál de los dos animales llevaba ventaja sobre el otro. En un instante, el gallo blanco se elevaba agitando las alas sobre el cuerpo caído del rojo y lanzaba rápidos navajazos. Al momento, era el otro el que se alzaba sobre el cuerpo del contrario. Como un coro trágico, desacompasado y lúgubre, el vocerío de los espectadores acompañaba la pugna de sus favoritos: «¡mata!», «¡duro!», «¡así, españolito!», «¡bravo, chile!», estos y otros gritos semejantes componían el retablo de voces de las gentes enardecidas.

A una señal del árbitro, los «echadores» separaron los gallos. Los dos hombres acariciaban los lomos de las aves y, luego, aplicaban la boca a sus heridas y absorbían su sangre. Escupían y volvían a acariciarles, daban nuevos sorbos de sangre, los posaban en tierra para comprobar si se tenían sobre sus patas...

A una señal del árbitro, otra vez los gallos solos, y el revoloteo salvaje, los picotazos demoledores, las cuchillas abriéndose camino en las carnes tersas, los plumones arrancados flotando sobre los contendientes, el vocerío incansable de los apostantes, las gotas de sangre saltando de los cuerpos agitados de los animales, el nervioso clamor de los gallos que permanecían detrás encerrados en sus estrechas jaulas... Otro descanso, nuevamente la ceremonia de las caricias, la absorción de la sangre, los escupitajos, la comprobación de las heridas y la fortaleza de las patas.

Salieron por tercera vez. Nada dejaba ver aún cuál sería el vencedor. De pronto, el «español» se alzó en un vuelo corto y su cuchilla cruzó como un pequeño rayo de plata el breve espacio que le separaba del «chile». Pudo verse la navaja al golpear contra el cuello del contrario. Las patas del rojo temblaron, se posó en el suelo lentamente, su cuello fue estirándose hasta que la cabeza quedó apoyada sobre el circo de arena. Manaba la sangre dejando un surco oscuro sobre la tierra parda y el «español» detuvo su revoloteo. Dio dos pasos gráciles hacia delante y se detuvo sobre el cuerpo del caído. Bajó la cabeza hasta casi rozar la del rojo y, con un corto y seco movimiento, clavó su pico en el ojo del «chile» que yacía a sus pies. Tiró luego hacia atrás, y extrajo el órgano seguido de un largo nervio de color claro, mientras que el gallo derrotado, ya sin fuerzas, quizá cadáver, era incapaz siquiera de hacer un breve movimiento en señal de dolor.

Pero ya nadie prestaba atención a los dos animales. Los «echadores» discutían junto al árbitro los detalles de la pelea, mientras que los apostantes pagaban su deuda o recibían su beneficio. El clamor de la gente había cesado, y algunos se retiraban ya de las primeras filas del coso para comprar unas cervezas o porciones de pollo frito. Quedaba al fondo, como un lamento racial, el griterío de los gallos encerrados. El «español» fue recogido con mimo por su dueño, que procedió a absorber la sangre de sus heridas mientras lo retiraba hacia su jaula. Alguien tomó al «chile» por las patas traseras y lo echó a un rincón de la sala, sobre los cadáveres de otros gallos muertos.

—Bueno, broder, aquí están sus quinientos. Ganó su compatriota, ¿eh?

—Esto resulta horrible.

—Cuestión de acostumbrarse.

—Pero es inhumano.

—Al contrario, es muy humano. Los hombres suelen hacer cosas mucho peores entre ellos. Si es por lo del ojo, le diré que eso se queda corto al lado de las torturas que ha podido inventar el ingenio de los seres humanos a lo largo de los siglos. Mire, broder, a fin de cuentas cada uno de los gallos tenía aquí su oportunidad, mientras que los verdugos humanos no suelen dar ninguna clase de oportunidad a sus víctimas. Es humano, o tal vez no, tal vez sea inhumano; pero no por defecto, sino porque se queda corto al lado de lo que los humanos son capaces de hacer. Tenga sus quinientos.

—Dejémoslo, hombre, no voy a cogerle una suma así.

—Óigame, el juego es el juego, y no me saque usted el cura que lleva dentro. Si llega usted a perder, ¿no me hubiera pagado?

—Sí, claro. De acuerdo, los tomo. Hay aquí para unas cuantas rondas de cerveza.

—Claro, y le sobra para echar luego un roncito en «Sandra». ¿Le apetecen más peleas? Dentro de unos diez minutos habrá otra.

—Por hoy tengo bastante. Tomemos las cervezas.

Se abrieron paso entre la gente y lograron las bebidas. Rubén pidió cuatro en lugar de dos.

—Así no tenemos que volver, broder, y ya estamos aprovisionados.

Se retiraron hacia la puerta, donde el ambiente era algo más fresco que en el resto de la sala.

—Parece que le impresionó —comentó Rubén al tiempo que bebía de la primera botella. Se habían sentado sobre el suelo de tierra dura.

—Resulta cruel.

—Esto es casi el deporte nacional nica, junto con el béisbol, claro. También hay buena afición a los toros, debo llevarle un día.

—Fue repulsivo ver cómo le arrancaba el ojo.

—Sí, esas cosas impresionan la primera vez.

—Y es triste, eran dos animales muy bellos.

—Bueno, eso no significa mucho. A veces, las cosas son bellas porque sabemos que les aguarda la ruina, la destrucción, el deterioro, la muerte. Todo es bello o es hermoso en función de su contrario, es como una ley de vida.

—La cerveza le pone filosófico.

—Digamos que me pone realista, broder. Pero usted me complace, ¿sabe?

—En mi tierra dicen que una de las fases de la borrachera lleva a la exaltación de la amistad.

—Aún no estoy borracho, me queda un largo recorrido todavía, broder. ¿Sabe usted que la cerveza sube aún más el alcohol?

—Eso dicen, pues.

—¿Y usted no se siente ya un poco borracho?

—Algo tocado, puede ser. Pero aguanto lo mío. En mi tierra echamos vino en los biberones de los niños. Yo me he criado con más vino que leche y estoy bien ducho en estas cosas del guaro, como lo llaman ustedes. Pero sí, algo toca aquí la cerveza.

Se señaló con el dedo la cabeza.

—Y bueno —agregó Luis—, le diré que usted también me cae bien.

Concluyeron al unísono las primeras cervezas y echaron a un lado los cascos.

—¿De verdad no me da la revancha apostando en otra pelea, broder?

—Apostemos cualquier día de éstos sobre otra cosa. Yo espero no volver en mi vida a una pelea de gallos.

—Vaya, se me arrepintió ya de haber venido.

—Qué va, hombre, no me crea tan sensible. Me gusta ver de cerca las cosas del mundo, incluso las terribles y las desagradables. Creo que, en estos tiempos, los sacerdotes están más obligados que en otros a conocer bien la vida.

—Eso es peligroso, broder, muy peligroso.

—¿Usted cree?

—Si los ángeles o los dioses bajan a los infiernos, corren el riesgo de contaminarse. Quizás ustedes deben hacerlo en estos días, en lugar de permanecer ocultos en lejanos claustros y sacristías. Y a lo mejor deben hacerlo, no para redimir a nadie, sino para salvarse o condenarse con el mundo. Pero es arriesgado, muy arriesgado, porque el infierno es muy atractivo.

—Redimir, condenarse…, dice usted cosas que debería decir yo. Y ya ve, yo no hablo de esas cuestiones. Un sacerdote debe estar cerca de los hombres, sin ánimo de redimirlos o condenarlos.

—¿Conoce ya al padre Servando?

—No. Creo que le veré mañana.

—Bueno, ya hablaremos sobre él cuando le conozca.

—¿Y qué tiene de particular?

—Se parece en algo a usted..., sólo en algo. Como a usted, broder, le complace bajar a los infiernos. Pero él acude a las llamas eternas para redimir y condenar a los que encuentra. Usted es otra cosa: le gusta presenciar el espectáculo, según se desprende de lo que dice. Sí, son ustedes distintos, pero tal vez les aguarda una suerte parecida. El Papa es más coherente que todos ustedes, aunque sea un reaccionario de primera línea.

—¿Le dan siempre tan discursivas las borracheras?

—Todavía no estoy perfectamente borracho, broder. Y me gusta hablar con la gente inteligente.

—Gracias por el cumplido. De todas formas, no creo que yo corra el riesgo de abrasarme en las llamas del infierno. Ya le dije que yo no pretendo redimir a nadie.

—No me sea ingenuo. Aunque se empeñe usted en lo contrario, su vocación de dios mundano o de ángel contaminado comporta una actitud frente al bien y el mal. En países como éste, cuando uno tiene conciencia moral, cuando uno tiene una idea sobre el bien y el mal, aunque permanezca oculta, se acaba cayendo en uno de los lados de la raya. En otras tierras, un hombre puede ser muchas cosas; pero en Nicaragua, los hombres acaban siendo solamente una. Cuídese, broder.

—No le comprendo muy bien.

—Bah, déjelo estar. Sólo le digo eso, que en Nicaragua los ángeles se corrompen y los dioses se vuelven cimarrones. Y a su salud, que todavía hay cerveza.

—A la suya.

Salieron de la gallera y se alejaron pueblo abajo. Miles de estrellas brillaban en lo alto, hervían sobre el azul oscuro de los cielos. No había aire, ni nubes, ni otro ruido que el canto de los grillos. Bajo la breve iluminación de las escasas bombillas que alumbraban las calles, Jalapa se extendía hacia las montañas invisibles como un poblado plagado de sombras ignotas y de viviendas silenciosas. De algunas ventanas salía al exterior la mortecina luz de un candil o de una lámpara de gas.

—¿Dónde dijiste que te alojabas? —preguntó Rubén mientras marchaban casi a tientas.

—En una pensión. Se llama «El Progreso».

—Ah, ya sé. Queda hacia arriba, ¿no?

—Sí, unas cuatro o cinco cuadras.

—Bueno, te tuteé sin preguntarte. ¿No te importa?

—Me parece bien.

—¿Bebemos ese ron en «Sandra»?

—De acuerdo. No creo que haya nada mejor que hacer a estas horas en Jalapa.

Llegaban ya a la puerta de la cantina cuando Rubén posó la mano sobre el hombro de Luis y le hizo detenerse. A la pobre luz de una bombilla, se distinguían las sombras agitadas de cinco o seis hombres. Algunas parecían tambalearse y se les escuchaba discutir en elevado tono de voz.

—¿Qué sucede? —preguntó Luis.

—Espera —respondió Rubén mientras aumentaba ligeramente la presión de su mano sobre el hombro del sacerdote.

Aguardaron así, quietos, en la oscuridad, durante varios minutos. La discusión entre los hombres crecía, las voces tomaban un tinte de violencia. Al fin, el grupo pareció moverse a un lado, dejando libre la puerta de la cantina. Un hombre había caído al suelo y los otros se movían a su alrededor como grotescas sombras chinescas.

—Vamos —dijo Rubén, y empujó a Luis en dirección a la puerta.

—Bueno, ¿qué sucedía? —preguntó el sacerdote una vez dentro del local.

—Estas peleas suelen acabar mal, y los bolos la emprenden con cualquiera que se cruza con ellos. Las borracheras son muy violentas aquí en el frente. Los hombres viven en tensión, broder, dispuestos a matar y a morir cuando hay unas copas de más. Pudo terminar a tiros lo que viste allá afuera. Y a nosotros no nos va su guerra. Vamos, busquemos a Bluefields.

La mayor parte de las mesas aparecían ahora vacías de gente, con los tableros cubiertos por restos de comida y botellas de cerveza. Algunas parejas bailaban abrazadas en el centro de la pista al son de una melodía cadenciosa. Vieron a Bluefields, materialmente enterrada entre los brazos de un hombre alto que movía sus pies de un lado a otro, balanceándose, carente de cualquier sentido de ritmo. Ella alzó la mano por encima de los hombros de su acompañante e hizo un gesto de saludo, como un frágil animal que agitara uno de sus miembros entre las garras de un poderoso monstruo.

Se acomodaron junto a una mesa que parecía más limpia que las otras. En la de al lado, un hombre dormitaba con la parte superior del cuerpo tendida sobre el tablero y los cabellos negros y lacios cubriendo una fuente con restos de ensalada. Había platos y botellas por el suelo y algunas sillas caídas. El perro y los gatos devoraban restos de costillas y churrasquitos.

Bluefields se acercaba seguida a poca distancia por el hombretón, que caminaba a duras penas, dando trompicones, entre las mesas que rodeaban la pista de baile.

—¿Y cómo le fueron los gallos?

A sus espaldas, el hombre se detuvo, dejó caer la mano sobre el hombro de Bluefields y balbuceó unas palabras ininteligibles.

—Déjalo, Sergito, otro día. Ahora me quedo con estos amigos —le dijo al tiempo que se volvía y depositaba una leve caricia sobre la mejilla del otro.

El hombre masculló de nuevo unas palabras.

—Anda, vete. Si estás que no te tienes en pie de mero bolo —insistió Bluefields.

El otro volvió los ojos hacia ellos, con gesto cansado

y mirada beoda. Finalmente, se dio la vuelta y se alejó, después de chocar con una mesa y estar a punto de caer.

—Bluefields, no tienes arreglo —le dijo Rubén al tiempo que la muchacha tomaba asiento a su lado y apoyaba la cabeza sobre su hombro.

—Te dije que te esperaría si prometías volver. Yo soy una chica fiel, mi amor.

—Cualquier día uno de esos tipos me va a buscar la bronca. Y ya sabes que yo no soy muy aventado para las fregadas.

—Ay, mi amor, no te preocupes, yo sé cómo tratar a los hombres. ¿Y qué tal fue lo de los gallos, padre? —dijo volviendo el rostro sonriente hacia Luis.

El ruido de varias ráfagas de metralleta, viniendo desde la calle, les sobresaltó. Luis hizo ademán de levantarse.

—Quieto, broder, quieto, ésa no es nuestra guerra. ¿Qué te dije? Aquí se acaban muchas veces las cosas a tiros. Son los bolos pendencieros que encontramos antes en la puerta.

—Pero ¿y las armas?

—Deben de ser soldados, o milicianos.

—¿Y la autoridad militar?

—Mira, broder, el ejército de aquí sólo hace cinco años que terminó la revolución, y luego ha venido esta guerra. Es todavía un ejército muy peculiar, no como los ejércitos de otros lugares, de tu tierra, de Europa. Aquí hay una cultura del revólver y el machete, algún día te contaré esa historia. Pero tomemos ese ron, la guerra de los bolos no va a entrar por esa puerta.

Como aquella noche, el local se iba ahora vaciando de clientes. Y como aquella noche, Bluefields bailaba abrazada al cuerpo de un hombre en el centro de la pista de baile. Rubén bebió de su vaso, lo vació y luego escurrió los últimos restos que quedaban en la botella de ron. No había más hielo en la cubeta de plástico, en cuyo interior quedaban ahora dos o tres dedos de agua sucia, casi de color marrón. El alcohol no había hecho todavía en su espíritu suficiente efecto como para que pudiese apartar el malestar que le desazonaba.

Y ahora, como aquella noche, Bluefields volvía a la mesa con un tipo detrás, con un corpachón masculino que caminaba siguiéndola con paso torpe, chocando su cuerpo contra las mesas y las sillas que cercaban la pista de baile.

La muchacha tomó asiento a su lado y, frente a él, el hombre se dejó caer sobre una de las sillas. Los ojos negros del tipo miraban directos en el interior de los suyos, como si quisiera encontrar su alma.

—¿Y a usted quién le dijo que se sentara? —preguntó Rubén, y al instante reparó en que el otro vestía una camisa verde olivo con mangas recogidas hasta más arriba del codo.

—Nadie me lo dijo, compa, pero yo estoy con ella.

—¿Lo ves, Bluefields? —dijo volviendo el rostro hacia la muchacha—. Te dije que alguna vez me traerías la bronca hasta la mesa.

—Ay, no, mi amor, si él va a marcharse.

—¿Quién dijo que me marcharía? —respondió el otro de inmediato.

—Bueno, debes hacerlo, mi amor, yo estoy con él.

—Hace unos minutos no pensabas así, ahí en la pista, bailando...

—Sí, mi amor, pero las mujeres cambiamos de gusto en un momento.

La mano fuerte del soldado cruzó por encima de la mesa y, como una tenaza, sujetó el antebrazo de la muchacha.

—¡Chiva, niña!, no me encachimbes. Yo no soy un güevón cualquiera. No me hagas que monte la verga con este patango.

Se levantó y dio un tirón del brazo de Bluefields.

—Venga, vamos tú yo y olvida al compa. Lo pasaremos pijudo, niña.

Rubén se levantó. Notó que las piernas le temblaban.

—Mire, broder, ella no quiere ir con usted. Yo no busco turqueos, ¿sabe? No soy un tipo aventado ni me gusta la bronca, pero ella no quiere irse.

El otro soltó a Bluefields y avanzó un paso hacia Rubén.

—Está usted listo, compa, si quiere montar la verga. ¡Chiva conmigo! Una palabra más y tendrá sus vergazos.

Bluefields casi había saltado en medio de los dos hombres. Antes de que Rubén hubiera decidido si respondería o no al otro, la muchacha empujaba al soldado con golpes fuertes en el pecho, obligándole a retroceder.

—¡Hijo de la gran puta! ¿Quién te has creído que es Bluefields? ¡Yo voy con quien quiero ir y contigo no marcho ni al infierno! ¡Ni por todo el dinero que ganas en un año me tendrías en tu cama! ¡Hijueputa! ¡Guarda tus vergazos para la «contra»! ¡Y vete a piquetear con tu vieja o con una que aguante chanchos como tú!

Había acudido gente. Dos milicianos tiraban del soldado, mientras éste se resistía a marcharse. Pero retrocedía ante los empujones de la muchacha.

—¡Tipo chueco!, ¡bolo de mierda!, ¡hijueputa...!

El hombre cedió al fin. Sujeto por los milicianos, se alejó mascullando palabras que Rubén no alcanzaba a entender. Volvió a sentarse y apuró los restos del ron. Bluefields seguía en pie, mirando hacia el soldado que se retiraba hacia una mesa lejana.

—Bueno, mujer, se veía venir que algo así sucedería; pero hay que reconocer que sabes salir de los apuros.

La muchacha se volvió hacia él. Tenía el rostro serio, todavía conservaba en la expresión un rastro de cólera.

—Ya no me bebas más, mi amor. Anda, vámonos, y no me digas que me vaya a bailar otra vez.

Rubén se levantó.

—No, no, puedes estar segura.

La noche tranquila les aguardaba en la calle. El cielo se había limpiado de nubes y la luna trepaba a encontrarse con las puntas ariscas de los cerros, cerros oscurecidos bajo la claridad de los cielos, cerros que parecían cortar violentamente la placidez del espacio. Apenas unas cuantas estrellas parpadeaban débilmente en el ancho círculo que la luna extendía a su alrededor. No se movía nada, y hasta el aire permanecía detenido. Sólo los gallos, y los grillos, testificaban que, en aquella aldea desierta y sin luces, se asentaba un rastro de vida.

Rubén caminaba apoyado en el brazo de Bluefields.

—Al final te me pusiste algo bolo, mi amor. Te lavarás bien y descansarás un poquito. Tengo buena manteca, ¿sabes?

—Siempre con la marihuana, Bluefields. Un día tendrás disgustos.

—Es buena, mi amor; conseguí «pelo rojo».

—Tendrás disgustos con la policía sandinista...

—Huy, no, mi amor. Tengo buenas amistades..., y me sé los trucos.

—Tendrás disgustos, fijo que sí.

—¿Sabes lo que hacen en Managua los drogos? La policía los busca por las noches y olfatea sus dedos. Pero ellos, cuando ven a los agentes, se meten los dedos en el culo. Buen engaño, ¿verdad?

—Tan ingenioso como asqueroso, Bluefields.

—Ay, pero yo no tuve que hacerlo nunca, mi amor.

—Espero, al menos, que no tengas que hacerlo esta noche.

## 4

Era una de esas mañanas engañosas, ambiguas, en las que el sol se esconde detrás de las franjas de nubes, como si tuviera vergüenza de mostrarse a los hombres. Olía a humedad y el cielo pugnaba por definir su estado de ánimo: los cúmulos densos transitaban con lentitud sobre los tejados de Jalapa dejando ver, entre sus resquicios, la superficie límpida y brillante del espacio. El gran astro enviaba sus rayos a la tierra con vigor cuando las nubes de color manzana dejaban un leve hueco en su andadura, y los ariscos cerros de la Yegua, Jesús, Sandino, Providencia y El Águila, que cercaban como una corona de hierro los límites del poblado, aparecían y desaparecían sobre las espesas moles algodonadas.

Luis Ribera reparó en que aquel día era sábado cuando se topó, casi por sorpresa, con el ajetreo del mercado. Su reloj pasaba escasos minutos de las diez de la mañana, y no obstante una parte de los comerciantes habían comenzado a recoger sus tenderetes. No era aquél, sin embargo, un hecho extraño, ya que las gentes acudían a la feria de los sábados desde que las primeras luces del día iluminaban el cielo, y se retiraban de nuevo a los pequeños poblados cercanos, o a los ranchitos perdidos en las montañas, cuando aún no se había cumplido el mediodía.

El espacio de aquel mercado ocupaba poco más de dos mil metros cuadrados de terreno. En su centro, una sencilla construcción cuadrangular de adobe albergaba una docena de establecimientos de ropa y calzado, y también una cantina. A su alrededor, los mercaderes levantaban con la amanecida tiendas de campaña de vivos colores y exponían sus productos sobre mantas extendidas en el suelo, o los más afortunados, sobre mostradores de madera de ocote construidos con rústica presteza. Era posible encontrar allí de casi todo: telas, bordados, ropa interior, pantalones, especias, frutas, café y fríjoles, arroz, mazorcas de maíz, botas de goma, arreos de caballería, aperos de labranza, semillas, bragas de llamativos dibujos y sostenes de tamaño de ubre de vaca, vajillas de loza, cerámica, cuberterías, ropa de cama, perfumes baratos etiquetados supuestamente en París, cinturones de piel de serpiente, juguetes de madera o de plástico, adornos de bisutería, peines, limas, tijeras, pinzas, clavos y martillos, y cuerdas, alambres, mangueras de goma... Olía a yerbas silvestres y a bálsamos falsificados aunque, a veces, la humareda de alguna fritanga ahogaba por unos instantes el perfumado aroma del aire. Alrededor de aquel espacio inundado de gente, en el que unos marchaban a caballo y otros a pie, abrían también su pequeño negocio limpiabotas y barberos, mientras que los niños corrían alegres de un lado a otro de la feria tratando de robar algunas golosinas a los mercaderes menos avispados. En la cantina se servían cervezas y jugos de frutas; también, ron Flor de Caña; y tiste y pintillo, dos refrescos hechos con maíz. En el cuartucho interior, para los clientes de confianza, había cucusa, el mortífero licor casero que años atrás habían prohibido las autoridades sandinistas.

Fuera del recinto ferial, varios corrales acogían terneros, cabritos y cerdos destinados también para la venta. De numerosas jaulas escapaba el griterío de varias docenas de gallinas, que mezclaban sus cacareos con los agudos chillidos de cuatro o cinco cacatúas encerradas en una jaula próxima. Dos monos congos, de redonda cara negra, ojos saltones y larga cola, probablemente traídos de las lejanas selvas del Atlántico, contemplaban asustados, desde el pequeño árbol donde los mantenían atados con cadenas, el humano trajín que transcurría a su alrededor. Luis vio también unas jaulitas donde temerosamente se escondían algunos ciertogüis, los diminutos pájaros cantores de Nicaragua, y atada con alambres a un poste de luz, una enorme iguana de color oscuro que parecía muerta o dormida. En las ramas de los árboles cercanos, zanates y zopilotes aguardaban con resignado conformismo la hora en que aquella multitud habría de retirarse dejando en el recinto un rastro de huesos de pollo, nervios de churrasquito, restos de pan y cáscaras de frutas.

Luis Ribera se había alejado de la Casa Cural en dirección a las montañas, sin calcular el rumbo de sus pasos, ajeno a las gentes que marchaban a su lado. No deseaba cruzarse con Ramírez cuando éste regresara para esperar a su chófer. Prefería que el otro se fuera y no volver a encontrarle jamás en toda su vida. Pero su irritación no había disminuido, sino en todo caso aumentado. Y caminaba casi como si marchara ciego, hablando para sí mismo con cierta furia contenida, a paso rápido, dejándose llevar hacia la dirección que sus pasos escogieran.

Pero no, no era exactamente la furia o la irritación lo que determinaba su estado de ánimo. No había dormido y llevaba una buena porción de alcohol dentro del cuerpo..., y no, no, tampoco el cansancio o los efectos del ron podían ser la causa de su forma de sentir en esa hora.

Era una suerte de temor, quizás incluso de terror. Su propia conciencia parecía negarse a admitir con claridad y valor el peso de la culpa que se alojaba en su espíritu. Podía, haciendo un esfuerzo, reconocer en él al mismo Luis Ribera de otros días, de otros años. ¿Pero era ya el mismo? Dentro de sí, en su interior, veía ahora asomar fuerzas ignoradas que le producían un enorme miedo. Durante tantos años había vivido de espaldas a la certidumbre de que el bien y el mal existían realmente en la Tierra, y ahora se sentía asustado al reconocer que el horror le hacía gestos, que nacía desde su propio corazón y que él mismo era ya parte de ese espanto. «No se puede justificar el mal ni siquiera como liquidador del mal», volvió a decirse. Y en la jovialidad de aquella mañana bulliciosa, en la algarabía del ir y venir de las gentes entre los tenderetes de vivos colores, se vio a sí mismo como un ser sobrepasado, como un animal humano carente de armonía.

Se sentó sobre un pequeño pilar de cemento, una especie de cubo probablemente puesto allí como primera piedra de un edificio que nunca llegó a construirse. Frente a él, media docena de chavales jugaban junto a sus toscas cajas de limpiabotas. No había ya clientes en aquella hora y los niños practicaban «el rial», un juego consistente en lanzar monedas de cincuenta centavos contra la pared y procurar que cayesen a menos de una cuarta de distancia de las que se habían arrojado antes. Si así sucedía, el chaval afortunado podía embolsarse todos aquellos «riales» que quedaban próximos al suyo. Era un entretenimiento popular entre la población infantil de Jalapa, y Luis lo había visto jugar en numerosas ocasiones en las calles del pueblo.

Alguna vez, incluso, se había animado a practicarlo con los críos. Era una forma de dar varias monedas a aquellos pobres niños sin que su gesto pudiera ser interpretado como una forma directa de caridad. Porque a Luis, desde muchos años atrás, la caridad le parecía la menos cristiana de las virtudes pregonadas por los textos religiosos. Había siempre algo humillante, e incluso autojustificativo, en el gesto de entregar unas monedas a los seres miserables. Era como una renuncia a obligaciones superiores, a generosidades de mayor rango. En cierta forma, participaba de aquel criterio que una vez escuchó a Servando: «una palabra liberadora comprendida por los pobres, tiene mayor valor que miles de monedas entregadas por caridad».

Servando..., el nombre se resistía a escapar de su memoria. Todo invocaba en Jalapa a su imagen: estaba en aquellas calles, en las gentes, en los niños, y permanecía firmemente agarrada en el sentimiento del padre Luis, sujeta con la fuerza de una ventosa, negándose a ser arrojada al exterior.

A su llegada a Jalapa, aún debió aguardar casi un día entero antes de verle. Pero en las conversaciones con Cumeyes, durante las horas de su viaje desde Ocotal a la pensión «El Progreso», podría decir ahora que, incluso en el aire de aquel primer día en Jalapa, todo convocaba a Servando.

A pesar de los sentimientos de antipatía que aquel hombre le provocaba, notó en su interior una sensación cercana al desamparo cuando Cumeyes abandonó la pensión y le citó para la mañana siguiente. El rostro fatigado y esculpido en cien arrugas de doña Obdulia le sonreía con aire triste. Era el suyo un flaco cuerpo, casi roto por la vida, pero los profundos ojos azules de la anciana parecían como una luminosa gema arrojada casualmente sobre un puñado de hojas secas.

—Le prepararé la mejor de mis habitaciones, la que corresponde a un hombre de su categoría, padre Luis —dijo la mujer rompiendo unos breves instantes de silencio.

Guiado por la anciana, atravesó el lóbrego pasillo de un suelo de cemento malamente alisado. A su izquierda dejó una habitación en la que pudo distinguir dos grandes lechos cubiertos de mantas y sábanas en desorden. A la derecha del corredor quedaba la cocina, una cámara de grandes proporciones con un par de fogones de hierro y un número incalculable de cazuelas, platos y tazones de latón. Sobre las estanterías del tosco armario se amontonaban las yucas, las bananas, los huevos y los sacos de fríjoles y de arroz. También frascos con sal y azúcar; y pimienta, achote, orégano.

El corredor terminaba en una especie de porche con tejado de metal que se abría a un patio de considerable anchura. Crecían en su centro, sin cuidado alguno, un malinche y un arbusto de café, del que colgaban racimos de granitos rojos que nadie parecía ocuparse en colectar. En un extremo del patio, una caseta ocultaba el excusado y, junto a ella, un parapeto de cemento sin techado servía de cuarto de ducha, con un largo tubo de metal que subía hasta dos metros y curvaba su boca en dirección al suelo. Alrededor de aquel espacio abierto del patio, un edificio de una sola planta se distribuía, en hilera, en una docena de habitaciones, burdamente identificadas con números dibujados a mano sobre el marco de cada una de las puertas.

La suya era la número siete y quedaba casi en el centro de aquella plazuela, frente al arbusto de café. Luis se sonrió cuando la anciana se detuvo al lado del cuarto: reconocía que aquello era una estupidez, pero desde siempre había creído que el número siete le traía suerte; era algo así como su privado signo mágico.

La puerta, que encajaba mal, chilló cuando doña Obdulia corrió el cerrojo y empujó hacia dentro. Ante Luis se mostró una habitación de cortas proporciones, apenas nueve o diez metros cuadrados, sin ventanas al patio o a la calle, y con un gran camastro de metal, cubierto por una colcha confeccionada con retales de diversos colores, como único mobiliario de la estancia. Se distinguía el vientre de las tejas que formaban el techo, por algunos de cuyos resquicios se filtraba la claridad del día. Una bombilla desnuda que colgaba de un cable era la sola luz de aquella sala.

Echó las dos bolsas de viaje a un rincón y, sin cerrar la puerta, se sentó en la cama. Crujieron los muelles y una cucaracha de pequeñas proporciones y brillante caparazón rojo salió del interior de la colcha y trepó por la pared hasta ocultarse en una grieta. Luis percibió cómo las sensaciones de soledad y temor crecían en su interior, con más nitidez que antes. Se hallaba al término de su viaje, había llegado a la ignota Jalapa, y ahora, en aquel cuarto, se veía a sí mismo como un náufrago, como un pequeño insecto abandonado en un rincón del mundo e incapaz de encontrar un destino concreto hacia donde dirigirse. Se sentía rezagado en el tiempo, perdido en el espacio, condenado a un vagabundeo indeterminado que tal vez no tenía otro móvil que una ignorada desesperación. Ni siquiera poseía un armario donde guardar su escaso equipaje. Toda la magia de los días anteriores, el vehemente anhelo de lo desconocido, la apasionada urgencia por encontrar aquel lugar remoto que había instalado ya en el vértice de su propia esperanza, amenazaban ahora con esfumarse para siempre. Pero también había aprendido a dominar sus sentimientos, desde los lejanos días del seminario. Las lágrimas entonces se combatían con rezos, los estados de depresión se ahogaban en variadas formas de penitencia, las crisis anímicas eran derrotadas por la fuerza de una fe conculcada en cada rincón de aquella casa de religiosos y aprendices de sacerdote. Luego, al paso de los años, cuando ya las oraciones, las penitencias y la fe habían diluido la eficacia de sus efectos, Luis se refugió en el aprendizaje de un cierto escepticismo y una suave resignación. Llegó al convencimiento de que las cosas no podían ser transformadas en exceso respecto a como el mundo las planteaba, que los pobres seres individuales muy poco podían hacer para imponer al universo su propio espíritu y su propia confianza, que la fe en dioses lejanos o en la propia fortaleza del espíritu era poco más que un débil escudo que malamente podría proteger el frágil corazón humano. Y sólo la resignación, o la conciencia de que, a fin de cuentas, tampoco importaba mucho en la totalidad del tiempo y del espacio la desdichada vida de un solo hombre, o de todos los hombres considerados uno por uno, podría servirle como remedio para el combate contra sus horas infelices.

Sacó un cigarrillo del bolsillo de su guayabera y lo prendió. Luego, se dejó caer de espaldas y su cuerpo quedó atravesado en horizontal sobre el camastro. De los muelles de la cama pareció levantarse un clamor de animales aterrorizados.

Las voces de unos niños le sacaron de aquel estado de abandono. Los oyó hablar en el patio; su algarabía parecía ir acercándose a su cuarto. Se incorporó hasta quedar de nuevo sentado sobre la cama.

Una carita redonda apareció tras la hoja de la puerta. Al ver la sonrisa del niño, Luis se sintió invadido por una cierta sensación de ridículo. Alzó ligeramente el cuerpo e intentó a su vez sonreír.

—Hola, chico —le dijo.

Detrás del niño asomaron los rostros alegres de dos niñas algo mayores que él.

—Hola, padre —dijeron casi a coro las tres voces.

Luis se incorporó y caminó hacia afuera. En el amplio patio, la claridad del día iba difuminándose con rapidez: calculó que apenas restaban quince o veinte minutos de luz. Sobre los montes próximos corrían franjas de nubes blanquecinas que se deshilachaban al chocar con las afiladas crestas de los cerros.

—Me llamo Reynaldo —dijo el chaval, adelantándose hacia él y tomándole la mano para besársela.

—Vaya, un bonito nombre. ¿Y vosotras?

—Yo soy Yvonne —dijo la niña de ojos negros y tez aceitunada.

—Y yo Magda —respondió la otra, algo más corta de estatura y ataviada con un vestido blanco de encaje.

—¿Cuántos años tenéis?

—Él tiene ocho, es mi hermano. Magda y yo once, somos primas —contestó la primera niña.

—Muy bien, muy bien, ¿y cómo sabíais que yo era sacerdote?

—Ayer nos dijo la abuela que vendría usted. Se llama padre Luis —dijo de nuevo Yvonne.

—Vuestra abuela es doña Obdulia, supongo…

Reynaldo había vuelto a tomar la mano de Luis y permanecía con la cabeza apretada contra su cuerpo. Le miraba sonriente.

—Sí, y nos ha dicho que si quiere usted un café lo podrá tomar allí con nosotros, en la sala.

—Vamos allá, pues.

Las dos niñas corrieron hacia el pasillo llamando a gritos a su abuela. Reynaldo caminó despacio junto a Luis, sin soltar su mano, su cuerpo arrimado al del sacerdote.

—¿Eres buen estudiante, chaval?

—Mi mami dice que no, que tengo mucha vagancia, como mi padre.

—¿Vivís con la abuela?

—No, tenemos nuestra casa. Pero mami trabaja de enfermera y cuando está de guardia venimos aquí y también dormimos aquí.

—¿Y tu padre trabaja?

El niño se encogió de hombros.

—No lo sé. Se marchó de casa hace mucho tiempo. Yo no le veo desde hace muchísimos años.

—¿Cuántos años?

—Huy, por lo menos dos.

La «sala», para los habitantes de aquella casa, era un extremo del pasillo sobre el que había una larga y ancha mesa de madera arrimada contra la pared. Al otro lado, la puerta del dormitorio seguía abierta, en penumbra ya con la huida de la luz del sol. Sobre la mesa caía una bombilla desnuda que Yvonne encendió. Llevaron hacia allí a Luis y le hicieron sentar en una silla cubierta con un cojín de llameante color rojo. Los tres niños se acomodaron a su vez junto al tablero, sus miradas detenidas sobre el rostro del sacerdote.

Doña Obdulia apareció en la puerta de la cocina con un tazón humeante en la mano. Caminaba a pasos cortos, los ojos fijos en el recipiente.

—Tómelo despacito, padre Luis —dijo al tiempo que depositaba el tazón delante de él—, está bien calentito. ¿Quiere comer algo?

—No, señora, muchas gracias, está bien así.

—¿Viene usted también de España, padre? —le preguntó Yvonne al tiempo que Luis se mojaba los labios con el primer sorbo ardiente de café.

—De allá vengo. ¿Sabéis dónde está?

—Huy, muy lejos —dijo Magda.

—Los españoles fueron los primeros que trajeron la esclavitud a Nicaragua —añadió Reynaldo.

—¿Y cómo sabes tú eso?

—Lo dice mi libro del colegio.

—¿Y sabes lo que es la esclavitud?

—Pues es cuando unos hombres matan a otros porque no quieren que les hagan trabajar con ellos. Después de los españoles, Somoza trajo también la esclavitud hasta que Sandino trajo la libertad y luego vino la guerra y el Frente Sandinista terminó con la esclavitud.

—¿Todo eso lo aprendes en el colegio?

—Sí..., y también en la misa.

—¿En qué misa?

—Lo dice el padre Servando. Él es español, pero no quiere la esclavitud. ¿Y usted?

—Yo tampoco. ¿Y eso lo dice en misa?

—Sí, claro —intervino Yvonne con gesto serio mientras Magda asentía solemnemente a su lado—. Y dice cosas muy bonitas: que en Nicaragua los niños estamos creciendo con la libertad. ¿Usted también sabe decir esas cosas, padre?

—Llevo poco tiempo en Nicaragua, no conozco todavía bien vuestro país.

—Jalapa es muy bonito. Y está cerca el río Lindo. Allí vamos a bañarnos los domingos.

—¿Y qué más dice el padre Servando?

—Habla también de Sandino y del Frente Sandinista y de los Comités de Defensa y de que Dios está con la justicia y contra la esclavitud.

—Sandino es como Bolívar y como Lenin —cortó de nuevo Reynaldo.

—¿Eso lo dicen también tus libros?

—Dice mi libro que son las tres mayores glorias de la humanidad.

—¿Y sabes tú qué es una gloria de la humanidad?

—Los que han luchado contra la esclavitud más que nadie para traer la libertad, ¿no, padre?

—Si lo dicen tus libros…

Yvonne se levantó y se acercó hasta él, apoyándose sobre la mesa.

—¿Quiere jugar con nosotros a la «chalupa», padre?

—No sé qué es la «chalupa».

—Es un juego muy bonito de animales y hombres y cosas lindas —dijo el niño.

—Ande, padre, juegue. —El rostro hermoso de Yvonne sonreía con un leve toque de coquetería en la mirada.

—Bueno, si me insistís tanto.

Los tres niños echaron a correr hacia el dormitorio. Desde la puerta de la cocina, los ojos grandes y juveniles de doña Obdulia miraban al sacerdote.

—No se deje llevar por los chigüines, padre Luis, que no hay quien los despegue luego.

—No se apure, señora, me gustan los críos.

Regresaron al punto con un paquete de arroz, varias cartulinas y una bolsita de plástico en la que había otros cartones de más pequeño tamaño. Yvonne extendió los objetos sobre la mesa, dejando a un lado el paquete de arroz.

Las cartulinas se dividían en ocho casilleros, en cada uno de los cuales aparecía dibujada con colores vivos una figura distinta: un burro, un cacto, una luna, un payaso, una chalupa. Los cartones pequeños reproducían, individualmente, las mismas figuras y tenían el mismo tamaño que los casilleros de las cartulinas.

—Verá, padre —explicaba Yvonne—, a usted le tocan dos cartulinas y también hay otras dos para cada uno de nosotros. Los cartoncitos se ponen del revés, se revuelven y se van sacando uno a uno. El que tenga en sus cartones la figura que salga, la tapa con un puñadito de arroz. Y así hasta que uno termine primero de llenar todas las figuras. Ése es el que gana. ¿Lo ha entendido?

—Pues sí, en España hay un juego parecido.

—¿Y cómo lo llaman? —le preguntó Reynaldo.

—Pues no me acuerdo —dio un golpe con el dedo en la nariz del niño—, pero te diré un secreto: creo que lo juegan los esclavos.

Los niños rieron sonoramente. Luego, Yvonne dio la vuelta a los cartones pequeños y los mezcló unos con otros. Repartió después las ocho cartulinas entre los niños y el sacerdote.

—¿Y quién saca los cartoncitos?

—Por turnos. Empiezo yo —dijo Yvonne.

—No, no, empiezo yo —protestó Reynaldo.

—Tú no, tú vas el último —corrigió Yvonne apartando la mano del niño.

—Bueno, bueno —intervino Luis—, empezaré yo para que no haya guerra.

Dio la vuelta a uno de los cartoncillos y apareció la figura de un elefante.

—¡Lo tengo, lo tengo! —gritó Magda palmeando. Luego tomó un puñado pequeño de arroz y lo colocó sobre el casillero.

Siguieron el sol, la montaña, el perro, el payaso, el titiritero, el boxeador, la chalupa. Los niños dieron ruidosas palmas y soltaron grandes risas cuando salió la figura del sacerdote.

—¡El padre, el padre! ¡Y no lo tiene usted, no lo tiene!

—Bueno, puede que sea el padre Servando.

—No, no, ése no es el padre Servando. El padre Servando es santo —dijo Magda.

—¿Y quién dice eso? —preguntó Luis.

—Lo dice mi mami, y la mami de Reynaldo y la de Yvonne también lo dice.

Ganó la partida, finalmente, Magda, ante la mirada triste de Reynaldo, que dio un fuerte golpe con el puño sobre la mesa. Aún hubo Luis de jugar dos veces más, tal era la insistencia de los niños. Reynaldo y de nuevo Magda se repartieron los honores de la victoria.

—A mí no me importa perder —dijo Yvonne con gesto de persona mayor tras el segundo triunfo de su prima—. Después de todo, es sólo un juego.

—A mí sí me gusta ganar —añadió Reynaldo.

—Usted no gana nunca, ¿eh, padre? —le dijo sonriente Magda.

—Ya ves, hoy no es mi día de suerte.

—Pues yo gano en todo. Y en las luchas en el colegio todos tienen miedo de mis puños... —señaló Reynaldo mientras apretaba los labios y cerraba las manos.

—Vaya, eres un chico fuerte.

—Es muy pendenciero, como papá —agregó Yvonne.

—¿Tu padre es muy pendenciero?

—Eso dice mami, nosotros casi no le hemos visto.

—Juegue otra vez, padre, a lo mejor gana —propuso Magda.

—No, ya está bien por hoy. Otro día de éstos; ahora tengo que arreglar mis cosas.

Se levantó de la mesa y acarició los cabellos de Reynaldo.

—Así que tienes buenos puños, ¿eh?

El niño volvió a cerrarlos y se los mostró al sacerdote.

—Ya veo que sí.

—¿Vendrá mañana con nosotros al río Lindo, padre?

—Mañana es sábado, Yvonne.

—Bueno, también vamos algunos sábados. Es muy divertido.

—Ya veremos.

Echó a andar hacia su cuarto y los niños le siguieron. La noche había caído sobre Jalapa, una noche cerrada que hacía imposible distinguir el perfil de los cerros cercanos.

Ya en la puerta de su habitación se volvió y señaló hacia los cuartos próximos.

—¿No hay otros huéspedes en la pensión?

—Hay tres más ocupados —respondió Yvonne— pero vienen más tarde.

—Anda, id con la abuela.

—Va pues, padre.

Corrieron hacia el pasillo y Luis entró en su habitación. Giró el interruptor y la bombilla amarilla iluminó la breve estancia. Una polilla comenzó a dar frenéticas vueltas en torno a la luz.

Notó que sus sensaciones de angustia habían desaparecido. Afuera se escuchaban los gritos de los niños al jugar y la brisa nocturna traía desde la cocina hasta su habitación el perfume del café. Se agachó junto a una bolsa, la abrió y tomó un par de cuartillas y un bolígrafo. Tendido en la cama, con la espalda apoyada contra la pared, comenzó a escribir una larga carta a su hermana. Lo hacía despacio, cuidando la letra, escogiendo las palabras precisas. De vez en cuando, sus pensamientos volaban a otro lugar: dejaba el bolígrafo prendido de sus labios y sus ojos se empeñaban en seguir el vuelo de la pequeña mariposa alrededor de la bombilla.

«... No sería capaz de decirte, a estas alturas, si me gusta o no este país. Se parece muy poco a España, salvo en el idioma, claro; y tampoco tiene mucho que ver con África. Los días que pasé en Managua no creo que me puedan servir para hacer un juicio sobre todo esto: aún me dominaba entonces la euforia del viaje, la sensación de novedad. Es un país muy pobre. Su campo es "muy lindo", como acostumbran a decir aquí; pero tengo la sensación de que esto es mucho más duro y difícil de lo que a simple vista parece. La gente manifiesta una cierta resignación ante las cosas. O mejor que eso: parece que contemplan la vida con un cierto fatalismo, como si todo fuera a terminar al día siguiente y como si nada de cuanto sucede pudiera tener arreglo. No es lo que uno puede esperarse de un país revolucionario, en el que se supone que se han hecho cosas teóricamente "imposibles", cosas que han cambiado la vida. Y sin embargo, a simple vista, tengo la impresión de que nadie aquí se siente capaz de transformar nada con su simple esfuerzo. Quizás es esa desesperanza, al fin, lo que hace posible que esta gente sea capaz de llevar a cabo las empresas más locas. Quizá porque la resignación y el fatalismo dejan lugar a que se acometan los más arriesgados planes...»

Escribir a su hermana era, para Luis, una costumbre desde los años de África. O tal vez algo más, puede que la necesidad de conservar un nexo con su propio origen. Sus padres no sabían escribir, y le mandaban noticias suyas a través de las cartas de su hermana. Luego, cuando murieron, con un intervalo de pocos meses entre el fallecimiento de la madre y el del padre, Luis siguió manteniendo la correspondencia con Elvira..., y eso a pesar de que ella, casi diez años menor que él, era prácticamente un ser desconocido para Luis. Se había casado con un vendedor de seguros mientras él permanecía como misionero en África. Vivía en Tudela, su pueblo natal, y tenía ya dos hijos. Durante los años que permaneció en España, a su regreso de África, Luis visitó a su única familia dos veces, con motivo de las fiestas navideñas, pero apenas había permanecido con ellos más de tres o cuatro días en cada ocasión. La casa de Elvira era pequeña, debía dormir en un sofá del salón, y a pesar de los ruegos de su hermana y de su cuñado para que se quedara con ellos más tiempo, se marchaba al cabo de dos o tres noches, incómodo ante las molestias que podría plantear a una familia de apretados recursos económicos. Elvira contestaba puntualmente a sus cartas, aunque a veces el correo africano las retrasaba varias semanas e, incluso, meses. Le envió también fotos de su boda y, luego, de sus hijos al poco de nacer. Y sin embargo, Luis sentía que tenía muy poco que ver con aquella gente que constituía la totalidad de su familia. ¿Los amaba? Tal vez de la misma forma en que se amaba a alguien por la simple razón de que en alguna parte está escrito que debe amársele.

«... De Jalapa poco puedo decirte por ahora. Y no sé aún cómo será mi trabajo. Es un pueblo chico, construido rústicamente, de calles sin asfaltar y, claro, próximo a la guerra. Pero no te inquietes: aquí raramente cae un obús y hay diez o doce kilómetros antes de llegar a las líneas del frente de combate. Para escribirme debes hacerlo a la Casa Cural, Jalapa, Provincia de Nueva Segovia, Nicaragua. No olvides poner también, al final de las señas, Centroamérica, por tomar todas las precauciones para que tus cartas lleguen. Ya en la próxima te diré cómo me va por aquí. De momento, estoy bastante animado, a pesar de que aún no me he instalado en la Casa Cural y me alojo provisionalmente en una humilde pensión —con la amable compañía de unas cuantas cucarachas rojas— desde donde te escribo ahora...»

Añadió aún unas líneas, interesándose por la salud del marido y de los hijos. Luego, echó a un lado de la cama el bolígrafo y releyó cuanto había escrito.

Dos horas más tarde, a eso de las ocho y media, el rostro de Yvonne volvió a asomar por la puerta de la habitación.

—Dice mi abuela que si quiere usted cenar unos huevos y arroz.

Ahora, sentado en un pilar de cemento frente a los niños que jugaban al «rial» en la puerta del mercado de Jalapa, recordaba aquellas primeras horas de su llegada al poblado con un cierto sentimiento de nostalgia. Era tan lejano aquel día..., incluso podría decir que el Luis de entonces, el Luis que se contemplaba a sí mismo como un ser desamparado en la pobre pensión de «El Progreso» era, comparado con el Luis del presente, un ingenuo y tierno niño, un hombre sin hacer y sin contrastar con el ritmo frenético de la existencia. A veces, la vida salta de golpe en la conciencia de las gentes; se producen brincos que parecen casi un siglo para el espíritu del hombre que los sufre. En tan sólo dos meses, Luis podía contemplar a su yo anterior con la mirada que un hombre pone sobre su propio hijo, tan querido como desamparado. ¿Pero podría calcular ahora cuál era el precio de esa sabiduría? ¿Podría decir si merecía la pena poseer la conciencia que ahora tenía, y poseerla a cambio de tantas cosas destruidas? El desamparo y la soledad son dolores, desde luego; pero son poca cosa al lado de la absoluta certidumbre de la desesperanza.

Aquella noche conoció a Yunit. Cuando salió de su habitación para cenar, estaba en el comedor principal de la casa, en una gran mesa rectangular, sentada junto a Yvonne y dos buhoneros que se hospedaban también en «El Progreso». Doña Obdulia colocaba unos cuencos de arroz junto a los platos de huevos fritos. Habían reservado para él un puesto en la cabecera de la mesa, sin duda el lugar de honor. Todos los comensales se levantaron de sus asientos con sonrisas e inclinaciones corteses de la cabeza, incluso la niña Yvonne. Y permanecieron en pie y siguiendo sus pasos con la mirada hasta que Luis logró alcanzar su sitio.

—Es mi prima mayor, se llama Yunit —dijo la pequeña sin más preámbulo.

—Hola, Yunit.

Y la muchacha se alzó un poco de la silla y realizó un amago de reverencia. Vestía una blusa ligera, bajo la que se marcaba la curva tersa de los pechos jóvenes sujetos por un sencillo sostén. Brillaba su pelo negro, un negro que parecía expulsar rayos de color verdoso, como las piedras de obsidiana. Herían el aire sus ojos oscuros, mientras que la boca carnosa y sensual parecía brincar de aquel rostro esculpido en piel canela.

Los buhoneros eran dos tipos habladores, anhelaban comunicar cuanto sabían y averiguar cuanto desconocían. Luis recordaba aquella conversación confusamente. Venían de Estelí y comerciaban por toda la zona norte del país. Con telas y utensilios de cocina. «La vida es un riesgo, una aventura. Uno no puede quedarse en casa quieto, esperando que la fortuna le caiga de los cielos», decía uno de ellos cuando sentía llegado el momento de las reflexiones filosóficas, lo que parecía sucederle con harta frecuencia. «Yo siempre le digo a mi mujer que algún día todo el norte del país sabrá quién es don Horacio Garcés», comentaba el otro, ufano de su habilidad para entablar relación con los dueños y los encargados de los pequeños comercios de la región de Nueva Segovia. Pero Luis no acertaba a seguir en forma coherente los infinitos temas de conversación que planteaban aquellos hombres; una y otra vez, sus ojos buscaban el encuentro con la mirada abierta de Yunit, y ella siempre le sonreía.

—¿Y recién llegó a Nicaragua, padre? —preguntó uno de los hombres.

—Sólo hace unas cuantas semanas.

—¿Y qué le pareció?

—Bueno, es pronto; parece un bonito país.

—Y la gente de acá, ¿qué le pareció?

—Todo el mundo es muy amable.

—Pues no haga usted caso, aquí la gente es muy falsa, muy mentirosa. No haga caso. Todos sonríen, pero todos engañan. Hace sólo dos días, todos eran somocistas, y ahora todos dicen que eran sandinistas desde que dejaron la teta y echaron a andar.

—Puede que exagere usted un poco, amigo.

—Hágame caso, no se me fíe de la gente. Éste es un

país de vagancia, todos somos vagos, vagamos de un lado para otro, no nos gusta quedarnos quietos en un sitio; engañamos siempre. Y cuídese, padre, cuídese: es un país violento, a cualquier bolo le gusta emprenderla a tiros con su compadre por cualquier pendejada. No mire usted las cosas sólo por afuera: Nicaragua tiene mucha hondura, es país bien difícil y bien duro.

Yunit casi no pronunció palabra durante toda la cena. Después, cuando los dos buhoneros trajeron una botella de ron y le invitaron a beber, se levantó discretamente, junto a Yvonne, y haciendo una leve reverencia se perdió en el corredor. A Luis le hubiera gustado detenerla, hablar con ella aunque fuese tan sólo unos pocos minutos; pero la dejó salir tras un breve intercambio de sonrisas. Uno de los hombres, el más joven, giró sobre sí mismo y siguió contemplando a la muchacha mientras se retiraba. Luego, se volvió hacia Luis y echó una carcajada:

—Va camino de buena hembra esa polluela, de las que alegran la paloma..., y perdóneme, padre, que no había recordado que es usted un hombre religioso. Pero los curas tienen también ojos en la cara, ¿no?, y parece que a usted no se le despintó la cipotina.

Pasaron a fumar a la habitación de al lado, la que hacía las veces de recibidor, recepción de hotel y comercio de variados utensilios y productos comestibles. Los dos hombres y Luis tomaron asiento en las mecedoras de caoba y uno de los buhoneros ofreció la botella de ron al sacerdote.

—Es bueno, padre, genuino Flor de Caña, el mejor de toda Centroamérica.

—¿Y qué le parece venirse con nosotros a echar unos tragos en «Sandra», eh, padre? —propuso el otro.

—¿Qué es «Sandra»?

—Una buena cantina de acá, la mejor en setenta kilómetros a la redonda. Se cena, se baila, se echan tragos, hay buenas hembras también; aunque ése no sea asunto suyo.

—Otro día iré por allá. Esta noche tengo ganas de dormir, he hecho un largo viaje hasta aquí. ¿Y cuándo regresan a Estelí?

—Pues mañana con la amanecida.

—¿Les fue bien el negocio?

—Vendimos todo. Nosotros somos buenos trabajadores, ¿sabe? Y vamos a llegar lejos. El problema de Nicaragua es que la gente no trabaja, y el que trabaja llega siempre, lo mismo antes, cuando Somoza, que ahora, con los sandinistas.

Se levantaron.

—Y en fin, padre, que mucho gusto. Ya le encontraremos otro día; quizás el mes que viene caigamos por acá.

—Encantado de conocerles.

—Va pues, padre.

Se quedó solo fumando su cigarrillo. Desde el gran portón que daba a la calle oscura, llegaba una agradable brisa nocturna, un fresco aire de montaña. Vio pasar un hombre con una manta que envolvía la mitad de su cuerpo y un ancho sombrero de pita que le ocultaba el rostro; tiraba del ronzal de un grueso y alto cebú que caminaba cansinamente detrás suyo.

Unos minutos más tarde, una mujer cruzó la puerta de la casa, se detuvo frente a él y le sonrió mientras hacía movimientos afirmativos con la cabeza.

—Bien venido, padre, bien venido.

Se levantó de la mecedora.

—Mucho gusto, señora.

—Siéntese, por favor, siéntese. Yo soy la hija de doña Obdulia, y la mamá de Reynaldo y de Yvonne.

—Ah, sí, son unos críos muy ricos —dijo Luis al tiempo que se dejaba caer de nuevo en la mecedora.

—Lo son todo en mi vida, padrecito. Sin mis chigüines, la vida no sería nada para mí. Y ya me dijeron antes que jugó usted con ellos un buen rato. Ya le tienen cariño. Siempre quieren hablar con hombres, porque su padre se marchó hace años, y claro, lo echan de menos. A los chigüines les hace falta el padre.

—¿Y dónde se fueron?

—Ay, es que me madrugan mucho para ir a la escuela. A mi Reynaldo le acuesto prontito; a mi Yvonne la dejo estar un poco más. Pero ya se me habrá metido en la cama.

La mujer se había sentado en otra de las mecedoras.

—¿Y cómo se llama usted, señora?

—Ay, qué descuido, padre, que no me presenté. Ángela para servirle. Usted ya sé que se llama padre Luis.

—También para servirla, doña Ángela.

—Y bueno, ¿le gustó nuestra Nicaragua?

—Sí, claro.

—Ahora es un país muy lindo, no como antes, cuando Somoza. Mire, él tenía una finca por aquí cerca y venía a pasar algunas vacaciones. Casi toda la región era de su propiedad. Yo tenía que ganarme la vida vendiendo los huevos de mis gallinas y cosiendo ropa para los hombres. Después de la Revolución, hice un curso de enfermera y trabajo en el hospital de Jalapa. Ahora soy una persona digna y mis hijos van a la escuela. Ya no tengo que coser ni cuidar gallinas, sé poner inyecciones y hacer curas a los heridos. Tenemos medicinas; pocas, pero las tenemos. Son muy buenas, vienen de Cuba y de países de Europa, de la Unión Soviética y de Checoslovaquia. Y también de España algunas. España ayuda un poco.

—¿Usted ha nacido aquí, en Jalapa?

—Sí, y es un lindo pueblo, ¿verdad que sí? Antes de la guerra era muy tranquilito, nadie llegaba hasta acá, casi que ni siquiera la Guardia somocista. Luego sí, luego vinieron, porque en las montañas había ya muchos compas luchando. Y cuando las batallas finales, por aquí pasaban corriendo todos los guardias para esconderse en Honduras. Son los mismos que ahora luchan contra nosotros, armados por los yanquis, los de la «contra». Matan niños y mujeres y ancianos, son bestias como eran entonces; sólo aprendieron a matar.

—Jalapa parece también tranquilo ahora.

—Algo más tranquilo que los meses pasados. Pero no se fíe. De pronto, cualquier día, empiezan a mortorear desde el otro lado. Ellos tienen buenas armas. Y ahora hay mucho ejército sandinista aquí, porque quieren tomar Jalapa. Y muchos campesinos se han venido a vivir a Jalapa, porque la «contra» quemaba sus cosechas y los asesinaba en sus ranchitos. Ahora viven aquí más de siete mil personas, y antes no éramos ni dos mil, creo yo. Y ya ve, entonces no teníamos la pensión, criábamos gallinas, vendíamos aquí en la tienda alimentos y cosíamos ropa. Pero con la guerra ha venido mucha gente. Y cuando hay fregada, se llegan periodistas desde Managua, y muchos se alojan aquí. Han estado incluso periodistas norteamericanos, no crea.

—¿Norteamericanos?

—Sí, norteamericanos auténticos... No todo el pueblo norteamericano es como el presidente, eso lo hemos aprendido. Y además, según nos enseñan los compas más preparados políticamente, a Nicaragua le interesa que los periodistas norteamericanos cuenten lo que está pasando aquí de verdad, porque es necesario que el pueblo norteamericano sepa lo que están haciendo aquí sus gobernantes.

—Entiendo.

—También han venido españoles a la pensión. Algún periodista a veces, y varios internacionalistas.

—¿Internacionalistas?

—Sí, los extranjeros que vienen a ayudar a nuestro país: ingenieros y maestros de escuela, gente así. Una vez vivió aquí en la casa un maestro español durante mes y medio. Se encariñó mucho con mi Reynaldo y mi Yvonne. A mí me daba mucha alegría y también mucha tristeza. Si mis chigüines hubieran tenido un padre así... Se llamaba Gervasio González Aguirre, nunca me olvido. ¿Le conoce usted?

—No me suena. Yo, además, he vivido mucho tiempo fuera de España.

—¿Aquí en Latinoamérica?

—No, en África.

—Huy, padre Luis, usted sí que es un trotamundos.

—Es mi oficio, señora.

Ángela se levantó de la mecedora y cerró las puertas de la calle. Era una mujer algo gruesa, de estatura mediana, rostro ajado y ojos achinados. Llevaba un vestido naranja apretado que imitaba la seda y marcaba sus formas poderosas.

—Bueno, padre Luis, usted me disculpará; pero tengo que ver si los niños quedaron bien dormidos. Sepa usted que esta casa es suya y sea bien venido a Jalapa.

—Muchas gracias, señora Ángela.

De nuevo a solas, prendió otro cigarrillo. La imagen de Yunit, la figura sensual de la hermosa adolescente removió conocidas sensaciones en su interior. Apenas había cruzado con ella unas pocas palabras en el curso de la cena, pero su recuerdo le producía una alteración del ánimo en la que se confundían el desasosiego y el anhelo. Deseaba verla otra vez, que acudiera al vestíbulo. Y al mismo tiempo, sentía un cierto temor, quizás una angustiosa timidez, ante la idea de encontrarla de nuevo.

Sabía reconocer desde años atrás aquel tipo de sensaciones. Siempre las mujeres, desde los días del seminario, se habían convertido en la causa principal de sus luchas interiores, de sus vacilaciones. Y aquel estado de ánimo se había instalado tantas veces antes en su espíritu. No era ya una lucha contra sentimientos de culpa lo que le producía temor. Su miedo nacía de la conciencia de que, en breve, podría verse arrebatado por la fuerza de sus deseos, por el vértigo turbador de sus sentidos. Lograr una mujer no era el problema, nunca lo había sido, como sabiamente le insinuó un día su director espiritual en el seminario. Y él había estado con varias mujeres en los últimos años, mujeres blancas y mujeres de color. El problema era otro; el problema nacía en la dimensión de su propia capacidad para la pasión amorosa. Luis había aprendido, en todo ese tiempo, a matar el remordimiento y escapar de la culpa; pero no había sido capaz de aprender a dominar sus deseos cuando éstos brotaban intempestivamente.

Permaneció allí casi una hora. Cigarrillo tras cigarrillo, el cenicero que yacía a sus pies fue colmándose, mientras que la pechera de su camisa se cubría de rastros de ceniza. Al fin, se decidió a regresar a su cuarto. Se levantó, apagó la luz y se dirigió al pasillo.

Vio enseguida la luz encendida del comedor. Alguien leía sobre la ancha mesa donde aquella tarde había jugado con los niños a la «chalupa». Se aproximó. Al otro lado de la bombilla, semiocultos entre las sombras, brillaron como dos luciérnagas los ojos de Yunit.

—¿Le asusté, padre? —oyó decir a la muchacha.

—No..., vi la bombilla encendida y supuse que habría, que habría alguien.

—Es que debo estudiar por las noches.

Luis se sentía incapaz de dar un paso.

—¿Vas a la escuela todavía?

—Empecé algo tarde. Y como tengo que ayudar en el trabajo de la pensión, pues me quedo por las noches para ganar tiempo. Hago dos cursos cada año.

—Ya. ¿Y cuántos años tienes, Yunit?

—Dieciocho.

—¿Dieciocho?

—Sí, parece que tengo menos, todo el mundo lo dice. Pero ya soy una mujer.

—Casi podrías casarte.

La oyó reír. Su rostro se movía detrás de la bombilla, envuelto en un juego de luces y de sombras.

—Huy, padre, no tengo casi tiempo para ver chicos. Ni siquiera puedo salir a bailar los sábados.

—¿Y hasta qué hora trabajas?

—Hasta que termino las lecciones.

—Ya veo.

Se sintió embarazado, algo ridículo. El rostro de Yunit sonreía bajo la luz. El deseo de quedarse se confundía en el ánimo de Luis con sensaciones de temor. Respiró hondo y dio un paso adelante.

—Bueno, Yunit, espero que te aproveche el tiempo. Yo me voy a la cama.

Dio otros dos pasos y quedó a su altura. Ahora veía su rostro entero, el cabello brillante apoyado sobre los hombros, el pecho terso que nacía alto y firme bajo la blusa de tela liviana.

—Algún día tendrá que echarme un mano en el latín, padre Luis.

—Sí, algún día. Hasta mañana, Yunit, hasta mañana.

—Que descanse, padre Luis.

—Buenas noches, pues.

A paso rápido ganó los metros que le separaban del patio en tinieblas. La brisa de la noche refrescó sus sienes calientes. Entró en el excusado, orinó con prisas y regresó al patio. Se detuvo un momento ante la puerta de su aposento y volvió el rostro hacia la casa: la luz de la bombilla iluminaba el porche donde concluía el corredor, y sobre una de las paredes se proyectaba la sombra de medio cuerpo de Yunit: la cabeza inclinada sobre la mesa, los hombros, la curva de uno de sus senos...

Entró y dio al interruptor de la luz. Retiró la colcha, dejó su ropa a los pies de la cama y, conservando tan sólo los calzoncillos, se metió en el lecho y se tapó la cintura. Encendió un cigarrillo y apagó la luz. La imagen de Yunit permanecía firmemente agarrada en su pensamiento.

—¡Eh, padrecito! ¿Le lustro?

La voz le sacó de la hondura de sus recuerdos. Tres o cuatro metros delante de él estaba Óscar, un niño de nueve o diez años al que conocía desde semanas atrás. De una de sus manos colgaba el tosco cajón de limpiabotas.

Alzó la mano y negó con movimientos firmes:

—¿No ves que llevo sandalias?

—Déme algún córdoba, padrecito.

—Anda a jugar al «rial».

—Ellos me ganan. Juegue usted conmigo.

—No tengo ganas, Óscar.

El niño encogió los hombros.

—Va pues, padrecito.

Hizo ademán de volverse e ir a reunirse con el grupo de chiquillos que arrojaban monedas contra la pared.

—Eh, espera.

Luis se levantó y avanzó hacia el niño. Metió la mano en su bolsillo y sacó unas monedas sin contarlas.

—Toma..., por esta vez. Cómprate algo y no te lo juegues, chigüín.

—Gracias padre.

El niño echó a correr, con la caja bamboleándose pesadamente junto a su muslo, y Luis comenzó a andar con lentitud hacia el centro del mercado.

Se mezcló con la marea de gente que, en apariencia, parecía carecer de un rumbo preciso en su ir y venir. Algunos rostros se le hacían familiares y, de vez en cuando, una mujer o un hombre le saludaban con una amplia sonrisa y pronunciaban su nombre. Los vendedores pregonaban su mercancía ante los transeúntes y agitaban en ocasiones algún producto sosteniéndolo por encima de su cabeza para atraer la atención de los compradores. En el suelo se marcaban las formas secas e irregulares de barrizales antiguos y numerosos excrementos de las caballerías aparecían aplastados por todo el recinto del mercado.

Se abrió paso entre la multitud y ganó el rectángulo central. Una vez en la cantina, se apoyó en el mostrador. Notaba su piel cubierta de sudor, un sudor pegajoso, como si hubieran extendido sobre su cuerpo una capa de grasa.

—¿Qué tal, padre Luis? Mucho gusto en verle por aquí.

La cara redonda del cantinero, cara barbilampiña, de tez color claro, le sonreía desde el otro lado de la barra. Vestía un mandil azul cubierto de grandes manchones y su pelo, atestado de fijador, nacía desde la frente y se pegaba con fuerza, peinado hacia atrás, al cuero cabelludo.

—Gracias, don Matilde, igualmente gustoso de saludarle.

—¿Qué le pongo, padre?

—Déme un jugo.

—¿De qué, padre?

—No sé. De cualquier cosa, de naranja o de pomelo, lo que quiera usted.

—Le pondré uno de papaya, está reciente y bien fresquito.

—Papaya pues.

Don Matilde le acercó un vaso y lo colmó del zumo amarillo que contenía una gran jarra de plástico. Se acodó en el mostrador y contempló al sacerdote mientras éste ingería el primer sorbo.

—¿Qué, padre, sabe rico?

—Muy rico, don Matilde.

—¿Y qué le trae a estas horas por la feria?

—Nada especial; tenía ganas de dar una vuelta.

—Le conviene airearse, padre, le conviene. Ha sido una desgracia lo de El Ranchito.

—Sí, sí, desde luego.

—Usted estaba allí, según me han contado, ¿no, padre Luis?

—Estaba cerca.

—Una desgracia, padre, una desgracia. La guerra es terrible, no respeta a nada ni a nadie.

Dos mujeres cargadas de fardos se acercaron hasta el mostrador. Don Matilde hizo un gesto a Luis:

—Usted me disculpa, padre.

—Desde luego; atienda a la clientela, no se ocupe de mí.

Bebió el resto del contenido del vaso. El líquido dulce y espeso refrescó su garganta, pareció infundirle nueva vida.

—¿Qué hubo, padre Luis?

Oyó la voz al mismo tiempo que sentía la mano posarse sobre su hombro. Contuvo a duras penas el escalofrío que la sorpresa había provocado en su cuerpo y volvió el rostro. Sonreían también los labios del capitán Julio, todo el mundo le sonreía aquella mañana en que, por contraste, el cielo y su propio corazón parecían dos realidades desasosegadas e inquietantes.

—Hola, capitán.

—Déme un roncito, don Matilde.

—A la orden, capitán.

—Un día extraño, padre, puede que llueva a la tarde.

—Sí, puede que llueva.

—¿Quiere usted tomar alguna cosa?, yo invito con gusto.

—No, ya tomé un jugo. Y en realidad ya me iba.

—Por favor, acéptelo. Don Matilde, póngale otro vaso al padre.

—Es mucho jugo, capitán.

—¿Prefiere un roncito?

—Es pronto. Tomaré el jugo.

—Lo cierto, padre, es que quisiera hablar con usted. Había pensado en ir a verle a su casa.

—¿Algún problema?

—Ninguno. ¿Cómo vamos a tener problemas con usted? Nada oficial. Son sólo cuestiones de curiosidad personal.

—Usted dirá...

—Es por lo del otro día. Llevaba pistola, ¿no?

—¿Quién?

—No me remolonee, padre. Me refiero a su compañero, al padre Servando, naturalmente.

—No lo sé.

—No soy enemigo suyo... ni de él. Conmigo no hay que tener apuro. Y yo sé que tenía pistola, me lo han contado.

—Bueno, es usted quien lo sabe, capitán, no yo.

—Mire, la cuestión no es oficial, ya le he dicho. A mí me interesa esto desde otro punto de vista. No estoy trabajando al hablar con usted. Tengo, digamos, preocupaciones políticas.

—Ése no es mi caso. Yo no me inmiscuyo en la política de su país, soy extranjero y no me está permitido.

—Ya sé que usted no se inmiscuye, padre Luis; pero las cosas le inmiscuyen a uno sin que uno lo desee. Éste es un asunto político, nos guste o no. Vino un cura desde Managua, enviado por el Obispado, y eso hace que todo este asunto sea político. ¿Ya se regresó a Managua su colega?

—No sé. Creo que iba a telefonear. Supongo que ya estará de camino, si es que no hay demoras en las líneas.

—¿No se quedó a despedirlo?

—Pues ya ve que no.

—Vaya, no encajaban ustedes.

—No mucho.

—Entonces estamos en el mismo bando. Yo no querría que se supiese que la pistola existe. No es bueno que se sepa en Managua, y menos en el Obispado. Traería problemas serios, e incluso a usted le comprometería.

—¿A mí? No lo creo. Yo me quedo fuera de todo esto.

—¿Está tan seguro? Usted estaba allí, en las trincheras.

—Pero no vi nada.

—¿Seguro?

—Seguro, capitán.

—Bien... si usted lo afirma.

—Lo afirmo.

El militar volvió a sonreírle mientras sus ojos oscuros penetraban en los del sacerdote. Luego, alzó la pequeña copa de ron y la vació en la garganta con cierta brusquedad:

—En fin, padre, ya veo que mi compañía no le agrada esta mañana. Siento haberle molestado. Pero no olvide que estamos en el mismo bando: ni a usted le interesa que se sepa nada de lo que pasó ni a mí tampoco. Es asunto cerrado, si es que su colega de Managua no averiguó más de lo que creemos. Esperemos que haya vuelto con las manos vacías, por su propio bien y por..., bueno, no por el mío propio, digamos que por el bien de la causa. Hasta la vista, padre, ha sido un placer beber un trago con usted.

—Adiós, capitán.

Don Matilde se acercó cuando el militar se había alejado ya unos cuantos pasos.

—Parece que no hace usted buenas migas con la tropa, ¿eh, padre?

—No es eso, don Matilde.

Se inclinó hacia delante, aproximándose al rostro del cantinero.

—Dígame, don Matilde... yo querría una botella de cucusa.

El otro retiró el cuerpo hacia atrás.

—¿De cucusa?

—Eso dije.

—Padre Luis, eso está prohibido por las autoridades. Y yo no vendo cosas prohibidas, mi negocio es legal.

—Vamos, don Matilde, yo sé que usted tiene, lo sabe todo el mundo, incluso lo saben ellos —y señaló con el dedo hacia la figura del capitán, que se perdía ya entre la multitud—. Mire, don Matilde —continuó—, no voy a hacer ninguna locura con la cucusa. Tan sólo es curiosidad. Nadie lo sabrá, puedo prometérselo. ¿Es que no confía en mí?

Aún le miró unos instantes don Matilde antes de responder. Finalmente, se encogió de hombros y compuso un gesto de indiferencia.

—De acuerdo, padre. Pero ya sabe, como decimos aquí, que lo que hace la mano lo borra el codo. Yo no tengo botellas de cucusa, ¿eh?

—Usted no tiene cucusa, don Matilde.

El hombre dio la vuelta y entró en un cuartucho cuya puerta se abría a espaldas del mostrador. Luis echó un billete de cien córdobas al lado de su vaso. Unos instantes después, don Matilde regresó con una bolsa de papel en la mano.

—Aquí tiene su... su jugo, padre.

—Gracias, don Matilde, y hasta la vista.

Caminó de nuevo entre la gente, con el paquete apretado a su cintura. No sabía bien por qué había comprado aquello, ni siquiera había previsto hacerlo cuando llegó al mostrador de la cantina. Fue una ocurrencia súbita. Tal vez porque siempre había sentido curiosidad hacia lo que muchos nicaragüenses calificaban como «la bebida del diablo». Podía ser eso: su deseo inconsciente por acercarse a las llamas de los infiernos, suponiendo que su alma no estuviese consumiéndose ya en las calderas de Botero.

«¡Bah!», dijo en voz alta. Qué estúpida ocurrencia, convocar ahora pensamientos sobre fantasmas en los que él, desde muchos años atrás, había dejado de creer. El infierno está en nosotros, no en las geografías estelares ni en las entrañas de la Tierra. Ése era el hecho determinante y el hecho terrible: que la condena podía instalarse en el corazón de un hombre, en el suyo por ejemplo, en el margen escaso de unas horas o de unos días, y que esa condena, esa culpa que ineludiblemente exigía su purga, se hacía indeleble, opresiva, mundana, atosigante. Y eterna.

Si nunca hubiera aparecido en su camino Nicaragua, si jamás hubiera encontrado a Servando... No era quizá la hora de decirse eso, pero todo, a la postre, parecía tan casual, tan gratuito. Pudieron haberse dado circunstancias diferentes a las que se sucedieron, y estar ahora, con sentimientos muy distintos a los que le atenazaban, en quién sabe qué rincón perdido de la Tierra. Incluso podía haber sido destinado a otra ciudad del país. Pero fue Nicaragua, fue Jalapa, fue Servando.

Para qué lamentarse. Tal vez las circunstancias, las casualidades, no eran el hecho determinante. Quizás en su propio corazón vivía instalado, desde su nacimiento, el destino que ahora ya se había cumplido; quizá su propia vida exigía una resolución semejante. Y en ese punto, daba lo mismo Jalapa que Masaya, daba igual Nicaragua que Perú. Él, Luis Ribera, tenía escrito desde la cuna que habría de encontrar una Jalapa, y en esa Jalapa debería de haber una Yunit. Y un Servando, claro.

Todavía hubo de esperar más tiempo del que imaginaba para encontrarse con él. Al día siguiente de su llegada a Jalapa, se levantó temprano, desayunó un poco de «gallopinto», algo de café y una barrita de pan con mermelada de toronja preparada por doña Obdulia. Después, caminó hasta la Casa Cural, unas siete cuadras hacia abajo de la pensión, en dirección a los valles.

Encontró a Cumeyes en la salita. Andaba revolviendo papeles, libros y revistas.

—En la cocina hay café recién hecho —le dijo sin levantar la vista.

—¿Recoges ya tus cosas?

—Me voy mañana temprano. Ya podrás instalarte aquí. Echa una ojeada si quieres a la casa. Tu cuarto será ese de ahí enfrente.

Era una habitación de pequeñas proporciones, con un gran camastro arrimado a la pared del fondo que ocupaba casi la mitad de su espacio. Sobre el lecho, un simple crucifijo de madera constituía el único adorno de las paredes. Frente a la cama había un gran armario de material plástico. Una ventana daba al patio trasero de la casa. En el suelo del cuarto se amontonaban un par de maletas y tres bolsas de viaje.

Regresó a la sala, donde Cumeyes seguía atareado con sus libros y papeles.

—¿Y Servando? —preguntó Luis.

—Olvidaba decírtelo. Vendrá a la tarde, con la caída del sol tal vez. Puedes darte una vuelta por ahí mientras tanto. Aquí no hay mucho por hacer. Y bueno, lo siento, pero no hay comida tampoco, tendrás que arreglártelas en tu pensión o en una cantina.

—Ya. Hasta luego pues.

—Adéu.

Salió a la calle nuevamente. Sintió deseos de dar un portazo a sus espaldas, pero acertó a contenerse. Miró su reloj. Era aún temprano, y sin embargo el sol se aupaba bien alto en los cielos. Ni un solo rastro de nubes podía distinguirse en aquel espacio limpio y el calor comenzaba a apretar. Las calles aparecían animadas: carros de bueyes, algún vehículo militar, grupos de milicianos, jinetes montando a la galana con la fusta apoyada sobre la pierna, mujeres cargadas con pesados fardos... Un sábado bullicioso en el que no sabía cómo emplear las próximas horas.

Tomó el camino de regreso a la pensión. La cuesta ascendía levemente y sobre los tejados de las últimas casas los montes se alzaban como un murallón, cubiertos de bosques de ocotes, dibujando su perfil arriscado sobre el azul hondo del cielo. Cruzó junto a un caserón que mantenía los portones abiertos. Dentro, varias hileras de sillas atestaban la sala, en cuyo fondo se alzaba un sencillo estrado. Un hombre se apoyaba en el umbral de la puerta y, cuando Luis cruzó a su lado, pudo distinguir en su gorra de tela una leyenda escrita en grandes letras: «Jehová es la luz.» Vestía pantalón verde y camisa suelta con grandes bolsillos, confeccionada con la misma tela que el pantalón. Era un tipo alto y recio, de unos cincuenta años, y saludó a Luis con una sonrisa y una inclinación de cabeza.

—Buenos días —respondió el sacerdote sin detenerse.

La algarabía de los niños le recibió en la puerta de la pensión. Junto a Yvonne, Magda y Reynaldo, había otros dos chavales de la edad de este último.

—Son Daniel y Pascualín, también primos nuestros. —Los presentó Yvonne mientras los dos niños se arrimaban hasta el sacerdote y le miraban sonrientes.

—Tienen también ocho años, pero yo soy más fuerte que ellos —intervino Reynaldo, que había vuelto a tomar la mano de Luis y se apretaba contra su cuerpo.

—¿Iremos al río Lindo, padre? —preguntaba Yvonne.

—Tengo que hacer cosas, preferiría ir otro día.

—¿Y qué tiene que hacer, padre?

—Debo echar una carta al correo.

—Eso está en el mismo sitio del teléfono. Nosotros le llevamos.

La tropa infantil recorrió junto al sacerdote las calles de Jalapa. Pugnaban por estar próximos a él y Reynaldo caminaba ufano sin soltar la mano de Luis.

Llegaron al edificio de Correos y Teléfonos, una casa de una sola planta, como casi todas las de Jalapa, situada en el extremo oriental del poblado. En su fachada quedaban los restos de una pintura ocre sobre la que aparecían dibujados varios eslóganes políticos y una silueta en rojo de Sandino. La sala principal del edificio era una destartalada habitación de no muy grandes proporciones, con un mostrador de madera en el que los hombres y mujeres se hacinaban esperando sus llamadas de larga distancia. No había cabinas telefónicas, y los únicos tres aparatos con que contaba el servicio iban pasando de mano en mano según la centralita de Ocotal conseguía las llamadas a los diversos puntos del país. Un militar vestido con ropa de camuflaje y pistola al cinto, alto y de pelo rubio, gritaba instrucciones a través del auricular para hacerse enviar un poste de luz desde Estelí; una mujer hablaba también a voces con un familiar y un tercer cliente, un campesino de barba cana, intentaba sin éxito informarse sobre la fecha del entierro de un amigo en Masaya. Las paredes del local aparecían profusamente cubiertas de carteles, todos relativos a cuestiones políticas. En uno de ellos, las «madres de los combatientes» exigían la «ira revolucionaria» contra los guardias somocistas que combatían en las guerrillas de la «contra». Había también un cartel conmemorativo de la toma del Palacio Nacional por los sandinistas durante la dictadura de Somoza. Junto a la puerta de la sala, un pasquín se dirigía a la población jalapeña comunicando las instrucciones precisas en caso de ataque enemigo: «Los milicianos deben presentarse al puesto de mando que el batallón les ha orientado... Mantener alejados de los incendios y explosiones a las personas civiles y a los líquidos inflamables...»

Luis pudo hacerse atender al cabo de unos minutos y, tras dejar su carta y pagar el franqueo, salió de nuevo a la calle acompañado de la tropa de chiquillos.

—¿Y ahora qué debe hacer, padre? —le preguntó Yvonne.

—Volver a la pensión. Leeré un rato y...

—¿Y por qué no viene con nosotros a ver a los chanchitos?

—¿Qué chanchitos?

—Los chanchitos de Guadalupe...

—No sé de qué me hablas, Yvonne.

—Guadalupe es la hermana de Yunit y también es

prima mía. Es mayor y tiene ya casa y marido. Y la chancha le ha parido hace dos días cuatro cerditos bien lindos. Yunit nos ha dicho que ya podemos verlos; ella está allí, cuidando del niño de Guadalupe y de los chanchitos.

—Bien, iré con vosotros... si es sólo un rato.

Caminaron hacia la parte baja del pueblo, de nuevo en dirección a los valles. Los niños se rezagaban, le adelantaban luego, corrían a ocultarse en los refugios antiaéreos excavados en los barrios del pueblo. Sólo Reynaldo permanecía agarrado de la mano de Luis, sin hacer caso de los otros chavales que le llamaban a gritos.

—Yo he entrado muchas veces en los refugios —decía el niño al sacerdote.

Cruzaron junto al matadero, una amplia nave donde varias reses desolladas y descabezadas colgaban de gruesos garfios sujetos en hileras al techo bajo. Varios tractores conducidos por soldados se alineaban en la puerta esperando para transportar a los puestos del frente y los cuarteles las raciones diarias de carne. En los árboles próximos al matadero, sobre un desagüe de aguas negras, los zopilotes aguardaban el momento de hacerse con su cotidiana dieta de despojos.

La casa de Guadalupe era una pequeña construcción de adobe y tejas de barro cocido, con un patio trasero donde crecían arbustos de achote y una decena de chagüites. Ante la puerta, un niño de año y medio o dos años jugaba desnudo con un pequeño fusil de madera toscamente fabricado. Sobre el dintel alguien había colocado una banderita de tela, en rojo y negro, con las siglas del Frente Sandinista.

Probablemente atraída por las voces de los niños, Yunit asomó a la puerta. Sonrió al distinguir a Luis y éste sintió trepar un súbito rubor por sus mejillas. Vestía la muchacha unos jeans y la misma blusa ligera de la noche anterior. El pelo azabache caía lacio sobre sus hombros y, alrededor de su cuello, se anudaba un pañuelo rojo y negro, los colores sandinistas.

—Qué gusto de verle, padre. Pase usted a la casa.

—¿Dónde están los chanchitos? —preguntaban los niños alborotados.

—Ahí detrás, en el patio. Pero no los toquéis, que la chancha se encachimba y tira mordiscos. Entre usted, padre, y siéntese.

La sala era una pobre estancia con el adobe de las paredes sin cubrir y suelo de tierra dura. Su mobiliario lo constituían tres sillas y una mesa. De una de las paredes colgaba un afiche editado dos años antes, para el tercer aniversario de la Revolución, y frente al cartel, dos retratos enmarcados con listones de madera. Uno mostraba el rostro de un hombre joven, de bigote recortado y pelo peinado hacia atrás. Era una fotografía reciente. La otra, amarillenta ya por el paso de los años, exhibía la figura de un hombre vestido con pantalones bombachos, bota alta y gran sombrero de alas anchas. Su imagen recordaba las viejas fotografías de Sandino. Iba armado de un rifle y de su cinto colgaban dos pistolas que dejaban asomar las culatas de las cartucheras.

—¿Quiénes son? —señaló Luis al tiempo que tomaba asiento en una de las sillas.

—El más joven es Néstor, el marido de mi hermana Guadalupe. Está en el ejército, ahí en la sierra. Suele encontrarse de puesto en uno de los cerros, el que ahora llamamos Sandino y antes llamaban Somoza. Baja cada cuatro días, cuando le dan el relevo. Y el otro es nuestro abuelo, hace tiempo que murió.

Yunit se había sentado frente a Luis, casi en el borde de la silla, con las piernas juntas y las manos apoyadas sobre las rodillas. Sus ojos eran muy oscuros y brillaban como dos pedazos de carbón.

—¿Y era sandinista tu abuelo?

—No, ¿por qué lo dice?

—Bueno, por el armamento que lleva encima.

—Huy, no. Es que en esos tiempos todo el mundo iba

armado por acá. Había muchas muertes. A él mismo lo mataron en una balacera, no lejos de Ocotal.

—¿Y tus padres?

—Murieron hace tiempo, hace mucho tiempo. ¿Quiere que le prepare un cafecito, padre?

—Bueno, no me vendría mal. Si no es molestia para ti.

—Sólo es calentar un poco de agua.

Desde el patio llegaban los gritos de los niños, confundidos con los ronquidos sonoros de la cerda y los chillidos frágiles de sus crías.

Yunit le tendió la taza humeante y volvió a sentarse frente a él, en la misma postura que antes. Luis bebió sin gana los primeros sorbos de café.

—¿Estudiaste mucho anoche?

—Sí, hasta que me dio sueño. Tengo que apretar.

—¿No duermes demasiado poco?

—Anoche pude dormir casi seis horas.

—Bueno, hoy descansas.

—Sí, algo más que otros días. Esta tarde tengo un acto político y por la noche estudiaré otro poco.

—¿Un acto político?

—Sí, padre. Vamos los de las Juventudes Sandinistas de Jalapa a un asentamiento. Lo hacemos muchos sábados. Hay charlas con los campesinos y luego ayudamos a sus tareas.

—¿Así que eres de las Juventudes Sandinistas?

—Sí, claro. En mi familia somos todos sandinistas. Mi hermana está también en el Frente Sandinista, y trabaja en las oficinas de aquí de Jalapa. Yo tengo entrenamiento militar.

—No te imagino en un combate, Yunit.

—Pues todos los brazos son necesarios para la patria. Y yo ayudo en lo que puedo. Mire, padre, aquí viene Guadalupe.

Luis se levantó de su silla algo sobresaltado al tiempo que una mujer alta, vestida con un uniforme verde olivo, cruzaba el umbral de la puerta. Era morena, de pelo negro, de rostro algo ajado. Le tendió la mano cuando Yunit los presentó.

—Pero siéntese, padre, siéntese, está en su casa.

Luego, se volvió hacia la puerta al notar la presencia del pequeño niño desnudo, que corría hacia ella torpemente con los brazos tendidos. Guadalupe lo alzó con sus manos y lo apretó contra su cuerpo, mientras le besaba y le hablaba:

—Pero qué lindo está mi cipotino. Ya vino su mami, ¿verdad?, ya vino a ver a su chigüín, a su Raulito. ¿No le parece lindo mi chigüín, padre?

—Sí, señora, es bien guapo su niño…

La mujer limpiaba ahora las mucosidades del pequeño con la mano desnuda y luego las restregaba contra su pantalón. Después, se acercó una silla junto a la de Yunit y sentó al niño sobre su regazo.

—Usted es nuevo aquí, ¿no, padre?

—Sí, llegué ayer tarde. Estoy en la pensión «El Progreso», la de su abuela. Y ahora me trajeron los niños a ver los cerditos.

—Qué lindos son, ¿no?

Yunit permanecía callada, sentada en la misma tímida posición. Una y otra vez, los ojos de Luis buscaban el rostro de la muchacha. Notaba el calor que invadía sus mejillas cuando ella le sonreía.

—Bueno, señora, no quiero molestarla, usted viene de trabajar. En realidad, son los niños los que me trajeron.

—Pero, padre, no se me apure, es un placer tenerle en casa.

Luis se había levantado.

—Ya tomé un café… Vendré otro día a verles, y espero conocer a su marido.

Los niños entraban ahora en la sala.

—¿Nos vamos ya, padre? —preguntó Yvonne.

—Yo sí me voy, vosotros haced lo que queráis.

—¿Quiere que vayamos al cementerio?

—Es un poco tarde.

Yunit intervino ahora:

—Sí, padre, debe conocer el cementerio. Es aquí cerca, casi queda enfrente. Están enterrados los héroes, los mártires. Yo le mostraré las tumbas. Es un lugar importante en Jalapa.

—Iré si tú quieres.

Guadalupe se acercó hasta él, todavía con el pequeño sujeto entre los brazos.

—Venga de verdad a vernos. A mi marido le gustará conocerle, él es un buen creyente, como todos nosotros.

Fuera, el calor apretaba. Reynaldo había vuelto a cogerse de su mano y Yunit, seria y erguida, caminaba a su lado.

—Hay muchos compas enterrados aquí; la mayoría cayeron cuando las ofensivas sobre Jalapa. Pero ahora ya traen mártires de otros lugares: de Jinotega, de Matagalpa. Acá tenemos un cementerio grande y bonito, un buen sitio para que reposen nuestros héroes.

La puerta del camposanto permanecía cerrada con cadenas y un grueso candado, pero los niños y Yunit conocían un lugar donde la alambrada que bordeaba el cementerio estaba rota. Hacia allí guiaron a Luis.

Era ya la hora en que el ardor húmedo del mediodía parecía emanar del mismo fondo de la tierra y meterse bien dentro de los cuerpos. Pero el calor que invadía a Luis era de otro género: sentía un extraño nerviosismo caminando al lado de la muchacha y sus propios pasos, sus actitudes, su forma de hablar, se le antojaban expresiones de una torpeza esencial. Podría decir que se veía ahora a sí mismo como un ser ridículo, al lado de aquella muchacha hermosa y grácil, junto a aquel cuerpo juvenil y ligero, escuchando su voz suave y melosa. No se consideraba un hombre de experiencia, y ni siquiera especialmente inteligente; pero al lado de Yunit, no pasaba de sentir que sus propios reflejos y sus actitudes se correspondían más a los de un adolescente que a los de un hombre ya entrado en la madurez de los cuarenta años. Había casi olvidado que marchaba hacia el cementerio, los gritos de los niños llegaban a sus oídos semejantes a un eco lejano, tampoco era capaz de atender con precisión al discurso de Yunit, sus explicaciones sobre la muerte y el heroísmo de los mártires. Apenas oía más allá del sonido de su voz: porque no le interesaba lo que Yunit decía, sino tan sólo el hecho de que Yunit hablara. Lo que alteraba su ánimo y su propia seguridad era la existencia de la muchacha que caminaba cerca de él. No le importaban las ideas y los pensamientos de ella; tan sólo aquella vida palpitante y a su lado.

Cruzó bajo la alambrada de espino sin saber muy bien lo que hacía, detrás de Yunit, y a punto estuvo de que su guayabera se desgarrase con una de las afiladas púas.

—Por poquito, padre; no se agachó lo preciso —oyó decir a la niña Yvonne.

Y súbitamente, siguiendo la dirección que indicaba la mano de Yunit, distinguió el paisaje del ancho camposanto de Jalapa. Ante él se abría un espacio de inusitado verdor. Crecían allá numerosos chagüites, con las grandes hojas del tamaño del brazo de un hombre; densos madroños, algunos mangos silvestres de poderoso tronco, y malinches, jinocuaos, jícaros y cedros. También espesos arbustos de achote y de quiquicue, enredaderas de campanillas rosáceas, y grandes y amarillas flores de paste. No era un cementerio triste, sino un jardín alegre que parecía construido para celebrar la ceremonia de la vida. La mayor parte de los sepulcros carecían de lápida: apenas pequeños montículos cubiertos por las yerbas silvestres, y una simple cruz de madera azulada con un nombre y una fecha grabados a cuchillo. Otras tumbas, con pretensiones de panteón, se significaban con una estructura tosca de cemento y azulejos de vivos colores. Se leían en ellas inscripciones de pomposa devoción hacia la divinidad y escaso respeto hacia la gramática: «No ay felisidad en esta tierra. La pas está en los sielos, a horilla del Señor Todopoderoso.» En algunas, sencillas esculturas de barro policromado representaban cristos crucificados, apóstoles sin nombre y vírgenes llorosas.

—Los mártires están al fondo —le decía Yunit.

Los niños corrían de un lado a otro del camposanto. Se encaramaban sobre las cruces, jugaban a esconderse detrás de los panteones, saltaban junto a un perrucho de pelo ralo y gris que había salido de algún escondido lugar. El sol poderoso y brillante, desde un espacio sin rastro de nubes, echaba su invisible lluvia de fuego sobre el alegre jardín repleto de cruces, sobre las montañas que alzaban con dignidad sus picachos irregulares hacia lo alto, sobre los dulces valles que corrían hacia el sur plenos de humedad, de vida y de simiente. La tibia presencia de la muerte, oculta bajo aquella capa de verdor profuso, no bastaba para enturbiar el sensual y apacible mediodía de Jalapa. Parecía que, incluso, para aquellos niños que jugaban y para la hermosa muchacha que caminaba ante el padre Luis dirigiéndole hacia las tumbas de los héroes sandinistas, la muerte no era un hecho dramático, sino tan sólo una parte consustancial de la vida, una parte quizá dolorosa, pero susceptible de ser teñida de armonía por la mano del hombre y la voluntad de la naturaleza lujuriosa.

Detrás de una profusa arboleda de malinches y guásimos, medio centenar de sepulturas recordaban los nombres de los caídos en la guerra.

Eran las más cuidadas, las construidas con un mayor esmero. Sobre muchas de ellas, la brisa cálida del mediodía hacía flamear las banderas rojas y negras del Frente Sandinista y la nacional, azul y blanca, de Nicaragua. Numerosas lápidas coincidían en las fechas de los enterramientos: noviembre y diciembre de 1982, cuando la primera gran ofensiva de las guerrillas «contras»; junio de 1983, cuando las fuerzas antisandinistas llegaron a combatir en el interior de las calles de Jalapa. En el extremo de la izquierda estaban las más recientes, algunas de semanas atrás tan sólo.

—Son los caídos en Jinotega —explicó Yunit—. Ahora se combate mucho por allá.

Volvieron sobre sus pasos, caminando el uno junto al otro, esta vez en silencio, y los niños correteando siempre alrededor de ellos, incansables en sus juegos.

Luis reparó en un extraño panteón y se detuvo ante él. Lo constituía una gran lápida de piedra gris, sin inscripción ninguna, y sobre la que se alzaban, en su extremo superior, dos cruces del mismo tamaño y forma.

—¿Quién hay aquí? —preguntó a Yunit.

—No tiene que ver con la guerra —respondió la muchacha sin detenerse.

—Parece que hubiera dos personas, ¿no? —insistió Luis.

—Son dos hermanos —contestó Yunit.

—Pero no hay ninguna inscripción.

—La familia quiso olvidar esto. Se mataron a tiros entre ellos. Hace unos cuatro años. Estaban bolos, cargados de cucusa. A uno le había regalado un sombrero su mujer y el otro se lo pidió. Discutieron, sacaron los revólveres y terminaron muertos… por un sombrero. Aquí en Jalapa se moría antes por cualquier cosa. Y a veces sigue sucediendo. La familia decidió que, si juntos murieron, juntos debían reposar, condenados a estar juntos eternamente. Pero no quisieron escribir sus nombres. De todas formas, su historia la sabe cualquier habitante de Jalapa. Se llamaban Ángel y Juan Núñez.

Dejó a Yunit y a los niños en casa de Guadalupe y volvió despacio hasta la pensión «El Progreso». La imagen de la muchacha no se apartaba de sus pensamientos.

Se sentía alterado, inquieto como un joven adolescente. Y aún temía las reacciones de su propio corazón apasionado. A la tarde, volvió a la Casa Cural. Cuando le abrieron la puerta, al otro lado estaba Servando.

## 5

No es mala idea llegarse hasta la casa de Bluefields, pensó Rubén mientras caminaba prendido del brazo de la muchacha. Notaba que los pies escapaban a su control, quizá porque había alcanzado a traspasar el límite tolerable de ron. Bluefields tenía siempre razón en la cuestión del trago: en ocasiones bebía demasiado, más de lo que su propio cuerpo podía resistir.

La calle ascendía en una leve cuesta, pero sus piernas la sentían como si se tratara de un camino bien empinado. La luna, botando sobre los cerros, parecía más pequeña, o en todo caso su luz era ahora menos intensa. Apenas una bombilla cada cien o doscientos metros iluminaba la calle. Se hacía difícil avanzar a tientas por aquella senda embarrada e irregular, proyectada sobre el papel como una ancha avenida y convertida bajo los pies en una vía algo más noble que un camino de cabras. Sentía mojados los zapatos y notaba pesados los bajos de sus pantalones, henchidos de agua y lodo. Bluefields tiraba de él casi como quien arrastra a un viejo enfermo o a un niño remolón. Pero su infinita paciencia la mantenía callada.

Además, las borracheras acababan por deprimirle: en ocasiones, sobre su corazón caía una nube de pesadumbre, una especie de profunda apatía desesperanzada. El retrato sólido que se había construido para sí mismo minutos antes, daba paso a una imagen de torpeza y de impotencia. Y entonces se despreciaba sin apenas asomo de solemnidad.

Un tirón hacia la izquierda del brazo de Bluefields le hizo dar un traspié. Recobró el equilibrio y se encontró cruzando el umbral de una casa. Los brazos de la muchacha le dejaron apoyado contra la pared y escuchó el golpe de la puerta al cerrarse. Durante unos instantes, permaneció a oscuras, con las piernas sosteniéndole malamente y la sensación de que su cabeza había escapado del resto de su cuerpo y flotaba sobre un espacio negro, en el que no existían puntos de referencia. Le gustó ese estado, ese vuelo ingrávido que parecía traerle un sentimiento de eternidad. Por unos segundos intentó pensar en que ya estaba muerto, que su conciencia vagaba libre por los senderos espaciosos de la nada, condenado a no sentir otra cosa que aquella eterna sensación de ingravidez. La otra vida, si es que tenían razón los que en ella creían, debería ser algo parecido a esto: un lugar sin gente, sin sonidos reconocibles, sin puntos de referencia, sin colores ni formas que limitasen la realidad del espacio vacío, condenado a la imposibilidad de encontrar nunca otra conciencia que, como la suya, peregrinase eternamente por los caminos del no ser.

Pero una realidad así hubiera estado muy cerca de ser considerada como el paraíso, y ante los ojos de Rubén saltó una chispa, y la chispa fue poco a poco convirtiéndose en una llamita, y la llamita se hizo luz de gas en el interior de una lámpara de cristal, y la lámpara iluminó, desde la mano de Bluefields y luego desde una pequeña mesa, las formas de aquella sala.

Había una gran cama que llenaba casi media estancia. Había una hamaca que colgaba de dos ganchos del techo. Estaba la mesa, y estaba también la puerta que daba a la cocina. Y dos sillas de madera..., y la ropa colgada de numerosos clavos a lo largo de la pared de la izquierda..., y tres o cuatro pares de zapatos en hilera debajo de la ropa, sobre el suelo de tierra endurecida..., y cestos aquí y allá, unos con grano, otros con frutas, otros con café..., y una segunda puerta que daba al excusado y a la ducha.

Decidió entonces dejar a sus piernas unos instantes de reposo y que su cuerpo se escurriera por la pared hasta quedar sentado sobre el suelo.

—Ay, mi amor, que ya te lo dije antes, que no me bebieras más ron. ¿Y qué se puede hacer ahora con alguien así?

Se le quedó mirando, con los brazos en jarras, el rostro serio, como si la piel se le hubiera oscurecido. Bluefields le parecía ahora enteramente una mulata.

—Vaya, vaya, vaya... Mira que estoy buena, haberme traído alguien así a mi casa, y haber dejado plantados a otros hombres mejores que éste.

Rubén intentó traducir en palabras sus pensamientos:

—Vamos, niña. Yo voy a pagarte..., a pagarte. Nada pierdes.

—¿Que nada pierdo? Malditos hombres. Sois raza que no debiera existir. Tendría que dedicarme a las mujeres. Si no me gustaseis tanto, si las mujeres tuvieran esas cosas tan ricas que tenéis vosotros.

Rubén trataba de levantarse, pero sólo acertaba a componer unas cuantas posiciones ridículas con su cuerpo. Al fin, Bluefields dio dos pasos hacia él, le tomó de un brazo y le empujó hasta dejarle de nuevo apoyado contra la pared. Luego, tiró de él, y en pasos cortos, lo llevó hasta la cama. Le hizo sentarse, y sin cesar de hablar comenzó a quitarle las ropas.

—Ya me hueles ácido, además. Pero ¿por qué me gustarán a mí estos hombres? ¿Y qué se puede hacer con una ruina así? Venga, estira el brazo, que no sale la camisa. Parece que te hubieras bañado vestido en el río.

Cuando le hubo desnudado, le hizo ponerse en pie. Tiró de él otra vez y cruzó la sala hasta la puerta del baño. Sobre el suelo de cemento de la ducha, le hizo sentarse. Le apretó la cabeza entre las rodillas.

—Y ahora te me estás quietecito un buen rato. No te

me muevas de ahí hasta que yo te saque. Y no te me apures, que no te vas a ahogar. El agua es a veces mejor que el guaro.

De un agujero situado en el extremo superior de la pared, brotó un grueso chorro que, tras hacer una curva parabólica en el aire, fue a chocar directamente con la cabeza de Rubén. El agua saltó sobre sus hombros y su espalda, y fue extendiéndose en anchos cauces por todo su cuerpo.

—Así, así..., ahí quietecito hasta que Bluefields venga a buscarte. Voy a preparar un cafecito y luego veremos cómo me quedas.

Un cuarto de hora más tarde, tendido desnudo sobre la cama, ya seco, con Bluefields sentada cerca de él, Rubén sorbía un tazón de café caliente y notaba cómo su cuerpo iba recobrando sus primitivos reflejos. Su cabeza no flotaba y, aunque no podría decir que la borrachera había desaparecido, se sentía capaz de hablar y comprender.

—¿Sabes que todos tenemos derecho a vivir, incluidas las ratas y los hijueputas? —dijo de sopetón a la muchacha.

—¿También ésos?

—¿Y por qué no? Después de todo, no es tan desgracia nacer hijueputa.

—¿Lo dices porque lo crees?

—Claro, mujer. A todos los hijueputas que conozco les va muy bien en la vida. Y conozco unos cuantos, no creas. El hijueputa es alguien que no necesita de razones morales ni de razones ideológicas para vivir. No es un ser enfermo de moral o de pensamientos. No necesita salvarse porque ha aprendido desde la cuna que lo que uno tiene que hacer es vivir a costa de los otros y, cuando es necesario, incluso a costa de la vida de los otros. Había hijueputas antes y los hay ahora; el sandinismo no ha arreglado mucho las cosas en esto.

—Pero tú no eres hijueputa.

—No creas que no he hecho por aprender. Si pudiera, sería mañana mismo como ellos. Pero hay algunos que nacemos enfermos…

—Ya te dio por hablar… y ahora me sales enfermo.

—Es una enfermedad del pensamiento, o del comportamiento. Muchas veces me he preguntado quién diablos echó dentro de mí esa semilla que me ha llevado al fracaso.

—Ay, Rubén, que ya te veo, que el alcohol os pone amargos a los hombres… Déjalo. Tú eres inteligente, yo no te veo fracasado.

—¿Y qué sabes tú, niña, de todo esto? Todos los hombres somos unos fracasados. Más o menos fracasados, pero todos lo somos. Nunca alcanzamos a ganar en cuanto nos proponemos. Y sólo el orgullo nos mantiene vivos y en pie; sólo el orgullo, esa estúpida cualidad con que todos nacemos…, menos los hijueputas.

—Pero tú pareces un hombre muy sabio, Rubén.

—¿Y qué tendrá eso que ver, aunque fuera sabio? A los hijueputas no les hacen falta esas cosas.

—Te dio buena con los hijueputas. Anda, no te me amargues, mi amor.

—No me amargo, niña, no me amargo.

—Tú no eres un fracasado.

—¿Y qué sabes tú? Soy un resistente…, pero ya me ves, borracho aquí en Jalapa, hundido en este norte infernal y condenado a estar aquí para ganarme la vida. ¿No crees que merecería algo mejor?

—Esto no está tan mal. Yo también estoy aquí, mi amor, como el padre Luis, y otros.

—Ah, el padre Luis. Ése es otro fracasado. No se ha dado cuenta todavía de que todo lo que es religión es negocio.

—Pero tú no estás tan mal, mi amor. Ganas buena plata, mejor que muchos otros.

—¿Sabes las cosas que yo he hecho en mi vida? Yo…,

yo..., bueno, para qué contarte nada. No tengo por qué exigirle nada a nadie, ni siquiera a la vida. Y hace tiempo que ya decidí que no llegaría jamás a ser nada.

—Estás muy amargo, mi amor.

—No, estoy muy lúcido, niña, muy lúcido. Lo único que temo es ese momento, que ya he visto en otros, en que un hombre llega a convertirse en su propia caricatura.

—Ay, que no te entiendo, mi amor.

—Claro, tienes razón. Tú eres un encanto; te pediría en matrimonio si no supiera que te condenaba al infierno.

—Pero ¿por qué sois así cuando estáis bolos? Siempre amargos, siempre hablando de vosotros y de historias que a las mujeres ni nos importan. Tú eres dulce, tierno, educado. Me gustas por eso, ¿para qué quieres más?

—Tú no sabes lo que soy yo.

—Ay, siempre tan importantes, tan amargos. Mira, yo voy a darme una ducha. Estoy cansada de oírte decir lo mismo que dicen los otros. Luego, haré un cigarrillo de marihuana. Lo fumamos y hacemos el amor. Si no te conviene, pues te me duermes y ahí muere la cuestión. Mañana será otro día.

Bluefields se levantó. Desabrochó los botones de su vestido y se lo quitó sacándolo por la cabeza. Quedó su cuerpo sólo cubierto por unas mínimas bragas de color blanco, los gruesos pezones oscuros coronando dos senos redondos, no muy grandes, que nacían altos en su pecho.

Se quedó solo. Tal vez, se dijo, enfrentado con su propia caricatura. ¿Lo habría logrado finalmente, habría llegado a ser aquello que decía temer tanto? ¿Cómo le vería Bluefields? Bueno, lo había dicho: él hablaba como los otros, venía a expresarse igual que el resto de los hombres cuando están borrachos y se creen el centro del mundo. Él no era muy distinto a los demás: como muchos de ellos, pensaba que las coordenadas del Universo pasaban a través de su cabeza o de su ombligo.

Vanidad, orgullo... Todo aquello que le mantenía aún

en pie eran, sin embargo, dos estúpidas razones ante los ojos de una amable prostituta. Pero él se veía radicalmente diferente. De hecho como muy pocos en su clase social, se la había jugado contra Somoza. Aquello le costó años de exilio. Y cuando los sandinistas llegaron al poder, él se había marchado, había dejado el partido. ¿No era eso ser distinto? Algunos de sus antiguos amigos ocupaban lugares importantes en el nuevo Estado y eran conocidos, famosos, poderosos. Él, sin embargo, había preferido su propia soledad orgullosa, había terminado en aquel oscuro rincón del país, lejos del poder, lejos de los hombres influyentes, y tan sólo porque no creía en la nueva mística, una mística quizás útil, políticamente, para combatir la miseria, el desánimo, la dureza de la guerra, una mística tal vez necesaria para las grandes mayorías. Pero él no precisaba de pomposas palabras para luchar.

Había dicho no. ¿No era eso, también, ser diferente a muchos otros? Y cuando un hombre dice no, entra de lleno en un camino sin retorno, en una senda sin vueltas atrás, donde ya todos van recordando la primera negativa y empujándole a uno hacia el cumplimiento de su propia decisión. ¿De qué quejarse? Él había elegido aquello, él era eso mismo que había decidido ser cuando negó. Y debería darse cuenta, ahora, de que no figuraba entre sus derechos el pedir a los otros comprensión hacia su causa, una causa individual, imposible de transferir. Él ya sabía, cuando decidió dejar Managua y marchar de corresponsal al norte, que su vida había cambiado y que cuanto le sucediera se hacía inevitable. Los caminos de los hombres pueden ser infinitos, pero cuando alguien asume una decisión importante en su propia vida, y lo hace contra corriente, dibuja un destino al que ya no puede sustraerse sino con una humillada renuncia o con la muerte. Eso lo sabía ya antes de ahora Rubén, y la borrachera no justificaba sus lamentos. Y además: ¿para qué ser impúdico ante una noble prostituta?

Se levantó. Notó una cierta debilidad, como si su cabeza, por unos segundos, amenazara con echar a volar alejándose de su cuerpo. Se recuperó enseguida, sin embargo. Y con fastidio constató, cuando llegó a la mesa y hurgó en sus cajones, que no había un solo cigarrillo. Volvió a la cama y se tendió con las manos abiertas detrás de la cabeza. Se oía el ruido del agua de la ducha, confundido con la voz de Bluefields, que ahora cantaba.

A fin de cuentas vivía la existencia que él había escogido, incluso su vida no había estado exenta de emociones en los últimos meses. ¿No había dicho siempre, a quien quisiera oírle, que la aspiración de todo hombre sensible e inteligente era contrastar el propio yo con el mayor número posible de experiencias, incluso las más dolorosas? ¿Qué esperaba, pues, cosechar unos años más tarde?

No hacía aún seis meses que, en Ocotal, había vivido una de esas extraordinarias «experiencias» que él guardaba en el recuerdo como un rico patrimonio del que se sentía orgulloso. Fue en junio, cuando aquel sorpresivo ataque de la guerrilla antisandinista. Rubén había sido un opositor en la lucha contra Somoza, pero jamás había entrado en fuego, nunca participó en un combate o fue testigo de una batalla. En Ocotal, sin desearlo, se encontró de lleno en mitad de la guerra. Y aprendió a conocer qué podían ser el valor y qué la cobardía en el corazón de los hombres. Hasta entonces, él sólo había tenido referencias, o testimonios, de guerrilleros o soldados, como aquel comandante que ante su insistencia, le había comentado en Managua delante de una taza de café: «Mire, compa, es muy simple: cuando estás en combate sientes como si tragaras cobre, los ojos te escuecen, y la paloma se te vuela del nido de los huevos, que se te ponen muy chicos, como huevecitos.»

En Ocotal probó el sabor del cobre, sintió volar de sus huevos a la «paloma», le escocieron los ojos y olfateó el fuerte aroma de la pólvora recién quemada, se manchó la ropa con la sangre de otros, escuchó el pitido agudo y persistente que, durante horas, deja en los oídos de los soldados la bronca voz de su propio fusil.

Era exactamente el primero de junio y Rubén se retiró a dormir muy tarde. Había permanecido, hasta casi las dos de la madrugada, en casa de unos amigos colombianos, exiliados que trabajaban como maestros en Ocotal. Despedían a un compatriota que marchaba a trabajar a Panamá: el ron corrió generoso, y la cumbia y la salsa no cesaron de sonar.

Regresó caminando por las calles desiertas, en una noche de quietud y calor que no presagiaba nada extraordinario. Tomó una ducha larga y aún fumó un cigarrillo y bebió otra copa de ron antes de acostarse. Deberían de ser cerca de las tres cuando apagó la luz. Casi de inmediato se quedó dormido.

Le alteraba recordar aquella madrugada. Y las sensaciones de impotencia que le invadieron entonces parecían repetirse ahora con la misma intensidad.

El ruido de una fuerte explosión, y el temblor que produjo en su cama, le hicieron despertar sobresaltado. Encendió la luz, se calzó los pantalones y corrió a abrir la ventana. En las casas vecinas, muchas luces se iban encendiendo y algunas otras ventanas se abrían tímidamente. Frente a él, al otro lado de la calle, una mujer asomó con un niño rubio que lloraba entre sus brazos. Tenía los ojos hinchados en dos grandes bolsas.

—¿Qué pasó? —le gritó ella.

—No sé —contestó Rubén.

Y al tiempo comenzó a escucharse el vocerío de las armas. Venía el fragor de la fusilería de la parte norte de la ciudad, no muy lejos de donde estaban. Una nueva explosión, quizás algo más lejana que la otra, acalló por unos instantes el sonido de los disparos. Pero enseguida resurgió el tableteo de las ametralladoras. La mujer se santiguó, gritó «Dios mío, Dios mío», y apretando el niño contra su pecho cerró la ventana. Otras luces se apagaron en la estrecha avenida, y Rubén giró sobre sí mismo, corrió hasta la cama y se vistió a toda prisa.

El peor instante de un ataque es su comienzo. Nadie acierta a saber si se trata de algo serio o de una simple escaramuza, y ni siquiera puede uno estar muy seguro de hacia dónde debe dirigirse. El vacío de datos que se produce en esos momentos hace sentirse a los soldados, por unos instantes, impotentes, derrotados de antemano. Y a quienes no son soldados, les sume en un aluvión de sentimientos de desamparo y miedo.

Rubén notaba la boca seca mientras corría calle arriba. ¿La resaca de la noche anterior? No había bebido tanto. Era tal vez el temor a la muerte, el temor a la guerra. Corría hacia el Club de Prensa, situado en una de las calles céntricas de Ocotal, tal vez guiado por el mismo instinto que impulsa a las hormigas a buscar el hormiguero cuando cae la lluvia. El ruido de los disparos llegaba a sus oídos desde varias direcciones; una sirena lanzaba aullidos lastimeros en algún lugar de la ciudad; las calles por donde corría estaban desiertas, pero numerosas ventanas dejaban ver las lámparas encendidas en el interior de las casas. Una luz violácea iba apoderándose del cielo, rompiendo el cerco oscuro de la noche. Todavía alguna estrella grande lanzaba guiños luminosos desde el espacio, como si se tratara de pequeños faros lejanos que indicaban el camino para las naves solitarias. Pero el sol tardaría aún más de una hora en asomarse a la Tierra.

Dobló una esquina y el paisaje cambió por completo. Estaba en una de las plazuelas del centro de la ciudad, cerca ya del Club. Las sombras de medio centenar de hombres se movían sin una dirección precisa. Eran soldados y milicianos, algunos vistiendo el uniforme de campaña y otros con simples ropas civiles. Todo indicaba que aquella tropa carecía de orientación, mientras corrían de un lado a otro de la plazuela. Algunos vehículos militares hacían roncar sus motores y sonar sus cláxones. Arrancaban, avanzaban unos metros cargados de hombres, luego se detenían, los hombres se bajaban sin saber qué hacer, el vehículo regresaba marcha atrás... Dos o tres oficiales lanzaban gritos hacia todos los lados, ciegos, borrachos de órdenes.

—¡Concéntrense! ¡Formen pelotones! ¡No se me amontonen! ¡A los carros! ¡Carguen las armas!

Las voces de mando se confundían con el ronco sonido de los motores. En la lejanía continuaba el fragor de los disparos de combates que parecían librarse en varios puntos de la ciudad. Por encima de los tejados, más al norte, entre las brumas de la amanecida, Rubén distinguió la gruesa fisonomía de una humareda negra, que trepaba con parsimonia hacia los cielos.

Se detuvo junto a un oficial que vestía uniforme de camuflaje y agitaba un Kalashnikov mientras lanzaba gritos en todas direcciones.

—¿Qué pasa, teniente?

El otro le miró con ojos de no verle. Bajó el fusil y lo dejó apuntando hacia la pierna de Rubén.

—Identifíquese.

—Me llamo Vivar y soy periodista de *Nuevo Diario*.

—Váyase a su casa. Esto no va con los civiles.

Le dio la espalda. Rubén volvió a ponerse delante del hombre.

—Pero dígame qué pasa.

—¿No lo ve? Es un ataque de la «contra». Lárguese de una vez o coja un arma.

Le dio de nuevo la espalda, alzó el fusil ametrallador por encima de su cabeza y continuó lanzando, a gritos, órdenes sin sentido.

Echó Rubén otra vez a correr. Dos cuadras más adelante, la puerta del Club de Prensa aparecía abierta de par en par. Las luces del recibidor estaban encendidas, pero no había nadie allí. Cruzó la sala y corrió hacia el fondo. En el cuarto de comunicaciones, Regino Parrado, un compañero de la agencia estatal de Prensa, se afanaba en lograr una conexión telefónica. Colgó el aparato cuando vio entrar a Rubén.

—¿Qué pasa? —se preguntaron casi al tiempo.

Los dos hombres esbozaron sendas sonrisas, pero en el rostro de Regino se borró de inmediato.

—Es la «contra», claro —acertó a decir Rubén.

—Me han dicho que han puesto una bomba en la oficina de la radio y que están quemando graneros y fábricas —indicó Regino.

—¿Y qué puede hacerse?

—No sé..., los teléfonos no funcionan. Podemos llegarnos a la comandancia. Allá nos dirán.

—Vamos, pues.

Recorrieron tres o cuatro manzanas, en dirección al oeste. Seguían los disparos, se escuchaban explosiones de granadas de mano, la sirena no cesaba de sonar en algún punto lejano de la ciudad. Olía a madera quemada y también a pólvora. La garganta de Rubén seguía seca, metálica, con sabor a cobre. Pero no sentía miedo, sino tan sólo un desconcierto profundo que la compañía de Regino, corriendo a su lado, aliviaba en buena parte.

Dos o tres carros de combate, una docena de jeeps militares, varios grupos de soldados, nuevas voces de mando..., el portón del edificio que albergaba al Estado Mayor hubiera parecido la entrada de un recinto ferial si aquellos hombres no llevaran armas y uniformes y no se escuchase al fondo el tableteo de las ametralladoras. Un soldado les detuvo en la puerta.

—Somos periodistas, buscamos hablar con alguna autoridad militar —acertó a decir Regino.

Rubén no había tenido nunca en especial estima a aquel colega de la Prensa, a quien por otra parte conocía muy poco; pero en esos momentos comenzaba a apreciar su capacidad de decisión, superior sin duda a la suya. Era un tipo grueso y bajo, de rostro sudoroso, pelo escaso, piel tostada y pómulos anchos.

Se había acercado un capitán.

—Somos periodistas —repitió Regino—. Queremos saber qué pasa, informarnos, hablar con alguien.

—No son momentos para la información —respondió el capitán—. ¿Saben manejar un arma?

—Bueno..., hace mucho tiempo de eso —apuntó Regino.

—Aprendan entonces sobre la marcha. Hace falta todo el mundo. ¡Teniente! —llamó a voz en grito.

El otro oficial se acercó al trote hasta llegar a ellos.

—Súbalos en un carro y que peleen con la tropa.

Volvió el rostro sonriente hacia los dos periodistas:

—La mejor información la van a encontrar ahí delante y la «contra» les ha preparado unas cuantas exclusivas.

Rubén caminó detrás del teniente, como un autómata, sin hacerse preguntas. Subió el último a un jeep cargado de soldados. No había sitio para Regino. Vio cómo el teniente lo llevaba hacia otro vehículo al tiempo que el suyo se ponía en marcha y corría hacia el norte.

A su lado, la mano de un joven sargento se posó sobre su hombro.

—¿Paisano?

—Soy periodista.

—Veo que no tienes arma, compa.

—No me la dieron.

—Ahí delante te darán una.

—Pero... ¿Sabe qué pasa?

—Un ataque, ¿qué otra cosa puede ser? Han entrado por sorpresa, dicen que por cuatro o cinco sitios de la ciudad. Nosotros vamos al sector norte, se está peleando recio allá para echarlos.

El vehículo se detuvo en una calle estrecha y oscura.

Había otros jeeps aparcados cerca, y grandes cajas de madera en el suelo que contenían armas y municiones. Sintió un empujón en el hombro y saltó a tierra.

—Venga, compas, no se me rajen —gritó el sargento—. Cójanme municiones, un buen puñado, que hay buena fregada ahí delante. Tú, periodista, agárrate un fusil y unos tiros de las cajas.

Corrió el sargento hacia un oficial que caminaba hacia el grupo desde el otro lado de la calle. Se encontraron y conversaron unos instantes, mientras Rubén y los soldados se proveían de municiones. El oficial señalaba hacia atrás, hacia una de las esquinas de la calle.

Volvió el sargento.

—Bien, compas, ahora no se me desperdiguen. Síganme tranquilitos, en orden detrás de mí. Al doblar la esquina, yo iré delante y ustedes detrás. Cuatro metros de distancia entre cada hombre. Y ya en el parque, se me despliegan y se ponen a cubierto. El enemigo está al otro lado y hay una buena salsa. Cuidado al sacar la cabeza cuando disparen. Y a una orden mía, todos a saltar y a correr hacia ellos. Que nadie se me acobarde. Al primero que se vuelva le suelto un tiro en el culo, ¿comprendido? Hay que echarlos de Ocotal. Son una manada de cobardes, se arrugarán enseguida. Que no haya miedo, ¿eh? Tú, periodista, te cubres cerca de mí, ya verás que no es tan difícil.

No cesaban las descargas de fusilería, que se alternaban con las explosiones que producían las granadas de mano. La sequedad de la boca le hacía a Rubén sentirse incapaz de pronunciar palabra. Sentía los fuertes latidos de su corazón, golpeando contra el tórax como si éste fuera un tambor, tan potentes que pensaba que los otros podrían escuchar su agitado bombeo.

Al llegar a la esquina, el sargento indicó con un gesto de la mano que se detuvieran. Rubén le seguía. Giró el rostro mientras el suboficial inspeccionaba el cruce de calles y contó ocho hombres. Inexplicablemente, su mano sudaba al contacto frío del fusil ametrallador, mientras que los bolsillos, cargados de munición, parecían no pesarle.

—Bueno —volvió el rostro el sargento—, ya sabéis, cuatro metros entre hombre y hombre. Tú, periodista, detrás mío. Id agachaditos y, si grito a tierra, os tumbáis bocabajo hasta que los pelos de los cojones se claven en el suelo. Cuando lleguemos a la plaza, os desplegáis, no muy lejos de mí, y a disparar. No sabemos cuántos tenemos ahí al otro lado, pero los nuestros ya están dándoles vergazos. Cuando grite adelante, todos a correr a por ellos. Hay que echarlos. Y hay que tumbar a todo «contra» que se ponga delante. ¿Está clarito?

Hubo un silencio como respuesta. Sonrió compulsivamente el rostro del sargento, bajo la luz pálida de la mañana. Dio luego la vuelta, agachó el cuerpo y saltó hacia delante, perdiéndose de vista.

Rubén avanzó, imitó la forma de agacharse del suboficial y asomó la cabeza. La calle solitaria se tendía hacia la gran plaza situada a unos doscientos metros. En mitad de la calzada, el cuerpo de un hombre vestido de uniforme yacía inmóvil sobre un charco de líquido oscuro y Rubén supo, en un segundo escaso, que la guerra era algo parecido a la vida: una soledad desamparada. Pero no sintió miedo, sino tan sólo el mismo desconcierto que le había invadido al despertarse con el ruido de la primera explosión de la mañana. Como cuando se nace. Y más aún: sus primeras sensaciones de impotencia habían desaparecido. Ahora ya veía dónde estaba la batalla, podía más o menos calcular qué sucedía, de alguna manera tenía ahora la posibilidad de actuar, de intentar salvar la propia vida o arrancar la de otro. Ya no era el ser inerme que, una hora antes, había salido de su casa sin conocer con exactitud el rumbo de su agitada carrera. ¿Una hora? En ese instante, asomado a la calle por donde el sargento se alejaba agachado y arrimado a la pared, se dio cuenta de que había perdido por completo el sentido del tiempo, y de que lo mismo podían haber transcurrido quince minutos desde que saltó de su cama que sesenta. O más, tal vez casi una vida.

Fue la calle más larga que recorrió nunca. Casi sentía el corazón en la boca. Trató de imitar la forma de moverse del hombre que le precedía, agachado, el fusil sostenido por el brazo derecho, la mano cerrada sobre el arma no muy lejos del gatillo. ¿Recordaría cómo utilizarlo? De todos modos, él nunca había sido un buen tirador. ¿Y llegaría a ver al enemigo con claridad suficiente como para hacer blanco?

Aumentaba el sonido de los disparos: se combatía en la plaza hacia donde marchaban. Rubén tenía la impresión de que sus pasos no ganaban terreno a aquella calle interminable, que el parque del fondo se alejaba de ellos en lugar de acercarse. Cruzó junto al soldado caído. Su cuerpo se tendía con la cabeza ladeada hacia el otro extremo de la calle, los brazos abiertos, los pies juntos que apuntaban hacia arriba, y un gran charco de sangre oscura que, bajo los hombros y la cabeza, brillaba sobre el suelo.

Nadie disparaba sobre ellos y el sargento seguía avanzando hacia la gran plaza que llamaban «el parque». Rubén la conocía: era un ancho espacio, en la zona norte de la ciudad, cubierto de árboles viejos y de pequeñas praderitas verdes. Había en su centro una fuente de tres caños y, en uno de los extremos, toboganes y columpios metálicos, pintados de colores vivos, donde los días festivos jugaban los niños de Ocotal. A su alrededor se alzaban las mejores casas de la ciudad, en otro tiempo propiedad de altos funcionarios de la dictadura de Somoza, y ahora en su mayoría destinadas a oficinas del gobierno y a sedes de cooperativas y organizaciones sindicales. Eran edificios de tres y cuatro plantas, los más altos de la población.

Cruzaron las primeras casas que rodeaban el parque. El sargento no se detuvo hasta llegar a los árboles. Se volvió entonces y con la mano hizo gestos a sus hombres para que se desplegaran y tendieran. Rubén llegó a su lado y se tumbó bocabajo junto a él, con el fusil delante de su cabeza.

—Aguarda aquí quieto, periodista.

El sargento avanzó unos metros arrastrándose. Los disparos se oían muy próximos, incluso Rubén creyó notar que algunos cruzaban sobre sus cabezas e iban a chocar contra las fachadas de los edificios que habían dejado a sus espaldas.

Unos minutos después el suboficial regresó hasta la posición donde se encontraba Rubén. Sonrió al periodista y le palmeó el hombro.

—Tranquilo, compa.

Luego, alzó levemente la cabeza y se dirigió a los hombres tendidos en las proximidades.

—Bueno, compas, hay que avanzar arrastrándose. Vamos a llegar a esos árboles de ahí delante, esos que están a unos veinte metros. Buscad un sitio protegido y disparad a todo lo que se mueva enfrente. Están justo al otro lado. Vamos, pues.

Era cierto, no estaba equivocado: los disparos cruzaban sobre ellos, entraban en pleno combate. Rubén se arrastró procurando que su cuerpo no se despegara un solo centímetro del suelo. Resultaba trabajoso avanzar así, trabajoso y cansado. Pero seguía sin notar la presencia del temor. Era como si no fuera él quien reptaba sobre la fresca y húmeda yerba del suelo, sino un ser ajeno, trasladado de pronto, por alguna suerte de milagro, al interior de su propio cuerpo. Incluso pensaba que, si en ese instante, un disparo acertara a matarle, no sería él quien muriera, sino aquel espíritu impostor que había tomado el lugar de Rubén Vivar dentro de su carne.

Llegaron a los árboles. Estaba muy cerca del sargento cuando éste se detuvo y en voz alta, haciéndose escuchar por todos los hombres del pelotón, dio de nuevo instrucciones.

—Buscad un sitio donde cubriros. Y a disparar contra todo lo que se mueva allí enfrente.

Y fue en ese momento, exactamente en ese instante, cuando la realidad de cuanto sucedía se arrojó de pronto sobre su conciencia. Nada era un juego y nada era un sueño. Se arrimó a un árbol, sin cesar de mirar hacia delante, agarrado al fusil como un náufrago se sujetaría a un trozo de madera entre las olas enfurecidas. Enfrente sólo había más árboles y fachadas de otros edificios. Pero algo le indicaba, alguna señal difusa, que allá delante otra gente, como él en fin de cuentas, tenía un fusil en la mano y disparaba en su dirección, tratando de localizar el blanco de su cuerpo de la misma manera que él intentaba ahora encontrar la sombra o la silueta móvil de una figura humana. Y un pavor hondo e interminable, un terror universal que excedía a su propia capacidad para imaginarlo, se apoderó de sus sentidos, de sus pensamientos, de sus miembros. No era nadie ahora mismo; era tan sólo miedo. Y un incontenible temblor, que hacía castañetear sus dientes y que confería a sus manos y a sus piernas un movimiento nervioso e incontrolable, le dominó por entero. No pensaba, su voluntad se había sometido, sin asomo posible de resistencia, al desgobierno de sus músculos. Nada dentro de él quería defenderse de aquel terror inmenso. Era semejante a un animal olvidado de sí que presiente la certeza de la muerte; quizá sus ojos se movían sin sentido, como los de esos terneros atados que ven llegar el cuchillo hasta su cuello y algo les advierte que aquel acto incomprensible anuncia el final de su vida. Su vientre se aflojó, y no fue capaz de dominar, ni quiso tal vez hacerlo, la diarrea que inundó de pronto sus calzoncillos y se extendió por las perneras de sus pantalones. Orinó también, como si celebrara la última ceremonia de reconciliación con su propia fisiología.

Sin darse cuenta, se había arrastrado unos metros hacia la izquierda. Ahora sí sentía silbar las balas cerca de su cabeza, sin adivinar aún de dónde podrían surgir. Algunos disparos se estrellaban en el suelo, o chocaban con la corteza de los árboles, no muy lejos de donde se encontraba. Pero Rubén no acertaba a distinguir ninguna figura humana allí enfrente. Su cuerpo se movía, se movía reptando, hacia la izquierda, siempre hacia la izquierda.

Y de pronto, su mano se mojó. Y al moverse, chocó con algo caliente, con una materia sólida y blanda. Giró la cabeza: el cadáver yacía a su lado, justo pegado a su cuerpo. El pecho de aquel soldado estaba empapado de sangre, y la sangre también cubría la alfombra de yerba sobre la que reposaba. Tenía los ojos abiertos, y la boca también abierta. Miraba hacia lo alto, como si buscara alguna razón de ser en el cielo inundado ya por la luz de la mañana. Era muy joven, tal vez tenía dieciséis o diecisiete años, y la boina negra, separada de la cabellera rizada, mostraba un forro de llamativo color rojo: su uniforme verde, de un tono más oscuro que el verde olivo de los sandinistas, parecía casi nuevo, como recién salido de fábrica o de la tintorería. Era una tela gruesa, impermeable, pulida y reluciente, un uniforme de la «contra».

Se limpió de sangre en su propia chaqueta. Lanzó una ojeada alrededor y se dio cuenta de que se había alejado de donde se encontraba el sargento. Reptó de nuevo, esta vez hacia su derecha, la mano crispada sobre el fusil. El sargento disparaba hacia delante, parecía absorto en la contemplación de su punto de mira, y sus músculos, como agarrotados, se marcaban en los brazos desnudos.

Entonces, alzó su arma y, sin apuntar, sin calcular la dirección de sus disparos, apretó el gatillo. Una larga ráfaga brotó del cañón y el Kalashnikov fue desplazándose hacia arriba, movido por su propio impulso, hasta que los últimos disparos se perdieron en el cielo. Sintió un manotazo fuerte en el costado cuando ya había vaciado por completo el cargador y el gatillo se movía bajo su dedo como un muelle sin fuerza.

—¿Pero qué haces, güevón?

El sargento le miraba con los ojos encendidos, el rostro contraído, ajado, como si le hubieran echado encima, de golpe, veinte años más de vida.

Había soltado su propia arma y apretaba el Kalashnikov contra el hombro de Rubén.

—Así, así, sujétala así... Y alza la cabeza, mira a ver si ves moverse a alguno. Sujeta el miedo, no hagas que me encachimbe. Tira ráfagas cortas, siempre sobre seguro. No estás en un tiro de feria, periodista; esto es la guerra.

Le soltó y volvió a tomar su arma. Rubén quedó agarrado a la suya, como si fuera el último lazo que le uniera a la vida. Y aquel pavor que le había invadido en los instantes anteriores, dio súbitamente paso a un hondo sentimiento de desesperación. Muy probablemente iba a morir..., y nada importaba desde ahora. Sintió algo parecido a una sensación de alivio, sus miembros dejaron de temblar. Afirmó el fusil contra el hombro, alzó la cabeza e intentó concentrar la vista en el paisaje que se abría a su frente. Vio con más claridad los árboles, los edificios con las ventanas cerradas, las fachadas descoloridas, los eslóganes sandinistas pintados en las paredes. Buscó siluetas, signos de figuras humanas..., y creyó ver entonces algo que se movía junto a un árbol. Puso el punto de mira delante de su ojo izquierdo, mientras guiñaba el derecho, y apretó suavemente el gatillo, dominando su respiración y el temblor de su pulso. Salió una ráfaga corta de su arma, escuchó junto a su oreja el salto de los casquillos, sintió instalarse muy dentro de su oído un pitido agudo y pertinaz. No supo si había acertado en el blanco, pero el miedo pareció comenzar a esfumarse, a escapar de su cuerpo. Siguió disparando, continuó cargando su fusil y buscando nuevos blancos. Incluso cambió de posición en un par de ocasiones para tratar de distinguir nuevos movimientos al otro lado que denunciasen la presencia de soldados enemigos. El pavor se marchaba definitivamente de su cuerpo. Pero, sí, la boca era un cuenco de metal pulido.

No sabría calcular el tiempo que permaneció allí, vaciando cargadores y disparando contra un enemigo que nunca llegó a distinguir con claridad; llegaron más hombres, nuevos soldados y paisanos que buscaban refugio cerca de él y disparaban en la misma dirección. Alguien trajo nuevas cajas de munición y volvió a llenarse los bolsillos de la chaqueta con puñados de cartuchos. Una voluptuosa fiebre invadía sus pensamientos y sus sentidos. Y no pensaba en morir.

Entre el silbido de las balas y el pitido instalado en las honduras de su propio oído, escuchó llegar la voz fuerte del sargento. El suboficial se había puesto en cuclillas y hacía gestos a sus hombres, moviendo el brazo alzado hacia delante:

—¡Ahora, compas, ahora! ¡Ya se van, hay que seguirles! ¡Vamos, en pie y a por ellos! ¡Que no quede uno!

Rubén se levantó y echó a correr tras el hombre que avanzaba delante de él. Pudo ver, a sus espaldas, que dos o tres cuerpos permanecían en el suelo, pegados a la yerba. Tal vez el miedo los mantenía inmovilizados, o tal vez habían muerto. No cesaban los disparos, y casi un centenar de hombres, como por milagro, corrían cerca de él, en la misma dirección de sus pasos, cruzando aquella larga pradera verde, dejando atrás la fuente por donde manaba el agua imperturbable, llegando a los árboles del otro lado y topándose con los cadáveres de algunos enemigos caídos.

Dejaron atrás el parque, corrieron por las calles de asfalto, luego por las de piso de tierra. Rubén no lograba ver las figuras del enemigo, pero seguía escuchando el retumbar de la fusilería que parecía llegar de todas direcciones.

Alcanzaron el extremo norte de la ciudad. Justo al lado de las últimas casas, ardían los barracones de una serrería. El denso humo les envolvió cuando cruzaron junto a ella, cerca de las llamas que consumían los últimos restos de su estructura. Olía a chimenea, a madera quemada de pino, a resina caliente.

La brisa retiraba las últimas franjas de humo negro unas decenas de metros más adelante, justo en la loma donde comenzaba el declive del terreno en dirección al río. Y al fin Rubén los vio: corrían hacia la espesura verde que ocultaba la quebrada, buscaban el abrigo de los altos madroños y los densos ramajes de los mangos silvestres, trataban de cruzar el invisible río y ganar los bosques que crecían en los cerros en dirección a la frontera de Honduras. Una veintena de pequeñas figuras que huían a la desesperada, tal vez treinta, quién sabe si cuarenta. El sargento se había detenido y, próximos a él, muchos hombres le imitaron. También Rubén. Disparaban ahora como quien caza animales asustados, ciervos o conejos despavoridos. Vació un cargador, dos, tres..., caían las figuritas, dos, cuatro, cinco, quizá ocho o diez. El resto de los hombres ganó los árboles y se perdió en la espesura.

—Bueno, compas, ahora tranquilitos. Vamos a bajar despacio. A ésos los van a seguir las tropas especiales; lo nuestro terminó por hoy.

Quemaba el cañón de su fusil cuando lo apoyó sobre su brazo izquierdo. Descendió la cuesta al lado del sargento. Llegaron junto a los caídos. Eran jóvenes, muy jóvenes, y casi todos parecían muertos. Algunas armas automáticas dispararon cerca de Rubén, pero no quiso mirar para saber si apuntaban hacia los árboles o remataban a los heridos de la «contra». Un infinito cansancio le invadió y se dejó caer sentado, no lejos de la arboleda que ocultaba la quebrada. El sol trepaba ya en el cielo abierto, como cualquier día despejado.

—Hueles mal, compa.

El sargento se había sentado no muy lejos de él. Rubén reparó entonces en la suciedad que humedecía sus pantalones y que llegaba incluso a sus tobillos. Enrojeció, no supo qué responder.

—No te apures, hombre, eso nos ha pasado a todos alguna vez. Anda, vete a tu casa y date un buen baño. Más vale que no guardes esa ropa ni como recuerdo. Y espero que seas tan buen periodista como has sido hoy buen soldado.

Rubén se levantó, vació sus bolsillos de munición y la entregó junto con el fusil al sargento.

—Bueno... —acertó a decir— nos veremos.

—Va pues —le respondió el otro.

Emprendió el camino de regreso, subiendo con lentitud la cuesta. Se sentía como regresado de un largo sueño, el oído invadido aún por aquel silbido poderoso. Y a pesar de notar en sus calzoncillos y pantalones el desagradable contacto de la mierda, percibía crecer dentro de él una desconocida sensación de seguridad. Siempre recordaría aquel sargento, al que desde entonces no había vuelto a ver. Y siempre guardaría en su memoria el recuerdo de aquella su primera y única batalla. Los partes del Estado Mayor sandinista proclamarían, un día después, «el heroísmo del ejército y de las milicias civiles de Ocotal, que durante más de cinco horas combatieron valerosamente para expulsar a las guerrillas contrarrevolucionarias de la capital de la provincia de Nueva Segovia, causando veinticuatro bajas a un contingente enemigo cifrado en trescientos comandos. Diez hombres, entre ellos dos periodistas de la Radio Nueva Segovia, que fue incendiada por el enemigo, permanecieron heroicamente defendiendo la ciudad de los enemigos de la revolución...». Nada se decía sobre el miedo en aquel comunicado de exaltación patriótica.

Se sobresaltó al sentir la mano de Bluefields que se posaba sobre su pecho. No la había oído llegar, y ahora la veía desnuda, mientras arrimaba su cuerpo al suyo, melosamente, con movimientos felinos. La pierna derecha de Bluefields trepó sobre las suyas hasta rozar su sexo. El contacto de su piel era fresco y suave. Con las yemas de los dedos jugaba a enredar el vello del pecho de Rubén.

—Siempre me gustaron los hombres peludos, mi amor...

—Es la sangre española. Por suerte o por desgracia, según se mire, no tengo nada de mestizo. Mi abuelo era de Andalucía, una región de España, y alardeaba de tener hijos de pura sangre española, aunque mi abuela había nacido aquí. Y casó a mi padre con una mujer de origen español bien certificado. Era rico y podía permitirse esos lujos. Un tipo bien plantado, bien orgulloso. Mi padre no, mi padre era un carácter blando que todavía se sometía sin rechistar a los caprichos y órdenes del viejo. Y el muy pendejo se comió la fortuna cuando el abuelo murió, y un día se largó y no se supo nada de él. Quedo yo solo de aquel digno linaje, ya ves, con toda esa sangre pura andaluza circulando por mis venas, sin una gota de mestizaje y sobrado de pelos en el pecho. No creas que no siento algunas veces no tener sangre india o negra.

—Yo sí soy mestiza.

—Salta a la vista, niña, y eso me gusta. Si alguna vez quisiera tener un hijo, procuraría que fuese mestizo. Tú serías una buena madre.

—¿Yo...? Mi amor, estás un poco chiflado. Yo no quiero hijos, bastantes problemas me traéis los hombres grandes como para tener que ocuparme de los hombres chicos. No me gustan los chigüines, son bien rebeldes.

—Claro, te gustan los grandes...

—Huy, no sabes tú bien, y con pelo sois mucho más ricos.

Frotó Bluefields la pierna contra el sexo de Rubén y jugó con la mano a rozar levemente las puntas de sus pezones. Le excitaba sentir los dedos de ella sobre su pecho, más aún que las caricias de la pierna que iban haciendo crecer su excitación.

La cabeza de la muchacha se alzó y sus ojos de color de miel miraron en el interior de los ojos de Rubén. Sonreía mostrando una dentadura pequeña e irregular.

—¿Quieres que prepare un cigarrillo de «pelo rojo»? Es bueno y está fresquito.

—Buena fumona estás tú hecha, niña. Un día tendrás disgustos.

—No es peor que el guaro. ¿Lo fumamos?

—Me parece que no tienes cigarrillos en casa.

—Huy, es que no sabes buscar. ¿Has mirado en los tarros de la cocina?

Negó con la cabeza.

—Ay, mi amor, qué poco indagador eres.

Saltó Bluefields de la cama al suelo y de puntillas, moviendo cadenciosamente hacia arriba sus gruesas y alzadas nalgas, caminó hasta la cocina. Volvió, escasos segundos más tarde, con un paquete de cigarrillos y un cenicero en la mano.

—Déjame lugar —le dijo al tiempo que subía otra vez al lecho.

—Eres una experta.

—Mi amor, es muy facilito. Tú mira bien cómo lo hago y aprendes enseguida.

Sacó la lengua la muchacha y mojó generosamente el cigarrillo. Luego, lo puso entre sus labios y lo rodeó con la mano derecha, haciendo hueco en su interior. Sopló entonces con fuerza una sola vez. Cuando retiró la mano, el cigarrillo se había abierto por uno de sus lados, sin que el papel se hubiera roto. Bluefields retiró el tabaco, extendió el papel en una mano, puso un reguero de marihuana encima y lió de nuevo el papelillo alrededor. Mojó el cigarrillo cuando ya estuvo listo y lo cerró por uno de sus extremos.

—¿Lo ves? Ahora sólo queda esperar un poquito a que se seque y tenemos un cigarrillo como de fábrica.

—Anda, dame uno normal mientras se seca.

Bluefields había vuelto a tenderse a su lado, pegado bien el cuerpo al suyo, mientras jugaba con el pitillo de marihuana entre los labios, sin mojarlo.

Rubén fumó con cierta ansiedad, y le confortó el sentir el humo al entrar en sus pulmones.

—¿Ya pasó la borrachera, mi amor?

—Me la borraron los recuerdos.

—¿Y qué recordabas?

—Una batalla en la que participé hace unos meses.

—Ay, mi amor, qué cosas te pones a pensar. Hoy es tu día amargo.

—No creas, niña. Aquel combate no me hace sentirme mal.

—No sé, a mí la guerra no me gusta..., aunque mi negocio va mejor con la guerra.

—Algunos economistas afirman que la guerra crea riqueza.

—Será en otros países, mi amor. Aquí en Nicaragua sólo trae miseria y dolor, y muchas muertes. No me gusta la guerra, aunque lo digan esos economistas que tú conoces. ¿Cómo puede ser buena la guerra?

—Sería muy complejo explicártelo. —Apagó su cigarrillo contra el cenicero después de absorber una larga bocanada—. ¿Encendemos el tuyo?

—Sí, está ya seco. Dame una cerilla.

Quedaron en silencio. Bluefields entornaba los ojos y se concentraba en sus hondas aspiraciones, como si celebrase una ceremonia religiosa: contenía la respiración unos instantes, con el humo dentro de los pulmones, y luego lo expulsaba con fuerza contra la brasa del pitillo.

Rubén comenzó a notar los efectos de la marihuana cuando el cigarrillo aún no se había consumido. De pronto le hacía sentirse algo ridículo la impúdica exhibición de egocentrismo que había hecho ante la muchacha. Sin embargo, aquel sentimiento de ridículo no le producía amargura, sino que, por el contrario, le movía a la risa. Y le entraron ganas de comunicar su nuevo estado de ánimo.

—Lo que sucede, niña, es que no has aprendido a entender que todos los hombres somos héroes, que todos los machos hemos nacido para protagonizar la historia del mundo.

Bluefields alzó levemente la cabeza. Le miró a través de un velo de humedad que parecía haberse aposentado sobre sus ojos.

—¿Qué? —acertó a decir.

—Digo que escuchar a un hombre en una cama, para una mujer, es como atender a un discurso explicativo sobre la razón última de la Historia.

Rió sonoramente, pero el rostro de ella permaneció imperturbable, como si los pensamientos de Bluefields transcurrieran en una galaxia muy alejada de la de Rubén.

—Deja ya eso, mi amor.

—Bueno..., me río de lo de antes, me río un poco de mí mismo.

—¿Qué sucedió antes?

Los labios de la muchacha permanecían entreabiertos y daba la impresión de que su grosor hubiera aumentado. También parecía mayor la curva de sus pómulos. Sus ojos, en cambio, invadidos por aquel halo de humedad, se habían empequeñecido. Por un instante, Rubén creyó ver en aquel rostro la faz de muchas otras mujeres, la misma expresión, la repetición exacta de las facciones de tantas otras hembras que eran, a su vez, iguales entre sí. Olvidó sus propias explicaciones, y los pensamientos que su mente había albergado segundos antes se perdieron en el tiempo, como si sobre ellos transcurriera una distancia de siglos. Y acarició con suavidad y mimo aquel rostro repetido, aquella expresión eterna.

—¿Qué decías? —preguntó la muchacha.

—Nada.

—Me gusta el pelo de tu pecho. —Y Bluefields volvió a jugar con el vello rizado que rodeaba sus pezones. Luego, acercó la cabeza y su lengua recorrió, despacio, los poros del pecho masculino, mientras que su mano se deslizaba por la curva de los hombros de Rubén. Él acariciaba su pelo ensortijado, algo áspero al tacto, y continuó jugando con los cabellos de Bluefields mientras la cabeza de la muchacha descendía a lo largo de su cuerpo. Buscaba lentamente su sexo, y él lo sentía crecer sabiendo que estaba ya próximo aquel instante en que los gruesos labios de Bluefields comenzarían a depositar livianos besos, breves contactos de la lengua, pequeños amagos de mordisco con sus diminutos dientes...

Le contemplaba ahora con ojos apagados, como si estuviese ausente. Pero no cesaba de acariciar el vello de su pecho con lentos y fatigados movimientos de la mano. Rubén, sin embargo, se sentía revivido, despierto, sin ganas de dormir. No fumaba con mucha frecuencia marihuana, pero siempre que lo hacía, a la postre aquello le creaba un estado de insomnio, casi una recuperación de energías.

—¿Sabes en qué pensaba ahora?

—Hum... —gruñó Bluefields.

—Pensaba en el padre Luis.

No obtuvo respuesta. Volvió el rostro y contempló la mirada perdida de ella.

—Pensaba en el padre Luis —repitió.

—Hum…

Giró la cabeza Rubén y fijó de nuevo la vista en el techo de la estancia, un techo irregular en el que las tejas mostraban su vientre ennegrecido y cubierto de moho y musgo. La mano de la muchacha había quedado detenida sobre su pecho.

—Es un buen hombre —siguió diciendo— y como casi todos los buenos hombres, un tipo incapaz de eliminar de sí mismo su propia conciencia moral. Tú de esas cosas no sabes, ¿verdad, niña? No importan demasiado, realmente. En el orden general del universo, la conciencia moral de los individuos concretos vale más o menos lo que la vida de un insecto.

Los ojos de Bluefields se iban cerrando. Sus párpados apenas dejaban abierta una leve rendija por la que podía entreverse el iris oscuro y húmedo. Un imperceptible revoloteo de sus pestañas revelaba su fatigado empeño por mantenerse despierta.

—Es un hombre especial —continuó Rubén—. No es lo que se dice, a primera vista, un tipo virtuoso: todo lo contrario que el otro, que Servando. Y sin embargo es humano, le gusta ver lo que sucede en la vida. ¿Por qué crees tú que, cuanto más humanos somos, más nos alejamos de los dioses? Eso es lo que sucede, al menos, con los católicos. ¿Tú qué opinas?

La respiración de la muchacha se había hecho acompasada.

—Pero eso tampoco importa demasiado en mi caso. Para él es otra cuestión, porque su sueldo le viene de los cielos, y es malo, muy malo, distanciar tus opiniones de quien te paga. A mí me sucedió una vez y a Luis le sucede ahora. En su caso es más peligroso, sin embargo, porque para los hombres como yo siempre hay un destierro, un lugar lejano como Ocotal o Jalapa, mientras que para ellos, para los tipos que trabajan en negocios divinos, las únicas salidas son el cielo o el infierno. Un tipo como yo puede desconfiar de la piedad y la inocencia de los otros..., y nada sucede, salvo que uno camina por la vida más firme sobre sus pies. Pero un tipo como Luis no puede poner en cuestión esas cosas: él está obligado a creer en la virtud de los hombres inocentes y piadosos. Si no lo hace, le esperan las calderas del Diablo.

«Debería ir a verle por la mañana», se dijo. Aunque no hablasen de nada, aunque no mencionasen los acontecimientos de los últimos días y ni siquiera los efectos que podrían haber tenido sobre el ánimo de Luis. Sería buena cosa que acudiese a verle. Por solidaridad, como muestra de amistad tan sólo..., quién sabe. Todos los hombres pueden sentirse muchas veces incomprendidos, incluso por sus amigos.

Él había sido, además, algo así como su guía en aquellas tierras perdidas del norte, en aquellos valles feraces donde reinaban el espanto y la muerte. Desde la primera noche en «Sandra» y en la gallera, entre los dos se había creado una corriente de mutua simpatía sobre la que, al cabo de las semanas, se abrió paso una cálida amistad. «Tú eres español y yo nicaragüense, tú eres cura y yo periodista —solía decir Rubén—, pero somos más iguales de lo que tú puedes creer, porque por mis venas no corre América, no corre la sangre mestiza, y yo soy aquí una especie de exiliado, un desterrado. Y en cuanto a ti, amas la vida por encima de todo, buscas sus experiencias, no te refugias en el calor de una guarida de virtud. Yo no soy como los míos ni tú como los tuyos, eso nos hace iguales.»

Siempre que Rubén venía a Jalapa, buscaba a Luis en la Casa Cural y conversaban allí largas horas, o iban juntos a cenar pollo y churrasquito a «Sandra» si Servando estaba en aquellos momentos en la vivienda. Rubén conocía a Servando desde meses atrás, desde mucho antes de la llegada de Luis; pero en sus breves encuentros no habían pasado de una relación tan cortés como fría.

—Es un redentor, un pájaro que vuela por encima de las almas, simulando protegerlas —comentaba Rubén a Luis, a propósito de Servando, una tarde en que caminaban por las calles de Jalapa camino de «Sandra». El cielo era bajo aquel día, bajo y encapotado. Durante las horas anteriores, habían caído sobre el pueblo breves y profusos aguaceros, y el suelo aparecía embarrado y pleno de charcos de agua sucia.

—Exageras, no lo conoces bien.

—Hay hombres a los que se conoce nada más verlos. Mira, él se mantiene siempre en una actitud lejana, como si volara por encima del bien y del mal. Se siente un alma superior.

—Él es así, un hombre reservado, quizás algo tímido. Yo creo que vive demasiado absorto en su trabajo, en sus propios pensamientos. No me parece que se tenga a sí mismo por un alma superior.

—¿Y qué me dices de toda esa corte de adoradores que le circundan siempre? No me refiero a los pobres campesinos de por acá..., ésos se arriman a cualquiera, porque no tienen nada. Y les da lo mismo un cura católico que un comandante sandinista o un hacendado de los tiempos de Somoza. No me refiero a ésos. Hablo de esa corte de españoles: el capitán Meden, y el otro cura que se fue, aquel Cumeyes que te simpatizaba tan poco, y la mujer de Meden, esa que parece una monja de paisano.

—No es exactamente una monja. Más bien se trata de una extremista política.

—¿Y qué son la mayoría de las monjas sino extremistas de la virtud? Me dan lo mismo las opiniones políticas que tenga esa mujer. Es una..., bueno, tiene esa actitud despectiva hacia los otros, ese rostro de seguridad en sus propias ideas y de desprecio a las contrarias. ¿No has hablado con ella?

—No mucho. Viene a Jalapa de vez en cuando tan sólo. Suele estar en Estelí. Al marido le conozco algo más: llegó aquí hace años, hizo la guerra con los sandinistas contra Somoza y ahora está movilizado en la lucha contra la guerrilla. Es un idealista, hace versos.

—Buena tropa están hechos todos, con su jefe Servando a la cabeza. ¿Sabes que hay gente por aquí que dice que es un santo?

—Sin duda es un hombre virtuoso.

—Me espantan los hombres virtuosos, amigo Luis.

—Yo creo que es envidiable la gente que se mantiene firme en sus principios.

—¿Envidiable has dicho? No seas ingenuo, broder. Él es un tipo que se ha colocado encima la ropa de la inocencia. Parece la inocencia personificada, la ausencia de maldad, de vicios, de esclavitudes terrenales. Pero yo te digo que nadie es virtuoso inocentemente. La virtud sólo puede ser consecuencia de la reflexión, y ese hombre no ha reflexionado nunca, ese hombre cree haber recibido gratuitamente sobre su alma el don de la santidad. Eso es muy peligroso.

—Está hablando ese Rubén anticlerical que llevas dentro. En tu país se ha ganado la guerra contra la dictadura gracias a unos miles de hombres, y entre ellos había no pocos sacerdotes.

—¿Y crees que no lo lamento? Los curas deben estar en sus sacristías.

—Hablas como el obispo de Managua, como el Papa…

—Mira, broder, ya te he dicho que vuestro Papa me parece un tipo más peligroso que una manada de pirañas en la bañera de tu casa. Pero es coherente. Lo que debería desaparecer es la religión; pero si la hay, debe ser como ha sido siempre, y no otra cosa.

—¿Quieres dejarme sin trabajo? Vamos, Rubén, respétame un poco, hombre. Yo no digo que la Iglesia no tenga defectos. Tiene muchos, como todas las cosas. Es humana, pero alrededor de ella gira la vida de mucha gente: aquí mismo, en Europa, en África...

—Vale, broder, perdona si me excedí. Pero es que tipos como tu compadre Servando me ponen enfermo.

—Es colérico cuando ve injusticia, como tú.

—Su ira no es igual que la mía. Su cólera es la de los justos, y esa cólera nunca termina y tiene siempre un precio invariable: ríos de sangre. Espero que nunca te toque a ti recolectar parte de la cosecha de muerte que andan por el mundo sembrando colegas tuyos.

Entraron en «Sandra» y pidieron unas cervezas. El local no tenía otros clientes en aquellas horas de la tarde, y sobre la mayor parte de las mesas apoyaban su respaldo sillas vacías.

—Bueno, ¿y cómo andan las cosas? Va para un mes largo que estás en Jalapa, ¿no? —preguntó Rubén después de dar un largo trago a su botella.

—Me gusta. No me siento un extraño en esta parte del mundo.

—¿Te veías extraño en África?

—Tampoco allí. Yo sólo me siento un forastero en España. Es un lugar donde tienes la impresión de que nada queda ya por hacer, donde nada puede transformarse. Aquí, en África y en otros sitios parecidos, supongo, todo se mueve más aprisa. Es como si las gentes pudieran cambiar de un día para otro, como si nada estuviera definitivamente acabado. Eso me gusta. Al principio, sentía no haber vuelto a África en lugar de venir a América. Pero ahora no me arrepiento. Me he enamorado de tu tierra, pues.

—Sí, es un lugar hermoso. Pero puede llegar a ser un poco terrible.

—No lo he notado.

—No lo conoces a fondo, broder. Nicaragua es un país muy suave, pero también es un país muy duro.

—Hablas como si renegaras de tu patria.

—En absoluto, broder. Yo amo mi patria como cualquiera. Pero me repugna su lado malo, y el peor de todos es ése: la violencia. Hasta que la guerra terminó, todo el mundo tenía armas en este país. Se vivía en Nicaragua como en las películas del Oeste americano, como en los «western». Incluso había zonas donde la guardia somocista no se atrevía a entrar, y no porque hubiera en ellas resistencia sandinista, sino porque había familias de pistoleros que las dominaban como si fueran pequeños países independientes. No sé si has oído hablar del valle de Chícara Seca. Está cerca de la ciudad de León.

—No, no tengo idea.

—Es una zona que todos los nicas conocen. Se gobernaba por la ley del machete y del revólver. Era una región de muertes, de venganzas, de sangre... La dominaban los Herrera y los Cortés, y andaban siempre a tiros y a peleas a machete entre ellos. Sus hijos, y los hijos de sus hijos, aprendían a odiarse entre ellos. Fulano mató a tu tío, no lo olvides; zutano mató a tu abuelo, no lo olvides... Aprendían a odiar desde la cuna, y sólo se casaban entre miembros de la propia familia. Hacían duelos a revólver o a machete cuando se encontraban. Y a veces, si iban en grupos, todo terminaba a tiro limpio y con bien de muertos. Los extranjeros eran mal recibidos allá. Si un desconocido entraba en un bar de los poblados de Chícara Seca, tenía pocas posibilidades de salir a la calle con vida. Como en los «western». Chícara Seca ha dado pistoleros famosos, tan famosos aquí en Nicaragua como lo son en el mundo los Billy *el Niño* o Jesse James, gracias al cine. *Charrasca*, por ejemplo, que fue comandante sandinista. Odiaba a los Somoza, y por eso tomó partido con los sandinistas. Un héroe de la guerra que no se hacía luego a la paz, que quería seguir después con sus dos pistolas y viviendo al estilo que conocía, según la ley del más fuerte. Tuvieron que matarlo hace un par de años, pero se llevó por delante a dos o tres policías sandinistas en la balacera que se montó. Ahora dicen que muchos de los guardaespaldas de los comandantes sandinistas se han reclutado entre gente de León, de Chícara Seca. Son tipos duros, bien violentos, y no sé hasta qué punto cuentan en ellos las ideas políticas.

—Pero eso ya terminó.

—Sí, broder, terminaron aquellos tiroteos y los sandinistas desarmaron a toda aquella gente. Pero procura no perderte una noche en una carretera de Nicaragua. Cualquiera que te encuentre se creerá con derecho a quitarte cuanto lleves encima. La violencia no se erradica de un pueblo en cinco, diez o veinte años. Es un poso muy hondo ése. Tú amas este país, pero no conoces aún su corazón. Ya irá asomando poco a poco delante de ti. El fin de la guerra no lo ha cambiado, y además, hay otra nueva guerra. Siempre hubo guerra aquí, desde hace siglos. Ésta es tierra de violencia, broder, una hermosa y dulce tierra de muerte. Alguien me dijo una vez que Nicaragua puede parecer, un mismo día, el cielo o el infierno. Yo creo que puede ser cualquiera de las dos cosas, o quizás es ambas al mismo tiempo.

Sintió a Bluefields removerse a su lado. La muchacha había abierto los ojos y miraba con gesto de curiosidad.

—No duermes, mi amor…

—Me quitó el sueño tu manteca.

—Qué raro; a mí la marihuana me adormece siempre. Yo estaba en la ignorancia de que hubiera gente a la que le diese insomnio.

—A mí sí me da, niña. Y claridad de ideas.

—Haz por dormirte, mi amor. Y mañana nos contamos nuestros sueños.

—¿Y si no sueño?

—Siempre se sueña, y uno puede acostumbrarse a

recordar por las mañanas lo que soñó. Es una linda costumbre. Cerca de mi ciudad, cerca de Bluefields, hay una pequeñita aldea de indios ramas. Los matrimonios, al levantarse, se cuentan entre ellos sus sueños antes de tomar el desayuno. ¿A que eso es bien lindo?

—¿Quieres que seamos matrimonio, niña?

—Sólo quiero que te me duermas y me cuentes luego lo que soñaste, mi amor.

## 6

Ahora soplaba el viento a rachas. Formaba tolvaneras en los recodos de las calles, sostenía remolinos de polvo en los esquinazos, provocaba un sonoro revoloteo de hojas en las copas de los árboles. Era un viento denso y algo fresco, perfumado por el olor de los ocotes de los cerros, que parecía luchar con esfuerzo para abrirse camino entre las nubes bajas y algodonadas. Caía de los cielos como una antojadiza ventolera, y Luis sentía que tan pronto golpeaba sus espaldas con breves empujoncitos, como se enfrentaba a su paso al minuto siguiente y hacía agitarse la bolsa de papel que una de sus manos sujetaba apretada contra el pecho. El aire espeso y aromático no era, sin embargo, húmedo, y Luis pensaba que los presagios que parecían indicar aquellas gruesas nubes blancas se verían probablemente incumplidos. Dentro de la bolsa, notaba desplazarse hacia arriba y hacia abajo, siguiendo el ritmo de sus pasos, el contenido de la botella de cucusa.

Cruzó junto a un cercado construido irregularmente con anchos tablones ajustados por clavos los unos a los otros. Sobre sus bordes, el aire movía las hojas de varios limoneros, un naranjo y un grupo apretado de árboles en el que se mezclaban un mango, una jícara, un aguacate y un banano. Desde la calle se distinguía la parte superior de la casa, construida también con anchos maderos dispuestos un tanto toscamente y coronada por tejas cubiertas de oscuro moho. Junto a la puerta entreabierta del cercado, tres gallinas y un pato picoteaban la tierra.

Las casas siguientes eran construcciones levantadas con adobes de color rojizo, sobre las que, en su mayoría, se aposentaba un techo de latón ondulado. Las caballerías permanecían amarradas a los maderos que sostenían los porches metálicos, mulos o jamelgos de poca alzada ensillados con los anchos faldones de cuero repujado. En algunas ventanas el aire hacía bailar banderitas sandinistas fabricadas con papel plastificado. Una anciana, que daba el biberón a un niño sostenido entre sus brazos, se sentaba a la puerta de su vivienda con varias cajas de fruta para la venta alineadas ante ella. En la casa lindante, un cartel pintado a mano pregonaba: «Hay elados.» Poco más allá, una tienda de ropa exhibía pantalones, faldas y vestidos colgados en perchas del techo del zaguán. Del interior de aquel comercio salía a la calle la música de un transistor, que recogía una melodía de moda:

*Mamá no quiere que yo colé,*
*mamá no quiere que yo colé,*
*colé, colé, colé, colé,*
*mamá no quiere que yo colé.*

Cruzó junto a otro cercado de madera, del que sobresalían las anchas y verdosas hojas de varios chagüites, y se detuvo ante la puerta de los «Salones de billar El Imperio», un edificio de anchos muros de adobe rojizo. Una mano anónima había pintado en letras negras, sobre una de las jambas de la puerta, el eslogan sandinista de las recientes elecciones: «Voy de frente con el Frente.»

Luis asomó la cabeza al interior del local. La amplia sala, que carecía de ventanas a la calle, albergaba dos mesas de billar americano, alrededor de las cuales se movían varios hombres provistos de largos bastones. Detrás de los jugadores, junto a la pared del fondo, se extendía el mostrador repleto de botellas de cerveza. Un muchacho ataviado con un mandil que alguna vez fue blanco, contemplaba con aburrimiento desde el otro lado de la barra a los clientes que se aproximaban a tomar una botella, dar un largo trago y dejarla sobre el mostrador antes de regresar para seguir el juego. Las cansinas aspas de un viejo ventilador que colgaba del techo no bastaban para liberar la estancia del denso humo de los cigarrillos. Seis o siete bombillas desnudas alumbraban el local. La mayoría de los clientes hablaban a un mismo tiempo y a grandes voces, convirtiendo la sala en un lugar desapacible.

—Qué gusto verle, padre Luis.

Un hombre se había adelantado hasta darle frente. Vestía una camisa de anchos cuadros rojos y blancos, bajo un chaleco negro, y se cubría con un sombrero de palma de amplias alas. Sostenía el bastón de billar en una mano mientras que con la otra hacía girar un grueso puro entre sus labios.

—Qué tal, Efraín, no le había visto... Hay tanta gente aquí dentro.

—¿Quiere aceptarme una cerveza, padre?

—No sé, tal vez es muy pronto. Sólo me asomé por ver si encontraba a Rubén por aquí. A Rubén Vivar; usted le conoce, ¿no?

—Claro. Es el periodista que viene de Ocotal algunos días..., o quién sabe si lo contrario: el periodista de por acá que a veces se va a Ocotal. Le conozco, le conozco, aunque nunca hemos sido presentados. No está aquí. En realidad, él nunca viene al billar.

—Ya, ya; bueno, le dejo.

—Tome usted la cerveza, padre, no le hará mal. Hay que refrescar la garganta contra el viento y el polvo. Ya sabe que usted no paga nunca en el negocio de Efraín. Y si le provocan unas carambolas...

A espaldas del hombre estalló el sonido de varias bolas al chocar. Volvió el rostro.

—Vaya, me fregaron bien ahorita.

—Le dejo, Efraín. Ya me dejo caer por aquí uno de estos días y le juego unas cervezas.

—Como guste, padre Luis. Siempre se le recibe bien en esta su casa. No deje de venir, que es bueno olvidarse a ratos de los asuntos de uno, aunque sean asuntos de los cielos.

Se alejó de la puerta del billar. En realidad, era poco probable encontrar allá adentro a Rubén; pero una secreta y leve esperanza de conversar con su amigo le había empujado a asomarse en su busca. ¿Dónde andaría en esas horas? Tenía deseos de comunicarse con otro ser humano, y en aquella aldea perdida de las montañas del norte nicaragüense, sentía que no existía otra persona con la que poder hablar que no fuera Rubén. Tal vez a la tarde.

Llegó a sus oídos, nuevamente, el sonido de las bolas al chocar entre sí, y el ruido removió en su interior oscuros y lejanos recuerdos que le provocaban sensaciones de hastío, de rechazo, sentimientos que podría definir como algo parecido a una resaca del espíritu.

El «achaque» llamaban a la bola de billar en el seminario, nombre con que debió de bautizarla una promoción antigua de aspirantes a sacerdotes. El «achaque» era blanco, moldeado en marfil. Corría de mano en mano siguiendo el rastro de la culpa, como un inanimado recordatorio de los inconfesables pecados que esconde el corazón del hombre. Pasaba de un seminarista a otro en busca de las almas menos virtuosas. Una simple falta: hablar en el estudio, distraerse en los rezos, decir una palabra soez, hacer un comentario sobre mujeres, bastaba para que, como por encanto, el «achaque» surgiese entre los hábitos del compañero que había faltado antes y pasase a manos del nuevo pecador.

—Hablaste en el estudio, tuyo es el «achaque».

El nuevo propietario debía esforzarse en encontrar otro pecador a quien pasar la bola. Eran ratos angustiosos, incluso horas, en busca de una palabrota, de una mirada distraída durante los rezos, de un comentario sobre el sexo femenino. Eran instantes de ansiedad y miedo, porque a la noche, después de la cena y de los últimos rezos, el superior preguntaría con voz firme y cálida:

—¿Quién tiene el «achaque»?

Y el último pecador habría de levantarse ante todos y acudir a una breve entrevista a solas con el superior, confesar ante él su culpa, y hacerse cargo de la oportuna penitencia, que venía determinada por la importancia de la falta: ayunos, encierro los días de paseo, cilicio, flagelo, oraciones sin fin...

Algunas noches, durante su vida en el seminario, Luis concluyó la jornada con el «achaque» en su bolsillo. Recordaba su propia ansiedad, mientras se consumía el último plato de la cena y nadie a su alrededor se hacía merecedor de que le entregase la bola de billar. Todos eran cautos en aquellos últimos minutos del día, todos se guardaban de comentar con nadie cualquier opinión que fuera susceptible de considerarse pecaminosa. Porque nadie sabía quién guardaba entre sus ropas el «achaque». Quizás el que sonreía a su lado despreocupadamente, tal vez el mejor de sus amigos. La angustia de aquellos últimos instantes se hacía insoportable, como una condena eterna a los infiernos. Y un hondo desasosiego invadía el espíritu de Luis cuando sabía que, en los minutos próximos, el superior haría la definitiva pregunta. Temía más aquel instante de vergüenza en que habría de levantarse ante todos, entre los cuchicheos y las risas contenidas, que la penitencia que le aguardaba para los próximos días. Y sus piernas y sus manos temblaban cuando debía ponerse en pie, impúdicamente, y mostrar en público la bola de marfil.

Nada había cambiado en los años siguientes. Había creído que aquel lenguaje de un tiempo pretérito ya no era el suyo, que su vida anterior se había borrado, difuminada en el pasado. Pero la culpa surgía de nuevo, se aposentaba otra vez en su corazón. Y la casualidad quería que, de pronto, en aquel lugar perdido de América, unas bolas de billar chocasen entre sí recordándole que él era una vez más el dueño del «achaque», que nuevamente había pecado, atentando contra los dictados de Dios, y que una fuerza remota, surgida desde su propia memoria, desde su escondida biografía, le obligaba ahora a mostrarse ante todos como un pecador, a revelar su conciencia de hombre culpable, y purgar sus faltas con una penitencia apropiada a la culpabilidad.

Servando le había entregado el «achaque», después de pagar su propia culpa. Y ahora llegaba al fin de la jornada, las últimas ceremonias concluían, el «achaque» se apretaba en su bolsillo, y nadie, nadie sería ya en esa hora merecedor de aquella bola brillante, tan bella y tan pesada a un mismo tiempo. Alguna voz diría desde alguna parte: «Luis Ribera, tu pecado fue el último, cuéntame en qué faltaste y prepárate para purgarlo.» Y él sabría, en ese instante, que aquel pecado indecible, aquel pesado fardo de culpabilidad, sólo podría borrarse con penitencias y castigos cuya dureza excedería con creces a toda la cólera que pueda almacenar el corazón de un ser humano. Él no podría devolver el «achaque» a Servando. No quedaba tiempo para ello. Los pecados de Servando se habían esfumado ante la rotunda realidad de los suyos.

Se acercó a la oscuridad de un portal vacío, asegurándose de que nadie podía verle, y abrió la bolsa. El cuello de la botella asomó entre los pliegues de papel. La descorchó, la llevó hasta sus labios y dio un largo trago. Entró la cucusa en su garganta como si una manada de hormigas se precipitase súbitamente dentro de su cuerpo para calmar el hambre.

Nadie habría podido imaginar cuanto sucedió más tarde, después de ver el apacible rostro de aquel hombre que le abrió la puerta de la Casa Cural la tarde siguiente de su llegada a Jalapa. Ni siquiera él mismo recordaba ahora haber sentido en aquel instante el mínimo signo de un mal presagio. Servando era delgado, extremadamente delgado, y muy blanco de cutis. Tenía nariz aguileña, rostro alargado de pómulos hundidos, labios finos de color rosa pálido, una frente ancha surcada por marcadas arrugas horizontales y mejillas casi transparentes en las que finas venas azuladas parecían los breves riachuelos de una geografía desertizada. Su pelo, cortado a cepillo, era blanco y espeso. Colgaban sobre su cuello grandes orejas rosáceas y en sus ojos, pequeños y teñidos de una difusa tonalidad celeste, se aposentaba una mirada remota, ajena, como si sus pupilas atravesaran los cuerpos y los objetos y contemplasen algo invisible que estaba más allá de todo y de todos.

A Luis le llamó la atención de inmediato aquel rostro. Tal vez todo lo que había escuchado decir antes sobre Servando le provocaba de antemano un singular interés. Pero era cierto que, al ver su aspecto, uno sabía que no se encontraba delante de un hombre vulgar. Un pequeño crucifijo de oro asomaba bajo el cuello abierto de su guayabera blanca. Usaba unos jeans, que parecían excesivamente anchos para unas piernas probablemente nervudas y esqueléticas. Sus grandes pies, ennegrecidos y deformados como los de algunos campesinos, calzaban sencillas sandalias de cuero crudo y suela de goma de neumático.

—Tú eres Luis, supongo —dijo enseguida, y una sonrisa cautelosa se dibujó en la comisura izquierda de sus labios mientras le tendía la mano huesuda y relajada.

Le atrajo hacia el interior de la vivienda, rodeando con su mano el brazo de Luis. La bombilla iluminaba aquella sala adornada de pasquines, mientras que afuera la tarde moría con prisas más allá del charco de sangre que, en su huida hacia la noche, el sol había derramado sobre los cerros de Jalapa.

—A Cumeyes ya le conoces —siguió diciendo Servando—. Creo que todavía no te encontraste con Lázaro Meden y Araceli. El padre Luis —le presentó a los otros— que sustituye a nuestro querido Jordi Cumeyes.

Lázaro Meden era un hombre alto, musculoso, de tez tostada y pelo rubio ondulado. Su mujer, mucho más pequeña de estatura, era también rubia, de piel algo más pálida. Vestía Meden el uniforme de camuflaje con grandes manchones de color oscuro que lejanamente recordaban la piel de un leopardo. Era un tipo bien parecido, de mirada nerviosa y gestos cálidos. Lucía en sus hombreras el grado de capitán. Ella, por contraste, no resultaba hermosa. Su pelo liso se recogía recatadamente hacia dentro, a la altura de los hombros. Tenía una mirada huidiza, se diría que temerosa, y la palidez de su piel chocaba en forma llamativa con la aguda coloración rojiza de sus pómulos.

Se habían levantado de sus asientos para estrechar su mano. Servando le arrimó una silla y, tomándole de nuevo del brazo, le sentó a su lado. Una silenciosa mestiza salió de la cocina y, sin preguntarle, puso delante de Luis un generoso tazón colmado de café negro.

—Sé que llegaste ayer —continuaba Servando— y siento no haber podido acudir a recibirte. Supongo que Jordi te habrá hecho los honores de bienvenida.

La mirada de Luis se cruzó un leve instante con la del sacerdote catalán.

—Lázaro y Araceli son españoles —seguía Servando—. Bueno, de Lázaro habría que decir que ya es casi un nica. Vino cuando los últimos meses de la guerra contra Somoza. Y aquí lo tienes, capitán del ejército y de nuevo combatiente. Le han herido tres veces.

—Cuatro —corrigió Lázaro.

—Y también es un estupendo poeta —añadió Servando.

Sonrió el otro con cierta timidez en tanto que Servando componía un gesto paternal. Los ojos de la mujer miraban fijamente a Luis, pero cuando éste dirigía hacia ella los suyos, Araceli los esquivaba con rapidez.

—Habrás de explicarme un poco sobre el trabajo aquí —dijo Luis mientras sujetaba con ambas manos la taza de café.

—No hay mucho que decir de eso.

—Cumeyes me contó que vuestro trabajo era muy peculiar, distinto al que se hace en otras partes.

—Jordi exagera siempre un poco. —Servando trasladaba ahora sus miradas amables al otro sacerdote—. En el fondo, lo que hacemos no es nada más que lo que Cristo dijo que había que hacer: estar próximos a los pobres, trabajar con ellos, especialmente con ellos. Creo que Cristo nunca dijo que su Iglesia fuera una congregación de burócratas. Y nosotros intentamos seguir con pulcritud los caminos que marca el Evangelio. Como ves, nada que pueda considerarse peculiar..., salvo que eso puede resultar molesto a algunos jerarcas, como nuestro querido obispo de Managua.

—Nuestro adorado obispo de Managua —agregó Cumeyes.

—¿Ves, Luis? Jordi siempre exagera un poco. Sí, no somos muy queridos en Managua, pero tampoco lo es la mayor parte de la Iglesia de Nicaragua. Somos mayoría los que, en la Iglesia Popular, rechazamos una forma burocrática de entender el Evangelio y preferimos estar aquí, pie a tierra, mezclados con el pueblo de Dios, haciendo causa con los pobres frente a sus enemigos. El Obispado de Managua no era así antes; son los nuevos vientos que soplan desde Roma quienes han hecho que las cosas estén como están. En realidad, Roma se ha situado, con el actual Papa, en posturas anteriores al Concilio Vaticano II. La jerarquía romana ha dado marcha atrás sobre cuestiones de gran importancia. Por ejemplo, de hecho no reconoce el pecado social, mientras que el Concilio sí lo hacía y nosotros, como muchos otros sacerdotes, lo condenamos y lo combatimos. La función de la Iglesia debe ser liberadora ante problemas como la miseria, el hambre, la tortura y la muerte. Y esa tarea liberadora está ya recogida por el Evangelio. Pero tú ya habrás oído hablar de todas estas cosas, Luis.

—Lo que pasa es que el Papa es un reaccionario —comentó Cumeyes.

—Y un aliado del imperialismo norteamericano —añadió Araceli, que por primera vez abría la boca.

—Bueno, bueno —concilió Servando—. Tenéis corazones calientes. La cuestión es más de fondo que todo eso, aunque ciertos elementos que apuntáis no sean desdeñables. La cuestión estriba en que el pueblo de Dios, el pueblo pobre, vive en condiciones de explotación, y la Iglesia debe estar a su lado, ser realmente la Iglesia de los pobres, y no un instrumento burocrático. Eso es lo que hace Roma, lo que en definitiva significa mirar a los pobres con ojos de rico, aunque se trate de un rico caritativo. Para mí, la cacareada caridad cristiana no es ya una virtud. La verdadera virtud es la lucha liberadora, no el limosneo.

—Y en el terreno concreto de nuestro trabajo, ¿qué significa eso? —preguntó Luis.

Escuchó una leve risa en los labios de Cumeyes y, por el rabillo del ojo, distinguió la acerada mirada de Araceli.

—Significa algo muy simple —respondió Servando con el rostro serio y grave—. Significa que, en la lucha liberadora, el pueblo oprimido, organizado, puede cambiar la sociedad, eliminar la explotación. Y en esa lucha, la Iglesia debe combatir a su lado, ser parte de esa lucha liberadora, fundirse con ella hasta ser la Iglesia de los pobres, no tan sólo una Iglesia que ayuda a los pobres.

—Eso puede significar la aceptación de la violencia.

—¿Y por qué no? No hay que ser recatados, Luis. No te voy a citar el clásico episodio evangélico de los mercaderes del templo. Está también la encíclica *Populorum progressio*, que tú conocerás bien, donde la Iglesia justifica el uso de la violencia en casos extremos de explotación, en casos que vivimos cotidianamente aquí en Latinoamérica, en nuestra Centroamérica. Y bueno, la Iglesia nunca ha sido recatada en cuestiones relativas al uso de la violencia. Que no hable Roma de esas cosas cuando todavía no se ha explicado por qué se llamó Cruzada a la contienda civil española del 36 o cuando todavía no se hizo un simple gesto de reprobación hacia el cardenal Spellman, que bendecía a los soldados norteamericanos que marchaban a Corea..., y las guerras santas, y tantas cosas por el estilo. En nuestra oprimida Centroamérica los hombres y las mujeres, y hasta los niños, mueren a diario de hambre, o asesinados a tiros y a machetazos. ¿No son situaciones extremas que justifican el uso de la violencia? La Iglesia puede, en todo caso, aspirar a humanizar la guerra justa. Y te diría más: la Iglesia debe aceptar el martirio que significa su integración en esa lucha.

La mirada de Servando parecía ahora perdida en lejanos paisajes, aunque la dirigía hacia los ojos de Luis. Sus pálidas mejillas se habían coloreado.

—Y te digo más, Luis: ¿cuáles son las razones por las que debemos aceptar, sin hacer nada, con las manos quietas, vivir en el reino de la injusticia y el dolor? Dame una sola razón para aceptarlo. ¿Hay que resignarse y cruzarse de brazos ante la barbarie? ¿Debe soportar una cosa así el corazón humano? Si la sociedad no se pliega a la razón, si la vida no se parece a la justicia, hay que luchar por instalar la razón y la justicia, aunque se muera en el empeño. Ésa es también una tarea liberadora.

—Ya..., pero aquí... —comenzó Luis.

—No es sólo la guerra —cortó Araceli—. Habría que prohibir, aquí en Nicaragua, muchos partidos políticos, empezando por los socialistas, que son colaboradores del imperialismo…

—No interrumpas a Luis, mujer, déjale hablar —señaló Servando—. Es una gran chica, ¿sabes? —añadió mientras la piel de Araceli enrojecía llamativamente—. Se vino de España siguiendo a Lázaro y trabaja mucho en las comunidades de base. ¿Y qué, qué decías, Luis?

—Bueno, quería preguntarte por el trabajo concreto.

—Ya puedes suponerlo. —Servando había extendido los brazos y mostraba las palmas de sus manos abiertas hacia Luis—. No se trata de bautizar, confesar, comulgar, decir misas y todas esas cuestiones. Lo hacemos, desde luego, y también casamos a unos cuantos descarriados —sonrió ahora—, pero fundamentalmente tratamos de unirnos a los pobres, vivir como ellos, estar con ellos, ayudar a su proceso liberador y a su lucha contra sus enemigos. Y bueno, trabajamos también por crear esa conciencia de liberación en los sectores campesinos más atrasados, en aquellos sectores que no ven claro lo que está sucediendo. Aquí hay un campesinado muy primitivo, ¿sabes?, acostumbrado durante generaciones a aceptar la explotación como un hecho inevitable, casi como un mandamiento de los cielos. Nosotros les enseñamos que el cielo no quiere su miseria, sino que quiere la vida, que quiere su progreso y su liberación.

—Eso es política…

—¿Y por qué no? —preguntó Cumeyes a Luis, con la barbilla alzada hacia delante.

—Bueno —cortó Servando—. Yo no emplearía esa palabra. Muchas de las cosas que ahora se califican como políticas, son bíblicas. Yo diría que esa tarea de que te hablaba no es política, sino evangélica, y el Evangelio, si se aplica en su espíritu, tiene a la fuerza que incidir en el terreno de la política. ¿O es que Cristo no llegó a ser una verdadera molestia política para los poderosos y los opresores? ¿No fue crucificado precisamente por eso?

Servando se apoyó ahora sobre el respaldo de su silla y relajó el cuerpo.

—De todas formas, hay tiempo, padre Luis, hay tiempo. Tú irás viendo un poco todo por ti mismo.

—Todo eso lo ve cualquiera —añadió Cumeyes.

—Por favor, Jordi. Él es un recién llegado, no conoce nuestra Iglesia. Creo que vienes de África, ¿no? Todo es muy distinto aquí, no somos una Iglesia de resignación.

—Allí tampoco lo éramos.

—No es el caso discutir ahora de esas cuestiones. Hay tiempo. ¿Por qué no cenamos? Jordi se va mañana temprano y ésta es un poco su despedida. Hay un plato para ti.

—No sé si estoy de más aquí...

—Por favor, Luis; hay un plato para ti. Y tenemos que hablar de otras cosas. Estuviste en España hasta hace poco, ¿no? Mañana podrás instalarte en tu cuarto, desde temprano si lo deseas. Por cierto, tenemos misa campesina a eso de las nueve. Vente, te gustará, es una ceremonia muy significativa en todos estos pueblos. El campesino se integra de verdad en la misa, en su misa, no asiste como un simple oyente. ¿Querrías oficiar conmigo mañana?

—No conozco las misas campesinas —se excusó Luis—. Si no te importa, prefiero asistir a ella entre los fieles.

—Como tú quieras. Pero cuéntanos algo de España, todos somos compatriotas en esta mesa.

Dos horas más tarde, abandonaba la Casa Cural, después de un frío apretón de manos con Jordi Cumeyes. Caminó en dirección a la pensión, pero unos metros más adelante pensó que no tenía deseos de irse a dormir, y ni siquiera de tenderse a leer en el lecho de su nada acogedora habitación de «El Progreso». Detuvo a un campesino que venía en dirección contraria.

—Dígame, por favor, amigo, ¿dónde queda «Sandra»?

—Tome esa calle de ahí abajo y camine hacia la izquierda cinco cuadras. La verá enseguida.

—Muchas gracias.

—Lucas Barranco para servirle, Don.

Aquella noche conoció a Rubén y a Bluefields y asistió, por vez primera en su vida, a una pelea de gallos. Cuando regresó a la pensión, cuatro o cinco horas más tarde, alentaba la esperanza de haber hecho un buen amigo en aquel periodista, su primer amigo en Jalapa. Y el sentimiento le confortaba.

Dio un segundo trago de la botella de cucusa, oculto todavía en el portal, y cerró luego los pliegues de la bolsa de papel.

Echó a andar sobre el suelo irregular de barro seco, y por unos instantes creyó notar un mayor grado de ingravidez en su cuerpo. Se habría, incluso, sentido eufórico, deseoso de vivir y de buscar algo divertido que hacer, si no hubiera sido por los nocivos presagios que se aposentaban en su corazón, si su memoria hubiese tenido la capacidad de expulsar de su mente todos aquellos recuerdos que le asaltaban. Y su ánimo se vio invadido, nuevamente, por sensaciones de cólera, de ira contenida. Era impotente para borrar las calamidades que asediaban su espíritu. Como un ejército poderoso, la marea de reflexiones, de sentimientos culpables, de dolorosos recuerdos, ponían un cerco de fuego alrededor de su corazón y convertían su vida en una ciudadela temerosa sometida al estado de sitio.

Un golpe de aire levantó a sus pies un remolino de polvo. Sus ojos quedaron cegados por la tierra durante unos instantes. Se detuvo, apoyó entre sus sandalias la bolsa de papel, se quitó las gafas y se frotó suavemente con el pañuelo. Aún lloraba cuando abrió los párpados. Se ajustó los lentes, tomó la bolsa y siguió su camino. Un perro de raza indefinida pasó a su lado. Daba sonoros ladridos mientras corría detrás de un pequeño cerdo negro, que huía todo lo deprisa que le permitían sus cortas patas al tiempo que lanzaba roncos gruñidos atemorizados.

Cruzaba ahora frente a una tienda de calzado, que se anunciaba con un cartel colgante en el que aparecía dibujada burdamente una bota de media caña. Justo al lado, en el portal contiguo, otro letrero daba noticia de la existencia de un restaurante: «Bar-comedor Keyla.» Una bandada de palomas grises y blancas se había posado en su puerta y levantó el vuelo cuando Luis llegaba a su altura.

Y nuevas viviendas de adobe y techo de metal, arbustos de café que exhibían sus ramas repletas de pequeños granos rojos desde los patios, pulperías oscuras en cuyo interior se distinguían malamente las más diversas mercancías para la venta: tarros con caramelos, filas de botellas de ron de caña y de zumos, hileras de paquetes de cigarrillos, sacos de arroz y de fríjoles, cajas de cartón con huevos frescos, fruta, grandes rollos de tela... Y animales aquí y allá, a un lado y a otro de la calle: gatos, algún perro famélico y cansino, nuevos cerdos, caballerías, una yunta de bueyes tirando de una carreta... Y mujeres, soldados y milicianos, niños de corta edad, descalzos y desnudos de la cintura para abajo. Junto a la estación de policía, dos agentes ataviados con uniforme marrón y gorra de visera, fumaban con gesto indolente, las espaldas apoyadas contra la pared a escasa distancia de la puerta. La radio, dentro del local, dejaba oír un llamamiento patriótico: «Lucharán los ancianos con sus bastones, lucharán los niños y las mujeres... No pasarán.»

Más adelante, la calle se cortaba al tráfico un par de cuadras, con un guardia armado en cada extremo y dos gruesas cuerdas que, a una altura de un metro escaso, cerraban el paso en la entrada y en la salida atadas a unos postes de madera. Era zona militar y las antiguas viviendas de aquel tramo se utilizaban para cuarteles de tropas de retén. Los vigilantes, vestidos con uniforme verde olivo y cascos soviéticos excesivamente grandes, tendrían poco más de catorce o quince años.

Luis evitó la zona militar y bajó hacia la izquierda. Un poco más adelante, se alzaba un gran caserón que servía de sede a una secta californiana, la Asamblea Bíblica. Distinguió en la puerta la figura del pastor, aquel hombre que vestía siempre de verde y se cubría con una gorra de béisbol, en cuyo frente podía leerse en letras pequeñas la leyenda de «Jehová es la luz». Luis le había visto la mañana de su primer día en Jalapa, pero nunca había cruzado más que un breve saludo con él. En cierta forma, se trataba de un competidor, un competidor no desdeñable, pues había sabido atraerse a su congregación casi una cuarta parte de la población jalapeña. Servando le detestaba.

—Son cientos de millones de dólares los que el capitalismo yanqui se está gastando en estas sectas —solía comentar— para detener el impulso de la Iglesia de la Liberación. Hacen daño, están entrando con fuerza, tienen más dinero del que necesitan.

El hombre le miraba desde la puerta. Tenía un rostro recio, picado por una antigua viruela, ojos azules y un pelo pajizo entreverado de canas, que asomaba tieso y duro a los lados de la gorra.

Iba a pasar de largo; pero súbitamente sintió deseos de detenerse.

—Buenos días —dijo, y se quedó frente al otro mirándole a la cara.

—Buenos días —respondió el hombre.

—Yo soy sacerdote católico, me llamo Luis Ribera. —Volvió a hablar sin haber reflexionado sobre lo que diría y sin tender la mano hacia el otro. Mantenía apretada contra su cuerpo la bolsa con la botella de cucusa.

—Frank O'Brady... —respondió el pastor—, de la Asamblea Bíblica.

—¿Gringo?

—Sí, de Santa Mónica, en California.

—Yo soy de Navarra.

El pastor norteamericano le sonrió y encogió los hombros.

—Bueno, eso da lo mismo. ¿Cómo marcha su Iglesia? —añadió Luis.

—Tenemos trabajo, va bien —respondió el norteamericano.

—No conozco su doctrina, pero le deseo suerte.

—Bueno, se lo agradezco.

—Mire, lo que me gusta de ustedes es que su Dios queda muy lejos, es casi como un anuncio de Coca-Cola, no se mete en asuntos terrenales. El nuestro es más apasionado, anda siempre organizando líos. Ya ve: un Dios que le gusta fisgar y hurgar en los asuntos de los hombres. Tenemos un Dios más peligroso que el suyo, lo que son las cosas. Le deseo suerte. Y no baje a Jehová de su anuncio de la gorra.

Dio la vuelta y siguió hacia delante, sin que el otro acertara a articular una respuesta.

No estaba muy lejos de la Casa Cural. El viento había cedido en sus impulsos, quizá porque las calles se hundían ahora camino de los valles y el aire carecía de fuerza suficiente como para acercar hasta allá sus soplos y sus juegos gratuitos. Sobre los techos de teja o de metal, distinguía el perfil del campanario de la iglesia, levantado con ladrillos colocados en filas irregulares. Las nubes corrían aún bajas y plenas de humedad, sobre un cielo bruñido que asomaba a veces tras las espesas masas de turbio algodón.

Aquel primer domingo en Jalapa permanecía indeleble en su memoria: el aire perfumado, la brisa sensual, la vista de un cielo limpio, sin asomo de nubes, el paisaje de los valles que corrían hacia las colinas azules.

Había gran movimiento en la puerta de la iglesia cuando Luis llegó: algunos soldados y milicianos, campesinos que lucían pulcros pantalones de lino blanco, mujeres con vestidos de llamativos colores y, dos o tres de ellas, con los rulos alineados en filas sucesivas y sujetando firmemente sus cabellos; niños con estrechos pantalones también blancos, que bajaban hasta cubrir sus rodillas; niñas que prendían lacitos de papel en sus esmerados moños; algunas caballerías amarradas en los porches y en los árboles cercanos; los inevitables perros sin dueño... Vio también a Lázaro y Araceli, unos metros más allá de donde él se encontraba, y los saludó con un gesto, sin intención de acercarse a ellos. Luego, al girar el rostro hacia la plaza próxima y detener la mirada en un grupo de muchachos y muchachas que vestían camisas blancas y anudaban alrededor de su cuello el pañuelo rojo y negro del sandinismo, sintió que el corazón aumentaba la fuerza de sus latidos: el rostro de Yunit se volvió hacia él y le sonrió. Fue una sonrisa abierta y franca, que dejó ver la hilera de una dentadura perfecta, bajo los labios carnosos.

Yunit levantó la mano, hizo un amago de saludo, dijo algo a un muchacho y una muchacha que se hallaban junto a ella y, al tiempo que los otros dos volvían la cabeza y le miraban, echó a andar en su dirección.

—Buenos días, padre Luis —le dijo mientras le tendía la mano.

—Hola..., Yunit.

—Es un placer verle. ¿Dirá usted la misa?

—No, hoy no. Vengo como uno más, como tú y tus compañeros. Tengo que ir aprendiendo cómo son las cosas aquí.

—Yo he venido con un grupo de las Juventudes Sandinistas.

—Ya veo vuestro pañuelo.

—Son colores heroicos, padre. Con ellos murieron muchos compañeros en la lucha contra Somoza, y muchos están ahora muriendo en el combate frente a la «contra».

—¿Nunca olvidas la política, Yunit?

—Nunca, padre. ¿Cómo puede olvidarse con todo lo que está sucediendo? La política es una actividad sabia. Además, yo quisiera dedicarme a la política dentro de unos años.

—¿A qué política?

—Pues a la política política. Llegar a representante del pueblo en los comités locales, y a la Asamblea Nacional si alguna vez tuviera la suerte de ser elegida para ello.

—Y ministra, ¿te gustaría ser ministra?

—Me bromea, padre. Eso es mucho pedirle a la vida.

—¿Cómo es que andáis de uniforme tú y tus compañeros?

—Es que luego vamos a ir a un acto político. Comeremos con los campesinos ahí cerca, camino de Teotecatín, en un lugar que llaman Pataya, no lejos de río Lindo. ¿Por qué no viene, padre?

—No sé qué haría yo allá.

—Conocería mejor al pueblo nica y su lucha.

—Quizá vaya al término del acto, pues.

—Véngase cuando quiera. Mire, a eso de las tres estará todo terminado. Yo puedo hacer que nos dejen dos caballos y enseñarle el río Lindo. ¿Le gustaría?

Sintió Luis las venas golpeándole bajo sus sienes.

—No sé.

—Es fácil. Busque algún coche que vaya para allá, haciendo raid.

—¿Raid?

—Sí, consiguiendo que algún vehículo le suba, haciéndole así con el dedo.

—Ah, sí, autostop.

—Se baja en Pataya, todos lo conocen, y pregunta por el Salón de Mercaderías. Yo le espero allá y tendré arreglado lo de los caballos. Venga seguro, ¿lo promete?

—Bueno, si funciona la…, el raid.

—Funciona, funciona. Usted bájese a la carretera, junto al matadero, y ya verá cómo van carros para allá. Casi todos militares; pero los compas siempre hacen hueco en sus carros a los paisanos.

—De acuerdo. Salón de Mercaderías, pues.

Ella asintió con movimientos de cabeza. Luego, volvió el rostro: sus compañeros se dirigían hacia la puerta de la iglesia y le hacían señas para que se uniera a ellos. Los ojos melosos de la muchacha miraron una vez más en los suyos.

—No me tenga esperándole, padre.

Sin duda enrojeció visiblemente, pero ella no pareció notarlo y se alejó al tiempo que él pronunciaba su última frase:

—Iré, Yunit.

Entró en la iglesia con los últimos grupos de gente. Buscó lugar en uno de los lados, no muy cerca del altar, y apoyó el hombro contra la pared. Desde donde se encontraba podía contemplar, un poco a su derecha, al grupo de las Juventudes Sandinistas. Yunit estaba entre dos muchachos y de nuevo le sonrió, manteniendo unos segundos su mirada quieta en la de Luis. El sacerdote volvió a notar el temblor de su sangre, como si los ojos de la joven descargaran sobre él corrientes de una poderosa e invisible energía.

La nave de aquel templo albergaba una treintena de filas de bancos y todas ellas se hallaban ahora colmadas de fieles. Muchos otros iban entrando y, a falta de asientos, llenaban los pasillos del centro y de los lados. El techo era alto, y a través de las rendijas que se abrían en el tejado, se filtraban rayas de viva luz. Formaba el altar una sencilla construcción de adobe que no llegaba a cubrir enteramente la gran sábana blanca extendida sobre ella. Una cruz, una copa dorada y un libro de pastas también doradas constituían, junto a dos candelabros de hierro, todo su adorno. Otra sábana blanca con un bordado del Sagrado Corazón tapaba la pared del fondo.

A la derecha una pequeña mesa aparecía repleta de objetos: dos recipientes de cristal con flores de papel de vibrantes colores; tres imágenes en madera policromada de la Virgen, san Sebastián y san Ignacio de Loyola; un libro antiguo apoyado sobre un atril y dos cuadros labrados barrocamente en madera que exhibían los rostros de monseñor Arnulfo Romero y Gaspar García Laviana, mártires cristianos de la revolución centroamericana.

En primera fila y casi al lado del altar, tres niñas de once o doce años se arrodillaban en sus reclinatorios, un par de metros por delante de las líneas de los bancos atestadas de fieles. Permanecían muy quietas, con las manos cubiertas por guantes blancos y unidas casi a la altura de sus ojos. De entre sus dedos colgaban rosarios con finas cuentas de cristal. Lucían delgados vestidos de gasa blanca y una capa de color rosáceo sobre los hombros, y cubrían sus cabellos con velos sujetos por diademas adornadas de flores de papel. La devoción mística con que esperaban el momento de su primera comunión no se alteró siquiera con la ruidosa algarabía que se hizo oír en el otro extremo del templo cuando una gallina se coló de rondón por la puerta trasera y un grupo de fieles intentó atraparla y devolverla de nuevo a la calle: las risas de los niños se mezclaron con los gritos de los perseguidores y el cacarear atemorizado del ave, mientras que el polvo que se alzaba del suelo de tierra envolvía los rostros de unos cuantos parroquianos.

Servando entró por una puerta lateral y se dirigió

sonriente hacia el altar. Vestía guayabera blanca y pantalones oscuros y, como único ornamento religioso, dejaba descansar sobre su pecho una gruesa estola bordada. Su sonrisa se amplió cuando llegó junto a las niñas que esperaban arrodilladas el momento de la comunión. Luego, alzó los ojos y paseó una mirada por la nave, sin cesar de sonreír. Al distinguir a Luis, le saludó con un breve movimiento de cabeza. Después, dio la vuelta y caminó hasta el otro lado del altar. Abrió el libro de los Evangelios, buscó una página y de nuevo levantó la vista en dirección a los fieles.

Luis reparó en que muchos de ellos portaban un libreto de pastas flexibles de cartón y color azulado. Pidió un ejemplar a un hombre próximo a él y hojeó su interior: contenía diversos himnos para cantar. La portada exhibía el título *Misa Campesina*, y debajo, un eslogan: «Viva Nicaragua libre.» Antes de devolverlo a su dueño, Luis vio el lema sandinista en la contraportada del texto: «Patria libre o morir.»

Servando miraba hacia delante con las manos recogidas a la altura del vientre, la imperturbable sonrisa detenida sobre sus labios. Comenzaba a bajar el tono de las conversaciones, algunos parroquianos chistaban para hacer callar a los más habladores, el llanto de algún niño de pecho intentaba ser contenido por su madre con leves arrullos. Al fin, pareció que el silencio se hacía dueño de la nave.

—Bien —empezó diciendo Servando con voz firme—, vamos en esta misa a mirar nuestra vida. Vamos a ver nuestros pecados. Y también vamos a ver si somos capaces de hacer cualquier sacrificio por la paz de Nicaragua, si todos estamos dispuestos y hacemos lo necesario para que esa paz sea posible o, si por el contrario, somos de los que se dejan llevar por el egoísmo. Vamos, primero de todo, a pedir perdón a Dios por nuestros pecados y, especialmente, por el pecado de egoísmo, que es el peor de todos.

Entonó Servando el «Mea culpa» y, en murmullos imprecisos, los fieles siguieron la oración. Concluida ésta, una voz en las primeras filas inició una canción. Servando se unió enseguida a ella y, tras él, el coro de los parroquianos. Muchos de ellos miraban en sus folletos para seguir la letra del himno. Era un canto disonante e impreciso:

*Cristo, Cristo, Jesús,*
*identifícate con nosotros.*
*Cristo, Cristo, Jesús,*
*solidarízate.*
*No con la clase opresora*
*que exprime y devora a la humanidad,*
*sino con los oprimidos,*
*con el pueblo unido,*
*sediento de paz.*

—Recemos ahora —siguió Servando— por nuestros caídos, por nuestros hermanos muertos en la lucha por el bienestar de Nicaragua y contra los enemigos de la paz. Recemos especialmente ahora por Nazario Segovia, Aquilino Machado y Azucena Fernández, compañeros caídos el pasado miércoles en Teotecatín bajo el bombardeo de los morteros enemigos.

El «Padre Nuestro» surgió casi al unísono en las voces de los presentes.

—Todos ellos estarán siempre con nosotros, como tantos y tantos otros que siguen dando la vida para que cesen los ataques de los enemigos, para que en Nicaragua y en toda Centroamérica tengamos la paz y para que concluyan las ambiciones imperialistas de nuestros enemigos del norte, de quienes nos combaten desde Honduras y de quienes les proveen de armas y municiones en Washington. Nunca olvidaremos los nombres de nuestros muertos, y por eso mismo, hoy como muchos otros días, hay que decirlo en voz bien alta y ante Dios: ¡Compañeros Nazario, Aquilino y Azucena!

—¡Presentes, presentes, presentes! —repitieron a coro los fieles.

—Y una vez más, hermanos, compañeros, cantemos a ese Cristo nuestro, a ese Cristo que trabaja y lucha con nosotros para erradicar la esclavitud de la Tierra y para traernos el reino de la justicia y de la paz:

*Por todos los caminos,*
*veredas y cañadas,*
*distingo, Jesucristo,*
*la luz de tu verdad.*
*Vos sos tres veces santo,*
*vos sos tres veces justo,*
*libéranos del yugo,*
*danos la libertad.*

Luis llevaba una y otra vez su mirada hasta los bancos donde se encontraba Yunit. Veía a la muchacha absorta en los rezos y los cánticos, mientras mantenía su folleto abierto entre las manos y lo compartía con uno de los muchachos que la flanqueaban. El hombro del chico estaba muy próximo al de ella, y Luis se preguntó si aquel muchacho no sería, para Yunit, algo más que un compañero de las Juventudes Sandinistas. Sintió un movimiento de celos en su corazón, pero lo rechazó de inmediato.

Se cantaba un nuevo himno:

*Te alabo porque fuiste rebelde,*
*luchando noche y día*
*contra la injusticia*
*de la humanidad.*

Luis creía distinguir la mirada firme de Yunit, todos los sentidos de la muchacha puestos en aquellos cantos, sus labios desgranando cada estrofa con el mismo calor con que, en otras partes del mundo, las muchachas de su edad pronunciarían palabras ardorosas para el chico al que amaban. Luis sintió en su interior el anhelo de ser él, tan sólo él, el destinatario de la pasión que la mirada y los labios de Yunit revelaban ahora; sintió el deseo de convertirse en el objeto de aquella fuerza cálida que parecía emanar de todo el cuerpo de ella y de su fe en la lucha.

*Señor, tú fuiste el primer guerrillero*
*de la Cristiandad.*
*Señor, siguiendo tus pasos,*
*luchamos por la libertad.*

Ni una sola vez, desde que la misa comenzara, el rostro de Yunit se había vuelto en su dirección. Luis estaba seguro de no ocupar siquiera el mínimo rincón del pensamiento de ella. Le desazonaba verse expulsado en forma tan radical de aquel cuerpo que temblaba místicamente mientras entonaba himnos a un Dios combatiente que se identificaba con la lucha de un pueblo en armas. Y anhelaba ocupar su sitio, llegar a ser la causa de un temblor parecido en los labios de la muchacha y de una obsesión profunda que llenara sus pensamientos.

*Porque este pueblo ha sido libre*
*de toda la opresión.*
*Por eso hoy te alabamos,*
*por todo eso, Señor.*

Servando leía ahora unos párrafos del Evangelio mientras los fieles tomaban asiento. Recitaba despacio, dejando en su discurso largas pausas y silencios, alzando en ocasiones la vista por encima del altar para contemplar los rostros de los presentes.

Cuando concluyó, caminó hacia un extremo del altar, lo rodeó y se detuvo junto a las tres niñas que permanecían arrodilladas en la misma postura que al comienzo de la ceremonia. Cruzó los brazos sobre el pecho antes de hablar.

—Este texto —comenzó— nos muestra claramente lo que Cristo pensaba sobre la injusticia y sobre la opresión. ¿Alguno de los presentes quiere opinar sobre lo que hemos leído?

Se hizo el silencio. La sonrisa había regresado al rostro de Servando, que con la barbilla alzada, escrutaba en las hileras de bancos buscando algún voluntario. Volvió a hablar:

—Vamos, vamos, no sean tímidos. ¿O es que no se ha comprendido bien la lectura? ¿No se comprendió?

Algunas voces se alzaron entre los bancos.

—Sí, sí se comprendió —dijo uno.

—Estuvo clarito y pijudo —se oyó decir a otro.

Servando asintió.

—Muy bien, pues si se comprendió, ¿por qué nadie habla? ¿Es que hay miedo de hablar en la casa de Dios? Vamos a ver, ustedes los jóvenes... ¿No hay en las Juventudes Sandinistas quien tenga algo que decir?

Luis vio alzarse la figura de Yunit. Temblaban levemente sus manos sosteniendo el folleto de la misa campesina, apretaba con firmeza los labios y fruncía las cejas.

—Bravo, compañera, bravo —dijo Servando—. Ánimo y cuéntanos lo que opinas del texto del Evangelio.

—Bueno —habló la muchacha con voz insegura—. Yo creo que Cristo ya condenaba la esclavitud y el imperialismo, que era partidario de la justicia y de la paz. Yo creo que los norteamericanos son los verdaderos enemigos de Dios.

Se sentó bruscamente y bajó la vista. Algunos parroquianos se volvieron hacia ella dedicándole amplias sonrisas.

—La compañera ha dicho bien, ha entendido muy

bien el mensaje de Cristo —siguió Servando—. Nicaragua ha conquistado su libertad hace cinco años, en la sangrienta guerra contra el tirano Somoza. Pero debe seguir luchando porque los enemigos de la libertad no han sido del todo derrotados. Los campesinos, cuando Somoza, vivían explotados, y ahora la tierra se ha repartido. ¿Pero quiere eso decir que la paz haya sido ya conquistada? Nuevos enemigos de la paz quieren arrebatar otra vez la tierra a los campesinos, para seguir oprimiéndoles. Quieren acabar con las cooperativas, y destruyen y queman sus cosechas… Desde Washington se arma a los coyotes para que destruyan nuestros campos y la tierra vuelva a manos de quienes explotaban a nuestro pueblo. ¿No hay más opiniones?

El ambiente parecía ahora más caldeado. Se levantó un miliciano en los bancos del fondo.

—Los Estados Unidos han traído la muerte y eso va contra Dios y contra Cristo. Ellos son los enemigos de Dios.

—Muy bien, muy bien —siguió Servando—. Por eso hay que saber que no es cristiano sólo aquel que confiesa y comulga, sino el que ayuda también a la revolución. Es cristiano empuñar un fusil; es cristiano formar las cooperativas; es cristiano estar vigilante por si el coyote sale de la espesura para quemar tierras; es cristiano ser generoso con los compañeros y apoyar la lucha. No es cristiano el egoísmo de los que se esconden en su casa y no colaboran. Hay que integrarse en los comités de defensa sandinistas, porque Dios quiere la paz y la paz sólo vendrá si conseguimos derrotar a nuestros enemigos del norte. Yo sueño con una América Latina libre, despojada de la opresión, con los nombres de todos sus caídos, los millones de víctimas de los tiranos, escritos en los cielos. Y por eso es que rezamos y por eso es que luchamos: como luchan los soldados, como luchan las heroicas milicias, como lucharán las Juventudes Sandinistas…, vosotros, los que estáis aquí sentados, a sabiendas de que, si un día caéis luchando por la patria, vuestro nombre quedará escrito eternamente en los cielos. Y por eso es que deben existir las cooperativas y los comités de defensa, y por eso es que ahora es tan importante una azada como un fusil AK, un pico como una carabina y una pala como un viejo mosquetón. Y por eso es que en nuestras misas siempre damos este mismo grito: ¡Entre cristianismo y revolución!

—¡No hay contradicción! —corearon las voces de los fieles.

Una poderosa y extraña fuerza parecía haber dominado, los minutos anteriores, el rostro de Servando, un vigor que tensaba sus músculos, acentuaba el perfil de sus facciones y se contagiaba a los fieles sentados en los bancos, casi todos con el cuerpo echado hacia delante y la espalda erecta, las miradas prendidas de aquel sacerdote que parecía lanzar hacia ellos corrientes hipnóticas, con aquellos ojos de pronto endurecidos, carentes de expresión, que miraban más allá del templo, más allá del pueblo, más allá de las montañas, más allá quizá de la vida.

Servando relajó sus músculos, sus hombros parecieron perder altura y su mirada se serenó. El ambiente recuperó una cierta tranquilidad. Se oyeron algunos suspiros entre los fieles y muchos de ellos recostaron sus cuerpos contra los asientos. Incluso Luis se sintió invadido por un desconocido y extraño alivio. Servando sonrió otra vez, giró sobre sí mismo y caminó hasta ocupar de nuevo su puesto al otro lado del altar.

—Y ahora —dijo al instante, y Luis tuvo, de pronto, la sensación de saltar mil años en el tiempo— es el momento de que todos nos regocijemos con Lavinia, Vanessa y Genoveva, que por primera vez van a recibir entre sus labios el cuerpo de Cristo.

La mirada de Servando descendió sobre las tres niñas que permanecían ante él arrodilladas y con las manos unidas sosteniendo los rosarios de cuentas de cristal. Su sonrisa se había tornado beatífica, un punto más humana.

—Quiero que sepáis, Lavinia, Vanessa y Genoveva, que no es un acto cualquiera el que ahora vais a protagonizar, que no se trata de una ceremonia más en el camino de vuestras vidas. Cuando Cristo tome posesión de vuestro cuerpo, convertido en una forma consagrada, en esa galletita que tanta curiosidad os despierta, estará entrando en vosotras una cosa muy importante: un compromiso de amor, un compromiso nuevo con la vida, sobre todo un compromiso de entrega hacia vuestros semejantes que es la última razón de negación del pecado. Lavinia, Genoveva y Vanessa, desde el momento en que vuestros labios reciban esa forma que contiene el espíritu de Cristo, habréis de ser conscientes de que vuestra vida ya no sólo os pertenece a vosotras, sino que pertenece también al amor, a la entrega a Cristo, al sacrificio, a la virtud. Él es la vida aquí en la tierra y allá en los cielos. Y vosotras, junto con Él, seréis fuente de vida y de virtud para todos vuestros semejantes.

Servando unió ahora las manos junto a su pecho y alzó el rostro hacia lo alto.

—Oremos todos —dijo.

Más tarde, los fieles abandonaban con lentitud la iglesia. Moría en sus labios el himno que cerraba la ceremonia:

*Vos sos el Dios de los pobres,*
*el Dios humano y sencillo,*
*el Dios que suda en la calle,*
*el Dios de rostro curtido.*
*Por eso es que te hablo yo*
*así como habla mi pueblo,*
*porque sos el Dios obrero,*
*el Cristo trabajador.*

Buscó Luis la figura de Yunit cuando cruzó la puerta del templo y la luz del sol estalló de pronto en la calle y le provocó un fugaz escozor en los ojos.

Se encontraba unos metros más allá, mezclada con el numeroso grupo de jóvenes sandinistas. Luis notó que sus pies le empujaban al encuentro de la muchacha, pero su propia timidez le detuvo tras haber dado un par de pasos hacia delante. Se quedó unos instantes quieto, como si una fuerza surgida del interior de la tierra le paralizase sin que pudiera oponer por su parte ningún asomo de resistencia. Miraba a la muchacha, la veía conversar, esbozar una sonrisa, recibir los comentarios de sus compañeros... Tal vez la felicitaban por su intervención durante el sermón de Servando. O quizás era simplemente que el hecho mismo de ser tan bella hacía que fuera el centro natural de aquel grupo de jóvenes.

Iba a marcharse ya, recuperado el dominio de sus músculos y de su voluntad, cuando el rostro de Yunit se volvió hacia él buscándole. Asomó la sonrisa en los labios de la muchacha, y de inmediato echó a andar en dirección a Luis. Notó él que sus mejillas se coloreaban nuevamente.

—¿Qué tal, padre? Bien bonita la misa, ¿no le pareció?

—Sí, sí... —acertó a responder.

—Las misas acá no son como en su país, me digo yo...

—No, desde luego, no son muy parecidas. Me gustó oírte hablar.

—¿Le pareció bien lo que dije?

—Sí, estuvo bien.

—Me alegro, padre. Yo estaba muy nerviosa al levantarme; es duro hablar delante de tanta gente.

—Lo hiciste muy bien.

Yunit bajó los ojos. Luego los alzó, y Luis sintió un súbito temblor en sus manos.

—¿Vendrá luego a Pataya, padre?

—Sí, haré por ir.

—No falte, le estaré aguardando.

La miró mientras se alejaba. Cimbreaba su cintura sobre las caderas que se movían bajo los ajustados jeans. Su camisa era ancha, y los faldones flotaban sobre la línea del pantalón. Bajo la blancura de la tela podían distinguirse las dos cintas apretadas del sujetador y, a mitad de su espalda, el cierre nacarino de la oculta prenda.

A pasos lentos, Luis cruzó la calle y se dirigió hacia la Casa Cural. La puerta estaba entreabierta y, al empujar, vio en el interior un grupo de personas. Rodeaban a Servando y, entre ellos, distinguió los rostros de Araceli y Lázaro Meden. Aquello tenía el aire de una fiesta de cumpleaños.

—Luis —Servando le había visto y le llamaba—, pasa, pasa, todos son amigos.

Le presentó tres o cuatro personas, mientras mantenía la mano rodeando firmemente su brazo.

—¿Qué te pareció la ceremonia? —le dijo cuando ya había cumplido el turno de las presentaciones.

—Muy, muy distinta... —respondió Luis sin convicción.

—Distinta, ¿verdad? Sí; no es como en Europa. Acá se produce una comunicación con los fieles que allí hace tiempo se perdió.

Oyó la voz de Araceli. Surgió de pronto, con agudos acentos, entre el grupo de gente.

—¿Lo viste? Nada tiene que ver lo que se hace aquí con una ceremonia de meapilas. O la Iglesia es compromiso o no es nada. Aquí reina un Dios rebelde. De otro modo, la gente no se acercaría a la iglesia.

Luis se sentía algo turbado. En realidad, se encontraba como un extraño entre aquel grupo de gente sobre la que Servando parecía ejercer un invisible dominio. No conseguía, además, apartar a Yunit de sus pensamientos y de sus emociones.

—Dentro de un rato —le decía Servando— iremos a

un establecimiento campesino, camino de Ocotal, a unos quince kilómetros de aquí. Comeremos con ellos, habrá misa y, a la tarde, una fiesta pequeña que nos han preparado. ¿Te gustaría venir?

—La verdad es que preferiría traer mis cosas e instalarme con cierta tranquilidad.

—Ah, no bajaste tus trastos de la pensión. Claro, claro, tómate tu tiempo, es natural. Son quizá demasiadas cosas las que estás viviendo estos días, demasiadas en tan corto espacio de tiempo...

—Puede ser que sí. Ahora pensaba ir a la pensión, a pagar y recoger todo lo mío. Si te parece bien, nos veremos luego, a la noche.

—De acuerdo —le golpeaba ahora el hombro con afecto—, el día entero es tuyo. Cenaremos juntos a mi regreso.

Se despidió de los otros con un tímido saludo desde la puerta, y cruzó el porche con movimientos torpes. Se sintió aliviado al encontrarse solo en la calle. Algunos grupos de fieles rezagados conversaban sin prisas alrededor de la iglesia.

Comió su último menú de huevos y «gallopinto» en «El Progreso» y, tras la despedida ceremoniosa de doña Obdulia, regresó a la Casa Cural. Le abrió la silenciosa criada mestiza y apenas se entretuvo unos minutos en dejar sus bolsas de viaje en la que hasta esa mañana había sido la habitación de Jordi Cumeyes. Salió al punto, y tomó la dirección de la carretera, unas cuadras más abajo de la iglesia. Una invisible cortina de calor parecía impregnar el aire. Le sudaban las axilas y sentía húmedas las sienes.

Alguna difusa razón le aconsejaba no acudir a aquella cita. Y sin embargo, sus pasos tiraban de él sin que se sintiera capaz de oponer resistencia. Pero ¿qué pretendía lograr de aquella muchacha? ¿Creía posible que pudiera establecer con ella algún género de relación amorosa? Se decía una y otra vez que no, que aquello era imposible, que Yunit tan sólo le miraba como a un sacerdote español en el que esperaba encontrar un hombre de parecidas características a Servando. Y a pesar de ser consciente de lo absurdo de sus pretensiones, seguía caminando hacia la carretera.

Llegó al matadero. Una vieja camioneta dejaba escapar sonoros rugidos de su motor, como si cien pequeñas piezas metálicas agonizaran en sus entrañas. Un soldado, al volante del vehículo, conversaba con un sargento que permanecía en tierra. Luis se aproximó hasta ellos.

—¿Van a Pataya? —preguntó cuando los otros volvieron el rostro hacia él.

—Suba atrás si quiere; le dejamos allá, camino de Teotecatín.

Los rostros de dos soldados se asomaron bajo la lona cuando intentó trepar.

—Pucha, padrecito —oyó decir a uno de ellos—. Cójase de la mano, que yo le jalo.

La fuerza de aquel brazo casi le subió en volandas. Encontró el rostro sonriente de uno de los soldados que Cumeyes había recogido en la carretera dos días antes, en su primer viaje hacia Jalapa. Lucía la misma boina negra y el gran crucifijo plateado bajo la verde camisa abierta.

—El mundo es un pañuelo —siguió el otro—, acomódese aquí, sobre la manta, no se vaya a mojar de sangre.

Una docena de reses, descabezadas, despatadas, desprovistas de piel y con grandes hendiduras abiertas en el vientre, se amontonaban sobre el suelo de la camioneta. Olía a carne cruda y a sangre coagulada. Sobre los cadáveres más próximos de los animales, los soldados habían extendido un par de mantas. Le hicieron hueco y Luis se sentó al tiempo que la camioneta comenzaba a moverse, después de lanzar una ristra de sonoras explosiones.

—¿Y cómo le va, padrecito? —preguntaba el soldado mientras Luis intentaba guardar malamente el equilibrio, sentado sobre el cadáver de un ternero al que movían de un lado a otro los baches del camino.

—Bien, ahí vamos, a Pataya… ¿Y usted, hacia el frente?

—Tengo una guardia en Teotecatín. A la noche estoy de regreso.

—Ya veo. ¿Cómo están las cosas por allá?

—Tranquilitas, tranquilitas. A veces morterean desde el otro lado. Tienen morteros buenos, ¿sabe usted? Pero los paisanos han cavado refugios bajo tierra y ya no hay casi muertes.

A través de las ranuras del toldo y de la caja de la camioneta, Luis veía el camino que iba quedando atrás. Era una carretera estrecha, flanqueada por altos cañaverales y plantaciones de maíz y de bananos. Los ranchitos aparecían entre la espesura y, en ocasiones, al lado mismo del camino. Pasaban a veces en dirección contraria grupos de soldados ataviados de variopintos uniformes y armados de fusiles o metralletas de diverso calibre y patente: algún viejo Máuser, los Garand, los Fal y el AK 47, el Galil israelí, una carabina 30-30 rescatada quizá del arcón de un anticuario mexicano… La mayoría marchaba a pie, pero algunos, sin duda los más afortunados, lo hacían a lomos de borricos, mulas o pencos de famélicos costillares. También cruzaban a su lado algunos campesinos, con sus grandes sombreros de hoja de palma o de pita y el inevitable machete colgado a la cintura. El día se había hecho resplandeciente, pleno de luz, limpio el cielo y claro el aire.

—Ta bueno, padrecito, aquí tiene Pataya —le dijo el soldado al tiempo que la camioneta se detenía.

Con torpes movimientos Luis Ribera descendió de la baca del vehículo y puso los pies en tierra. Agitó la mano en señal de despedida y miró a su alrededor. Apenas unas cuantas casas se asomaban a los bordes de la polvorienta carretera; la densa espesura de los cañaverales impedía hacerse una idea precisa sobre la geografía de aquel lugar. Media docena de reses, de pelo claro, casi blanco, y agudas chepas, cruzó el camino unos metros delante de él, con andar cansino, seguidas de un jinete que las azuzaba con la fusta.

Continuó hacia delante unos cuantos metros y se detuvo en el porche de una casa fabricada en madera: un campesino se balanceaba en su mecedora mientras fumaba un cigarrillo, los ojos casi tapados por el ala ancha de un sombrero de palma.

—Buenas tardes, señor.

Alzó el otro hacia arriba el borde de su sombrero.

—Buenas tardes..., ¿le puedo servir?

—Busco el Salón de Mercaderías.

—Pues mire, tiene que desandar un poco la carretera. Como doscientas varas más atrás lo encontrará. Es un almacén grande, no tiene extravío.

—Muchas gracias...

—Va pues, amigo.

Yunit estaba en la puerta, aguardando. La distinguió al doblar un recodo del camino y ella le sonrió al tiempo que alzaba la mano y le saludaba. Luis sintió que, de nuevo, enrojecía.

—Qué bueno que vino, padre Luis.

—Hola, Yunit. ¿Esperaste mucho?

—No, ¿no ve que aún no son las tres? Usted se llegó con premura, pero el acto terminó antes de tiempo.

—¿Fue interesante?

—Oh, sí. Usted tendrá que venir un día conmigo. Tengo ya hablado lo de los caballos. Le gustará el paseo, yo lo he hecho muchas veces.

—Bueno, no sé montar bien a caballo; alguna vez cabalgué algún burro en mi tierra, pero supongo que no es lo mismo.

Habían echado a andar en dirección al punto donde la camioneta dejó a Luis.

—No se apure, padre. Le prepararán uno mansito. Es

muy fácil, las bestias de aquí están muy bien enseñadas, son animales de campo y deben hacer lo que el dueño ordena.

Cruzaron frente al hombre de la mecedora, que continuaba balanceándose en el porche. Hizo un breve saludo con la mano cuando pasaron a su lado.

—Nada de todo esto da la impresión de que haya guerra —comentó Luis—. Si no hubiera soldados, nadie diría que aquí sucede algo extraño.

—Llevamos unos meses tranquilos; antes esto era el infierno. Hubo recios combates con la «contra». Pero de Managua enviaron mucho ejército. Hay, incluso, los T-55, que son muy buenos, fabricados en la Unión Soviética. Y también ametralladoras pesadas, de largo alcance. La «contra» ya no intenta entrar de conquista. Ahora se mete en pequeños grupos por los lugares menos protegidos. Pero no se quedan: entran, matan a quien encuentran, queman graneros y secaderos de tabaco, y luego escapan como conejos. Temen encontrarse con los campos, eluden combatir porque siempre se llevan buenos vergazos. Son cobardes y traicioneros, pero hacen daño.

Dejaron la carretera a un lado y doblaron por una vereda que se hundía entre plantaciones de bananos. Los racimos de plátanos sin madurar se ocultaban entre las anchas y grandes hojas de luminoso color verde.

Luis caminaba muy próximo a la muchacha, casi llegaba a rozar su hombro. La cercanía le provocaba súbitas rachas de calor que se extendían por sus miembros y aceleraban el hervor de su sangre. Sentía deseos de rozar con los dedos aquella piel de tonos cobrizos, de apretar el cuerpo de la muchacha contra el suyo y dejar en aquellos labios carnosos un beso violento. Tal vez hubiera llegado a hacerlo, en aquella soledad rodeada de silencio, donde tan sólo se movían los penachos de las cañas impulsados por una leve brisa cálida, de no haber aparecido súbitamente, a la vuelta de un recodo de la vereda, un pequeño prado en el que se alzaba la estructura de un ranchito, de cuya chimenea brotaba un reguero fino de humo blanco.

—Ya llegamos —dijo Yunit al tiempo que volvía el rostro alegre hacia Luis.

Varias gallinas y cerdos oscuros merodeaban por toda la extensión del prado. Luis distinguió dos caballos enjaezados y atados al porche de la casita, y otras caballerías que, libres de montura, pastaban de la yerba que crecía en los extremos de la pradera.

Un hombre había salido al zaguán. Era recio y de baja estatura, piel clara y facciones de rasgos pronunciados. Vestía una camisa blanca con bordados rojos y azules en el pecho y un pantalón cuya cintura se apretaba contra un estómago algo prominente. Su cinturón de cuero de vaca lucía llamativos remaches plateados. Bajo el pantalón asomaban dos lustrosas botas de punta fina y alto tacón. Llevaba en una de las manos una pequeña fusta con la que se daba golpes ligeros en la pierna.

—Es don Juan Dolores —le presentó Yunit.

El otro avanzó dos pasos y tendió una mano fuerte a Luis Ribera. Sonrieron sus labios y una de las puntas de su largo y fino bigote se movió hacia arriba, mientras que sus pequeños ojos azules se achicaban y formaban un mapa de arrugas a su alrededor.

—Gusto en recibirle en mi casa. Pase usted, padre; entra tú también, Yunit. Hay cafecito recién hecho en el puchero.

Ocuparon tres mecedoras de caoba labrada en un cuarto de generosas proporciones. Sobre una de las paredes colgaba un calendario de cinco años atrás con un paisaje de montañas nevadas, probablemente los Alpes. No había otros objetos en la sala más que una lámpara de queroseno y la mesa donde una mujer de tez oscura, surgiendo de pronto del interior de la casa, dejó tres tazas de café humeante.

—Y qué, padre, ¿tiene mucho rato de estar aquí?

—Pues no, señor Dolores, apenas hace dos días que llegué.

—Es tierra caliente Nicaragua.

—La guerra es dura.

—No es la guerra sólo, no crea. A los nicas nos gusta andar a toda hora a vergazos. Andamos siempre peleando porque somos gentes que, en cuanto vemos una oportunidad, la tomamos. Claro, eso trae problemas, porque todos queremos tomar la oportunidad al mismo tiempo, y se arma la del diablo al menor pretexto. Hay aquí un dicho que dice que la vida es de los aventados, de los que trabajan; pero es un dicho mentiroso. Acá se trabaja poco.

—Usted, Don, es muy dado a la exageración —corrigió Yunit—. El pueblo ahora sí trabaja para sacar adelante la patria.

Juan Dolores sonrió:

—Niña Yunit, niña Yunit… Ella es demasiado joven, padre, y demasiado soñadora. Pero ta bueno que los jóvenes sean así. De viejo se ven las cosas de otra forma. Y este pueblo es siempre el mismo. Sólo ha cambiado de gobierno, pero los nicas siguen siendo nicas.

—No le haga caso, padre Luis, a don Juan Dolores le gusta embromarme. Él ayudó a los compas mucho cuando la guerra contra el tirano, y ahora no ayuda a la «contra». Es de los nuestros.

—Ta bueno, niña Yunit, ta bueno. Tome el café, padre, y vayan a dar el paseo, que aún quedan dos horas de luz.

Salieron. Yunit saltó con agilidad a lomos de una yegua castaña y tensó las riendas mientras ajustaba los pies a los estribos. A Luis le ayudó Juan Dolores a trepar sobre un tordo que miraba con indiferencia hacia el prado que se extendía a la espalda de la casa.

—Espero no caerme —comentó Luis.

—No se apure, padre, es una bestia dócil. Le llamamos *Paso Lento*, y con eso queda dicho todo. Siga usted detrás de Yunit y el caballo irá solo. Así, sujete así las riendas, un poco tensas. Ella es buen jinete, la mejor amazona de la región: yo la enseñé a montar cuando era una cipotina.

Sin que apenas tuviera que hacer un movimiento con el brazo, su caballo tomó el paso con el hocico casi pegando a la grupa de la yegua. Rodearon la casa, caminaron junto al cercado y se hundieron entre el verdor de un campo de maíz. Las gruesas mazorcas comenzaban a abrirse en los extremos de las plantas más altas, que crecían por encima de sus cabezas.

La senda que cruzaba la plantación era estrecha y la altura del maíz impedía que pudiera contemplarse ningún horizonte abierto. Yunit se giraba en ocasiones y le miraba sonriente: ladeaba una pierna despegándose unos centímetros de la silla, y la curva de su pecho quedaba recortada ante los ojos de Luis. A cada rato le parecía más hermosa, y ahora en mayor medida, su gracilidad de amazona daba a su forma de cabalgar el aire de un vuelo. Parecía casi una parte más del caballo, mientras dejaba que su cuerpo tomara el mismo ritmo y cadencia que el paso del animal. A Luis le gustaba contemplarla así, sin tener que desviar sus ojos de aquella espalda en la que se marcaba, bajo la blusa, la silueta del sujetador blanco.

El camino se hundió en una depresión del terreno y luego ascendió de nuevo. Pero seguía siendo estrecho, y obligaba a que las caballerías continuaran su marcha una detrás de la otra. Luis no deseaba que aquella senda terminase nunca, de la misma manera que anhelaba que aquella tarde se hiciese eterna. Se oía el canto de algunos pájaros, y el aleteo de las hojas que rodeaban las mazorcas bajo el impulso de la brisa caliente.

En lo alto de la pequeña loma terminaba el maizal y el camino se ensanchaba. Yunit detuvo su yegua y esperó a que Luis llegase a su lado. Ahora sí que se abría ante sus ojos un amplio paisaje: campos de hondo verdor, jalonados de espesura salvaje o tachonados en algunos lugares por los cultivos de café, maíz, caña y tabaco. Corrían muy lejos los valles rebosantes de vida, dejando a su izquierda la línea azul de las sierras agrestes. A sus espaldas, se alzaban más próximas las montañas que cerraban el territorio hondureño.

El ánimo de Luis se dejaba envolver por la blandura de la tarde. En la hora tibia y apacible, su voluntad se dormía bajo la sensualidad que transmitía aquel paisaje, ante la perezosa voluptuosidad que emanaba de los valles amables, de los cerros que parecían guardarlos como vigorosos carceleros. Algunas mariposas revoloteaban sobre unas plantas de magnolias y desde los árboles cercanos llegaba a sus oídos el afinado canto de un ciertogüí. Olía a simiente en el aire espeso, a tallos rotos de yerba joven.

Miró el rostro de Yunit. Si ahora la besara..., o si al menos tomase su mano y la apretase en la suya.

Pero el brazo de la muchacha se había alzado y señalaba hacia delante, en un punto remoto del paisaje.

—¿Ve aquellas últimas montañas, padre? Detrás de ellas queda Palacaüina, donde yo nací.

El frágil instante de olvido de sí mismo se había roto cuando oyó a la muchacha decirle «padre». Respondió mecánicamente.

—Creí que tú eras de Jalapa.

—No, soy de Palacaüina. Pero desde muy pequeña he vivido en Jalapa, desde que mis padres murieron.

—¿Cómo fue eso?

—Es triste la historia. Ellos eran maestros en Palacaüina. Ayudaban a los compas, escondían armas en la casa. Un día, la guardia somocista llegó y los mató a los dos. Yo me libré porque una vecina me escondió en su casa. Si no, también me hubieran matado. A los niños pequeños los clavaban en sus bayonetas. Mi abuela me trajo luego a vivir a Jalapa. Pero yo soy de Palacaüina.

Luis había mirado en los ojos de Yunit mientras la muchacha hablaba. No alcanzó, sin embargo, a distinguir un rastro de dolor en las pupilas de ella.

Ahora, Yunit señalaba a otro punto, más cercano a donde se encontraban.

—¿Ve la línea del río, la ve entre los árboles?

—Sí, creo que sí...

—Es el río Lindo, es ahí donde vamos. No queda más lejos de una legua. ¿Vamos?

—Sí, claro.

Yunit dio un golpe con sus talones en los flancos de la yegua y ésta echó a andar vereda adelante. El caballo de Luis la siguió de inmediato, sin que el sacerdote hubiera de animarlo de ninguna manera.

La vereda se transformaba ahora en un camino difícil, mal trazado, roto a veces por pequeñas lagunas de agua sucia o desaparecido entre roquedales. Subían y bajaban lomas poco pronunciadas, atravesaban breves quebradas por donde corrían delgados riachuelos. Tan pronto pasaban junto a praderas de llamativo verdor, donde encontraban huertos olvidados y restos de algún ranchito, como les envolvía la espesura salvaje, bosques de cedros reales, jinocuaos, mangos y aguacates, madroños, jícaros, ceniceros, guayabos, pitayas y grupos de ocotes. En ocasiones, aparecían en los claros del bosque cabezas de ganado que pastaban libremente junto a bandas de frágiles garzas de plumaje albo. Pasaron junto a campos donde se apretaban los nopales, y se hundieron con el camino entre matorrales de magnolias, campanillas rosáceas, claveles silvestres. Una bandada de palomas, grises y blancas, se espantó a su paso y alzó el vuelo con un ruidoso paleteo de las alas. Un zopilote les siguió durante un trecho planeando en círculos sobre sus cabezas.

Bordeaban el río Lindo anchas riberas de tierra estéril, pedregales donde sólo en algunos tramos crecían breves mazos de plantas famélicas, suelos yermos por donde las aguas, en un cauce poco profundo, corrían rápidas y limpias, mostrando en sus márgenes las huellas de violentas avenidas. En los límites de las orillas se alzaban ramblas poco pronunciadas, sobre las que la naturaleza volvía a gritar su verdor impúdico: de nuevo los bosques, las arboledas, los macizos de flores amarillas y rojas, y el canto de aves escondidas que componían un impreciso concierto sobre el ronquido del río.

Los caballos cruzaron por un vado en el que el cauce apenas sobrepasaba las rodillas de los animales. Con cautela, iban poniendo una pezuña tras otras en el lecho escurridizo del agua. Yunit giró a la izquierda hasta alcanzar la ribera de un remanso, en el que un grupo de malinches daban su sombra a un arenal de tierras blancas. Bajó del caballo y ató las riendas a unos matorrales. Se acercó hasta Luis, le ayudó a descender y repitió la maniobra con su montura.

—¿Le gusta el río, padre?

—Realmente tiene bien puesto el nombre, es verdaderamente lindo.

Yunit se había sentado con la espalda apoyada en el tronco de un árbol. Luis se dejó caer no muy lejos de ella, sacó un cigarrillo de la guayabera y lo encendió. Las vainas secas del malinche colgaban sobre sus cabezas, esperando un golpe de aire que rompiese su última y frágil unión con las ramas del árbol: Yunit había recogido una del suelo y jugaba con ella entre los dedos.

—¿Sabe, padre, cómo llamamos en Nicaragua a estos árboles?

—Creo que es un malinche.

—Sí, pero tienen otro nombre. Le llamamos el árbol del matrimonio. ¿Sabe por qué?

—Pues no.

—Porque en la primavera es todo flores y en el invierno todo vaina.

Una garza gris cruzó cerca de ellos, sobrevolando el curso del río. Parecía casi azul el plumaje del ave.

—Ese hombre..., Juan Dolores, ¿qué es para ti? —preguntó Luis.

—Es un buen amigo. Conoció a mis padres. Yo le visito mucho, él me deja el caballo cuando se lo pido.

—Parece adinerado.

—Ahora no lo es. Tiene tierras, y sus hijos las trabajan. Algunas fincas de café y de maíz, y un poco de ganado. Es un hacendado, pero no le marchan muy bien las cosas. La «contra» le ha quemado algunas veces los campos. Él era enemigo de Somoza, como muchos otros hacendados, pequeños propietarios. Ahora, no puede decirse que sea sandinista. Pero tampoco es contrario.

—¿Y vienes mucho aquí?

—¿Adónde, a Pataya?

—No, aquí, al río.

—No mucho. Pero me gusta venir cuando puedo. Es tranquilo, es bonito, todo está quieto y silencioso. Y se puede pensar. Pero no tengo mucho tiempo para bajar hasta aquí.

—Parece un buen lugar para bañarse.

—Sí, lo es. Pero ya ve, no trajimos bañadores.

—Si quieres bañarte yo me doy la vuelta y no miro.

—No.

Quedaron en silencio unos instantes. La joven echó la cabeza hacia atrás y perdió la vista entre las ramas del espeso árbol que le daba sombra. Luis se quedó inmóvil, absorto en la contemplación de la muchacha, incapaz de hablar.

Yunit bajó de pronto la cabeza hacia delante, y sus cabellos revolotearon unos momentos delante de su rostro. Luego, le miró de frente.

—No me dijo qué opinaba de la misa de esta mañana, padre.

Luis sintió como si le hablaran de un tiempo prehistórico.

—Bueno..., nunca había visto una igual.

—Pero ¿le gustó?

—No sé qué decirte. Me extrañó.

—¿Usted diría una misa como las dice el padre Servando?

—No creo. Yo tengo, tal vez, otros criterios, unos puntos de vista distintos de los suyos.

—¿Es usted vaticanista?

—No es eso... Pero no me gusta hablar tanto del pecado en la iglesia, sean pecados individuales o sean pecados sociales y políticos. Yo, Yunit..., no sé, es difícil de explicar. Yo no creo en el pecado.

—¿No le parece pecaminoso lo que hacen nuestros enemigos?

—No es eso tampoco. La vida la componen muchas circunstancias. Ni yo mismo tengo muy claro todo esto. Yo creo que nunca te pediría, como hizo hoy Servando, que murieras por cualquier causa.

—Servando es santo.

—¿Quién dice eso?

—Lo dice mucha gente de Jalapa.

—Tampoco yo creo exactamente en los santos.

—¿Y en qué cree usted, padre?

—En la gente singular, a lo mejor. Y en la necesidad de que nadie muera por ninguna causa. Porque yo pienso que ninguna causa justifica la muerte.

—Yo creo, padre, que cuando la patria lo necesita y Dios lo quiere, a lo mejor entonces hay que morir.

—La patria es una abstracción, Yunit, y Dios no puede querer la muerte de alguien como tú.

La muchacha se había levantado. Caminó unos pasos en dirección al río y se detuvo de espaldas a Luis. Sintió él nuevos deseos de abrazar aquel cuerpo, de besar su nuca, sus cabellos, sus sienes, su cuello, mientras le susurraba palabras de amor en los oídos.

—No me gusta que hable así.

—Yo no he dicho nada, Yunit.

Se había levantado y avanzado hasta quedar detrás de la muchacha. Ella se volvió. Estaba muy cerca. El sol daba en sus espaldas y su piel parecía más oscura. Brillaban sus labios y sus ojos.

—Eso que ha dicho de la patria. La patria es aquí una cosa muy precisa. Lo explicamos muchas veces, se lo decimos a los campesinos ignorantes: la patria somos todos, es nuestra libertad recuperada, es la dignidad de defender nuestra tierra.

Tal vez iba a alzar el brazo y a posarlo en el hombro de la muchacha cuando ella se echó a su derecha, le rebasó y regresó en dirección al árbol. Luis se sintió ridículo, allí en pie, algo tembloroso, el calor interior dueño de sus pensamientos y de sus miembros. ¿Y si ahora le decía que la amaba? Sin duda sería una torpeza, una estúpida precipitación que tal vez espantaría de su lado a aquella frágil muchacha, de la misma manera que un paso inoportuno hace levantar el vuelo a una bandada de pájaros. Se quedó allí quieto, los ojos perdidos sobre los lomos de aquellas aguas que se remansaban no lejos de sus pies.

Oyó pasos y se volvió. Yunit se acercaba con los dos animales sujetos por las riendas.

—Es algo tarde, padre Luis. Debemos regresar antes de que caiga el sol. Aquí anochece de golpe, casi como si la Tierra se cayera de pronto en un agujero. Y hay que hacer raid para que nos lleven a Jalapa.

Tomó sus riendas.

—No te enfades, Yunit —dijo de pronto—. Quizá sé muy poco sobre tu tierra para poder hablar de estas cosas.

—No me enfado, padre, no me enfado. —El rostro de la joven le sonreía—. Ya sé que irá usted conociéndola. Yo le enseñaré cosas, todo lo que pueda. Y usted me enseñará latín como pago, ¿quiere...? Aprenderá usted a amar este país.

—Ya lo amo, Yunit, ya lo amo...

—Más aún, padre Luis.

—Estoy seguro —respondió el sacerdote al tiempo que apoyaba el pie izquierdo en el estribo, daba un impulso a su cuerpo y, como por milagro, se encontraba de nuevo a lomos del caballo.

—Y me gustó mucho venir con usted aquí, padre. Siempre he venido sola, es la primera vez que traigo a alguien.

—¿De veras no te arrepientes?

—No. Y tenemos que volver otro día con mucho más tiempo.

## 7

Rubén se despertó bien entrada la mañana. Calculó que no habrían transcurrido siquiera tres horas desde que se quedó dormido después de consumir casi por completo el paquete de cigarrillos. Ella dormía aún a su lado, la sábana cubriendo en desorden parte de su cuerpo desnudo. Su rostro mostraba un aire plácido, que a veces alteraba levemente un ligero mohín. Tal vez el cerebro de la muchacha almacenaba ahora hermosos sueños que, como a los indios de su tierra, le gustaría relatarle al despertar.

Se levantó de la cama y fue hasta la ducha. Sentía malestar en el estómago y notaba la boca seca; la lengua parecía hecha de una materia a la vez viscosa y áspera. Entretanto, las venas batían contra sus sienes con un desconocido furor.

Permaneció largos minutos debajo del grueso chorro de la ducha. El agua demolía sus pensamientos, disolvía poco a poco aquel ruido de la cabeza, daba a su carne sobresaltos que devolvían lentamente a su cuerpo una sensibilidad perdida.

Bluefields seguía en la misma posición cuando Rubén regresó al cuarto y comenzó a vestirse. Olía a sudor viejo su camisa, los bajos de sus pantalones permanecían acartonados y los zapatos, que tal vez la noche anterior habían navegado sobre cien charcos, se mantenían húmedos.

Se acercó a la muchacha, tomó la mano de ella con delicadeza, abrió sus dedos, dejó entre ellos un arrugado billete de quinientos córdobas y luego caminó hasta la puerta. La cerró con cuidado a sus espaldas.

Afuera el aire venía en remolinos, arrastrando partículas de invisible arena. Pero no era un viento fresco, sino denso y terroso. El cielo, cubierto casi por completo de nubes espesas, parecía galopar sobre los techos de las casas. Rubén entornó los ojos, se caló el sombrero con el ala formando un parapeto hasta la mitad del rostro, y desanduvo el camino en dirección a «Sandra».

A esas horas no había ningún cliente en el local y una anciana barría el suelo librándolo de centenares de colillas, papeles arrugados, restos de pan y de carne. Un muchacho de corta estatura, tal vez todavía un niño, pasaba un paño húmedo sobre los tableros de las mesas y luego colocaba sobre ellos las sillas en posición invertida. La máquina de discos permanecía apagada y únicamente un par de bombillas iluminaban la estancia. Rubén buscó una mesa en la zona ya aseada y le hizo un gesto al muchacho.

—No hay mucha cosa preparada en la cocina, señor —le dijo el chico cuando llegó a su altura.

—Tráeme un café bien cargado y algunas galletas, no necesito nada más. Que esté bien cargado el café, no lo olvides. Ah, y un paquete de cigarrillos.

—¿De qué marca, señor?

—La primera que encuentres a la mano, todos saben lo mismo.

Quemaba el café al atravesar su garganta y llegaba hasta su estómago con la violencia de un puñetazo. Comió las galletas, apuró la taza y encendió un cigarrillo. Se sentía ahora en estado de resurrección: los efectos del café convirtiéndose en los dueños de sus nervios, la cabeza empezando a verse liberada de los últimos restos de aquel ronquido pertinaz, el estómago algo más asentado... ¡Carajo con el ron y la marihuana!, no estaba ya en edad de permitirse excesos propios de la gente joven.

Pero si la resaca escapaba poco a poco de su cuerpo, permanecía sin embargo instalada en su espíritu aquella sensación de cansancio con que había despertado. No, la palabra no era cansancio. Mejor hastío. Le fatigaba su propia existencia, y no es que sintiese necesidad de arrepentirse de nada, porque nada que pudiese hacer ahora alcanzaba, ante sus propios ojos, ese rango de ignominia que hace necesaria la exculpación. A estas alturas de la vida, Rubén había logrado que su conciencia aceptase vivir en un alto grado de realismo. Hasta los sueños, las pesadillas, turbaban raramente su crudo sentido de la realidad. Se había hartado tiempo atrás de soñar las cosas como no podrían ser nunca; su corazón, en otro tiempo anhelante de legendarios instantes de amor, de felicidad, de creación y de aventura, había llegado a ese recodo último de la conciencia donde su propia biología le saludaba con tristeza en el reconocimiento de su naturaleza de animal humano, o de humano animal si se prefiere, pero animal en última instancia.

Y no era un cansancio moral el que ahora podía invadirle, sino algo parecido a un hastío del existir.

No se trataba de una sensación nueva. En ocasiones parecidas, él sólo tenía una medicina: marcharse a otra parte. No escapar hacia otro lado huyendo de su realidad presente o en busca de una nueva emoción, sino tan sólo el encuentro del mero placer de la marcha. Alguna vez se lo había dicho a Luis allí mismo, sentados en «Sandra»:

—Todo es un viaje, broder. El tuyo, el mío, el de todos. Un viaje hacia ninguna parte, probablemente... Si te dejas ir cuando algo te dice que hagas las maletas, viajarás a tu gusto. Si te opones, viajarás de todas formas, pero en ese caso a rastras.

Así es que se marcharía a Ocotal en ese mismo día. En cuanto recogiera sus cosas en la pensión, se cambiase de ropa y despachase un cable al periódico diciendo que dejaba Jalapa y que enviaría una crónica desde Ocotal, una crónica sobre aquel asunto del cura. Quizás era una sabia decisión, y tan sólo con pensar en ello, el hastío de su alma comenzaba a esfumarse.

Pidió un segundo café al muchacho, al tiempo que encendía otro cigarrillo. Dio un par de chupadas y luego lo apagó. Estaba fumando demasiado desde el día anterior, sentía la garganta irritada.

Iría a ver a Luis. De nuevo le envolvió aquella sensación de presagios confusos. Sí, Luis tenía mala conciencia. Los acontecimientos de los últimos días sin duda le habían trastornado. En cuanto a él, vivía ligado a muy pocas gentes, a muy pocas ideas y a muy pocos objetos, prácticamente a ninguno si exceptuaba su sombrero de fieltro. Y por esa razón, quizás estaba más capacitado que la mayoría de los hombres para digerir el horror como una faceta más de la vida. No era el caso de Luis; él era nuevo en aquellas tierras, y era un hombre, a pesar de todo, unido todavía a sus sueños imposibles, en cuyo pecho latía, aunque fuera débilmente, un legendario corazón. Tendría que verlo, animarlo quizás a que hiciese con él el viaje a Ocotal.

•

Los últimos zarpazos de la muerte en aquellos valles apacibles estaban aún muy próximos, recordó ahora Rubén Vivar. No había transcurrido una semana desde aquel día, desde aquel domingo tan sólo seis días atrás.

Aquella mañana él y Luis tomaron la carretera de Ocotal, a bordo del todoterreno, para acudir a presenciar una corrida de toros. Servando había viajado a Estelí, para asistir a una reunión con otros sacerdotes de su misma congregación que trabajaban en Nicaragua. Luis dijo misa en Jalapa a primera hora de la mañana y a Rubén no le fue difícil convencerlo de que viajase con él para presenciar el festejo taurino: «Te va a chocar cómo interpretamos aquí vuestra fiesta nacional —le había dicho sonriendo. Y ante las preguntas del sacerdote, no había querido añadir ningún dato preciso—. Tú ven a la corrida; ya verás que se trata de algo distinto.»

Era una mañana alegre, de cielo raso, pulido, aire terso no muy cálido, un sol fuerte cuyos rayos herían a la vista. Recordaba ahora, incluso, la excitación que manifestaba Luis mientras maniobraba al volante del todoterreno:

—Sabes, creo que amo tu país ya casi más que al mío. He olvidado los años de África. Me encuentro aquí tan..., tan bien, sí, pero algo más: tan deseoso de vivir. Creo que me gustaría pasar aquí el resto de mi vida. Y precisamente en Jalapa.

—No es mal lugar para ocultarse.

—No es por eso. Yo no necesito ocultarme. Jalapa me parece un lugar donde es posible vivir en plenitud. Y no sé muy bien la razón. Pero la expresión es ésa: vivir en plenitud.

—Hablas como un enamorado.

Fugazmente, Rubén apartó la vista un instante de la carretera y miró en el rostro de su amigo. Las mejillas del sacerdote se habían teñido de un ligero rubor.

—¿Qué quieres decir? —preguntó Luis.

—Nada, sólo eso: que tu lenguaje es el de un enamorado.

—No estarás pensando...

—Ni pienso ni dejo de pensar. El amor es cosa privada y yo no me meto en asuntos privados.

Guardó silencio Luis y apretó un poco más el pedal

del acelerador. Cruzaban anchos campos de maíz y tabaco, junto a pequeños ranchitos y grupos de vacas chepudas y blancas. En ocasiones, el terreno se hundía en una depresión y, sobre puentes de madera, atravesaban ríos de estrecho cauce y aguas claras. En algunos, los más grandes, grupos de lavanderas se afanaban en enjabonar y aclarar la ropa, con sus faldas recogidas y anudadas hasta más arriba de las rodillas. Las garzas blancas ejecutaban su vuelo no muy lejos de las mujeres, bajando a posarse en las piedras que asomaban por encima de la corriente o remontando el río hasta perderse en la espesura de las quebradas. De Jalapa a Ocotal había numerosos riachuelos y arroyos, y tan sólo cuatro ríos con rango como para tener nombres que figurasen en los mapas: San Fernando, Los Gallos, San Pablo y Mosonte. Pero sus cauces eran casi tan estrechos y sus profundidades tan escasas como los de los manantiales anónimos.

En el San Fernando, el puente estaba roto. Una bomba de la «contra» o una súbita crecida había derribado sus pilares, y el todoterreno cruzó el vado con el agua que cubría más de la mitad de las ruedas. Atrás quedaba un grupo de gente contemplando impávida el curso del río mientras su autobús, que miraba en dirección a Ocotal, permanecía varado y con las ruedas enterradas casi por completo en mitad de la corriente.

—No te encachimbes, broder, era sólo un comentario. Decías que te gustaría vivir aquí siempre, ¿no? Veo que no te van mal las cosas con Servando.

—No somos muy parecidos, claro; pero vive y deja vivir. No hay ninguna razón para que me sienta a disgusto con él, pues.

—A mí no me gusta su misticismo, es peligroso.

—Yo no le veo tan místico.

—No es un místico tradicional. Pero su corazón es el de un místico. Le encantaría morir por su causa, y que murieran otros por la misma causa.

—Eso es mucho decir, Rubén.

—No, broder. Es uno de esos tipos que piensan que hay que morir por lo que se ama, un redentor...

—Tienes manía con los redentores, siempre estás a vueltas con lo mismo, Rubén.

Descendía ahora el vehículo un largo tramo de carretera que se hundía entre densos bosques y apretadas arboledas. El camino de tierra aparecía sembrado de numerosos baches y los dos hombres botaban sobre sus asientos, casi como si cabalgaran a lomos de un caballo asustado.

—Ésta es la cuesta de Achuapa. Es famosa porque aquí han hecho varias emboscadas los de la «contra». Como verás, el lugar las facilita, broder.

A los lados de la carretera, el terreno se alzaba en empinados barrancos repletos de matorrales y coronados por árboles de gran altura. Descendían hacia una honda quebrada donde se remansaban las aguas del río Los Gallos, y no se veía ningún otro vehículo, ni un solo campesino, tampoco ganado o los ranchitos construidos en madera. A un lado del camino, Rubén señaló un grupo de cruces hincadas en tierra que mostraban nombres y fechas escritos con pintura negra.

—Mira, broder, recuerdo de los muertos.

—¿La «contra»?

—No, a los muertos de la «contra», no les ponen cruces. Son de algún accidente de tráfico. Por aquí se han volteado y rodado cuesta abajo algunos buses demasiado llenos de gente.

Conforme descendían hacia el río, la carretera se iba estrechando, encogiéndose bajo la espesa vegetación, que ahora parecía transformarse en un techado natural por donde la luz del día entraba débilmente.

—Es un lugar bien lúgubre —dijo Luis.

—Ideal para emboscadas, vaciar unos cuantos cargadores desde los árboles y correr a refugiarse en territorio hondureño...

—Puede que la «contra» tenga entre la gente de acá un cierto apoyo.

El periodista se encogió de hombros:

—¿Y quién lo sabe con exactitud? Mira, yo sé que hay campesinos que les ayudan, y probablemente son los mismos que ayudaban a los sandinistas cuando, también desde estas montañas, luchaban contra Somoza. El campesino no sabe de política: mira su bolsillo y su tierra, y si las cosas le van mal, ayuda a quienes quieren echar abajo el poder político. Sí, hay gente que les apoya, pero aquí en el norte son los sectores más ignorantes. El resto, no. La mayoría de la gente está con los sandinistas. Y no creas que no ven sus defectos y no critican sus errores. Hay cosas que a la gente de aquí no les gusta nada de los sandinistas. ¿Sabes cómo llaman a la junta de comandantes?

—Pues no…

—Los «comanches», y se dice con un tono despectivo. A la gente no le gusta que anden con sus grandes coches, sus escoltas de protección, formadas por hombres violentos. Se esperaba otra cosa. Pero la mayoría de los nicas se mataría contra quienes intentasen invadir el país y echar abajo el régimen. Yo entre ellos; y ya ves, soy un descreído.

—Es una visión triste la tuya.

—América Latina es un continente bien trágico. Desde que echamos a los conquistadores y nos independizamos de vosotros, nos han gobernado casi siempre hombres corruptos. El primer Somoza era ladrón de caballos, un vulgar abigeo. Y más que eso: en Nicaragua incluso nos ha gobernado un pirata, como ese yanqui Walker que se instaló aquí en el poder unos cuantos años. Nunca hemos tenido política, sino una apariencia de política, en tanto que lo que se hacía de verdad con nuestros países era mero negocio. América Latina ha sufrido mucho.

—¿Y aquí?

—Bueno, los sandinistas han traído también a la historia de Nicaragua algo que nunca tuvimos, algo tan simple como la política. Lo podrán hacer bien o mal los «comanches»; pero aquí hay ya política. Antes, esto sólo era negocio. Sandino trajo la política.

—No te creía tan politizado.

—Lo soy sólo desde ese punto de vista. Y combatí por eso, sólo por eso... Bueno, no es que combatiera; pero sí que luché políticamente por echar a Somoza. De todas formas, no mires mi caso. Yo soy un tipo aparte, un tipo nacido en esta tierra que se parece muy poco a esta tierra... Mira, broder, yo me eduqué en Europa. Y aunque no volvería jamás a Europa, te aseguro que aquí soy un tipo perdido. Lo mío no tiene arreglo. Mi corazón está enterrado acá para siempre, pero mi cabeza no me permite aceptar muchas de las cosas que veo. Soy una contradicción y sólo me queda esconderme en este rincón lejano de mi patria.

Olía a caña quemada, un dulce aroma caliente, cuando dejaron atrás la cuesta de subida del río Los Gallos. Otra vez parecía volver la presencia humana a las orillas de la carretera: algún vehículo militar, grupos de quince o veinte casas formando una pequeña aldea, campos de cultivo, vacadas de hasta un centenar de cabezas que obligaban al todoterreno a cruzar despacio entre los animales; un autobús cargado de viajeros, algunos de los cuales marchaban sobre el techo instalados entre voluminosos bultos; jinetes a lomos de caballos de corta alzada enjaezados con las largas albardas de cuero repujado; grupos de niños que empuñaban los desnudos machetes destinados a la corta de la caña...

Las primeras casas de Ocotal asomaron detrás de un promontorio, aproximadamente hora y media después de haber abandonado Jalapa. Entraron en las calles asfaltadas donde el bullicio de la gente daba a la ciudad la apariencia de una importancia que no poseía. Pocos vehículos privados y muchos militares: jeeps, camiones, un tanque aparcado en una plazuela, y bandadas de chiquillos de piernas morenas y rostros redondos, jugando con pelotas de trapo y aros construidos con madera.

—Pasemos primero por el Club de Prensa, puede que tenga algún mensaje de Managua —dijo Rubén.

Indicó a Luis que detuviera el vehículo en una estrecha calle, junto a un edificio de dos pisos cuya fachada aparecía pintada en color ocre.

—Aguárdame, salgo al punto.

Volvió unos minutos más tarde y trepó a su asiento.

—Llamé a Managua. Parece que tenemos turqueo en el frente de Jalapa.

—¿En Jalapa?

—Sí, pero no hay todavía noticias claras. Me enviarán un aviso a la plaza de toros si la bronca se confirma.

—¿Y no crees que deberíamos volver?

—Igual es una falsa alarma, broder, y nos pegamos el paseo en vano. Me avisarán si se organizan tiroteos grandes, no hay que apurarse.

Los alrededores de la plaza de toros semejaban una gran feria. Decenas de tenderetes ofrecían a la venta gran variedad de productos, preferentemente comida y bebida. Brotaban humaredas blancas de los puestos de fritanga y los asaderos de tortillas, bananos y maíz. Las posibilidades alcanzaban a dulces de diversos sabores y colores, cerveza, zumos, botellines de ron, tacos, enchiladas, cucuruchos de «gallopinto», mazorcas tostadas... Un enjambre de chiquillos, que ofrecían cigarrillos, pastillas de chocolate y de chicle, rodeó a Rubén y Luis mientras se dirigían hacia la taquilla de billetes. Compraron tabaco, un par de tortillas y cerveza mientras hacían cola para adquirir sus entradas. El cielo seguía despejado y el sudor empapaba sus camisas.

La plaza era una estrafalaria construcción levantada sobre vigas y tablones, algunos de ellos pintados anárquicamente en rojo, en amarillo desvaído, en azul pálido. Cuando entraron, los tendidos permanecían aún a medio llenar. Muchos espectadores sostenían entre sus manos bolsitas de plástico con cerveza o zumos de frutas y algunos echaban tragos de misteriosas botellas semiocultas en bolsas de papel.

—Beben cucusa —comentó Rubén.

El ruedo, en forma circular, estaba cercado por altas barreras de madera, por las que difícilmente podría trepar un hombre en caso de apuro. Sólo había tres burladeros y no existía callejón de salida detrás de ellos. Aproximadamente una decena de personas se encontraban en la arena. Una de ellas, un hombre de mediana edad, grandes mostachos negros, camisa y pantalones blancos y sombrero de pita, estaba ostensiblemente borracho. Bailaba en el centro del ruedo con torpes movimientos de cadera, agitando a modo de capa un trapo desgarrado de color granate, al son de los desafinados compases que, desde las gradas, marcaba una orquestina de varios hombres provistos de guitarras, una trompeta, platillos y un tambor.

No lejos de donde se sentaban, un espacio de los tendidos se cerraba con barrotes de madera, casi a modo de una jaula desprovista de techo, y en su interior un vocero se dirigía sin cesar al público a través de dos grandes altavoces situados en la parte delantera de su cubículo:

—¡Y saludamos entre el distinguido público a don Marcial Barriga, ilustre locutor de Radio Sandino, el único locutor de radio de Nicaragua que tiene los ojos azules y diez mujeres para él solo!

Sus gritos se confundían con los compases de la orquestina y el rumor creciente del público, que iba llenando los graderíos y sobrepasaba ya el millar de personas.

Bailaba el borracho imitando pases taurinos mientras sonaba una descompasada salsa en la trompeta y el vocero anunciaba próximos acontecimientos:

—¡Y les comunicamos que la corrida de toros del próximo domingo en esta plaza monumental de Ocotal será retransmitida, vía satélite, a la República hermana de Cuba!

Un abucheo masivo se levantó en los graderíos.

—¡Se retransmitirá a Cuba!

Crecieron los gritos de protesta entre el público hasta convertirse casi en un clamor.

—¡Pues les guste o no les guste, se va a retransmitir!

En uno de los espacios más llenos de las gradas, surgió una especie de movimiento compulsivo: la gente se levantaba y se concentraba en un punto, sobre el que convergían las miradas de muchos otros espectadores.

—¡Qué sucede, qué sucede! —gritaba el vocero.

Desde lejos les hacían señas incomprensibles, mientras de boca en boca, a través de decenas de personas, la noticia se iba extendiendo por la plaza. Alguien se acercó hasta la jaula y dejó el mensaje en los oídos del hombre del micrófono.

—¡Que venga la Cruz Roja, que venga la Cruz Roja! —gritó éste al punto—. ¡Que a uno le dio el infarto! ¡Venga, rápido, la Cruz Roja, que se le paró el reloj a un distinguido espectador!

Continuaba la orquesta con su murga mientras el borracho, de rodillas en la arena y el trapo granate extendido en el suelo, saludaba con el sombrero en la mano a un público que le ignoraba. Otros hombres se concentraban en el centro del ruedo con sábanas, trapos y pedazos de manta convertidos en improvisadas capas.

—¡Y ahora vendrá el sorteo! ¡No me tiren las entradas, que va a salir un número y el premio son mil córdobas! ¡Y que no se me vaya la Cruz Roja, que luego saldrá *Coralito* y habrá sangre!

La plaza estaba casi a plena entrada y los vendedores caminaban ahora por los tendidos ofreciendo nuevas bebidas, tortillas, bocadillos y enchiladas. Algunos espectadores dormían ya la prematura borrachera tumbados sobre las bancadas de madera.

Sin previo aviso, y sin que ni siquiera mereciese un comentario por parte del vocero, afanado aún en el sorteo, un gigantesco animal montado por un hábil jinete apareció en la arena dando vigorosos brincos. Era un toro bramán, de chepuda espalda y poderosos cuernos apuntados hacia atrás. A duras penas, el jinete se sujetaba con una mano a una ligera cincha que rodeaba el cuerpo de la res. Con la otra mano, el hombre saludaba al público al tiempo que hincaba una y otra vez sus espuelas en el vientre del animal.

—¡El 373, el 373! —clamó el vocero—. ¡Hay mil córdobas de premio para quien tenga el billete 373!

El toro corrió hacia el centro del redondel con violentos brincos, sacudiendo sobre sus lomos el cuerpo del jinete, que ahora parecía un muñeco de trapo cosido firmemente a la cincha. El borracho hizo un amago de desplegar la capa, pero la res cruzó junto a él antes de que pudiera efectuar su maniobra. Perdió el hombre el equilibrio y cayó al suelo enredado en la tela. El público bramó en gritos de temor y en sonoras carcajadas. Con dificultad, el borracho se puso de nuevo en pie, intentó colocarse dentro del pantalón los bajos de su camisa y se caló el sombrero. Tomó la capa del suelo, la desplegó y, haciendo un gesto con la mano a los tendidos, echó a correr torpemente tras los pasos del toro.

Pero el animal no parecía hacer caso de ninguno de aquellos improvisados toreros. Pasaba junto a las capas sin dirigir un solo topetazo. Su empeño se concentraba en descabalgar al tenaz jinete que no cesaba de espolear sus flancos. Se arrimó luego a las barreras y restregó su cuerpo contra ellas. El hombre, al parecer muy ducho en estas lides, liberó la pierna y la colocó doblada sobre la chepa del toro. Después, sujetándose firmemente a la pequeña rienda que coronaba la cincha, echó hacia atrás el cuerpo, apoyó el brazo libre debajo de su cabeza y simuló dormir sobre su cabalgadura. De las gradas próximas surgieron encendidos aplausos.

—¡Pero qué pasa con el 373! ¡No aparece el 373! ¡Voy a tener que quedarme yo con el premio! —insistía el vocero.

La orquestina acometía ahora una selección de cumbias. Algunos de los toreros del ruedo seguían su ritmo moviendo las caderas, desentendidos del toro que, entretanto, había introducido su trasero en el hueco de una barrera y empujaba hacia dentro, haciendo salir por el lado contrario a los hombres incapaces de resistir los poderosos envites del animal.

Después de una nueva carrera alocada por el ruedo, el toro pareció haber perdido sus fuerzas. Quedó quieto en un lado del redondel, incapaz de reaccionar a los golpes de las espuelas que el jinete le propinaba. Desistió finalmente el hombre, descabalgó y desató la cincha que rodeaba el cuerpo de la res. Saludando al público, se dirigió a paso lento hacia una barrera mientras que, en las manos de los otros hombres, surgían de pronto varios lazos.

Volaron las cuerdas y algunas se enredaron en el cuello del animal, que apenas intentaba liberarse de ellas con débiles movimientos de cabeza. Varios vaqueros tiraban ahora de los extremos de los lazos intentando obligarle a dirigirse hacia el corral. Pero el toro no se movía, y miraba con indolencia los inútiles esfuerzos de aquel puñado de personas. El intento se prolongó unos minutos y, súbitamente, recuperadas sus fuerzas, la res echó a correr mientras mugía sonoramente y movía su cabeza arriba y abajo.

Los hombres soltaron los lazos y escaparon hacia las barreras, mientras el público tapaba los sones de la orquestina con agudos gritos. Pero el animal no se entretuvo en perseguir a nadie. Siguió derecho hacia el corral y cruzó la puerta sin detener su carrera. Varias manos, desde las gradas, la cerraron a sus espaldas.

Arreciaron los gritos de los vendedores en el anuncio de sus mercancías y crecieron los desafinados acordes de la orquestina. De nuevo el borracho danzaba en el centro del coso e instrumentaba al aire pases y más pases de capa. Advertía el vocero desde el micrófono:

—¡Y que tenga cuidado ese bolo, que saldrá *Coralito* y ése no se anda con bromas!

Un segundo animal saltó de improviso a la arena. Su jinete parecía aún más diestro que el anterior: sin cincha, botando sobre el cuerpo desnudo de su cabalgadura, espoleaba sus flancos mientras mantenía las dos manos libres sobre la cabeza. El público aplaudía con ganas, en tanto que el animal brincaba de un lado a otro del redondel, atropellaba en su carrera a los toreros, se lanzaba contra las barreras intentando librarse de su jinete. Alguien tendió a éste, desde las gradas, una botella de ron. Con gestos teatrales, el hombre la descorchó y comenzó a dar largos tragos mientras la res seguía en su carrera y las espuelas no cesaban de castigar sus flancos.

Se repitió la ceremonia anterior: el jinete descabalgó cuando el bramán cesó en su resistencia y volaron los lazos a enredarse en los cuernos y rodearle el cuello.

—¡Venga, toro, vuelve al corral! —gritaba el vocero.

Y al fin el animal, como su predecesor, inició un trote y se perdió detrás de la puerta de toriles.

—¡Lo ven, lo ven! —gritó ufano el vocero por el altavoz—. ¡Me hizo caso, me hizo caso! ¡Vieron cómo manejo a los toros! ¡Pues así manejo también a las mujeres!

Rubén pidió unas cervezas: el líquido rubio y espumoso flotaba dentro de las bolsas de plástico transparente e invitaba a beberlo para combatir el sofocante calor de la tarde.

—Bueno, ¿qué opinas de nuestras corridas? —preguntó a Luis.

—Parecen una caricatura de las de mi país.

—Son una mezcla de rodeo y de toreo. Como ves, no están profesionalizadas. Es algo popular.

—Ya veo que no matáis los toros.

—Los vuelven luego al campo. Siguen engordando para hacer carne o los dedican a sementales. Pero esto es peligroso.

—No me pareció que lo fuera. Casi no embisten.

—Espera a *Coralito*. ése sí sabe, ya verás. Hay toros famosos: *Diablo*, *Satanás*, este *Coralito*. Todos ellos tienen algunas muertes en su haber. Y luego pastan tan tranquilos en el campo.

—¿Muertes?

—Bueno, broder, aquí es al revés que en tu país: allá mueren los toros, acá los toreros. Una buena corrida, para la gente, es una corrida con sangre: un muerto, varios heridos...

La orquestina calló y un griterío prolongado se alzó en los graderíos. Un toro de menor tamaño que los otros, pero de cuernos afilados y vencidos hacia delante, salía ahora al ruedo con un nuevo jinete sobre los lomos. Era un animal negro con manchones blancos en el vientre y en el pecho.

—¡*Coralito*, *Coralito*! —gritaba el vocero—. ¡Que se cuiden los bolos! ¡Que no se vaya la Cruz Roja, que habrá sangre!

El animal se mostraba tranquilo. Caminaba a trote corto, moviendo la cabeza hacia uno y otro lado, fijando los ojos en las figuras de los hombres que escapaban a su paso. *Coralito* parecía desentendido de su jinete, y no respondía a los insistentes golpes de espuela que le propinaba en los flancos. A diferencia de los toros que le habían precedido, no gastaba sus fuerzas en inútiles brincos, sino que ensayaba breves carreras cuando algún hombre se aproximaba.

Rubén tocó el hombro de Luis:

—¿Ves a *Coralito*? Ése sí sabe: espera a atacar cuando tenga la pieza segura.

Gritos de temor se alzaron entre la gente de los tendidos cuando el borracho de los grandes bigotes y el sombrero de pita comenzó a avanzar hacia el centro del redondel. Lo hacía con pasos torpes, logrando a duras penas que el trapo granate no se enredase entre sus piernas. El toro estaba de espaldas a él, mirando hacia uno de los burladeros donde un grupo de improvisados toreros, demasiados para el corto espacio del refugio, intentaba lograr protección detrás de los tablones.

Llegó el borracho a una decena de metros de *Coralito*, se detuvo y, mientras movía la tela de un lado a otro delante de sí, comenzó a lanzar sonoros gritos al animal. El toro giró sobre sí mismo y le dio frente. Permaneció quieto y con los ojos fijos en el hombre, la testuz alzada, los músculos del pecho en tensión.

—¡Que alguien se lleve a ese bolo, que alguien se lo lleve! —gritaba inútilmente el vocero.

El jinete de la res pugnaba sin fortuna por obligar al animal a moverse hacia uno de los lados. Tiraba con fuerza de la pequeña rienda y clavaba una y otra vez sus espuelas en el vientre del animal. Pero *Coralito* permanecía inmóvil.

El borracho comenzó de nuevo a caminar hacia el toro. Su figura grotesca parecía sacada de un escenario circense: los faldones de la camisa al aire, los pantalones desplomados en las caderas y con los bajos arrugados sobre unas zapatillas deportivas, la mano derecha sosteniendo el trapo raído que servía de capa y la izquierda agitando el sombrero de pita, que dirigía hacia el público con saludos ceremoniosos.

Se detuvo a unos cuatro o cinco metros delante del animal. Se caló el sombrero, tomó la capa con ambas manos, adelantó la pierna derecha y comenzó a mover la tela de un lado a otro de su cuerpo.

El toro alzó un poco más la cabeza y la agitó en un violento movimiento, como si quisiera librarse de algún inexistente estorbo. Pero permaneció quieto donde se encontraba, indiferente a los denodados esfuerzos que hacía su jinete por retirarle.

—¡Lárgate bolo, lárgate! —gritaba el vocero—. ¡Que *Coralito* no me bromea!

El borracho había arrojado lejos de sí el sombrero y, sosteniendo la capa con las dos manos, se había arrodillado. Enviaba abiertas sonrisas al público, el cuello estirado como un gallo de pelea, y movía ante sí el trapo. Parte del público gritaba, otros aplaudían, la orquesta acometía un corrido mexicano cuyas desentonadas notas podían recordar, lejanamente, el ritmo de *Juan Charrasqueado*. Cerca de Rubén y Luis, un espectador ebrio vomitaba entre sus piernas abiertas.

Arremetió entonces *Coralito*: de improviso, bajó la cabeza y saltó hacia delante. Su jinete se agarró como pudo a la cincha para no caer despedido mientras que en las gradas de la plaza se alzaba un grito unánime de angustia. Calló el vocero su palabrería, la música de la orquesta quedó suspendida en una de sus notas y sólo los platillos permanecieron sonando por su propia cuenta.

El borracho pudo aún levantarse, dejando la capa extendida sobre la arena del ruedo. *Coralito* llegó hasta él antes de que pudiera hacer un quiebro y echarse a un lado. Le prendió con el cuerno derecho por la cara interior de uno de los muslos, y lo levantó del suelo. Durante unos instantes, el hombre se movió en el aire, sostenido tan sólo por aquel trozo de asta que se había hundido entre sus piernas. Parecía un ridículo pelele componiendo extrañas figuras de mimo. Luego, *Coralito* hizo un rápido y potente movimiento de cabeza y el cuerpo del torero giró sobre sí mismo, a la manera de las hélices de un avión, engarzado a aquel cuerno que le unía a la mole del animal. Tras hacer un círculo casi perfecto en el aire, su pierna se desprendió del asta, y el borracho cayó al suelo pesadamente. Se quedó quieto bajo el toro, que inclinó la cabeza un momento sobre su cuerpo, como si lo olfateara, al tiempo que, sobre sus lomos, el jinete tiraba de la rienda e insistía en espolearle.

*Coralito* no lanzó, sin embargo, nuevas cornadas. Pareció reaccionar, por primera vez desde que saltó al ruedo, ante el castigo a que le sometían las afiladas espuelas, levantó la cabeza y comenzó a dar brincos. Se alejó del caído y echó a correr furioso por la plaza, indiferente a los capotes que le tendían, imitando el comportamiento de los otros animales que le habían precedido en su salida al ruedo.

Entretanto, el borracho se puso en pie. Miró su pierna: la sangre salía a borbotones de la herida y él la contemplaba incrédulamente. Cayó derrumbado en los brazos de tres o cuatro hombres justo cuando éstos llegaban a su altura para socorrerle.

—¡Venga, la Cruz Roja! —gritaba el revivido vocero, mientras los hombres se llevaban en volandas al herido y lo subían hacia las manos que se tendían para recogerlo desde las altas barreras—. ¡Que venga la Cruz Roja, que se nos desangra el bolo!

La orquesta había acometido de nuevo el corrido de *Juan Charrasqueado*, mientras los ojos de todos los espectadores se concentraban en aquel punto de la grada por donde el cuerpo desmayado del herido pasaba sobre los espectadores llevado de numerosas manos. El borracho que se sentaba próximo a Rubén y Luis había vaciado ya completamente su estómago y se había dejado caer, semiinconsciente, hasta quedar sentado sobre su propio vómito.

—¿Ves? —dijo Rubén—. La corrida ya tuvo su primera víctima.

—¿Morirá? —preguntó Luis.

—Seguro que sí. ¿No viste la herida? Le abrió la femoral, no hay quien le cure. Además, los hospitales están demasiado atareados con los heridos de la guerra como para ocuparse de estos locos que se echan bolos al ruedo sin saber lo que hacen. Ése va a su casa, y allá morirá.

*Coralito* seguía su trote alocado por el redondel. El público volvía a aplaudir con fervor la exhibición de monta que el jinete deparaba, surgían nuevos capotes en la plaza que el toro sorteaba sin fijarse en ninguno de ellos. Parecía que el animal hubiera cumplido ya el trabajo para el que había sido requerido y que corría esperando que le llegase el momento de volver a los corrales. Los vendedores anunciaban de nuevo bocadillos y bebidas en los tendidos y la tragedia de unos minutos antes parecía haber sido olvidada por todos.

Rubén supo que aquel chavalillo le buscaba a él desde que le vio abrirse camino, unas gradas más abajo de donde se encontraban, entre la gente vociferante y los borrachos adormilados.

—Señor Vivar... —dijo el crío cuando llegó a su altura, mientras le tendía un papel doblado.

Rubén le pasó un billete de diez córdobas al tiempo que recogía el mensaje.

—Gracias, chigüín.

—¿Qué es? —preguntaba Luis.

—El periódico. Se confirma que hay turqueo en la zona de Jalapa. Parece que la «contra» esperó a que nos fuéramos y atacó por cuatro o cinco sitios.

—¿Es grave?

—Se dice que hay muertos, broder.

Encontraron movimiento de tropas cuando dejaban atrás las últimas casas de Ocotal: camiones con soldados, vehículos ligeros, incluso un carro de combate, un viejo T-55 de patente soviética.

—Te da rabia, ¿sabes? —gruñía Rubén mirando hacia la línea blanca y polvorienta de la carretera, mientras

Luis, aferrado al volante, intentaba imprimir la mayor velocidad posible al vehículo.

—Sí, la guerra es dolorosa.

—No es por eso, broder. Es por este oficio hijueputa con que me gano la vida. Estás varios días trabajando una noticia, y cuando la noticia está completa y te vienes a escribirla tan tranquilo, surge algo importante y la noticia se te murió y debes ir a enterarte de lo que sucede ahora. Tengo que llamar al anochecer desde Jalapa, dar una crónica completa de lo que sucedió... y ya pasan de las tres. Apenas me quedan dos horas y media para redactar algo. Y aún tenemos hora y media para llegar a Jalapa. Me quedará una hora para enterarme de todo lo que sucedió.

Parecía como si la vida hubiese huido súbitamente de aquella carretera que algún periódico norteamericano, un año antes, calificara como «el pasadizo del Diablo». Toda presencia de gente civil o campesina se había esfumado de pronto. Tan sólo se cruzaban, en largos intervalos de tiempo, con breves columnas de vehículos militares. Los ranchitos parecían viviendas abandonadas, el ganado se había ocultado en lugares ignotos, se diría incluso que las bandadas de palomas, tan frecuentes en aquella zona, habían emigrado hacia refugios más seguros.

Rubén sentía latir su corazón con fuerza. En cualquier recodo del camino podía aguardar una emboscada de la «contra», en cualquier terreno imprevisto, incluso en campo abierto. Le había advertido a Luis al salir de Ocotal:

—Si oyes un disparo, o ves un grupo de hombres con uniformes nuevos y, probablemente, con boinas negras, pisa el acelerador hasta donde te dé el pie, y pon de por medio toda la tierra que puedas.

Detrás de cada curva, o en los descensos de los promontorios, o en aquellos lugares donde la vegetación se cerraba sobre la carretera como si quisiera devorarla, Rubén dejaba escapar un nuevo suspiro. A su lado, Luis parecía no sentir nada: los ojos fijos en la carretera, los labios apretados, los pequeños ojos moviéndose nerviosos detrás de los gruesos cristales de sus gafas.

En Los Gallos les detuvo una patrulla de la policía sandinista. El agente que tomó su documentación era apenas un muchacho de rostro barbilampiño. Su brazo derecho mantenía alzado el fusil de asalto.

—¿Tienen noticias concretas, compa? —le preguntó Rubén, al tiempo que le tendía un cigarrillo.

Rechazó el otro el tabaco con una sonrisa y levantó la barbilla en dirección a la carretera.

—Se montó buen turqueo por Jalapa.

—¿Dónde, en el pueblo?

—No, en el pueblo no. Hubo balaceras, según tengo oído, en Teotecatín y «El Porvenir». Y ahí cerca, en La Mina, las cosas se pusieron chuecas. Estoy en la ignorancia de lo que pasó, pero dicen que hubo muertos: algunos paisanos.

Llegaron al establecimiento de La Mina unos cuarenta y cinco minutos más tarde. Era una región llana, de extensas plantaciones de tabaco y café, moteada aquí y allá por oscuras arboledas y a dos o tres kilómetros de las faldas agrestes de las primeras montañas. Pese a lo desfavorable del terreno, la emboscada se había producido allí mismo, tal vez un par de horas antes que llegaran. Un capitán, en un puesto de control, fue algo más preciso en sus informaciones:

—Atacaron una camioneta con algunos muchachos de las Juventudes de Jalapa. Creo que son seis o siete los muertos, además del conductor del vehículo.

Sin duda era allí delante, en aquella curva junto a los árboles, donde se apiñaban una veintena de soldados y algunos campesinos. Varios jeeps militares flanqueaban la carretera y, a un lado del camino, aparecía la camioneta medio volcada hacia uno de sus lados.

Rubén descendió y avanzó hacia el vehículo, seguido de Luis. Conforme se aproximaba, podía distinguir el cristal del parabrisas hecho añicos y los agujeros de los balazos en la chapa del motor y de las puertas de la camioneta. Se detuvo junto a un teniente.

—¿Qué pasó, compa? Soy periodista, de *Nuevo Diario*, de Managua —le dijo al tiempo que le tendía su documentación.

Tomó el otro su carnet y lo observó con cuidado. Miró un par de veces su rostro y luego la fotografía del documento. Al fin se lo devolvió.

—Una emboscada. Ahí mismo se escondieron, en ese grupo de árboles. Mataron a todos: dos muchachas y cinco muchachos de las Juventudes Sandinistas. Creo que iban a un acto político en Los Gallos. El chófer también murió. Luego, se escaparon a las montañas, antes que llegásemos a darles lo que merecen.

—¿Y los muertos?

El teniente señaló unos metros más atrás, hacia el borde de la carretera.

—Allá los llevamos. Vendrán a recogerlos ahora desde Jalapa. Luego de matarlos, les quitaron los pañuelos rojos y negros del cuello y se los metieron en la boca. Así los encontramos. Les hemos tapado la cara con los mismos pañuelos.

—¿A qué hora fue eso?

—Hacia la una o una y cuarto.

—¿Y qué pasa en Teotecatín?

—Morterearon por allá, y creo que una tropa fuerte se intentó meter en «El Porvenir», como el año pasado. Pero les echaron los compas, les dieron vergazos bien recios.

Reparó entonces en que Luis no estaba a su lado. Miró hacia el todoterreno y tampoco le vio. Volvió la vista de nuevo carretera adelante y sí, allí estaba, agachado junto a los cadáveres de los muchachos asesinados unas horas antes. Echó a andar en aquella dirección.

—¿Qué haces, broder, rezas por ellos? —le dijo unos pasos antes de llegar a su altura.

Luis permanecía agachado junto a uno de los cuerpos. Al oír la voz de Rubén, giró la cabeza hacia él. Se había quitado las gafas y bajo los párpados encogidos, entre los que apenas asomaban sus pequeños ojos de miope, dos hilos de lágrimas descendían por la curva de sus mejillas. Rubén se detuvo sin saber qué decir. Miró luego hacia la muchacha muerta que yacía tendida junto a Luis. El sacerdote había quitado el pañuelo de su rostro y lo mantenía apretado bajo su mano crispada. Rubén contempló las hermosas facciones de aquella cara redonda de tez aceitunada, los ojos que parecían haberse detenido en la contemplación de un cielo en el que la tarde languidecía, dejando prendido sobre los cerros cercanos un resplandor de ópalos y esmeraldas.

Pagó su desayuno y, con pasos cansinos, salió de nuevo a la calle, al encuentro del aire alborotado que formaba a su alrededor torbellinos polvorientos.

Entró en la oficina de telecomunicaciones, una veintena de metros más allá de «Sandra». Apenas había cuatro o cinco personas en el local en aquellas horas de la mañana. Enseguida distinguió la figura del padre Ramírez, el sacerdote llegado de Managua, que se afanaba en hacerse oír hablando a grandes voces por el micrófono del teléfono. Esperó su turno sentado en uno de los bancos de madera que se arrimaban a la pared del fondo.

Ramírez se acercó sonriente una vez que pagó el importe de su llamada.

—¿Qué tal, señor Vivar?

—Encantado de verle —respondió sin levantarse de su asiento.

—Ya veo que aún no se fue.

—Usted tampoco.

—Regreso ahora, enseguida, el coche me espera. ¿Quiere que le acerque hasta alguna parte?

—No, se lo agradezco, aún debo hacer algunas cosas por acá.

—Como guste.

Pareció dudar el sacerdote antes de decidirse a abandonar el local.

—No vio..., no vio a su amigo el padre Luis.

—No esta mañana. Quizá le encuentre más tarde.

—Está algo alterado.

—Es natural.

—¿Cómo es eso?

—Qué cosa.

—Bueno, que encuentre natural su..., digamos, su estado de ánimo algo extraño.

—No sé cómo está, ya le dije que no le he visto hoy.

—Digamos que su amigo no es, esta mañana, ese hombre con el que a uno le apetecería desayunar.

—Es natural.

—A usted todo le parece natural.

—Es natural todo lo que les sucede a mis amigos.

—Bueno, espero que nos veamos en otra ocasión.

—Lo mismo espero yo, señor sacerdote.

El aire parecía presagiar lluvias próximas, impregnado ahora de un frescor húmedo. Rubén contempló el cielo, donde las nubes tomaban un oscuro color gris, al tiempo que corrían más bajas sobre su cabeza. Seguía el viento empujando la tierra en remolinos y formando cortinas de polvo en las esquinas de las calles.

Dejó que sus pasos le llevaran hacia la Casa Cural, pero caminaba sin prisas; esperaba llegar cuando ya el sacerdote de Managua hubiera desaparecido de Jalapa. Deseaba, sin embargo, encontrarse con Luis y calculaba las razones con que intentaría convencerle de que viajase con él hasta Ocotal. Después de todo, no sucedería nada si Luis permanecía con él durante unos días lejos de Jalapa. A veces, los grandes problemas requieren soluciones mínimas: por ejemplo, quitarse de en medio y marcharse a otra parte.

Vio el coche de Ramírez moverse lentamente hacia el otro extremo del poblado, llegar hasta el parque y perderse a su vista detrás de los espesos cedros reales. Apretó el paso y golpeó con los nudillos la puerta de la Casa Cural.

Nadie respondió desde el otro lado a sus repetidas llamadas. Sacó entonces su bloc de notas, tomó una hoja de papel y escribió un mensaje:

«Vine a verte. Me marcho dentro de un rato a Ocotal. Quería proponerte que me acompañases. Aún estaré veinte minutos o media hora en mi pensión. Si quieres venir, pasa a buscarme. Creo que te vendría bien airear un poco la cabeza. De todas formas, estaré de vuelta en una semana más o menos y platicaremos un poco sobre todo esto que sucedió los últimos días. A veces, la distancia clarifica las cosas. Rubén.»

Regresó hacia la parte alta del pueblo. Ya en la pensión, se dio una larga ducha y se puso ropa limpia. Aún fumó un cigarrillo, antes de tomar su bolsa de viaje y regresar de nuevo a la calle.

Llovería desde luego, caería sobre Jalapa un chaparrón de los grandes o una tormenta de las que ponen a prueba los nervios de los hombres. Las nubes iban formando grandes bolsas oscuras sobre los cerros, cubrían ya por entero el cielo y avanzaban sobre el poblado y los valles con la lentitud y la seguridad de un animal poderoso, sobrecogedor, dañino... El aire cedía en sus esfuerzos y una brisa fresca iba tomando su lugar. Todo era gris en esa hora de Jalapa: el espacio, el viento, las fachadas de las casas, también los jardines. Un gris hondo y metálico que se diría capaz de impregnar también los espíritus, como tal vez ahora impregnaba el de Rubén, sumido en sensaciones irreconocibles de temor, de cierta angustia, de un dolor del que no reconocía con claridad la causa y que, sin embargo, le forzaba a apretar el paso en busca de la carretera, anhelante ahora de dejar Jalapa antes de que la tormenta estallara sobre el pueblo, deseoso quizá de no regresar nunca a aquel poblado que de pronto le parecía un lugar maldito, una ciudad diabólica, un rincón olvidado del mundo donde súbitamente podría desatarse la oculta violencia de las fuerzas irracionales, donde una ira acumulada de siglos parecía ir entrando en las venas de las nubes negras, donde incluso la tierra azotada por el viento húmedo amenazaba con hacer estallar sus ignoradas fuerzas. Hoscos presagios se aposentaban en su alma mientras descendía a buen paso en dirección a los valles, como quien huye de un peligro inminente y sabido. ¿Qué le sucedía?

Aún tenía que aguardar a que algún vehículo quisiera recogerle. Se detuvo un centenar de metros antes del matadero. No era un lugar habitual para esperar el paso de los automóviles o los camiones. La gente solía sentarse , durante horas y, a veces, incluso durante días, a la salida del pueblo, en el último recodo de la carretera. Alguna ley no escrita prohibía «hacer raid» en otros lugares. Pero Rubén no se sentía capaz de respetar ahora ninguna norma, escrita o no escrita. Quería irse cuanto antes de allí, escapar al desastre que el aire empujaba hasta sus sentimientos. Y no quería preguntarse la razón de aquellas absurdas sensaciones. ¿Para qué hacerlo? Su temor era superior ahora a su inteligencia, excedía a su capacidad de análisis.

Apenas llevaba diez minutos detenido allí, al pie de la carretera, con su bolsa de viaje a los pies, cuando un jeep militar hizo chirriar sus frenos. El rostro del capitán Julio le sonreía desde el asiento contiguo al del conductor.

—¿Dónde viaja, amigo?

—Voy a Ocotal.

—Yo llego hasta Los Gallos. Si quiere, le acerco hasta allá con gusto.

—Se lo agradecería, compa.

—Suba pues.

Trepó a la parte trasera del jeep y se acomodó en uno de los bancos laterales. El capitán giró el cuerpo y fijó sus ojos en él.

—Tiene usted mal aspecto, amigo. ¿Problemas?

El vehículo se había puesto en marcha y trotaba sobre la carretera de grava.

—No hay problemas. Quizá tomé demasiado guaro anoche.

—¿Ya escribió su artículo?

—No; lo haré luego en Ocotal.

—Intentaré conseguirle un transporte en Los Gallos para que le acerque, amigo.

—Se lo agradezco, compa.

—Será un placer. ¿Y qué dirá por fin de la pistola?

—¿Qué pistola?

Se abrió la sonrisa del capitán y los bigotes negros se estiraron sobre sus comisuras.

—Esto está mucho mejor, amigo, mucho mejor.

Miró Rubén hacia atrás. La carretera polvorienta iba alejándose de las viviendas terrosas del pueblo, mientras las montañas no eran ya sino sombras perdidas detrás de las capas amenazadoras de las nubes. Cruzaron junto al matadero y un tractor repleto de animales muertos pasó cerca de ellos en dirección contraria.

Y fue entones cuando le vio. Sin duda era el padre Luis Ribera aquella figura que, envuelta por el polvo que levantaba el jeep a su paso, caminaba torpemente, el cuerpo inclinado, una bolsa de papel apretado contra el pecho, aire de desamparo en la imagen que irremediablemente iba quedando atrás. Luis se alejaba y se perdía entre la espesa tolvanera, difuminándose bajo el angosto cielo hosco y metálico, al lado de aquel campo de verde entristecido donde las cruces de madera y las losas de granito encerraban varios centenares de hombres y mujeres muertos, en su mayoría, por la violencia que inundaba aquellos valles feraces donde la vida era poco más que una promesa, donde la vida no parecía ahora sujeta a otras amenazas que a los presagios encerrados en los nubarrones.

Las primeras gotas de la lluvia chocaban contra el parabrisas del vehículo cuando doblaron el recodo de la carretera y Jalapa quedó atrás, presa inevitable de la tormenta.

## 8

¿Era la cucusa, el viento, el tono lúgubre del cielo, o acaso su propio corazón quien ahora le hacía ver todo mucho más claro? De súbito se sentía poseído por un grado mayor de entendimiento, como si desde las honduras de su existencia surgiera una gran explicación meridiana, una explicación que siempre había permanecido allí y que él, sin embargo, no había alcanzado a ver hasta ese instante. Nadie es piadoso inocentemente, nadie es inocente en forma irreflexiva. No hay lugar en los cielos para las almas de los hombres ignorantes. Sólo existe un paraíso posible: la certeza de que el círculo de la propia vida puede cerrarse en la comprensión y en la aceptación de los presagios sugeridos tal vez en el aullido de los vientos y en la coloración lúgubre de los cielos.

Luis Ribera reflexionaba así mientras recorría los últimos metros que le separaban de la Casa Cural. La torre del campanario de la iglesia asomaba su estructura de ladrillos bajo los jirones deshilachados de las nubes. Un velo de humedad pendía del espacio, empapaba y hacía brillar las hojas de los árboles del parquecillo cercano, provocaba reflejos en los tejados. Pero no llovía, aún, y los imprevistos golpes del aire levantaban ocasionales polvaredas del suelo.

Vio el automóvil aparcado en la puerta de la casa y al chófer sentado sobre la acera, signos de que el padre Ramírez todavía se encontraba en Jalapa. Maldijo su nombre interiormente y penetró a paso rápido en la vivienda, sin responder al saludo que el taxista le dedicó cuando cruzaba a su lado.

Fue una insólita sensación la que le acometió cuando se halló dentro. Parecía que aquella vivienda no tuviese dueño. Alguna ventana había quedado abierta y unos cuantos papeles se extendían por el suelo. Al contrario que otras veces, desde la cocina no llegaba el olor del café y ningún aroma que no fuera el de la humedad del exterior podía percibirse en la sala. Los pálidos manchones rectangulares de las paredes, donde estuvieron los carteles que Luis había arrancado la noche anterior, sugerían una apresurada huida de los antiguos habitantes de la vivienda. No olía a hombre, ni siquiera a él mismo. Tampoco había ruidos humanos, sino tan sólo el sonido del aire al otro lado de la puerta.

Le desazonó, le atemorizó aquella sensación de soledad. Y a paso rápido cruzó el breve espacio del salón y buscó su propio cuarto.

Cerró a sus espaldas. Allí sí, allí el rastro de su propio olor y la huella de su vida impregnaban los objetos y el ambiente de la habitación. Se dejó caer sobre el lecho desordenado, con la bolsa de papel apretada contra el pecho. Las vacías valijas se apoyaban en un rincón. Por unos instantes, deseó llenarlas con sus pertenencias y escapar hacia cualquier parte. Pero no se movió de donde estaba. Libros y papeles se amontonaban en la pequeña mesa arrimada a la pared. Del respaldo de la silla colgaban un par de pantalones y unas cuantas camisas pendientes de lavandería. En el armario de plástico había más ropa, y algunos pares de zapatos y sandalias alineados en el suelo. Sobre el cajón de madera que le servía de mesa de noche, aparecía el cenicero repleto de colillas, un vaso manchado de rastros de café, dos paquetes de cigarrillos, una caja de cerillas y la lámpara con la bombilla fundida. Puntualmente, el calendario exhibía en la pared la hoja del mes de noviembre del año 1984.

Todo aquello era él mismo. O quizás habría que decirlo del revés: él mismo no era mucho más que lo que contenía aquella habitación. Fuera de allí, nada en el mundo guardaba la huella de su presencia y nada ni nadie le pertenecía, ni siquiera levemente. Le desconcertaba, de pronto, darse cuenta de ello. Y una urgente necesidad de destrucción le invadió ahora, un impulso semejante al de la noche anterior, cuando desgajó de las paredes de la sala los afiches de Servando y los llevó al parque para quemarlos. Pero esa necesidad se dirigía ahora hacia él mismo, no tenía a los otros por objeto.

Sintió deseos de consumir en el fuego purificador cuanto le rodeaba, incluso de permanecer él mismo allí dentro y convertir el incendio en su propia pira funeraria.

Pero se contuvo. Lentamente, extrajo la botella de cucusa de la bolsa de papel y dio un largo trago. El líquido, al entrar en su cuerpo, dibujó con exactitud ardiente la línea de su garganta y la estructura de su propio estómago.

Dejó luego la bolsa sobre la cama y se levantó. Fue hasta la ventana y la abrió de par en par, dejando que el aire fresco y húmedo penetrase en la habitación y comenzase a robar sus densos y rancios olores.

La ventana daba a un jardín que, en el otro extremo, quedaba limitado por una rústica muralla de adobe. Más que un jardín, pudo haber sido en otro tiempo una pequeña huerta: los chaparros matorrales de café, que probablemente nadie había podado en los últimos años, parecían surgir de la tierra en ordenada formación, aunque sus ramajes tendían ya a enredarse los unos con los otros y con las yerbas silvestres que crecían y se apretaban a sus troncos. Varios guineos de poca altura mostraban racimos de plátanos podridos, convertidos casi en vacías vainas negras; las trepadoras campanillas rosáceas subían a mezclarse con las grandes hojas verdes. Dos o tres arbustos de achote florecían cerca de la muralla y arrojaban alrededor su penetrante aroma de especia picante. Detrás de la valla podían verse los tejados metálicos de nuevas viviendas.

Tomó un cigarrillo de la mesilla y lo encendió. Permaneció unos minutos allí, apoyado en el quicio de la ventana, absorto en la contemplación de aquel jardín abandonado de la mano del hombre, de aquella imagen desolada de vida profusa y gratuita.

¿Por qué no haber sido así, por qué no haber dejado alguna vez que la existencia decidiese por él sus propios pasos, que formase el orden de sus ideas, la calidad de sus sentimientos, los compromisos de su espíritu y la arquitectura de su alma? ¿Quién envenenó, algún día remoto que ya no alcanzaba a recordar, su corazón con sueños razonables y virtuosos? ¿Quién exigía que el mundo asumiese una moral, quién demandaba de los hombres un orden preciso, una misión, un destino? ¿Por qué no ser así, como aquel huerto, una existencia gratuita sometida a la voluntad de las estaciones, de las lluvias, de los temporales, de las sequías? ¿Qué podía justificar aquella ansia de misión, aquella sed de destino, aquel empeño por convertir la propia vida en una razón moral? ¿Quién le pidió a él, a Luis Ribera, que elaborase su propio compromiso con la muerte, que decidiese al fin sobre cuestiones absolutas como el bien y el mal? ¿Y quién determinaba la existencia misma de las cuestiones absolutas?

Pero tal vez él ya era un prisionero de su propio error. Quizás era ése el último presagio, la última honda sabiduría que ahora parecía aclararse en su alma: que uno no puede escapar de sus errores ni siquiera al reconocerlos como tales. ¿Y qué podía hacer él, después de todo? ¿Huir...? ¿Hacia dónde, para qué? ¿Podría aceptar en el futuro, si es que escapaba, vivir en las convicciones que en ese instante enviaban sus signos? ¿Se soportaría a sí mismo en la conciencia de ser un hombre distinto? Percibía su miedo, su vértigo, ante las certezas que su propia alma le iba sugiriendo. Y al mismo tiempo se sentía lleno de un profundo amor del que él mismo era el destinatario, se notaba invadido por una desconocida piedad hacia ese Luis Ribera que contemplaba un huerto destruido y, sin embargo, pleno de verdor y de vida.

Arrojó el cigarrillo entre los matorrales. Las nubes parecían concentradas en el breve espacio de cielo que podía verse desde la ventana.

Volvió hacia el interior de la habitación y levantó con esfuerzo el pesado colchón de la cama. Un par de rojizas cucarachas huyeron del paquete que permanecía escondido sobre la estructura metálica del somier. Extendió de nuevo el colchón y se sentó encima. Fue retirando con lentitud los papeles de periódico que formaban el paquete. El pulido revólver apareció al fin entre los últimos pliegues del envoltorio.

Era un arma pequeña: seis tiros de escaso calibre. Un arma mortal, sin embargo, y al mismo tiempo susceptible de convertirse en un poderoso instrumento político. Si el padre Ramírez la hubiera encontrado o hubiera conocido con certeza su existencia... Bastaba aquel objeto de metal para que el obispo, el Vaticano, quién sabe si Dios mismo, pudieran reprobar las oscuras tareas de sacerdotes que, como Servando, habían llegado demasiado lejos. ¿Qué le impedía a él entregarla? Sería, incluso, su última venganza, la expiación consumada de los pecados de Servando. Él no estaba de acuerdo, además, con los propósitos de aquellos sacerdotes que identificaban la gloria celestial con las luchas revolucionarias. ¿Pero lo estaba con los otros? Recordó las palabras de Rubén: «En Nicaragua, lo peor es encontrarse entre dos fuegos.»

Al final, y a pesar de que había creído borrar, al paso de los años, la línea del pecado, la frontera que separa el bien del mal, él mismo había actuado en función de todo cuanto su espíritu negaba, había justificado el mal como liquidador del mal. Nunca podría dejarse llevar por el capricho de la propia existencia, por los vientos gratuitos de la vida. Estaba eligiendo su misión al tiempo que la negaba.

Acarició el arma unos instantes, como si sintiera cariño hacia aquel instrumento. Luego, la guardó entre el cinturón del pantalón y su carne, y la cubrió con los faldones de la guayabera. Se echó un paquete de cigarrillos al bolsillo y tomó la bolsa con la botella de cucusa. El aire húmedo y fresco reinaba ya en aquella habitación oscurecida cuando Luis Ribera salió de ella dejando la puerta abierta a sus espaldas.

Ganó la calle. El taxista seguía allí, indolente sobre la acera, y de nuevo le envió un saludo cuando cruzó a su lado. Luis se dirigió hacia el parque, dejando la iglesia a su izquierda, hundiéndose en una espesa nube de polvo que, súbitamente, se había levantado bajo un golpe de viento.

Llegó al parquecillo y se sentó en uno de los bancos, al pie de los espesos cedros reales. Algunas gallinas correteaban entre los arriates donde se mecían bajo el aire las flores de paste y los macizos de dalias. Luis dejó a un lado la bolsa de la botella e inclinó el cuerpo hasta que sus codos quedaron apoyados sobre las rodillas. Su vista quedó quieta sobre el monolito que consagraba la gloria del Club de los Leones de Jalapa.

Casi sentía físicamente que un hueco se abría en su estómago y en su pecho ahora que acudía, de nuevo, el recuerdo de Yunit. Dentro del hueco, se instalaba el vacío. ¿Y cómo puede llenarse la nada, qué puede calmar el dolor que deja instalado en el espíritu una ausencia?

Desde aquel día en el río Lindo se habían visto varias veces más. Nunca llegó Luis a darle las prometidas clases de latín, pero Yunit había aparecido algunas ocasiones a visitarle en la Casa Cural. Eran breves encuentros, de los que Luis guardaba más el recuerdo de sus propios ardores, de las pasiones que se revolvían en su interior, que memoria de las conversaciones mantenidas con la muchacha.

Se había encontrado también con ella algún domingo al término de la misa e, incluso, uno de ellos, la semana anterior a la muerte de la joven, pasearon durante algo más de dos horas por la carretera que conducía a Ocotal. El recuerdo de aquella mañana luminosa llenó durante días sus pensamientos. En las noches siguientes, antes de que el sueño se apoderase de su mente, Yunit llenaba su imaginación; su rostro permanecía, a veces durante horas, detenido en la memoria de Luis.

Desde aquel paseo a caballo hasta el río Lindo, había olvidado cualquier proyecto de futuro que no contase con la presencia de la muchacha. Una urgencia interior le pedía volcarse abiertamente ante ella y revelarle las emociones que provocaba en su alma. Quería llegar a un instante de sinceridad absoluta que forzase una respuesta definitiva en los labios de Yunit. Pero cuando la joven llegaba de improviso a la Casa Cural, todos sus propósitos se derrumbaban, y se sentía invadido por un oscuro temor a verse de pronto rechazado. ¿Y si ella, con ojos de asombro, le respondía que no podía haber imaginado nada de cuanto él le decía? ¿Y si ella se asustaba cuando Luis explicase sus sentimientos? ¿Y si huía de él, si no quería volver a verle?

En aquellos breves encuentros de la Casa Cural, adonde siempre llegaba Yunit pretextando que pasaba casualmente por allí cerca, su miedo se mezclaba con un deseo vehemente por retenerla más tiempo junto a él. Pero no alcanzaba a lograrlo, su mente embotada no podía encontrar excusas convincentes para que ella se quedase. Tal vez si le hubiera dicho, simplemente, que no se fuera, que esperase un poco más, que él estaba tan a gusto así… Pero en el momento en que Yunit aludía a su marcha, Luis quedaba mudo, no sabía qué pretexto encontrar para detenerla.

Todo lo que conseguía, en aquellos ratos, era articular algunas frases ambiguas sobre su amor a Jalapa y a su pueblo, sobre su gusto por encontrarse en aquella tierra y el cariño que despertaban en él sus valles y la honda calidad humana de sus gentes. Decía tales cosas realizando supremos esfuerzos de valor, intentando fijar los ojos en los de la muchacha para que ella percibiese que, al hablar de Nicaragua y de su pueblo, en realidad tan sólo se refería a ella. Lograba, en ocasiones, sonrisas en los labios de Yunit que podían ser signos de complicidad. Pero ¿quería todo eso decir que ella le entendía? A veces, su corazón se apresuraba en sus latidos y Luis se sabía a punto de decirle cuanto sentía de una vez, de declarar súbitamente el amor que su espíritu almacenaba. Pero la barrera del miedo sellaba al fin sus labios, y a la noche, en la soledad de su cuarto en penumbra, se atormentaba con la sucesión de las mismas dudas. ¿Habría entendido ella la mirada que él mantuvo fija en sus ojos, dominando su propio temor, rompiendo casi la barrera de su vergüenza? Y esa mirada de Yunit, ¿era una seña de complicidad? ¿Esperaba la muchacha que él hubiera hablado? ¿Por qué no lo hizo entonces? Pero ¿y si ella no lo esperaba? ¿Y si se hubiese asustado al escucharle? Se torturaba así una y otra noche hasta caer rendido por su propio agotamiento mental, incapaz de salir del círculo de incertidumbre que trazaba alrededor de su espíritu.

La mañana de aquel domingo, días atrás, todo había sido distinto, sin embargo. Decía misa junto con Servando y vio a Yunit en los últimos bancos. Incluso creyó captar un saludo dirigido hacia él por la muchacha con un leve movimiento de cabeza y una sonrisa. Continuó diciendo misa de una manera mecánica, como si no fuera más que un acólito de Servando. Sus sensaciones, sus pensamientos, sus miradas, su ser entero, se concentraban en aquella última fila de bancos donde asomaba y desaparecía, detrás de otros parroquianos, el rostro de Yunit.

Al concluir la ceremonia, dejó la estola sobre el altar y, sin cruzar palabra con Servando, buscó la calle por una puerta lateral y bordeó el edificio de la iglesia hasta llegar a la entrada principal. Yunit ya había salido. La vio cerca del parque, caminando sin prisas entre un grupo de muchachos y muchachas de su edad.

No tuvo dudas esta vez y avanzó hacia ella. Antes de que llegara a su altura, la muchacha, advertida por un compañero, volvió el rostro sonriente hacia él, se detuvo y le esperó, mientras que su grupo de amigos seguía su camino en dirección al parquecillo.

Alcanzó ahora a percibir en su ánimo un nuevo género de temor. ¿Por qué aquel compañero había avisado a Yunit que él se acercaba? ¿Acaso los amigos de ella sabían algo sobre su interés por la muchacha? ¿Tendría noticia alguien más en Jalapa? ¿Servando, Lázaro Meden, Araceli...? Y si los amigos de Yunit lo sabían, ¿se burlarían de él por ello? ¿Se burlaría la misma Yunit cuando él no estuviese presente?

—Hola, padre Luis —le dijo la muchacha sin abandonar la sonrisa.

—¿Qué te dijo? —preguntó Luis, al tiempo que señalaba al muchacho.

—¿Quién, Marcos?

—No sé cómo se llama...

—Me dijo que venía usted.

—¿Y qué tiene de particular eso?

—Nada, padre. Mis amigos saben que yo le guardo gran amistad.

—Pero yo no lo conozco.

—Ellos sí le conocen a usted. A usted le conocen todos por aquí. ¿Qué tiene de malo?

Enrojeció. No supo bien qué responder. Hizo un gesto con la mano mientras se encogía de hombros.

—Bueno..., me extrañaba. Te vi en la iglesia y quise saludarte. No sé..., saber de ti, cómo te va.

—Iba a dar un paseo con mis amigos. Pero si quiere, voy con usted.

—Si estabas con ellos...

—No importa. Estoy siempre con ellos, los conozco de toda la vida. Prefiero un paseo con usted. Platicar con alguien más sabio me enseña más.

Se volvió Yunit hacia el grupo y le hizo gestos de despedida con la mano. Algunos respondieron a su saludo en parecida forma. Luego, ella volvió de nuevo el rostro hacia el sacerdote:

—Vamos, pues, padre Luis. ¿Quiere que paseemos por la carretera? Es terreno sombreado y hoy calienta bien el sol. Hasta la hora de comer queda tiempo.

Echaron a andar. Se sentía humillado por las preguntas que había dirigido momentos antes a la muchacha. Pero ella no parecía haberse alterado.

Seguía con dificultad la charla de Yunit mientras caminaban pueblo abajo. Le hablaba sobre las últimas noticias de la guerra, y mezclaba los datos de los recientes ataques de la «contra» en la zona de Matagalpa, con sus acostumbradas proclamas en favor de la lucha del Frente Sandinista. Luis contemplaba su andar lacio y sensual, la curva de su cuerpo marcándose bajo la blusa amarilla y la falda rosa. Calzaba zapatos de tacón bajo y se había recogido el pelo en una cola que sujetaba con una cinta de color rojo.

—¿Hoy no tienes acto político?

—No, hoy no. ¿Cómo lo supo?

—Bueno, no llevas tu uniforme.

—Sí, claro, era facilito adivinarlo. El próximo domingo, sí; el próximo domingo tenemos un acto político importante en Los Gallos. Vendrán campesinos de los ranchitos de alrededor y está anunciado que posiblemente se acercará desde Managua el comandante Cabezas. Es un gran combatiente, ¿le conoce usted?

—No, no lo conozco.

Llegaron a la carretera y tomaron la dirección sur. El sol golpeaba fuerte a aquella hora sobre el camino de grava, y ellos marchaban arrimados a una de las cunetas, intentando protegerse del calor bajo la sombra de los árboles espesos. Apenas había tráfico: algún vehículo militar que, de vez en cuando, pasaba en dirección a Teotecatín, dejando a sus espaldas densas nubes de polvo amarillento. También cruzó a su lado un grupo de jinetes que galopaban al trote mientras propinaban secos golpes de fusta en la grupa de sus cabalgaduras.

—A usted, padre Luis, le veo ya muy integrado acá. Hoy celebró la misa como Servando lo hace; pero me gustaría oírle un día decir uno de los sermones.

—¿Por qué no me tuteas Yunit?

Ella retiró la mirada y bajó la cabeza.

—Creo que no me saldría relajado llamarle de tú.

—¿Tan viejo me ves?

Yunit le miró de esa forma que a Luis se le antojaba como un rasgo de coquetería.

—Usted es joven, y lo será aún mucho tiempo.

—¿Entonces? —insistió.

—Nunca he llamado de tú a un sacerdote.

—No me veas como a un sacerdote. Inténtalo.

—Bueno..., si usted quiere...

—No, no..., si tú quieres.

—Si tú quieres. Huy, qué raro se me hace hablarle así.

—Hablarte así.

—Hablarte así, hablarte..., no me sale, no me sale.

Doblaron la curva de la carretera, allá donde terminaban los límites del pueblo. Una veintena de personas aguardaba al borde del camino con maletas, fardos y bultos a sus pies, en espera del paso de algún automóvil que quisiera llevarlos hacia los pueblos cercanos.

—Ya ve, padre, somos muy pobres, ni siquiera hay buses para todos. ¿Por qué cree que los Estados Unidos quieren acabar con nosotros si, ya ve, somos incapaces de hacerles daño?

—Tal vez porque sois un mal ejemplo para otros pueblos.

—Pero si lo único que hemos querido es ser libres. Eso y hacer un reparto más justo de lo poco que tenemos.

—Para alguna gente eso podrían ser dos buenas razones de vuestro mal ejemplo.

—No me embrome, padre.

—No me embromes, Luis —corrigió.

—No me embromes, Luis.

—No bromeo contigo, de veras. Sólo me permitía una leve ironía. Quiero decir que las razones de la pobreza no son las que importan para los Estados poderosos. Los Estados poderosos sólo pretenden de los Estados pobres que se queden quietos, sin moverse…, sometidos, en definitiva. Pero yo no sé mucho de política, Yunit.

—Pero lo ha dicho usted muy bien, padre. Yo creo que va comprendiendo más y más a mi país.

A Luis le irritaba seguir hablando de aquel tema. Intentó dar un giro a la conversación.

—Mira, yo voy queriendo a tu país mucho, me está entrando muy hondo en el corazón.

Miraba ahora el rostro de la muchacha mientras hablaba y se señalaba el pecho.

—Y creo que podría amarlo más —siguió diciendo—, creo que hay razones que me impulsarían a amarlo todavía más hondamente. Incluso…, incluso yo podría comprender mejor vuestra lucha y la del Frente Sandinista.

—¿Qué le haría amarnos más?

Contuvo las palabras que estaban a punto de asomar en sus labios.

—Tendría que tener una relación más honda..., no sé.

—¿Como el padre Servando?

—No, como Servando, no. Él es..., bueno, quiero decir que él lo mira todo desde muy arriba, desde una reflexión, casi en teoría. Yo soy una persona más pegada a la tierra que él, yo miro más a las personas que a las ideas. No sé si me explico, pues.

—No le entiendo bien, padre.

—No te entiendo, Luis.

—No te entiendo bien, Luis. Huy, me cuesta mucho el tuteo.

—Pues quiero decir, tan sólo, que para amar un país yo necesito amar a su gente y que su gente me ame.

—Aquí se te quiere bien, Luis.

Sintió que algo líquido y espeso se derramaba en el interior de su alma. Era la primera vez que ella le tuteaba sin que él la hubiese corregido antes, era la primera que su propio nombre salía de los labios de la muchacha sin que le precediera su título de sacerdote. Tuvo súbitos deseos de tomar su mano, de declararle su amor, de decirle que él amaría Nicaragua, que él compartiría su lucha, que dejaría incluso su oficio de sacerdote si ella le correspondía. Pero de nuevo Yunit había retirado la mirada de su rostro y señalaba con la mano hacia la derecha.

—Mire, ¿tomamos esa senda? Lleva a los secaderos antiguos de tabaco. Me gustaría que los viera. La «contra» los quemó el pasado verano.

Caminaron entre la espesura de las plantaciones. A veces, el sendero se transformaba en un estrecho pasadizo bordeado por las altas plantas de maíz o los espigados esqueletos de las cañas. De nuevo, como la tarde en que llegaron al río Lindo, Luis sintió deseos de que el tiempo se detuviera, que su propia biografía desapareciese ante el presente turbador y perfumado. De nuevo, los deseos de estrechar aquel cuerpo junto al suyo cerraban sus oídos al entendimiento de las palabras de la muchacha. De nuevo, batía la sangre en sus sienes con alboroto.

El campo se abrió en un largo y ancho tabacal, cuyo extremo bien podría haberse encontrado al pie de las lejanas montañas azuladas, tal era la extensión de aquel terreno, que en sus últimas ondulaciones ocultaba la vista de otros posibles paisajes. Olía a humedad inmediata, a yerba joven.

Ahora Yunit señalaba las ruinas de unos grandes caserones de madera que, a un centenar de metros, mostraban negras quemaduras en los tejados caídos, en su esqueleto al aire, en las paredes derrumbadas.

—¿Ve lo que hace la «contra»? Quema todo lo que nos provee de riqueza. Nos quieren empobrecer, buscan que pidamos la vuelta de los tiranos como remedio para la miseria.

De regreso, aún intentó Luis una aproximación:

—¿Tú crees que los sacerdotes tienen derecho a enamorarse, Yunit? —preguntó de pronto cuando atravesaban de nuevo los cañaverales.

La muchacha le miró, pero Luis no vio en su rostro ningún gesto, ningún rictus que indicase una alteración del ánimo.

—Yo creo que sí, como todo el mundo.

—¿Y te parece bien?

—Bueno, a veces se habla de los amores de los curas. Es una cosa corriente, dicen.

—¿Y tú cómo lo ves?

—Yo no sé juzgar esas cosas, padre.

Había bajado la vista. Luis insistió:

—¿Pero te parece mal?

—Yo creo que si un sacerdote se enamora, no debe seguir de sacerdote. Eso está mal.

Ella apretaba el paso. Habían llegado de nuevo a la carretera. Un grupo de niños campesinos venía hacia ellos. Iban en su mayoría descalzos, y todos portaban los desnudos y ennegrecidos machetes de la corta de la caña.

—¿Ve usted, padre? Aquí en mi país los cipotinos aprenden a manejar antes el machete que el lapicero.

Fue el último largo paseo que dio con la muchacha. Aún la vio dos veces, en el curso de la semana siguiente. Pero fueron breves instantes en las calles de Jalapa. Las dudas consumían a Luis, las emociones contradictorias se mezclaban en su corazón. A ratos pensaba que, finalmente, Yunit se había asustado, y que eludía encontrarse con él. Sin embargo, seguía mostrándole la misma simpatía cuando le encontraba, e incluso dibujaba en su rostro ese reconocible gesto de coquetería que Luis creía haber descubierto en ella. Otras veces, Luis se decía a sí mismo que Yunit le había planteado un reto: dejar el sacerdocio si ciertamente la quería. Y en la soledad de sus noches, planeaba su renuncia, imaginaba su declaración, su promesa de que todo habría de dejarlo por ella. Estaba decidido, sólo faltaba esa respuesta final de la muchacha. ¿Y tenía esperanza? En ocasiones, se negaba todo rastro de ilusión. Pero otras veces, pensaba que sí, que había lugar para confiar en una contestación positiva. Hacía entonces recuento de las frases que recordaba haber oído a la joven. ¿No le había dicho que le veía joven, que aún le quedaban muchos años de juventud? Pero las dudas resurgían de inmediato: ¿y por qué había acelerado el paso aquella mañana, cuando él estaba ya decidido a hablarle con claridad de sus sentimientos?

El domingo anterior, el día de su muerte, no la vio en misa. Aquello le desazonó, aunque recordaba que ella le había dicho que acudiría a un acto político en Los Gallos. No obstante, ¿no se celebraban por la tarde ese tipo de actos? ¿Por qué no estaba allí? La misa se convirtió para Luis en la ceremonia de su propio estremecimiento incontrolado: otra vez oraba y actuaba mecánicamente, mientras en el interior de su cerebro iban y venían las mismas preguntas, mientras vigilaba en la puerta de la iglesia esperando ver asomar la figura de Yunit. ¿Y por qué no ir a Los Gallos a buscarla? Sería ridículo. ¿Qué haría él allí, ante sus compañeros de las Juventudes? ¿Y querría ella volver con él a su regreso a Jalapa? Su presencia sería inoportuna, desde luego; pero aquel razonamiento no bastaba para diluir los ardores de su corazón y el ajetreo pasional de sus pensamientos.

Encontró a Rubén a la salida de la iglesia. Su amigo insistió en que le acompañara a Ocotal. Al fin, Luis accedió. No sentía ninguna curiosidad por presenciar una corrida de toros al modo nicaragüense, pero se dijo que algo debería hacer para matar sus urgencias y sus ansiedades inconfesables. Era como si necesitara consumir el tiempo velozmente, ir apartando los minutos, las horas, los días..., todo el tiempo que le separaba de Yunit.

De nuevo, las lágrimas brotaron solas en sus ojos. Se quitó las gafas y dejó caer su cabeza hasta hundirla entre las rodillas. Lloró sin contenerse, como los héroes y los dioses antiguos, dejando escapar los gemidos que nacían de su corazón, en la soledad de aquel parque donde el viento convertía las copas de los árboles en un febril aleteo de hojas y donde las nubes se oscurecían más y más al paso de los minutos.

Su desolado corazón revivía ahora la imagen del rostro querido, aquella mirada quieta, la boca entreabierta, los rastros de la sangre seca adheridos al cuello de la camisa blanca, las mejillas que por primera vez rozaba con sus dedos y que parecían al tacto una materia fría, el cuerpo que empezaba a ser invadido por la rigidez de la muerte, la quietud inalterable de los párpados, los cabellos manchados por el polvo... A su alrededor se borraron las figuras y los contornos, desapareció por unos instantes la carretera, se esfumaron los grupos de gente, su memoria se hundió en el vacío. Veía únicamente el rostro muerto de Yunit, y las lágrimas le brotaron solas, mientras su cuerpo parecía dominado de pronto por una sensación de ingravidez, como si él ya no existiera realmente, como si su alma se hubiera trasplantado al mundo de la nada, a los espacios infinitos, sin límites ni fronteras, sin puntos de referencia. Hubiera podido pensar que él mismo estaba muerto, de no haber sido porque ante sus ojos se hallaba la presencia misma de la muerte. Habría podido pensar que él ya no era más que una parte imprecisa de la nada, si no fuera por la realidad de aquella súbita e inesperada muerte que tenía ante él. Rozó las mejillas de Yunit y sólo recibió como respuesta la fría consistencia de una carne desierta de cualquier rastro de vida. Sus gafas se mojaron de lágrimas. ¡Por qué, Señor! ¡Dios mío, cómo puedes tú mismo existir si consientes que el dolor de los hombres alcance tamaña magnitud! Somos cadáveres, sí, cadáveres que gratuitamente reciben una sola vez, en todo el paso de los siglos, el regalo de una breve existencia. Pero ¿por qué el amor? ¿Quién consintió en nuestro corazón esa ansia nefasta de eternidad? Y si alguien creó los sentimientos de los hombres, ¿qué crueldad le impulsó a crear también la destrucción? ¡Dios maldito a quien yo mismo anuncio y cuya misión y palabra yo mismo pregono! No basta con decir que es una prueba para mi corazón apesadumbrado. Los hombres no precisamos de pruebas de dolor, requerimos con justicia instantes de felicidad. ¡Yunit, Yunit…! Si ahora pudiera hablarte de todo aquello que quedó pendiente, todas las cosas que deseaba decirte, y que mi propio temor silenció…, ¿por qué precisamente te escogió a ti ese disparo? ¿Quién podría desear que tú murieras? No basta decir que una lucha política justifica la muerte de los héroes. ¿Cuántos, como Servando, impregnaron tu cerebro con ideas de martirio y muerte? Nadie, Yunit, tiene derecho a morir por lo que ama; nadie, ni siquiera los dioses.

Se levantó del banco y echó a andar en dirección a los valles, con la bolsa apretada contra su cuerpo, notando la fría estructura del revólver pegada a su carne. Dejó atrás el parque y se hundió en las estrechas calles que descendían hacia la carretera de Ocotal. Venía ahora el aire perfumado, empapado con la fragancia de las yerbas y los árboles, de las plantas que tal vez presentían y celebraban de antemano la llegada de la lluvia próxima. Había cesado de llorar, pero sentía que una fuerza superior a él mismo gobernaba la dirección de sus pasos, que algo o alguien determinaba desde el exterior el rumbo que ahora emprendía.

Se detuvo en la soledad de una esquina y dio un nuevo trago de la botella de cucusa. Ya no le estremecía el paso de la bebida por su garganta y su ardoroso descenso hacia el estómago. Y su mente parecía más y más clara. ¿Era eso aquello a lo que llamaban destino?

Sabía que iba camino del cementerio, y que penetraría finalmente en aquel recinto plagado de flores, árboles, banderas, matorrales y sepulcros, aquel lugar que Yunit le había mostrado uno de sus primeros días en Jalapa. Era consciente de que debía ir al cementerio. Y no se preguntaba para qué lo hacía.

No había nadie en aquellas calles estrechas. Las puertas abiertas de algunas casas mostraban la pobreza del interior: adobe desnudo en las paredes, tierra prensada en los suelos, hamacas de lona y mecedoras labradas de caoba, pocas sillas, alguna mesa, habitaciones oscuras donde entraba débilmente la luz del día. Entre las casas había huertas pequeñas, estrechos campos de cultivo para unos pocos frutales, fríjoles, varias matas de café. Se oían los gruñidos de los cerdos detrás de los cercados de madera mientras que las gallinas picoteaban el suelo en el porche de algunas viviendas. Pero ni rastro de vida humana alrededor. ¿Acaso habían huido los habitantes del lugar ante la inminencia de las lluvias torrenciales? Un riachuelo de aguas negras y pestilentes corría entre los corrales y las parcelas, bajo las arboledas que nacían por sorpresa detrás de las humildes casas y se extendían en dirección a la carretera.

Llegó al matadero. Un grupo de soldados cargaba en el remolque de un tractor las piezas de carne para sus compañeros del frente. Eran cuerpos de terneros sin cabeza y sin patas, desollados y con el vientre abierto en canal, cadáveres blancos surcados de venas rojas. Junto al gran barracón donde las reses eran sacrificadas diariamente, se abría la quebrada en donde confluían las aguas sucias del poblado. En sus ramas espesas, una docena de zopilotes aguardaba con paciencia la hora en que los despojos de los animales muertos durante el día serían arrojados al remanso negro del riachuelo.

Luis se arrimó a la cuneta y tomó la dirección del cementerio, aferrado a la bolsa donde escondía la cucusa. Un jeep militar pasó a su lado y levantó una polvareda que le obligó a protegerse la boca y las narices con su mano libre. Mientras el vehículo se alejaba hacia la curva del fondo, los primeros goterones de la lluvia mojaron su guayabera.

Pero la tormenta no acababa de romper. Cuando llegó a la parte del cercado donde la alambrada permanecía rota, aquel lugar que los niños le habían mostrado como entrada clandestina al cementerio, las gotas de la lluvia habían espaciado su caída. Se inclinó para cruzar entre las agudas púas metálicas, y el cañón del revólver se apretó contra su ingle.

Olía fuerte a campo allí dentro, a lluvia inminente, un remoto aroma a primavera presentida que le traía la nostalgia inconcreta de algunas otras primaveras de su vida. Sus pies se hundieron entre las espesas yerbas mientras que sus pasos le llevaban, directamente, hacia la tumba de los Núñez, la innombrada sepultura donde yacían los cuerpos de los hermanos que se habían matado entre sí en la disputa por un sombrero. «¿Por qué asombrarse de una forma de muerte tan estúpida?», se dijo ahora. ¿No era, después de todo, estúpido cualquier género de muerte?

Llegó a la tumba y trepó sobre la losa de cemento. Se sentó con la espalda apoyada en una de las dos cruces que coronaban el sepulcro. ¿Cómo se llamaría el hermano que reposaba debajo de sus posaderas? Sacó la botella de la bolsa y dio un sorbo. Luego, miró su contenido: la línea del líquido espeso y blanco sobrepasaba aún la mitad del recipiente.

Más que estúpido, tal vez tendría que calificar de absurdo el fin de aquellos hermanos Núñez, de quienes no conocía siquiera sus nombres de pila. Pero todas las muertes son absurdas, si se tiene en cuenta el anhelo de eternidad que habita las almas de todos los mortales. Absurda y gratuita había sido la muerte de Yunit, más que ninguna otra.

El dolor había dejado paso a un sentimiento de resignación. O quizá, solamente sucedía que su propio sufrimiento había alcanzado ese grado límite donde la pesadumbre deja incluso de sentirse. Además..., además estaba el odio, ese firme furor al que se había aferrado durante los días siguientes a la muerte de Yunit y que tal vez se había convertido en el medicamento más efectivo contra su pesar.

Desde las horas siguientes a la retirada del cadáver de la muchacha, Servando había ido apareciendo ante el afligido corazón de Luis Ribera como una de las circunstancias que había precipitado la trágica muerte de su amada. ¿No era acaso Servando quien proclamaba desde la autoridad de los altares el heroísmo de quienes mueren por una causa justa? ¿No había llegado a pedir, desde su ejemplar santidad, el sacrificio de los jóvenes por la revolución? ¿Quién sino hombres como Servando impulsaban a muchachas como Yunit a cruzar las carreteras del país para celebrar actos políticos y exponerse a los zarpazos asesinos de las guerrillas «contra»?

Servando era culpable, culpable de tantas muertes estúpidas, pero responsable en particular del fin fatal de la muchacha a quien él amó. Aquel hombre que se pretendía inocente, al que muchos calificaban de santo, y a quien Rubén incluía en la legión de los redentores, no podía quedar excluido de la culpa. Los sacerdotes como Servando, que se alzaban ardorosamente contra el poderoso Vaticano, no hacían sino repetir aquella misión suprema que la Iglesia había interpretado desde siglos atrás: redimir con sangre los pecados del mundo, convertir en martirio el destino de los hombres, reclamar de la vida las lágrimas y la muerte. Tenía razón Rubén. Y Luis odió a Servando con todas sus fuerzas, y su odio hirvió dentro de sus venas cuando el lunes siguiente, ante los ataúdes de los muchachos asesinados, entre los que se encontraba el que guardaría para siempre el cuerpo de Yunit, Servando pronunció en la iglesia de Jalapa su sermón, mientras sus ojos miraban hacia lo alto como si quisieran contemplar el infinito o como si hablaran a los oídos del mismísimo Dios:

—... porque hay una enseñanza que extraer de este crimen terrible, una enseñanza que debe llenar vuestros corazones de optimismo: que las muertes de estos heroicos jóvenes no han sido inútiles, sino que nos dan el ejemplo necesario para seguir defendiendo la patria y combatiendo al enemigo. No son muertes inútiles las de estos muchachos de las Juventudes Sandinistas: ellos nos han enseñado el camino del sacrificio, tan necesario para alumbrar la justicia y la libertad...

Luis apretó los puños, cuando el padre de uno de los muchachos asesinados se dirigió a los presentes:

—Yo sé que mi hijo no murió en vano. Si la patria lo pedía, bueno es que sucediera como sucedió. Cuando le vi muerto, me pareció que sus labios sonreían. Estoy seguro que su sonrisa le nació porque sabía que moría por la patria...

Odió a Servando con todas sus fuerzas. Ahora supo que el mal existía. El mal era Servando, el pecado era aquel hombre que vivía bajo su mismo techo y compartía su mismo oficio de sacerdote. La culpa requería expiación, el mal precisaba de un castigo, y las penas debían elevarse a la misma categoría de las culpas.

Los ataques e incursiones de la «contra» continuaron durante los días siguientes. Y fue el miércoles, sólo tres días después del fin trágico de Yunit, cuando la casualidad quiso que Luis aplacase la sed de venganza que su odio reclamaba.

En la salita, sentado a la mesa y junto a una taza de humeante café, Servando cargaba el revólver de seis tiros. Luis se quedó quieto ante él, en pie, en silencio.

—Hay ataques fuertes en El Ranchito —le explicó el otro, al tiempo que echaba el seguro del arma y la escondía bajo su guayabera—. Me han llamado para confesar a algunos heridos y dar la extremaunción a los muertos, ¿vienes?

—¿Por qué la pistola?

—Yo no me voy a cruzar de brazos si la «contra» ataca mientras estoy allá.

Siguió a Servando hasta la calle y se sentó a su lado en la parte delantera del todoterreno. Lo hizo en forma automática, sin saber si deseaba o no acompañarle. Arrancó el vehículo, dejó atrás el parquecillo, botó como un animal asustado sobre las calles sembradas de baches y alcanzó la carretera general.

—A veces las armas son más importantes que los sermones y los rezos —insistió Servando mientras maniobraba el volante.

—¿Y por qué no puede vivirse sin rezos y sin armas?

—respondió Luis sin reflexionar en sus propias palabras. Deseaba provocarle, irritar el ánimo del otro.

—No digas tonterías.

—Yo puedo decir tonterías, pero no seré jamás responsable de la muerte de nadie.

—Todavía no he disparado...

—Hay gente que no mata con un arma, sino con lo que predica.

—¿Qué insinúas?

—No insinúo. Afirmo que algunos están arrastrando a la gente a la muerte con lo que dicen en sus sermones.

—¿Te refieres a mí?

—A ti, sí; entre otros.

—Eso es estúpido.

—No, eso es cierto.

—¿Pero qué he dicho yo?

—Lo sabes muy bien. Todas esas ideas de martirio, de redención, de sacrificio..., todo ese mensaje de sublimación de la muerte que un domingo tras otro, que un día tras otro, inculcas en las mentes de gente ignorante, de los jóvenes, de los milicianos. En tus misas pregonas la necesidad de la muerte.

—Pregono el derecho a la vida. ¿Te has vuelto loco?

—Estoy más cuerdo que nunca y veo más claro que nunca desde que llegué a este país.

—Me acusas de provocar la muerte de la gente.

—Te acuso de asesinato, pues.

—¿Y tú qué sabes? En Nicaragua hay que hablar así; hay que defender el proceso revolucionario, ayudar a construir una sociedad libre.

—¿Y eso se consigue incitando a la gente al martirio y al sacrificio?

—Muchos tienen, o tenemos, que morir para que un país salga adelante.

—Ése es un razonamiento bárbaro.

—Es una razón evangélica, y revolucionaria.

—No. Es una moral de asesino.

—Es muy grave lo que estás diciendo, Luis.

—No me importa que sea grave. Quiero que sepas lo que pienso de ti.

—Me estás insultando.

—Me da lo mismo tu opinión. Si lo tomas como un insulto, detén el coche, bajamos y lo hablamos de otra manera.

—Pero eso es una locura. ¿Pretendes una pelea? No vas a encontrarme en ese terreno. Yo soy un hombre que detesta la violencia. Los dos somos sacerdotes.

—No detestas la violencia, la provocas.

—Si detengo el carro es para que te bajes tú solo. Yo tengo un deber que cumplir en El Ranchito.

—No, no me bajo. No pienso perderme la ocasión de contemplarte mientras bendices a tus víctimas, mientras cumples tu deber de enviar a los cielos a los hombres que mueren por razones que tú predicas.

—¿Y qué quieres: que la «contra» entre en Nicaragua y que la gente no luche para impedirlo?

—Ése no es el problema. El problema está en la incitación que tú predicas a favor del martirio y de la muerte.

—Yo predico por la libertad y la justicia.

—Tú predicas sangre y lágrimas.

—Voy a detener el carro y te vas a bajar.

—Si paras el coche te bajo primero a ti a puñetazos.

Servando guardó silencio. Su rostro apareció demudado. Le temblaba el labio inferior, tal vez a causa del miedo o puede quizá por sus esfuerzos para contener un ataque de ira. Luis sentía acelerado el ritmo de su propio corazón, mientras el calor se apretaba contra sus mejillas. Aún habló a su compañero:

—Si quieres echarme del coche tendrá que ser a tiros. Aprovecha. Llevas revólver, ¿no? Pues úsalo conmigo si tienes valor. Será la muerte más digna que hayas provocado.

—Has perdido el juicio.

—Lo que he perdido es el respeto a los hombres como tú, a esa Iglesia que habéis levantado, en Roma, aquí y en tantos lugares del mundo, sobre los cadáveres de millones de hombres y mujeres ignorantes, sobre la sangre de tantos mártires de la historia del mundo. A nadie le debe el mundo tanta barbarie como a los hombres de tu Iglesia.

—Esa Iglesia es la tuya.

—Ya no es la mía. Es la vuestra, la misma Iglesia para Roma y para vosotros. Sois buitres, zopilotes hambrientos de carroña...

—No quiero escucharte más.

—Saca la pistola y dispara sobre mí, pues.

—Has perdido el juicio. No quiero seguir hablando contigo ni escuchando tus locuras.

—Ya te dije cuanto deseaba decirte desde hace días. Y todo esto vamos a arreglarlo muy pronto.

—¿Me amenazas?

—Sí, te amenazo. Tú vas a pagar por todo lo que has hecho y por todo lo que han hecho muchos como tú.

Llegaban al asentamiento de El Ranchito y los dos hombres guardaron silencio. Había numerosos vehículos militares entre las casas. Se oían los golpes secos de disparos espaciados, más allá del poblado, en dirección a las montañas hondureñas.

Un oficial se acercó cuando ellos descendían del jeep. Era Lázaro Meden, con su sempiterno uniforme de camuflaje, metralleta al brazo y pistola al cinto.

—Servando.

—¿Cómo están las cosas, Lázaro?

—Nada bonitas. Han echado algunas oleadas, pero los hemos contenido. De todas formas, se están infiltrando por varios sitios. Hay heridos..., quieren sacerdotes para confesarse.

—A eso hemos venido.

Servando giró el rostro hacía Luis. Estaba pálido,

mantenía la cabeza erguida, los músculos del cuello y de la cara en tensión.

—Puedes quedarte aquí si quieres. Hablaremos luego.

—No, yo voy.

Echaron a andar detrás de Meden. Un par de soldados se unieron a ellos y descendieron la cuesta de un estrecho camino que se tendía a la espalda del asentamiento. Seguían las breves descargas de fusilería, y el eco de los disparos se perdía en las verdosas montañas cubiertas de bosques de ocotes. El camino se abría paso entre espesos campos de chagüites, entre cercados donde crecían las cañas, breves maizales donde las panojas asomaban entre las anchas hojas verdes.

Tal vez un cuarto de hora más tarde llegaron a las primeras trincheras. En una depresión del terreno, un campamento servía de improvisado hospital de campaña. El médico militar atendía a media docena de heridos tendidos sobre mantas. Había también tres soldados muertos, los cuerpos tapados casi por entero, dejando asomar tan sólo las botas. Algunos de los heridos se quejaban.

Uno de ellos llamó a Luis. Era casi un niño, una criatura de rostro redondo y moreno, que miraba al sacerdote con los grandes ojos negros muy abiertos, brillantes, excitados.

—¿Qué pasó, chavalo?

—Me dieron en la pierna.

—¿Duele?

—No..., es como si no la sintiera, como si fuera de madera. Padre, ¿usted cree que me dará la gangrena y habrá que cortarla?

—No creo, hijo, no creo.

—El doctor dice que no me moriré. Si me viera mi mamasita linda...

—¿De dónde eres, hijo?

—Soy de Managua, padre. Llevo aquí tres meses, en las milicias.

—Te pondrás bien y podrás ir a Managua.

—El doctor dijo que me curaré, pero yo quiero confesión, padre, quiero estar a bien con Dios.

—Estás a bien con Dios, hijo, no te preocupes pues.

—No, yo le quiero decir mis pecados a usted, padre, y que me dé la absolución.

—No hace falta que me lo digas. —Trazó con el canto de la mano el signo de la cruz ante la mirada del muchacho—. Yo te absuelvo en el nombre del Padre, del Hijo y del Espíritu Santo.

—¿Y no me pondrá penitencia tampoco, padre?

—Ya has tenido toda la penitencia que necesitabas para los pecados de toda tu vida, hijo.

Se levantó. Servando se acercó hasta él.

—Hay otros heridos y muertos más adelante. Yo voy a atenderlos. Confiesa tú a éstos y da la extremaunción a los cadáveres.

Dio la vuelta antes de que Luis acertara a responderle. Precedido de Meden, trepó hacia las trincheras, ganó el borde de la cuesta y se perdió de vista.

Luis dudó unos instantes. Miró a su alrededor. Algunos heridos le contemplaban, quizás esperando que se acercase a ellos. Pero él no estaba allí para eso. ¿Qué podría exigir cualquier dios de aquellos hombres maltrechos y dolientes?

Trepó a su vez la cuesta, poseído de una extraña urgencia cuyo sentido no pretendía desentrañar. Sólo sabía que no deseaba alejarse de Servando, que quería estar próximo al objeto de su odio.

Llegó arriba y le vio, junto a Meden, caminando con el cuerpo inclinado y siguiendo la línea de la trinchera. Estaban unos cincuenta metros más adelante de donde él se encontraba. Echó a andar en pos de los dos hombres, imitando su forma de moverse, hurtando el cuerpo a los ojos de un enemigo invisible.

Los otros dos cruzaban ahora junto a un bosquecillo

de pitayas rodeadas de densos arbustos. Y fue entonces cuando Luis vio el grupo de hombres.

Podían ser cuatro, tal vez cinco. Sus uniformes verdes se confundían con las tonalidades de las hojas de los árboles y los matorrales. Iban armados y, sin duda, habían visto a Servando y Meden, que a paso no muy rápido avanzaban por encima de la trinchera vacía.

Luis se detuvo y ocultó el cuerpo detrás de un montículo de tierra y cascotes. Las figuras de Meden y Servando llegaban a las proximidades del bosquecillo. Él podía gritar ahora, advertirles del peligro, provocar que saltasen al interior de la trinchera antes de que aquellos hombres disparasen sobre ellos. El tiempo se le hizo eterno unos segundos: las dos figuras seguían su marcha y los soldados ocultos entre los árboles no se movían, permanecían agachados, fundidos en el verde de los matorrales. Sólo un grito bastaría, un grito en el silencio absoluto de aquel paisaje apacible.

Pero no abrió los labios. Aún transcurrieron unos pocos e interminables instantes antes de que unas pequeñas pelotitas de humo surgiesen de pronto entre la espesura de los árboles, precediendo al ruido seco de las ráfagas de balas que enviaban los fusiles. Meden cayó de inmediato. Servando tuvo tiempo de girar el cuerpo hacia el bosquecillo. En su mano brilló por un momento el revólver, pero su cuerpo se desplomó al sonido de una nueva ráfaga, antes de que pudiera disparar su arma.

El grupo de hombres se había levantado. Eran cuatro. Retrocedían hacia las arboledas que alfombraban las faldas de las montañas próximas. Luis escuchaba ahora, a sus espaldas, el tableteo de una ametralladora pesada. Pero los fugitivos se perdían ya de vista en el escondrijo natural que ofrecían los bosques.

Aguardó aún unos minutos. Después, alzó con lentitud el cuerpo, abandonó el refugio y echó a andar hacia delante. Su corazón latía poderosamente, como si amenazara con salirse del cuerpo a través de los labios. Le temblaban las manos, pero continuaba andando.

Meden yacía de bruces. Le habían alcanzado en la cabeza y el trozo visible de su rostro aparecía cubierto de sangre.

Un poco a su izquierda estaba Servando: bocarriba, la guayabera teñida de rojo a la altura del pecho. También le sangraba una de las piernas.

Se acercó hasta él. Sus ojos semejaban dos bolas azules de cristal hundidas en las aguas de un estanque. No podía saber si aún vivía, si alcanzaba a verle, a darse cuenta de su presencia. Se agachó a su lado. La mirada de Servando pareció moverse leve, casi imperceptiblemente. Luego se quedó quieta, detenida en lo alto del cielo.

Un grupo de soldados y milicianos se acercaba ahora hacia el lugar viniendo de la misma dirección que había traído Luis.

—¿Qué pasó? —preguntaba alterado un sargento de rostro juvenil.

—No sé..., escuché disparos y vine para acá. Creo que están los dos muertos —respondió Luis.

—Busca al doctor, compa —ordenó el sargento a uno de los soldados.

Un joven miliciano se había agachado junto al cuerpo de Servando y tomado su revólver del suelo. Tendió el arma a Luis:

—¿Era suyo, padre?

—Sí, era suyo. Yo lo guardaré.

Escondió el arma debajo de su guayabera. Nuevos soldados llegaban desde otros lugares del frente. Un grupo de ellos, comandados por un teniente, corrieron hacia los bosques, desplegados en formación de combate. Luis se dio la vuelta y dirigió sus pasos hacia el asentamiento. Sonaban de nuevo las ráfagas de la ametralladora pesada. Pero él no las escuchaba. En sus oídos se había instalado una especie de zumbido, como un clamor monótono que nacía en el interior mismo de su cabeza. No pensaba, no sentía. Y caminaba erguido, sin preocuparse de ocultar el cuerpo a los disparos que podrían venir, de pronto, desde los bosques tenebrosos.

Viento fuerte y húmedo. Soledad, ausencia de voces y de otros ruidos, y de nuevo las gruesas gotas de agua que escapaban del vientre de las nubes bajas y oscuras. Venía el aire en remolinos caprichosos y sacudía las ramas y las hojas de los castaños, los hules, los ficus, los guineos, las palmeras, ahogando con sus golpes otros rumores posibles.

Alrededor, nada vivo que no fueran las plantas que se movían en aquel cementerio de sepulcros construidos con cemento y cruces clavadas sobre los túmulos cubiertos por la yerba... Enfrente, se extendían los valles perfumados, los campos de café, de maíz, de algodón y tabaco; los frutales silvestres, los macizos de flores salvajes, los bosques de ocotes y pitayas que verdeaban en las faldas de los montes. Detrás Jalapa, el poblado hundido en la base de los cerros donde la muerte cobraba su cotidiano impuesto de dolor, donde todos los barrizales del espíritu humano podían tener su pequeño habitáculo. En el centro, el hombre solo y mínimo, un espíritu condenado a cerrar el ciclo de su insignificante biografía, de una vida cegada para la gloria de un destino amable. Y sobre Luis Ribera, la certeza de la tormenta, la marcha lenta de las nubes espesas, semejantes ahora a grandes vasijas por las que se filtraban los ocasionales goterones, vasijas que se romperían de un momento a otro como frágiles bolsas de papel para arrojar sobre la tierra torrentes de agua de lluvia.

Nada en aquel círculo dibujado por la mano de la naturaleza podía escapar a la decisión presentida, al signo que el destino presagiaba. Luis se sentía al límite de su propio hastío, cansado de su existencia. No olvidaba el rostro de aquel muchacho herido en el frente el día que mataron a Servando. ¿Quién podría ser insensible ante tanta sangre, ante tanto dolor? Y él, sin embargo, había pospuesto todo sentimiento humanitario a aquel odio que dominaba su corazón. ¿Quién era él, además, para juzgar el bien y el mal? ¿Qué necia pretensión le había conducido a decidir sobre el error o la justedad de los comportamientos ajenos? ¿Por qué condenar a un hombre que, como Servando, vivía rodeado por el dolor, la muerte y el asesinato?

Toda su vida le parecía un error, una inmensa equivocación que terminaba justamente en una honda sensación de hastío, de cansancio de sí mismo. Recordaba el día siguiente a la muerte de Servando, pero su recuerdo era más una imprecisa sucesión de imágenes, de signos inconcretos, que el exacto recuento de unos hechos cargados de pasión y emotividad.

Los ataúdes de Servando y Meden llevados a hombros de milicianos y soldados, los grupos de campesinos que habían llegado desde los asentamientos próximos y que caminaban en silencio detrás del cortejo fúnebre con pequeños ramos de flores en las manos; los eslóganes lanzados una y otra vez por los grupos de militantes sandinistas. «¡Caídos, hermanos, no os olvidamos!» «¡No pasarán, no pasarán, no pasarán!» «¡Entre cristianismo y revolución, no hay contradicción!» Los cánticos, las lágrimas en algunos rostros desconocidos. Y él mismo, en medio de aquella multitud que le arrastraba sintiéndolo suyo, nominándole heredero de una obra política y religiosa en cuya destrucción él había cumplido una parte decisiva: los abrazos de hombres y mujeres, las palabras de ánimo que depositaban en sus oídos, las banderas rojas y negras que durante una buena parte del recorrido hacia el cementerio marcharon ondeando a su lado, como si en su persona hubiera quedado depositada la llama del heroísmo que aquella multitud clamaba y lloraba a un mismo tiempo. Sus propios pasos de autómata recorriendo las calles de Jalapa como los héroes antiguos, el ramillete de flores que un niño había dejado entre sus dedos.

Y las palabras, las palabras allí mismo en el cementerio en que ahora se encontraba, unas decenas de metros más allá, a la espalda de aquel grupo de chagüites donde reposaban los restos, todavía sin lápida, de Servando y Meden. Las palabras de un miliciano, las palabras del subcomandante sandinista de la región, y el silencio esperando las suyas. Y los pasos que dio hacia delante, la realidad de los ataúdes, la marea de ojos concentrados sobre su propio rostro, su torpeza, sus sentimientos incalificables, su propia vergüenza forzando a sus labios a abrirse y sus palabras definitivas: unos salmos bíblicos que acudieron solos hasta su boca:

—«Ve, Dios mío, mi aflicción y líbrame, puesto que no he olvidado tu ley. Defiende mi causa y protégeme; según tu oráculo, dame vida. Lejos está de los impíos la salvación, porque no buscan tus estatutos. Muchos son mis perseguidores y adversarios, pero no me aparté de tus testimonios. Veo a los traidores y me dan fastidio, porque no guardan tu palabra. Mira cómo amo tus preceptos, oh Dios; dame vida según tu piedad.»

Luego, su propia soledad, la conciencia de no valer nada ante sus propios ojos, la desaparición de cualquier sentimiento de piedad o de ternura hacia sí mismo. ¿Cómo podría, el lunes próximo, enfrentarse de nuevo a todo aquello, cómo presidir, junto a las autoridades llegadas de Managua, junto a los ministros-sacerdotes del gobierno, los solemnes funerales por Servando?

Al menos, aquel apretado grupo de chagüites ocultaba a la vista los túmulos de Servando y de Meden. Ése era el único consuelo en su hora solitaria del cementerio de Jalapa.

Dio un largo trago de cucusa y dejó la botella apoyada contra una de las cruces que coronaban el sepulcro innombrado de los hermanos Núñez. Dejó su cuerpo escurrirse hasta quedar tendido sobre la losa, de cara al cielo. El rumor de un trueno lejano llegó a sus oídos, y como si fuera una señal acordada previamente, la lluvia comenzó a caer con fuerza sobre las montañas y los valles, sobre el cuerpo de Luis, sobre la sepultura, sobre el cementerio... Chocaba el agua contra los cristales de sus gafas y todo era borroso, ignorado, ante sus ojos miopes. Había algo liberador en aquello: se sentía igual a un arbusto o a un árbol desnudo bajo el furor de la naturaleza. El viento parecía haberse detenido, o tal vez era que no podía escucharlo a causa del ruido de la tormenta.

Hundió su mano bajo la guayabera y sacó la pistola. Quitó el seguro a tientas. Nadie, en las proximidades del cementerio, pudo oír el disparo de aquella arma de bajo calibre. Porque el cielo, cumpliendo ignotos compromisos con el imperio de los símbolos, hizo estallar sobre la tierra un clamoroso trueno en ese instante.

# EL AROMA DEL COPAL

MÉXICO
Mirador
Tikal
El Naranjo
Tikal
Libertad
Lacandón
Flores
Lago
Petén Itzá
Usumacinta
BELIZE
Mar
del
Caribe
Poptún
Bahía de Amatique
Salinas
Sarstún
Livingston
Puerto Barrios
SIERRA MADRE
Cobán
San Pedro Carcha
Lago
Izabal
Puerto Santo
Tomás de Castilla
Huehuetenango
Quiriguá
Volcán Tajumulco
Polochic
GUATEMALA
Quetzaltenango
Atitlán
Chiquimula
Coatepeque
Motagua
Mixco
Mazatenango
GUATEMALA
Antigua
Guatemala
Villanueva
HONDURAS
Retalhuleu
Volcán Agua
Champerico
Escuintla
Pueblo Nuevo
Tiquisate
Jutiapa
Puerto San José
Océano Pacífico
Norte
EL SALVADOR

El trópico es el sexo de la tierra.

Miguel Ángel Asturias

# PRIMERA PARTE

## 1

Le costaba trabajo precisar la continuidad de los paisajes y alcanzar a asimilarlos en su magnificencia. Apenas cincuenta minutos de vuelo bastaban para cambiar la fisonomía del mundo. Se daba cuenta de que la conciencia camina mucho más lenta que los cuerpos. Y que el tiempo, a la postre, no pasa de ser otra cosa que un testigo mudo y frío de nuestro dislocado corazón. La vida es siempre una sorpresa loca para la torpe sensibilidad de los hombres.

El viento que azotaba la pista y los hangares del aeropuerto de Ciudad de Guatemala, a media tarde, llegaba desde las serranías próximas, del otro lado de los volcanes, y era seco y algo frío. Sobre la ciudad, el cielo se tendía como un mar en calma al que hubieran dado la vuelta. Pudiera ser que el mundo estuviera aquel día bocabajo, pensó Manuel Márquez. Pero apenas le quedó un instante para reflexionar mientras contemplaba aquel paisaje que ahora se le antojaba irreal. Un empleado de la compañía aérea le tomaba con suavidad del brazo y le empujaba hacia el viejo bimotor de hélice que lo mismo se utilizaba un día para transportar carga hacia la costa oriental como, al siguiente, un puñado de pasajeros rumbo al norte. Ése era hoy su viaje: El Petén, las selvas septentrionales del país, el norte casi salvaje e inexplorado.

Subió la escalerilla y le pareció que ya flotaba en el aire, que hubiera despegado de la tierra sin necesidad de alas ni motores. Tal era la irrealidad que le atenazaba. En definitiva, no había tenido demasiado tiempo para hacer comprensible cuanto sucedía a su alrededor. Apenas llevaba cuatro días en la ciudad y de nuevo ascendía a la cabina de un avión para cambiar de mundo. Su conciencia estaba todavía muy atrás, tal vez una semana a sus espaldas, aún en España. Y el tiempo parecía no existir ni haber corrido desde entonces un solo minuto.

Calor agobiante en aquel departamento con plazas para una veintena de pasajeros. Y la mitad de los asientos, vacíos. Se esforzó en dar vueltas al tubo de ventilación, de un lado a otro, y tan sólo logró aumentar sus sensaciones de incomodidad. Optó por quedarse inmóvil. Las dos azafatas recorrían el pasillo comprobando si todos los cinturones del pasaje permanecían abrochados. Respondió a sus sonrisas corteses. Y le dejó algo perplejo ver que ambas portaban, sobre la fila de los dientes superiores, finos alambres de plata para enderezar sus disparatadas dentaduras. Pensó que podrían ser hermanas. O que tal vez las prótesis de plata eran parte del uniforme de las aeromozas de aquella compañía.

Tras la galopada sobre la pista, que el avión recorrió como un caballo encabritado, la ciudad, trazada a cordel, comenzó a convertirse, allá abajo, en algo semejante a una maqueta de un estudio de arquitectura. Pero esa primera impresión se deshizo cuando aparecieron, al otro lado de la ventanilla, las montañas pardas, seguras y poderosas, que parecían amenazar los frágiles y pequeños edificios de la urbe. Luego, asomaron los tres volcanes en el sudoeste: coronado uno, el del Fuego, por un delgado penacho de humo; rodeado el otro, el del Agua, por un cinturón de neblina, como si la cima flotara sobre la bruma, como si fuera el pináculo de un helado de chocolate que navegaba sobre un mar de plata; y el último, el Pacaya, inmóvil y desnudo, más pequeño que los otros, desterrado hacia el sur por sus dos vigorosos hermanos.

El aeroplano hizo un giro en el aire y enfiló hacia el norte. Abajo se abrieron las profundas y anchas barrancadas. Sobrecogía su hondura en mayor medida que la violencia rotunda de los volcanes. Manuel pensó que los hombres tenemos un miedo mayor a lo que la tierra esconde que a lo que muestra el aire. Aquellas vehementes hondonadas parecían un recordatorio para la gratuidad de la vida, conferían la impresión de que, en cualquier momento, podrían tragarse la tierra entera y una buena parte del cielo.

Unos minutos más tarde volaban ya rectos hacia el norte. Las montañas crecían en el horizonte, semejantes a una escalera de piedra, y se iban difuminando en la niebla. El avión debía elevarse más y más, como si trepase cansino sobre los peldaños rugosos de las sierras. Las primeras nubes, escasas todavía, ponían manchones de sombra encima de la tierra asolada por el verano.

Luego las nubes se apretaron entre sí, formaron un denso murallón. Pero el avión penetró y profanó sin esfuerzo su carne frágil. A veces, se abrían y mostraban un pedazo de tierra: nuevos volcanes, sierras puntiagudas, valles acuchillados por la plata de los ríos, páramos azotados por los vientos. El banco de nubes, un poco después, comenzó a desgarrarse. Parecía ahora una humareda, el preámbulo de un enorme fuego.

Las nubes se retiraron más tarde del espacio y altas montañas calvas mostraron su fisonomía de derrota: pliegues de la tierra que podían haber sido arrugados, como un papel, por la mano de los antiguos dioses. Y más abajo, un valle donde el amarillo pálido de los caminos hería el pecho de la tierra agotada por el sol.

Crecían aquellas montañas con la fuerza de la desesperanza. Y luego, de súbito, su poder se desmoronaba, caía con violencia sobre la falda norte de la sierra, casi con la brusca inclinación de los acantilados. Desde arriba, desde el avión, era difícil calcular aquel salto hasta el abismo de la tierra, hasta el nivel del mar: tal vez mil o quién sabe si hasta dos mil metros de pendiente. Y abajo, enredándose como una hembra ardorosa a las caderas de los montes, estaba ella, la selva.

La vio por vez primera así, lamiendo la base del altiplano, con hambre de trepar hacia las llanuras altas. Pero la conciencia de Manuel no alcanzó a comprender todavía lo que aquel salto en la geografía significaba para su corazón y su conciencia. Era en ese instante un ser embotado, sin sentido del tiempo y las distancias. El aire, no obstante, salía ahora distinto desde los tubos de plástico de la ventilación: era de una densidad cálida y parecía querer agarrarse a la piel; era obsceno, pegajoso, y dejaba sobre los cristales de la ventanilla una delgada película de humedad opaca.

Bajaba el avión hasta casi acariciar las copas de la espesura. Los árboles se apretaban entre sí, como si buscasen con esfuerzo la forma de sacar su cabeza al aire libre, por encima de los otros competidores, en un empeño desesperado por respirar de una atmósfera distinta y escapar al agobio que los aprisionaba.

Manuel vio luego pequeñas lagunas en las anchas praderas deforestadas por el hombre. También apareció ganado y las primeras casuchas de techo de palma, entre las que gritaba el brillo de algún tejado de metal pintado en colores insólitos: morado, naranja, azul, rojo... Y mientras el avión se echaba sobre una de sus alas para componer el largo escorzo que precede al aterrizaje, Manuel sintió que la selva podía ser algo así como un animal caliente que penetraba en su piel, que le mojaba y le hacía sudar y sudar conforme aumentaba la potencia de los ventiladores. Algo vivo parecía estar entrando en su cuerpo, un ser desconocido e inaprehensible que intentaba poseerle.

El suelo despedía un ardoroso calor cuando recorrió la pista del aeropuerto de Ciudad de Flores, capital del Petén, hacia el edificio terminal. Desde el oriente se movía una gran masa de nubes oscuras en dirección suya. La mole galopaba sobre el cielo en pos del sol que corría a ocultarse por el lado contrario, buscando tal vez el cobijo del horizonte contra la inminente lluvia.

El resto de los pasajeros y la tripulación se esfumaron en breves minutos de la ancha y desangelada sala de aquel edificio terminal. Nadie le esperaba, aunque alguien tendría que haber venido a recibirle. Se sentó en el extremo de un banco de madera, frente a la puerta que daba a la carretera. Un indio barría con indolencia las colillas de la tarde. Un guardia, que exhibía en la cintura una ancha canana repleta de balas y la culata de un revólver de buen calibre asomando de la cartuchera, leía el periódico apoyado en un mostrador cercano a la puerta. Ninguno de los dos le dedicó una simple mirada. Manuel pensó que él mismo, tal vez, no era otra cosa que un ser fantasmagórico, o que cuanto le rodeaba no era más que un sueño.

La lluvia comenzó a golpear contra el tejado de metal. Primero fue apenas el ruido de unos dedos incapaces de encontrar el ritmo de una melodía. Luego, el sonido se hizo uniforme y bronco. El cielo se oscureció al tiempo y apenas podía distinguirse ya nada a través de las ventanas y la puerta que daban a la carretera. El agua caía en grandes cortinajes y el cielo era una sombra.

Transcurrieron así veinte o treinta minutos y, luego, cuando la tormenta amainó, pareció que las nubes querían retirarse para dejar al sol gozar de los últimos minutos de su reinado, antes de que interrumpiese con violencia la súbita noche tropical. Manuel se levantó y se acercó a una de las ventanas: a través del cristal, veía las últimas gotas de la lluvia morir sobre los charcos. Y sin embargo no parecían gotas, sino pedazos de luz mustia que se desprendían de un cielo fatigado y venían a estrellarse contra la superficie plateada de los espejos que cubrían el suelo.

Cuando las nubes retiraron al fin su velo, pudo ver los pechos húmedos de unos cerros cercanos. Fue una visión fugaz. Enseguida, la luz comenzó a agonizar y unos minutos más tarde se hizo la noche. Media docena de bombillas se encendieron entonces en el interior del edificio. El indio continuaba barriendo un polvo tal vez inexistente y el guardia seguía enfrascado en la lectura del periódico.

No sabía bien qué hacer, pero pensaba que debía aguardar allí, que alguien al fin habría de llegar a recogerlo. Eso es lo que le habían dicho en la capital. Caminó hacia el fondo de la sala y se entretuvo contemplando las estanterías donde se guardaban artículos de artesanía para los escasos turistas que llegaban a Flores camino de las ruinas mayas de Tikal. Había un gran mapa del Petén, enmarcado y protegido por un sucio cristal, clavado en una de las paredes: no llegaban a una veintena los establecimientos humanos que la carta señalaba en aquella inmensa extensión de bosques vírgenes. Su camino iba hacia el noroeste, en dirección a la frontera de México, hacia las zonas más deshabitadas, el dominio de la selva y la guerrilla. ¿Y por qué demonios había ido él allí?, se preguntó ahora.

Regresaba a su asiento cuando le vio. Era un tipo delgado, de mediana estatura, que vestía unos desgastados pantalones de tela de lona verde y un ligero niqui de color azul pálido, sucio de grasa o de sudor a la altura del pecho. Se cubría con una gorra de béisbol rotulada por el anuncio de la Pepsi-Cola. El pelo que salía a los lados de la gorra era negro, fino y lacio. Su rostro, largo y afilado, sólo mostraba la sombra de un bigote escaso y una barba imposible que formaban varias decenas de pelillos. La tez mestiza brillaba en un difuso tono café. Era la suya una piel infantil, que a Manuel le hizo pensar en un hombre de unos treinta y tantos años. Más tarde sabría que Efrén había cumplido ya los cincuenta. Sus ojos eran negros y pequeños.

—Usted debe de ser el licenciado Manuel Márquez —le dijo mientras le tendía la mano y apenas hacía fuerza al estrecharla—. Efrén Rodríguez, don, para servirle. Disculpe que me retardara, pero la lluvia pone infames los caminos. Deje que hale su valija.

—No hace falta, yo la llevo.

—No tenga pena, don, estoy aquí para servirle.

Le arrebató la maleta de las manos de un vigoroso tirón y echó a andar a buen paso hacia la calle. Mientras subían al vehículo, Manuel reparó que las luces del edificio se apagaban y salían el indio y el guardia. Este último cerró la puerta con llave.

## 2

Había cesado de llover. Pero allá en Flores la noche era oscura, sin luna, y nubes invisibles, recién llegadas, cubrían el brillo de las estrellas. Cenaban casi en silencio. Efrén apenas respondía con monosílabos a las preguntas de Manuel y éste comenzaba a notar en el mestizo una actitud en la que se mezclaban el desinterés y la cortesía. Tenía a veces la impresión de que Efrén le miraba sin escucharle, como si nada de cuanto él le dijera pudiese despertar su curiosidad.

—¿Es usted de aquí, del Petén? —preguntó.

—Como sí, don, mero petenero.

—Me han dicho que es una hermosa tierra.

—Bien, sí. Pero dura.

Eran los únicos clientes, vigilados tan sólo por la mirada quieta de la vieja mujer india. Vestía ella por camisola un «huipil» bordado en colores puros, llamativos, que representaban flores y formas abstractas. La larga melena oscura, casi de ébano, se ocultaba tras su nuca en una coleta cuidadosamente trenzada.

—¿Qué es, Efrén, una quiché?

El mestizo miró hacia la mujer con un gesto de indiferencia.

—No; es ketchí, don.

—¿Y conservan sus ritos, sus costumbres y sus vestidos?

—Ellas sí, ellas llevan los «huipiles». Ya lo vio, don. Pero al Petén viene uno a morirse, a que se lo lleve la gran diabla. El pasado se olvida de enseguida. Ellos, los indios, también acaban olvidando.

—¿Cómo es eso, amigo?

—Tierra dura, don, tierra dura.

Miró alrededor mientras mordisqueaba el pedazo de pollo algo seco. La luz llegaba escasa desde las dos lámparas de gasóleo. No obstante, aquella sala de paredes desconchadas, de techos húmedos donde colgaban animales disecados cuyas pieles parecían pudrirse, y una variopinta sucesión de carteles y cuadros clavados aquí y allá como elementos decorativos, tenía pretensiones. A comenzar por el nombre: «Comedor del Confort y el Paraíso.» Había, en lugar destacado, un largo afiche, forrado de plástico transparente, donde una actriz de Hollywood aparecía tendida sobre el suelo, desnuda, su cuerpo rodeado por una gran serpiente que tapaba sus pechos y su vientre y acercaba la lengua inquietante hasta sus labios. Un poco más allá, en la misma pared, dos grandes pieles de jaguar mostraban sus bordes carcomidos por el tiempo como resultado de un mal trabajo de curtiduría.

—¿Quedan jaguares por aquí, Efrén? —preguntó por decir algo.

—Hay, don, hay tigre.

—¿Se ven a menudo?

—Verá cuantos quiera, don.

—Pero no atacan, ¿no?

—Menos que los hombres.

Empezaba a fastidiarle la actitud de Efrén. Incluso creía notar un cierto desdén en su mirada. Pensó que dejaría de hablarle, y que mantendría hacia él una posición de indiferencia todo el tiempo que les quedaba de estar a solas, en tanto llegaran al campamento de la selva. Se echó hacia atrás en el asiento, se recostó en el respaldo de la silla y movió sus ojos de un lado a otro de las paredes: de las pieles de jaguar a la actriz, del cocodrilo disecado al póster de anuncio de los Marlboro, del águila chafada sobre un panel de madera, como si fuera un escudo de armas, al cartel donde brillaban las montañas nevadas de los Alpes.

Pero Efrén habló entonces. Y al mirarle, Manuel vio en su rostro un gesto diferente: sonreía y había algo de servil, o puede que de protector, en sus ojos.

—¿Y por qué no fue directo en el avión de Guate al campamento, don?; le habría sido más cómodo.

—¿Le he obligado a viajar hasta aquí sólo para recogerme, Efrén?

—No, don, yo vengo todas las semanas al menos una vez. Hay que recoger valijas en el avión, y comprar unas cuantas mercaderías en Flores que no se pueden lograr allá. No tenga pena, no tuve que viajar por vos. Sólo que se me hacía extraño que no hubiera ido allá directo.

—Quería llegar cuanto antes. Y allí, al campamento, la Compañía sólo envía un vuelo a la semana, ¿no?

—Correcto, don. Pero ¿por qué la prisa?

—Quería estar en el campamento cuanto antes, ya le digo.

—Ya estoy claro, don. Usted escapa de algo, pues.

Se quedó callado por un instante. ¿Había burla en la mirada del otro? El mestizo parecía, no obstante, esperar su respuesta con un gesto de ingenuidad. Le contemplaba inexpresivo, sin asomo de malicia.

—No es eso... ¿Y usted, trabaja en la Compañía como chófer?

—De todo hago, don. La gran diabla me ha llevado estos años del derecho y del revés. Sé pilotar carros, pero también fui marinero. Hago mandados, sobre todo... Hoy le sirvo a vos de chófer, don, y mañana me quiebro a tiros un venado en la selva para cambiar el menú del campamento. De todo hago, don, de todo, primero Dios, y mientras tenga vida.

Efrén concluyó la frase y su actitud cambió en ese instante. De inmediato se recostó en la silla y su mirada se tornó de nuevo indiferente. Vino la india desde el mostrador y dejó un pedazo de papel sobre la mesa: un número tan sólo. Manuel echó la mano al bolsillo, contó unos billetes y los depositó después al lado de su plato. Algo le decía que era indicado retirarse. También la selva parecía tener su protocolo.

La humedad había descendido de repente sobre su piel. En calzoncillos, lejos de sí la sábana y la colcha, sudaba. Había optado por no moverse y, a ratos, tenía la sensación de que la película de líquido que empapaba su cuerpo se tornaba fría. Sin embargo, bajo la barbilla, el calor parecía concentrarse, como si una agobiadora bufanda invisible le rodease el cuello.

En aquel cuartucho interior de la pensión de Flores no escuchaba otro sonido que la respiración silbante de Efrén, dormido en la cama vecina. No había una sola gota de luz que llegase desde las rendijas del ventanuco o de la puerta. Era la negrura total, el vacío de cualquier punto visual de referencia.

Dejaba a sus pensamientos vagar a su antojo. Incluso daba vía libre a sus emociones. Durante un largo rato le habían invadido extrañas sensaciones de temor, y en lugar de alejarlas de su mente, como otras veces hacía, las había permitido desarrollarse y crecer, hasta descubrir su origen: era miedo al futuro, que ahora se le presentaba de súbito demasiado denso, en exceso repleto de seres nuevos, de paisajes ignorados, de relaciones que no podría calcular. Él había elegido venir. Pero en la soledad oscura de aquel cuarto sentía cansancio ante todo cuanto le aguardaba, y desde ese cansancio hondo nacía algo parecido al temor.

No escapaba de algo, como Efrén había dicho durante la cena. Aunque ahora debía reconocer que, en efecto, se había llegado a preguntar si ciertamente huía. Podría decir tal vez que iba en busca de algo. Pero ¿no se escapa de algo que se conoce cuando se persigue lo que se ignora? Y después de todo, ¿qué era lo que esperaba encontrar?

Si acaso, quería hallar aquello que ahora le producía un cierto temor: lo desconocido, y esa presencia de algo sensual alrededor suyo, que se manifestaba en lengüetazos de humedad sobre su carne. Esa inapreciable densidad de la atmósfera del trópico, ese agobio que embotaba levemente sus sentidos y le impedía respirar sin percibir al tiempo una sutil impresión de ahogo.

Los sentidos... Durante tantos años había confiado la vida a la reflexión, al orden frío, al cálculo, a lo conocido... ¿Y para qué al fin? Su equipaje lo constituían un matrimonio fracasado, un hijo que murió antes de aprender a pronunciar su nombre, una brillante carrera de geólogo que le valió poder estudiar, becado, dos años en Berkeley; una cuenta de varios ceros en su banco, un prestigio. Y ahora, la aceptación de aquel trabajo que su familia y sus amigos consideraban absurdo, muy por debajo de las posibilidades que le abría su bien ganada fama de profesional de elite: hundirse en la selva del norte de Guatemala para encontrar el petróleo que la Texoil buscaba desde años atrás sin un exceso de fortuna. Era un buen sueldo, desde luego. Pero ¿no podía haber ganado una cifra parecida en un despacho de Madrid o de Los Ángeles, o de París o de Zurich, sin necesidad de tener que caminar por senderos de selva virgen, rodeado de malaria y de mosquitos, viviendo en un campamento carente de comodidades, lejos de su mundo y lejos de la vida que a un talento como el suyo le correspondía?

No supo explicarlo a nadie. O puede que no se sintiera con ganas de hacerlo. Quizá ni él mismo sabía muy bien por qué. Los sentidos, primero; volver a recuperar sensaciones que había intuido en su adolescencia: el olor de la tierra, la visión de una montaña hundida entre la bruma, el sabor de sus propios labios en la primavera, un viento que pudiera entrar en sus pensamientos, un cielo gobernado por la luna y calcinado por el sol. Cosas así. Y tal vez le expulsaba también el aburrimiento, la esperanza de encontrar algo distinto, más vivo, más animal, más sorprendente.

Aburrimiento no era sin embargo la palabra exacta. Era algo más dañino, una manifestación agobiante de la angustia, un sentimiento de urgencia que le hacía contemplar su vida como un compartimiento cerrado y sin aire. Percibía que debía escapar de todo aquello. Y cuando asumió sin esfuerzo su condición de desarraigado, aún se preguntó si merecería la pena viajar lejos de Madrid en busca de un lugar que pudiese identificar como una patria.

Pero lo había hecho y era estúpido dejar ahora florecer sensaciones de temor. Ya estaba allí, cerca del lugar elegido al azar, en el paisaje determinado por la casualidad. Y no había ninguna razón poderosa, salvo su propia debilidad, que le impulsara al arrepentimiento. Allá, al otro lado del océano, a sus espaldas, no había dejado amor, nada que realmente desease recuperar ahora.

Los últimos meses antes de irse, se preguntaba en ocasiones si incluso su propia fisonomía no habría cambiado: sus manos, sus gestos, su mirada..., si él ya no era el mismo que había sido antes, si no era un extraño para los que le conocían e incluso ante él cuando se contemplaba en el espejo.

Todo este proceso le había hecho ir apartándose de todos: de sus parientes, de sus amigos. Y la separación se produjo sin dolor, en forma natural. No sentía nostalgia de nadie. Todos los rostros del pasado se le presentaban en la memoria como un desfile de seres fantasmales, como figuras frías y sin vida.

Se había ido porque deseaba encontrar otra patria y otros seres, nuevos amigos, hombres y mujeres desconocidos a quienes poder amar. E intuía que, en ese proceso, debería enfrentarse a su propia soledad y a un extraño vacío de sí mismo; adivinaba, además, que las razones para vivir serían otras y que tendría que crearse una nueva forma de ver y de estar en el mundo.

Bien: podría decirse que huía, o podría decirse que buscaba. Pero en ese instante percibía en su interior un cierto cansancio que le hacía preguntarse si no se habría equivocado.

Quedó dormido de súbito, como si una cortina de plomo cayera sobre sus pensamientos y su cuerpo en una fracción escasa de segundo. Le despertó la luz de una vela varias horas más tarde. Seguía todo en penumbra alrededor de la llama. Pero Efrén le esperaba ya vestido.

—Don, son las cinco y media. Hay que hacer unos mandados y tomar la carretera con premura para que el calor no apriete.

Polvo y sol. Ni rastro de nubes en un cielo cubierto por un halo pálido y amarillo. Calor sin viento, sin esperanza de un golpe de lluvia o del juego del aire. ¿Para qué la selva que, al otro lado del lago, parecía ofrecer promesas de humedad? Polvo irremisible, polvo brotando de las calles de tierra que surcaban autobuses atestados y vehículos todoterreno, polvo en las ropas de los transeúntes y en los párpados de las ventanas. Una corona de polvo sobre las aguas azules y transparentes del Petén Itzá, el gran lago que iba creciendo metro a metro con el paso de los años y derrumbaba los cimientos de los edificios que algunos levantaron con audacia en sus orillas. El resplandor del polvo sobre las casas bajas de una ciudad que parecía estar naciendo en ese preciso instante, que parecía recién creada, que parecía albergar la urgencia de un tropel de seres apresurados en busca de su nueva vivienda, del negocio en que habrían de ocuparse los próximos veinte años, o del autobús que, de una vez por todas, les llevaría lejos, tras haber pasado unos meses en la ciudad que nacía, conscientes de su error por haberse trasladado hasta allí, aliviados por su regreso al lugar que los vio crecer y donde todo el mundo les reconocería.

¿No podría él mismo subir a uno de aquellos destartalados y repletos carricoches y retornar, después, a través del mar, al lugar que tal vez nunca debió abandonar? Desechó los temores que otra vez le asaltaban.

Estaba en la calle, a la puerta del colmado donde Efrén realizaba las últimas compras, bajo el sol que ya comenzaba a enviar su abrasador incendio sobre la tierra. Una mestiza de anchas caderas y piel aceitunada le había sonreído. Un tipo tocado de sombrero de pita, calzado con botas vaqueras puntiagudas y de alto tacón, había clavado sus ojos de borracho en él, sin reparo y puede que con ganas de pelea. Pasó un jeep cargado de soldados, y varios autobuses que lucían encima del parabrisas insólitas leyendas: «Dios es mi guía», «Mi camino lleva al cielo», «Morir es ser eterno».

¿Dónde estaba? ¿Y por qué no regresar al aeropuerto, volar a Ciudad de Guatemala, esperar allí al primer avión que le llevara de vuelta a Madrid, abrir la puerta de un despacho y preguntar con indiferencia a la secretaria quién le había llamado y cuáles eran las comidas de la semana?

Pero miró la cabellera prieta de la selva, al otro lado de las aguas del Petén Itzá. Le llamaba todavía, aunque sin voces, aquella tímida línea de verdor. Y sus sentidos respondían a la tenue convocatoria.

Efrén cargaba de sacos y bidones de agua la caja del todoterreno.

—Suba ya, don. Estoy listo al minuto.

Miró su reloj. Eran las siete y el sol parecía ya un viejo hermano de la mañana. Trepó hasta el alto asiento. Efrén tardó todavía un poco. Cuando al fin saltó a su lado, vio que se tapaba los ojos con unas gafas de sol de cristales oscuros. Zumbó el motor.

—Ese sombrero de allá atrás es suyo, don.

Tomó la prenda. Era de pita, con la copa sembrada de agujeros regulares. Le caía algo grande.

—Si le está sobrado, podrá comprar otro en El Naranjo. Pero le vendrá bien para el viaje, don. El sol es mal enemigo y hoy aprieta de firme.

El vehículo recorría ya las calles de la ciudad, entre las polvaredas levantadas por los vehículos que le precedían y los que cruzaban en dirección contraria. Efrén hacía sonar su claxon de cuando en cuando, y saludaba por su nombre a otros conductores y a transeúntes que caminaban apretándose a la sombra de las casas, en la calle sin aceras ni empedrado.

—¿Cuántos kilómetros hay de aquí al campamento? —preguntó Manuel.

—Unos ciento setenta, don.

—Un par de horas, ¿no?

—Eso era antes, cuando hicieron la carretera. Ahora, por lo menos cinco. Pero tenemos algunas paraditas, don. No tenga pena, se le hará corto.

—¿Hay guerrilla?

—Como sí, don.

—¿Y es peligroso?

—No, don, no. Sólo paran y dan mitin. Peor son los soldados. Están nerviosos y se les va el tiro rápido. Guarde usted los dólares, si es que los lleva, en el calcetín. Y déjeme hablar a mí si alguien nos detiene. Los chapines nos entendemos bien entre nosotros. No tenga pena, pero guarde los dólares en el calcetín.

—Si le cansa conducir, yo puedo relevarle.

—No hay apuro con eso, don. Es mero mi trabajo. Usted sólo descanse. ¿Vio esa patoja...? La que entra en la pulpería, sí. Buenas nalgas, buenas chiches... Y juguetona ella. Hembras así no sobran nunca.

—No la vi.

—Pura patoja, don. De las que le harían a uno gastar todo el pisto de un año para lograrlas.

## 3

Los primeros kilómetros, hasta alcanzar la pequeña ciudad de Libertad, transcurrían junto a largas extensiones de tierra sin arbolado cubiertas por gruesa yerba. El cielo se azulaba en la altura, rota su uniformidad tan sólo por ocasionales nubes que parecían no moverse ni cambiar en su forma. Numerosas cabezas de ganado de raza bramán, chepudas y de largos cuernos vueltos hacia atrás, vagaban libres en los vastos potreros. Las garzas blancas menudeaban entre las manadas mientras que en la lejanía celeste del espacio podía distinguirse el planeo de algún que otro zopilote.

Se detuvieron unos minutos en Libertad, el tiempo justo para que Efrén recogiera unos paquetes de cartas en el edificio de madera, húmedo y oscuro, de la oficina de correos. A partir de Libertad, la carretera se estrechaba, se multiplicaba el número de baches, a veces casi verdaderas hondonadas que obligaban a poner la tracción doble del todoterreno. Las poblaciones comenzaban a escasear; apenas se veían ahora construcciones de cemento o de madera, y sí cabañas de paredes levantadas con troncos de escobo y techos de hojas de guano, dos especies de árbol de la familia de la palma. Formaban pequeñas comunidades, en su mayoría sin nombre, que se denominaban por el número de kilómetro que ocupaban entre Flores y El Naranjo. Ya casi no se veía ganado, y sí cerdos, pavos y gallinas en los corrales vecinos de las chozas. Las mujeres indias se afanaban en los lavaderos comunitarios, donde el agua corría sólo unas cuantas horas al día, y algunas de ellas mostraban sus pechos desnudos sin apariencia de pudor. Eran hembras pequeñas, de piel tostada y cabellos largos y lacios, miradas inexpresivas, puntiagudos pezones coronando los menudos senos.

Ocasionalmente, encontraban grupos de campesinos en recodos y curvas del camino que hacían gestos hacia ellos solicitando transporte. Pero Efrén pasaba a su lado sin detenerse.

—Acá todo el mundo pide jalón, no hay casi otro medio de viajar, don. Pero la Compañía nos tiene prohibido dar jalón a nadie. Si luego pasa algo, la gente pide que se le pague la responsabilidad. Da apuro no llevarlos, pero así es la vida. Hace poco se cayó un campesino de uno de nuestros carros y se quebró. La familia quiere sacar la sangre a la Compañía. No puede ser, es la ignorancia. El campesino se tiró del carro cuando pasaba frente a su ranchito, porque no sabía cómo decir al chófer que se parara. Así es, don. Se partió la cabeza con una piedra. Y eso va a costarle pisto a la Compañía, buen pisto.

Efrén maniobraba con habilidad el vehículo sobre el camino polvoriento. Hablaba a rachas, y a veces respondía a las observaciones de Manuel con monosílabos tan sólo. Pero otras, se arrancaba en un largo parlamento a propósito de cualquier cuestión gratuita.

—Llegamos donde la tropa, don. Prepare los papeles y bájase tranquilo del carro.

Media docena de soldados, uniformados con traje de camuflaje, rodearon el todoterreno. Más allá de la garita, tras de la alambrada, se tendía hacia el ancho lago de San Diego la explanada del campamento militar. Los soldados, casi todavía niños, mantenían montado y sujeto a la cintura su fusil automático «galil».

El sargento revisó con detenimiento el pasaporte de Manuel y los papeles que le acreditaban como empleado de la Texoil. Era de raza indígena, mayor en edad que el resto de la tropa que les rodeaba.

—¿Adónde van? —preguntó el suboficial.

—Al Naranjo, mi sargento —respondió Efrén—. Como verá, trabajamos para el petróleo.

—¿Les pararon los terroristas de camino?

—No, señor. ¿Hay movimiento?

—Miré vos, yo soy el de las preguntas. Callado si no pregunto.

—Sí, mi sargento, a la orden.

Volvió a revisar los papeles y documentos. Luego, anotó en un cuaderno sus nombres y la hora de paso.

—Ta bueno, sigan —dijo al cabo de un rato, mientras les devolvía los documentos.

—Gracias, mi sargento. Siempre a la orden —concluyó Efrén.

Se alejaron despacio en el vehículo. Manuel miró hacia atrás y contempló durante un rato cómo las figuras de los soldados se iban empequeñeciendo entre la polvareda que el todoterreno dejaba a sus espaldas.

—¿Lo vio, don? Están nerviosos.

—No parecen educados en la amabilidad.

—El sargento era un kaibil.

—¿Un kaibil?

—¿No oyó hablar de ellos, don? Ya es extraño. Son soldados especiales, tienen un entrenamiento muy bárbaro. Muchos mueren en el curso de kaibil, dicen que el veinte o el veinticinco por ciento. Y la mayoría no pueden acabarlo, de mero duro que es. Aprenden a matar animales con las manos y a comerse las vísceras, y los gatos, las gallinas... Hay quien dice que, a veces, se han comido el corazón y los riñones de guerrilleros presos. Pueden ser leyendas, pero cuando uno conoce un poco a un kaibil, no se extraña de que pueda comer hombre. Tienen bien lavado el cerebro. Por ahí cuentan que un teniente kaibil hizo a la tropa comerse un guerrillero apresado, hasta que se murió. Empezó él mismo con un pedazo de nalga. Y la tropa lo acabó después. Eso dicen, don, aunque yo nunca le pregunté a un kaibil si era cierto.

Dos o tres kilómetros más adelante, un grueso tronco de árbol y una fila de grandes piedras cortaban la mitad de la carretera. Efrén eludió el obstáculo con pericia, sacando la mitad del automóvil fuera de la pista.

—Aquí anduvo la guerrilla hace rato, don. Se ve que cortaron el camino para detener algún autobús de viajeros y dar mitin.

—¿Sólo hablan a la gente?

—Y bien que lo hacen. Saben expresarse, puros oradores, don. Uno los oye y casi que le convencen.

—¿Y cree que nos detendrán a nosotros?

Efrén volvió un instante el rostro. Pareció sonreír levemente.

—¿Quién puede saberlo, don? Si tuvieran horario, ya los hubiera fregado la tropa. Ellos son como el chile: pican primero por delante y luego por detrás.

Manuel se sintió estúpido. Y guardó silencio.

Las anchas praderas habían desaparecido, y con ellas cualquier rastro de ganado. En su lugar, una densa arboleda cubría los márgenes de la estrecha carretera, cuya línea amarilla parecía brillar entre el monótono verdor. No obstante, todavía los cultivos humanos rompían en ocasiones la foresta y abrían espacios de claridad en las frijoleras, en las milpas donde las mazorcas asomaban ya sus penachos sobre la alta caña, en los campos de bananos. A veces, cuando atravesaban junto a terrenos de baja montaña, apretados arbustos de largas hojas cubrían por completo la tierra, al pie de los árboles.

—Es cardamomo, don —dijo Efrén, que pareció haber adivinado sus pensamientos—. Acá se cultiva mucho, vale buen pisto. Ya sabe que se compra para la industria de la perfumería y es bueno masticarlo cuando se ha bebido mucho guaro. Quita el mal aliento, es la fruta del borracho. Sólo tiene una cosa mala: que a la serpiente barba amarilla le gusta tomar la sombra debajo.

—¿Es una especie venenosa?

—La pior de todas, don. Primero Dios, no se encuentre con una por ahí dentro.

—En todo hay sus peligros, Efrén. Pero el suyo es un país muy hermoso.

—No se fíe, don. Es sólo un lindo infierno.

Algo cambió de pronto en el ambiente. Manuel percibió que entraba en el vehículo un olor dulzón, un aroma de polen húmedo y pegajoso. Parecía que el aire se espesara y que a sus pulmones les costase mayor trabajo respirar que minutos antes. Al tiempo, todo rastro de cultivo y de presencia humana habían desaparecido y los árboles eran mucho más altos, se apretaban entre sí a los bordes de la carretera, como si esperasen una señal convenida para invadirla. Por primera vez, las ceibas, los jícaros, los cenízaros y los bejucos que enredaban su músculo alrededor de los troncos, le parecían dotados de una vida inteligente. Pero era sobre todo aquel aroma dulce, que podía recordar lejanamente al de los excrementos del ganado o tal vez a un viento que arrebatase un olor de miel de las colmenas, lo que acariciaba sus sentidos y levantaba en él oleadas de sensaciones desconocidas.

—¿Es esto selva virgen, Efrén?

—Bien, don, la mera selva.

—¿No huele distinto?

—Como sí, don, a mera selva.

Una hora más tarde, después de atravesar un largo cañón cubierto de maleza y arboleda, llegaron a un calvero que se abría al lado de la carretera. Salía humo de una de las cuatro chozas levantadas sobre horcones de madera, sin paredes, y cubiertas por techado inclinado de guano, en forma parecida a la de primitivas tiendas de campaña.

—Aquí paramos un momentito, don. Un par de recados y a seguir camino. Esto es un jato, un campamento de xateros.

Manuel iba a preguntar el significado de la palabra, pero ya Efrén había echado el vehículo hacia el lado y lo detenía cerca de las chozas. Un par de pequeños cerdos negros huyeron asustados hacia la línea de matorrales del final del calvero y un zopilote, que esperaba paciente en las ramas de un alto cedro, levantó vuelo y quedó planeando sobre el campamento.

El espacio de aquel claro en la selva no ocuparía más allá de trescientos metros cuadrados. Varias personas, en su mayoría hombres, se afanaban en diversas tareas bajo los techados de palma de las chozas. Algunas gallinas picoteaban el suelo ennegrecido de la explanada y tres perros famélicos de incalificable raza olisqueaban entre bidones de agua y sacos apilados, por cuyas bocas asomaban montones de hojas ordenadas con cuidado y todavía verdes. Había numerosos huesos en el suelo sucio del campamento y, en una choza, Manuel vio la cabeza cortada de un jabalí en el interior de un cubo. Un par de niños se arrimaban a las faldas de una mujer que mantenía un fuego encendido y sobre el que, instalados en una especie de parrilla ennegrecida, humeaban algunos pucheros.

Efrén le condujo hasta la choza más retirada de la carretera, próxima ya a la espesura. Un hombre se levantó allí dentro y dejó a un lado una balanza romana en la que pesaba una porción de sal. Quedó en pie, esperándoles bajo la choza. Estaba tostado por el viento, pero se notaba al pronto que era de raza blanca, sin mezcla india o negra en su piel. Su aspecto resultaba algo repulsivo: bajo la desgastada gorra encarnada de béisbol caían sucios y descuidados cabellos castaños sobre un rostro arrugado y cruzado por la barba de varios días; no llevaba abrochado ningún botón de la camisa ligera y, por encima del raído pantalón, asomaba a la altura del ombligo una hilera de pelillos finos y escasos; la bragueta, mal cerrada, dejaba ver un pedazo de calzoncillo oscurecido por la falta de lavado; calzaba botas de goma, que eran la prenda mejor conservada en aquella fisonomía del deterioro. Tendría sesenta años, o puede que algunos menos, pero ofrecía la apariencia de ser hombre musculoso y duro.

—Don Vito —decía Efrén cuando llegaba ya a su altura, mientras le tendía la mano—. Gusto en verle. Éste es don Manuel, un nuevo técnico de la compañía del petróleo.

—Un placer, señor —respondió el otro. Sus ojos eran vivarachos y la boca, al abrir los labios para saludar, mostró una fila de dientes oscuros e irregulares.

La mano de don Vito era fuerte. Manuel pudo percibir, mientras la estrechaba, que el dedo índice carecía de una falange.

—No hay asientos para ofrecerles, pero sí un café.

Sin esperar respuesta, hizo un gesto a la mujer que cocinaba en la choza próxima.

—¿Quieren comer unos fríjoles?

—No, gracias —respondió Manuel.

—No tenga pena, don Vito, desayunamos fuerte en Flores —añadió Efrén.

Manuel reparó que, a espaldas del hombre, medio escondidas en la espesura, varias pieles moteadas, clavadas sobre el suelo, se extendían bajo el sol.

—Son de tigre... —dijo el viejo, que había seguido la mirada del español.

—Parecen grandes...

—Ustedes le llaman jaguar, pero es grande como el tigre.

—¿Qué hace con ellas?

—Prepararlas para vender. ¿Quiere una?; sale barata.

—No, déjelo... ¿Cómo los matan?

Don Vito se rió con ganas.

—¿Cómo será? —dijo al fin—. Como se pueda, señor. Si hay balas, con revólver; si no, a lanza o a machete. Mis hijos lo hacen, son diestros.

Efrén lo miraba burlón.

—¿Qué, don, le impresiona? Enséñele cómo funciona la tigrera, don Vito.

El viejo, sin abandonar su sonrisa, tomó un extraño recipiente de un gancho clavado en una viga. Era de una consistencia parecida a la calabaza seca, pero de forma alargada, por un lado abierta y, por el otro, cubierta con una piel oscura. Del centro de la piel, y hacia el interior del objeto, salía una larga cuerda también de piel.

Don Vito apretó el ingenio contra su cintura y con la mano derecha comenzó a tirar del cabo de cuero. Primero se produjo un extraño rumor, algo más que un roce; pero el sonido fue creciendo y, a la sexta o séptima vez que el viejo tiró del cabo, comenzó a escucharse un clamor que semejaba el rugido de una fiera. Efrén y don Vito se reían.

—Lo oyó —dijo, al fin, el chófer—, es el mero grito del jaguar. Así rugen ellos, igualito; y cuando don Vito lo hace sonar, vienen al reclamo. Párese ya, don Vito, no venga el tigre y nos agarre sin las armas.

Dejaron ambos de reír, casi de súbito. Le pareció a Manuel que entre ellos se cruzaban algunas miradas que escondían complicidades.

—Usted me disculpa un momento, don —dijo Efrén—. Tengo que hablar unas cuestiones con don Vito.

—Tome su café, señor —concluyó don Vito—. Ahorita nos vemos.

Manuel se alejó y paseó junto a las otras chozas. Olía a especias y a carne quemada. Tal vez pedazos de jabalí. Desde la espesura llegaban hasta sus oídos los agudos silbos de los pájaros.

Unos minutos después, los dos hombres se acercaban a él. Don Vito le tendía de nuevo la mano.

—Ya sabe, señor, si pasa por acá, deténgase a tomar un café del bueno.

En los ojos del viejo no percibió Manuel, sin embargo, ningún tinte de calor o cordialidad. Antes bien, le miraban inexpresivos y fríos, o quizá como si no le viesen.

Ya en la carretera, preguntó a Efrén:

—¿Qué son los xateros?

—Los que trabajan en el xate, don. ¿No reparó en esas hojas que guardan en los sacos? Son hojas de xate. Va a Europa y los Estados Unidos. Se dice que se hace con ello buen papel para los billetes de dinero. También anticonceptivos. Es un buen negocio acá, es el negocio bueno de todo el Petén. Algunos han hecho casa y hasta carro con el xate, sobre todo los contratistas, no quienes lo cortan en la selva. Es trabajo duro, pero pagan ochenta centavos por la gruesa.

—¿La gruesa?

—Una gruesa son doce docenas de algo, don. Se paga a ochenta centavos de quetzal: como a treinta y cinco centavos de dólar, para que se haga idea, don. Casi todo el mundo hace el xate en el Petén. Antes era el chicle, pero el chicle ha bajado. El hueche también ha bajado.

—Tampoco sé lo que es el hueche, Efrén. Ya ve mi ignorancia.

—Es trabajar en las tumbas mayas, las antiguas, las que se encuentran en la selva. Los gringos pagaban muy bien los vasos y las figuras, sobre todo si tenían color o eran de jade. Ahora está difícil. Hubo mucho abuso con los huecheros, y dos contratistas murieron asesinados. Quién sabe: quizá los mató el ejército, o la guerrilla, o los trabajadores. Se falsifica mucho ahorita. Ya no es negocio. Yo mismo lo fui un tiempo y se ganaba un platal. Ahora, el xate, ya vio.

## 4

Manuel Márquez llegó a El Naranjo próximo al mediodía de un sábado de noviembre de 1982. Terminaba la estación de las lluvias pero aún no había entrado en plenitud el verano del trópico. Era una buena época, sin trombas de agua y sin mosquitos. Y la yerba y los árboles brillaban en un verdor hiriente mientras las aguas del río rebosaban en su cauce.

Los trabajos en la zona los había comenzado la Texoil tan sólo dos años antes, y hasta el momento únicamente contaban con un pozo en plena producción, el de Xán, situado a casi medio centenar de kilómetros al norte, en plena selva virgen. Las prospecciones en otros dos lugares habían fracasado y la producción de Xán, que no sobrepasaba los cuatro mil barriles diarios, no bastaba para cubrir las expectativas inversoras de la compañía norteamericana. Se habían dado un año o dos de plazo para encontrar nuevos yacimientos, con un coste no excesivo de dinero, y ésa era la razón por la que Manuel había sido contratado. Su prestigio de excelente geólogo, sus conocimientos de geofísica y su estancia en Berkeley se tradujeron en un contrato espléndido. Y él tenía que determinar en los próximos seis meses en qué zona debería situarse la siguiente prospección, la última que intentaría la Texoil antes de dar por concluido el acuerdo con el gobierno de Guatemala.

El campamento de la Texoil era una pequeña extensión que se alzaba a las afueras del poblado El Naranjo, al otro extremo del paso del río. Ocupaba casi dos hectáreas de terreno inclinado, alfombrado de verde y donde punteaban las sombras de algunas jacarandás ya en flor. Hacia el sur, en la parte trasera del campamento, al otro lado de la alambrada, el monte descendía hacia la selva en una suave pendiente inundada de matorrales salvajes. Este extremo era el punto más elevado del lugar y, desde allí, mirando hacia el norte, podían contemplarse, en primer término, las garitas de vigilancia del establecimiento militar, construidas sobre los lomos de grandes tumbas mayas no excavadas aún y que aparecían cubiertas por un manto de densa grama. Más allá de aquellos túmulos piramidales ocultos por la yerba, se distinguían los tejados de las casas de la aldea, algunos metálicos y pintados de colores diversos y otros construidos en la forma tradicional, con grandes hojas de guano. Al final de la línea de tejados se alcanzaba a ver el río, que brillaba bajo el sol, como una gran serpiente inmóvil de fulgurante verde. Del otro lado del agua, la recta carretera de tierra amarillenta subía hasta la primera loma, cortando el pecho de la jungla, y se perdía en busca del pozo de Xán.

Hacia el oeste, asomaban las puntas de los cerros de la sierra del Lacandón, cuyas estribaciones occidentales se extendían en territorio de México. En dirección opuesta, al oriente, también podía verse una curva del río, pero la lejanía le hacía aparecer en aquel punto de un pálido color azul. A su alrededor, las copas de los árboles llenaban toda la extensión que la mirada podía alcanzar. Los bosques de sanjuanes, repletos en sus ramas de flores amarillas, ponían manchones luminosos en el uniforme verdor de la fronda.

Al pie del campo, próximas a la entrada principal, se alineaban las viviendas de los peones, casas prefabricadas en madera que llamaban «campers», pues podían aplicárseles ruedas y ser convertidas en caravanas. Junto a ellas estaban la lavandería y el taller.

Más arriba, a mitad del campamento, una alta construcción de cemento albergaba el generador de electricidad, cerca del cual había dos grandes depósitos de gasoil para alimentarlo.

Hacia el límite occidental del campo, los «campers» de los técnicos formaban calle los unos frente a los otros. En un lado de la calle, una gran caravana servía de oficina y otras tres de mayor tamaño, unidas entre sí, hacían las veces de cocina, comedor y sala de radio. En el extremo sur se levantaban dos cabañas construidas con paredes de madera sólida y techo de guano, con una sola planta y tejado inclinado en dos vertientes. Una de ellas era la que ocupaba el jefe del campo; la otra había sido preparada para Manuel Márquez.

Fuera de la verja, entre el campamento del petróleo y el puesto militar, se extendían los dos mil y pico metros de cuidado asfalto de la pista de aterrizaje. También en la parte exterior del campamento estaba la pequeña clínica construida por la Texoil, que atendía no sólo a sus empleados sino también a paisanos del poblado.

En cuanto al pueblo de El Naranjo, contaba con dos cantinas, tres o cuatro comercios donde se vendía todo lo que pudiera traer el camión que semanalmente llegaba desde Flores, medio centenar de viviendas, dos pensiones, un par de «comedores» y un prostíbulo cuya clientela la componían el centenar de soldados del campamento militar.

El pueblo se extendía, casi en su totalidad, a los dos lados del camino que bajaba desde el campamento de petróleo hasta el vado del río. Algunas casas y un comedor levantaban su estructura sobre las aguas, como palafitos, apoyadas en sólidos pilares de madera de tinto, el árbol más duro de la región. El ferry de la Texoil era el único medio para cruzar a la otra orilla en varios kilómetros a lo largo del río, aunque más allá del poblado, en la gran región del norte, apenas se encontraba otra cosa que algún ranchito familiar o antiguos campamentos chicleros ya abandonados, o los restos de los barracones de pozos de petróleo que se habían quedado secos, o un par de pistas de aterrizaje devoradas por la maleza. Era tierra salvaje aquélla, reino del jaguar y la barba amarilla, del tapir y el cocodrilo, del ocelote y el pavo silvestre, del venado y la nutria... y de la guerrilla.

El río San Pedro, que discurría junto a El Naranjo en un ancho cauce de casi cien metros, nacía en el occidente, unos doscientos kilómetros arriba, en las proximidades del gran lago Petén Itzá. Entre su nacimiento y El Naranjo, cruzaba al lado de dos poblaciones y, el resto, entre las llanuras de la jungla virgen o bajo gargantas erizadas de árboles gigantes, lianas, espinos, bejucos y otros matorrales. Desde el pueblo, hacia el oeste, se llegaba en cinco kilómetros al puesto de emigración mexicano, El Martillo, un pequeño establecimiento donde apenas había otros habitantes que la policía de fronteras. Era el San Pedro un río limpio, de curso manso, donde abundaban los sabrosos róbalos, las tortugas y los patos malaches, de plumaje negro.

Aquél era el paisaje que esperaba a Manuel un día de noviembre, cerca de las doce del mediodía. Entró sentado junto a Efrén en el vehículo por la carretera polvorienta que llegaba del sureste. Le pareció majestuoso aquel lugar con el que soñaba desde semanas atrás. Y se dijo que tal vez sus sentidos estaban ya embriagados por el fuerte perfume del aire, por el aroma de polen y de miel, por el olor de árboles, de hojas, de flores y de seres desconocidos que a su alrededor morían y nacían, quizá por millones, en aquel mismo instante.

John Richardson, el jefe de la Texoil, le había recibido con simpatía, con una cordialidad directa e, incluso, algo exultante. John era un tipo de enorme envergadura, alto y grande de miembros, de amplio cráneo y manos fuertes y anchas. Todo en él se mostraba exagerado, desde las risotadas hasta las voces con que daba las órdenes, desde el rúbio chillón de su pelo lacio hasta la pureza del azul de sus ojos. La barbilla semejaba tener la solidez de la cabeza de un martillo y sus pies parecían capaces de sostenerle erguido si alguna vez se quedaba dormido sobre ellos, o de devolverle de inmediato a una posición vertical si algo le hacía caer.

Se acercó a saludarle cuando aún el coche no se había detenido en el cobertizo próximo a los «campers» de la cocina y el comedor. Abrió él mismo la puerta del vehículo y Manuel se encontró estrechando una mano que le apretaba como una tenaza, antes de que hubiera llegado a poner los pies sobre el suelo. Su poderosa voz transmitía un castellano correcto, de entonación mexicana y tocado de un leve acento inglés.

—Bienvenido, bienvenido al Naranjo, señor Márquez. Bueno, mejor Manuel, porque seremos cuates muy pronto. Nos tuteamos, ¿está bien?

—Claro, no hay inconveniente.

—Soy John Richardson, el responsable del campo. No te preocupes por tus cosas, te las llevarán ahorita a tu aposento. ¿Quieres un café o un té? Tenemos ahí dentro la mejor máquina de café de todo el Petén.

Había tomado a Manuel por el brazo y le llevaba hacia la caravana del comedor.

—El café te levantará un poco los ánimos después del viaje. Luego te llevo a tu cabaña, te duchas y descansas un rato; después comemos, te presento a la gente y te enseño todo esto. Te gusta el aire, ¿eh? Aquí no arden las narices, al contrario que en las ciudades. Ja, ja.

Se encontró sentado a la larga mesa rectangular del comedor, con una taza humeante delante suyo y John en un asiento frente a él. Bebió, más por darse un respiro y tratar de contener su turbación que porque desease tomar café.

—Me alegro de que estés aquí, me alegro —seguía el norteamericano—. Hay muy buenas referencias sobre ti en la Compañía. Dicen que eres un buen sabueso para el petróleo. Tienes que encontrarlo, ya sabes.

—A eso vengo, lo intentaré.

—Te gustará eso, ya verás. No es la selva que esperas. Hay también sus buenos ratos. Hoy descansarás; mañana tengo una buena sorpresa para ti. No estamos en Manhattan ni en Madrid, claro. Pero hay cositas buenas por acá.

Guiñó un ojo mientras mantenía una amplia sonrisa dibujada en la cara. Luego, con brusquedad, se puso en pie.

—Queda tiempo, tenemos tiempo para todo... Vamos, te llevaré a tu cabaña. Después charlaremos más tranquilos durante el almuerzo.

Apenas dio un nuevo sorbo a su café y de nuevo estaba fuera, camino de su aposento, llevado siempre del brazo por la poderosa y cálida mano de John Richardson.

Le alivió quedarse a solas en lo que habría de ser su hogar durante los próximos meses. No sólo por causa del agobio que le producía John. También por el largo viaje que había comenzado el día anterior, o mejor aún, desde que llegó a Guatemala cinco días antes. Se daba cuenta ahora de que apenas había tenido tiempo para estar a solas desde que llegó al país y que, en todo caso, sus instantes de soledad, por las noches en el hotel de la capital, habían sido pequeñas treguas de intimidad en espacios que le eran ajenos. Ahora, sin embargo, entre las paredes de lo que ya era su vivienda, le invadía un cierto bienestar.

Se echó vestido sobre la cama, después de comprobar que sus bolsas de viaje estaban ya en el interior del aposento.

La choza se componía de dos piezas: la amplia estancia donde ahora se encontraba y un estrecho habitáculo separado por una pequeña puerta que cubría sólo la mitad del umbral, donde estaban la ducha, un lavabo y el inodoro. Las paredes de la casa eran de madera oscura y el techo, levantado sobre horcones, dejaba ver las filas regulares de hoja de guano. La habitación resultaba algo oscura, ya que carecía de ventanas, y la luz del exterior entraba sólo a través de unos huecos abiertos en la parte superior de la pared que daba frente a la cama; sobre la puerta sobresalía el viejo aparato de aire acondicionado que, ahora, puesto en marcha, producía un ruido semejante al del motor algo deteriorado de un automóvil.

Tomó una ducha, se afeitó y se colocó la primera ropa que encontró en una de las bolsas. Cuando salió de la cabaña, tuvo la impresión de que alguien echase sobre él un vaho de calor.

Todos comían ya alrededor de la larga mesa: John, el doctor Oscar Peralta, Eddy González, topógrafo del campo, y William Salamanca, responsable de la administración. También estaba Efrén, que saludó sonriente dándose un golpecito en la gorra.

Recorrió la mesa estrechando la mano de cada uno de ellos mientras John permanecía sentado, con la boca llena de comida. Cuando pudo tragarla, escuchó de nuevo su vozarrón.

—Aquí están casi todos, aquí los tienes, Manuel... Te hartarás de ver sus caras y ellos la tuya... Ja, ja, ja... Pero son buena gente. Ándale, sírvete algo y come.

Se acercó hasta la ancha trampilla que unía la cocina con el comedor. Al otro lado, el cocinero le tendió la mano y luego le enumeró los guisos que escondían los distintos recipientes de aluminio. Tomó un pedazo de pollo y algo de arroz. No sentía mucha hambre.

—Ya sabes —decía John, mientras le guiñaba un ojo— que aquí el alcohol está prohibido: así es que no hay cerveza.

Al doctor Oscar Peralta todos le llamaban Doc en el campo. Su piel, algo oscura, podía delatar una lejana mezcla de sangre india, pero quizá se trataba tan sólo del efecto de varios meses en el trópico, pues las formas de su rostro anguloso correspondían a los rasgos de un blanco. Algunas vetas canosas herían el vigoroso y brillante pelo negro de su cabeza y de su barba. Tenía brazos musculosos y un cuerpo sólido, aunque no era en exceso alto. Detrás de las gafas se movían inquietos unos pequeños ojos levemente azulados.

Fue el primero en dirigirse a Manuel. Lo hizo sonriendo:

—¿Y de qué parte de España es usted, señor? —preguntó.

—De Madrid, la capital.

—Conozco su ciudad. Hice allá la especialidad. Dos años.

—¿Le gustó?

—Es hermoso Madrid.

Eddy, el topógrafo, intervino:

—Yo sueño con ir a Europa, señor. Es distinto aquello, ¿no, Doc?

Eddy era magro y de miembros sólidos y tersos. Pequeño de estatura y de piel aceitunada, en sus rasgos de mestizo dominaba sin duda el componente indio.

—Claro, sí —decía el médico—. Tienes de todo, es tranquilo. Se vive bien. Yo viví bien. Tenía una beca, ¿sabe, señor?

—Podíamos tutearnos todos, si les parece bien —dijo Manuel.

—Bien, amigo, así debe ser —convino Doc—. Nos han dicho que sabes mucho de petróleo...

—No tanto. Hice estudios especiales..., allá en Berkeley: geofísica y todo eso. Digamos que soy un teórico. Bueno, veremos qué se puede hacer estos meses próximos. Mañana o pasado, Eddy, tendré que ver sus mapas.

—Con gusto —respondió el topógrafo—, hay algunas zonas que quisiera mostrarte a pie.

John había permanecido callado, concentrado en dar cuenta de la generosa ración de comida que llenaba su plato a rebosar. Movía a veces los ojos siguiendo la conversación de los otros mientras masticaba con la boca repleta de alimentos. Ahora intentaba rebañar con una tortilla de maíz los restos de salsa de su plato.

—¿Y vosotros, de dónde sois? —preguntó Manuel—. Quiero decir qué ciudades.

Doc se adelantó a responder.

—Eddy es de Guate, de la capital —sonrió ahora—, de esa horrible ciudad sin conciencia que recoge a todo el mundo como si fuera un basurero.

El otro no pareció inmutarse.

—William es de Zacapa, del oriente —continuó Doc mientras señalaba al administrador—. Es tierra caliente, donde la gente suelta antes el tiro que la palabra. ¿Miento, Willy?

Era Willy un hombre de cara redonda y morena, pelo muy negro, echado hacia atrás, ojos también negros y brillantes, y un gran mostacho cruzando en horizontal su rostro. Tenía la apariencia exacta que la imagen tópica concede a los mexicanos. Respondió con cierta torpeza:

—Hay exageraciones. Pero, sí, bien, así es. Allá la gente tiene revólver. Le gusta morir parado. El oriente es bravío.

—Y yo —concluyó Doc—, soy de Quetzaltenango. Podrás irte de este país sin conocer mucho, pero no podrás dejar de ir a Quetzaltenango. Es nuestra segunda ciudad en número de habitantes, y la primera en belleza y en cultura.

Se rió. Eddy y Willy le sonrieron, sin intención de protestar.

—¿Y usted, señor Richardson, le dijo ya al amigo español de dónde es? —añadió el médico.

Había un brillo burlón en los ojos de Doc. John tragó con urgencia el pedazo de tortilla mientras afirmaba con la cabeza.

—De Houston, de Houston —respondió aún con la boca llena—. Mejor que cualquier ciudad de su..., de su «bloody» tierra, Doc. Soy tejano, mero tejano.

Manuel se sintió algo violento. Los otros no parecieron molestarse, aunque tan sólo Doc mantuvo su sonrisa burlona.

—Una «bloody» tierra en la que lleva usted varios años, señor Richardson —agregó Doc.

—En alguna parte tenemos que caer, Doc —contestó John—, y el lugar es siempre cuestión de mala o buena suerte.

—No se queje —siguió el médico—. A usted le gusta esto más de lo que dice.

Tomaron café. Manuel preguntó de nuevo:

—¿No trabaja más gente en el campo?

John hizo un gesto despectivo.

—¡Bah! Unos cuantos peones, pero no comen aquí. Algunos contratados de vez en cuando; para brecheros de la selva, sobre todo. Y los perforadores. Pero no los verás ahorita. Están en Xán, allá en el pozo. Regresan a la anochecida acá y vuelven al pozo con la amanecida. Los conocerás en la cena. Mañana te llevaré a Xán también, para que te hagas una idea de lo que hay.

—Todo esto se me hace muy pequeño —dijo Manuel—, bueno, muy pequeño al lado de lo que lo rodea.

—Es que la selva es más grande que todo, amigo —concluyó Doc.

John le mostró las instalaciones del campamento después de la comida, bajo un sol agobiador. Luego, Manuel regresó a su cabaña, ordenó sus ropas y sus materiales de trabajo y durmió una breve siesta. Cuando salió, a eso de las cinco, la tarde comenzaba a caer. No encontró a nadie en la cafetería ni en los alrededores. Tampoco en la oficina. No había vehículos aparcados en el cobertizo y los vencejos entraban y salían con velocidad de los tubos huecos que servían de sostén al techado de hojas de palma. Miró al cielo y vio numerosos vencejos que surcaban en enloquecido vuelo el espacio que iba tornándose opaco conforme la luz del día se alejaba.

Descendió hacia la puerta del campo, atravesó la verja y volvió hacia atrás, siguiendo la línea de la pista de aterrizaje. Entró en el pequeño hospital. Encontró a Doc acomodado en un taburete ocupado en vendar el pie de una mujer india que se sentaba en la camilla. El médico le miró por encima de la montura de sus gafas.

—Hola, Doc —dijo—. Pasaba por aquí y me asomé por si estabas. ¿Te molesto? Si estás ocupado, me voy.

—No, amigo, no tengas pena. No hay trabajo hoy. Termino ahorita, aguarda.

Acabó de enrollar la gasa alrededor del pie de la mujer y luego rodeó la venda con una tira ancha de esparadrapo. Ayudó a la india a incorporarse y entabló con ella un breve diálogo en un lenguaje desconocido para Manuel. Finalmente, se agachó, calzó con cuidado a la mujer, le tendió una muleta y la acompañó hasta la salida. Luego regresó al lado de Manuel.

—¿En qué hablabais, Doc?

—En ketchí. Casi todos los indios de por aquí son ketchíes. Hay sólo unos pocos lacandones y algún que otro catchiquel.

—¿Hablas todos los dialectos?

—Ya quisiera, amigo. Hay por lo menos veintisiete lenguas distintas acá. Hablo bien quiché, y me entiendo en ketchí, en mam y un poco en catchiquel. Habría que dedicar la vida a conocerlos todos.

—¿Tienes muchos pacientes?

—Pocos. Lo malo son los casos urgentes: casi ninguno se salva. Ya sabes: mordeduras de serpientes, gente que cae al río después de la borrachera, heridos de bala o de machete..., acá la gente acierta bien los tiros y los machetazos.

—¿La guerrilla y los soldados?

—No, amigo. Los guerrilleros salen pocas veces vivos cuando son heridos. Yo no he visto a ninguno herido. A los soldados vienen a buscarlos en helicópteros; aunque se mueran en el camino del hospital de Flores o de Guate, lo prefieren: el ejército no quiere que veamos sus bajas. Eso daría mala imagen a la población. Yo atiendo a los civiles, a los que se pelean por cualquier babosada, ahí, en las cantinas...

—No sabía.

—Por si acaso, no vayas a las cantinas de noche, amigo. Siempre hay vergazos y, a veces, algún muerto.

—¿Tan grave es?

—La gente está por acá desesperada, más de lo que parece. Más vale no ir a las cantinas de noche. ¿Conoces el Ciento Veintisiete?

—No sé qué es.

—Es el nombre que le dan a la primera población camino de Flores. Pasarías al venir, está en el kilómetro ciento veintisiete. Ya es un pueblo grande, es municipio, y tendrán que bautizarlo dentro de poco. Pero a lo que iba: hace un mes vino por acá el alcalde de allá. Llegaba ebrio y le gustaba fregar a los otros cuando había tomado guaro. Hubo una discusión fuerte y se enfrentó con siete. Salieron los machetes, aquí todo el mundo porta siempre la colima, como lo llamamos acá. Mató a dos y dejó a otros dos malheridos. Hubo que llevarlos de urgencia a Flores y no sé si murieron en el camino. A él lo acabaron a puñaladas, lo dejaron irreconocible.

Doc recogía su instrumental, después de limpiarlo cuidadosamente. Le habló después sin mirarle, como distraído:

—¿Y cómo vino hasta acá un hombre como tú, amigo?

—Bueno..., un buen contrato.

—¿Tan lejos de tu tierra?

—La verdad es que no sé bien por qué vine. Supongo que ya lo averiguaré, pero tampoco me importa mucho. ¿Y tú?

—A mí me gusta esto.

—¿Qué es lo que te gusta?

—La selva.

—Sí, es hermosa.

—Es más que hermosa. Ya lo verás pronto. Creo que tú eres de esa gente que acaba gustándoles la selva, gustándoles en exceso.

—No sé qué quieres decir.

—Ya te lo explicaré otro día. O bueno, quizá no haga falta, amigo. La selva envía sus mensajes. La cuestión es comprenderlos.

La cena fue más concurrida y la larga mesa se llenó al completo. El grupo de Xán había llegado después de anochecer, cinco hombres más junto a los que Manuel había conocido a mediodía. Sin embargo, después de las presentaciones, se habló poco. Los empleados parecían cansados, y él mismo notó que, a pesar de la siesta de la tarde, el día le vencía y le hacía sentirse fatigado.

John le hizo una seña cuando concluyeron de comer.

—Ven un rato a mi cabaña.

No tenía muchos deseos de hacerlo, pero no supo decir que no. Zumbaba el motor del aire acondicionado. John encendió todas las luces y le ofreció asiento junto a la mesa. Era una cabaña más grande que la suya y parecía algo más cuidada también.

John buscó en uno de los armarios y regresó a sentarse a su lado con una botella de güisqui y dos vasos en la mano.

—Las normas están hechas para burlarlas, ja, ja —dijo el norteamericano—. Siempre hay una botella aquí, y los jefes tenemos derecho a ciertos privilegios.

—Yo no bebo mucho, John —objetó Manuel.

Pero el otro no hizo caso y le sirvió una generosa porción. Luego llenó su vaso y lo alzó ante los ojos.

—Salud.

—Salud —respondió Manuel, y dio un pequeño sorbo mientras John vaciaba una tercera parte del contenido de su vaso.

Miró luego el norteamericano la botella, como si fuera algo querido.

—Me lo traen todas las semanas, escondido en una bolsa especial. No es bueno que los trabajadores sepan que tomo. Debe ser así. Ellos, cuando beben, no saben controlarse. Yo sí sé dormirla. Somos distintos.

Bebió otra vez, ahora en menos cantidad.

—¿Sabes? —continuó John—, el que tú hayas venido es muy importante para mí. Somos del mismo mundo, cuate. Tú comprendes. Ellos, ellos son distintos, incluso Doc, aunque sea médico y blanco. No pienses que soy un racista. Yo no soy racista. Llevo cinco años en Guatemala y diez en América Latina, antes en Venezuela y al principio en México. Un racista no podría vivir aquí. Pero..., bueno, somos diferentes.

—¿En qué sentido?

—No piensan igual que nosotros. Ni les importan las mismas cosas. La cultura, eso es, la cultura. Es doloroso, pero hay pueblos que no pueden tener una democracia, al contrario que los nuestros. Es la cultura. Desde chamacos aprenden a ser de otra manera.

—Hay mucha injusticia y mucha pobreza, según dicen.

—Eso es lo de menos. La guerrilla, por ejemplo. Son salvajes. Destruyen el progreso. A nosotros nos han quemado carros y a cada rato ametrallan el oleoducto y hay que ir a repararlo. ¿Ves? Ellos dicen luchar por la justicia, pero destruyen el progreso. Aquí es necesario un régimen de autoridad durante muchos años.

Manuel bebió otro sorbo de güisqui. Se sentía cansado.

—Oye, John, me tendrás que disculpar, pero me gustaría dormir.

—No te apures, cuate. Ve a la cama. Hay tiempo para conocerse y charlar. ¿No terminas tu copa? Bien, te la guardaré para mañana. O me la beberé yo, ja, ja. Esto es oro aquí, más valioso que el petróleo que sacamos de la selva.

—Buenas noches, John, y gracias.

—Duerme bien, mañana hay sorpresa.

—¿Qué sorpresa?

—Si te lo dijera, no sería sorpresa. Tú duerme, cuate.

Había refrescado. Un sapo huyó con torpes saltos desde la puerta de la cabaña. Manuel miró el cielo sin luna, inundado de estrellas, tantas como quizá no había visto nunca antes en su vida. Le hubiera gustado darse un paseo por la parte alta del campo y sentir la noche. Pero las piernas le pesaban, notaba sus sentidos embotados. Cruzó los pocos metros que le separaban de la entrada de su choza. Otro sapo escapó a su paso. Oía el canto de los grillos y, cerca de la verja, el grito fuerte y regular de una lechuza.

Se quedó dormido segundos después de enterrarse entre las sábanas. Su lecho era blando y agradable.

5

No le despertó el sol, sino el concierto sonoro de los pájaros. Eran tal vez decenas de ellos los que cantaban a la vez, puede que decenas de especies diferentes.

Todos los tonos, todos los agudos y los graves, se reunían en aquel coro madrugador de las aves. Silbos largos que parecían prolongar una misma nota en el espacio, interminable y fuerte, junto a entrecortadas melodías que lograban contener todas las escalas musicales posibles. Había barítonos y tenores, voces envejecidas y gritos de niño recién nacido.

Pero también en aquel concierto del amanecer se reunían todas las expresiones de sentimientos que el oído humano era capaz de reconocer: los lamentos y las quejas, las risas, el coro de carcajadas que pudiera provocar una ocurrencia oportuna, los aullidos y los llantos, gritos de cólera, expresiones de júbilo, manifestaciones de alegría, silbos de amor o desconsuelo, suspiros, chillidos asustados, el son de la tristeza, el canto del desamor, el aviso de un peligro inminente… La selva le traía de pronto todos los sonidos de la vida. Y a él, todavía entre sueños, le pareció un regalo inexplicable y gratuito.

Se levantó, fue a lavarse la cara y se puso la ropa con prisas. Salió fuera y ascendió a paso rápido hacia el punto más elevado del campamento. Olía a humedad templada, a yerba mojada aún por el rocío. También a simiente amarga y a dulzura de hojas moribundas.

La tintura rosácea del horizonte se anaranjaba a la

espalda de la tierra, allá por el oriente. La baja bruma semejaba un penacho grisáceo sobre la floresta casi invisible, y a la altura del río se espesaba hasta parecer un banco de nubes caído a plomo sobre las aguas del San Pedro.

El sol asomó enseguida, pareció saltar como una pelota rebotada, y era una bola cegadora de violento color rojo, como la sangre casi. La neblina aún se resistía a marcharse y conforme el sol ascendía y su luz carmesí se transformaba en luminosidad amarilla, la bruma tenía que ir cediendo terreno, descendía desde las copas de los árboles lamiendo sus troncos, se pegaba al suelo y semejaba ahora una polvareda que levantara una manada de centenares de venados asustados al huir de algún fuego desatado en el horizonte.

Pero el sol vencía, mataba por segundos los últimos jirones blanquecinos de la niebla derrotada, hacía brillar el rocío sobre la jungla y el mundo se tornaba verde.

Hacía horas que habían callado las lechuzas y los pájaros del amanecer se alejaban hacia el interior del bosque. Los primeros bandos de palomas cruzaban el cielo y, en la hondura del espacio, planeaban los zopilotes. Podía imaginar que los jaguares regresaban a los rincones oscuros de la selva. Un gavilán blanco volaba raudo ahora sobre su cabeza. Entretanto, la curva del río se dibujaba nítida a través de la espesura y su color era de un azul insultante, un reto al verdor de los árboles y la maleza que se apretaba en sus orillas.

El sol, desnudo como el primer día de la Creación, parecía capaz, sin embargo, y pese a la pujanza de la tierra, de chupar en un instante la savia y la sangre de cuanto habitaba debajo suyo.

Vio por vez primera a Celeste aquella misma mañana. Había salido del campamento junto a John y Willy, que conducía el todoterreno, y esperaban a la orilla del río a que el transbordador llegase hasta ellos desde la otra orilla. Era una gran plataforma rectangular construida con grandes troncos de árbol que arrastraban con esfuerzo dos motores fuera borda situados a los lados de popa. Dos hombres maniobraban sentados en asientos también de madera y protegidos por un sombrajo de hojas de palma. Cuando llegaba a las orillas, el ferry clavaba con fuerza la proa contra la arena, se encajaba casi en la tierra, para recoger el vehículo y transportarlo al otro lado.

Iban al pozo de Xán, cincuenta kilómetros al norte, en la tierra salvaje, donde la huella humana se reducía a la larga y recta carretera que partía la selva y unos cuantos establecimientos petrolíferos abandonados tiempo atrás.

Manuel se alejó unos metros de John y Willy y se distrajo en contemplar un grupo de indias ketchíes que lavaban ropa, hundidas en el agua hasta la cintura. Algunas exhibían el torso desnudo y dejaban al aire sus pechos, puntiagudos y tostados por el sol. Flotaban en la orilla varios cayucos y un par de motoras de tosca construcción que sus propietarios alquilaban para transportar gente a la frontera de México, cinco kilómetros río abajo.

Un poco más allá, vio un grupo de niños que nadaban y jugaban en el agua. El ferry navegaba lento a mitad del cauce del San Pedro y Manuel se acercó hacia ellos.

Y entonces, en medio de la algarabía infantil, se alzó del agua el cuerpo de la muchacha. Su vestido naranja, empapado, se pegaba a su carne y dibujaba sus formas. Estaba de espaldas a él y el agua llegaba hasta sus rodillas y rozaba los bordes de la falda. El largo cabello negro chorreaba en su espalda y, bajo la tela, se marcaba la curva de su cintura. También las bragas blancas y las piernas.

Se quedó quieto. Ella jugaba con los niños. Luego,

giró sobre sí misma, alzó el rostro y le vio. Se irguió entonces, se movió un poco más hasta darle frente y fijó sus ojos en los de Manuel.

Los senos libres se mostraban exactos bajo el vestido estampado. También su vientre y sus muslos fuertes y tersos. Era delgada, de formas suaves, y al mismo tiempo sólidas. La piel de sus brazos y de su rostro brillaba aceitunada. Sus labios eran gruesos, los pómulos grandes y los ojos pequeños. Vio en ellos algo inexpresivo, algo lejano, un tinte de frialdad. Aquello le desazonó un instante.

Luego, ella se volvió y se alejó hacia la orilla. La contempló al salir. Iba descalza. Caminó como si ella y la tierra compartieran una misma sensualidad, como si fuera cómplice de la naturaleza que la rodeaba: el río, los árboles, la misma selva. Se alejó poco a poco sin volver una sola vez la cabeza y luego se perdió al fin de vista entre un grupo de casas de madera.

La voz de John, que le llamaba, le sacó de su ensoñación. Se dio cuenta de que, durante los instantes anteriores, no había pensado en nada, que sus sentidos y su mente se habían concentrado en la contemplación de la muchacha, ajenos a todo lo demás. Y tenía la impresión de que aquel breve minuto en que la había visto levantarse en el agua, volverse hacia él, mostrarle su cuerpo sin pudor y luego retirarse de la orilla y alejarse, había sido un tiempo más dilatado.

Regresó sobre sus pasos y saltó al ferry, al lado de John. Willy no había descendido del asiento de conductor del todoterreno.

—Te gustó la chica, cuate, ¿no es cierto?

—¿Quién es?

—La maestra... Muy linda, sí, muy linda.

—¿Sabes si tiene..., si, bueno, si está casada?

—No anda con nadie, que yo sepa. Ja, ja. Lleva pocos meses acá, pero ya es raro que algún oficial de la tropa no la haya tumbado. Dicen que es algo arisca, un poco tigresa.

John hizo una pausa y añadió luego:

—Puede ser que con un españolito se le caigan las uñas.

—¿Cómo se llama?

—No me recuerdo... Espera.

Se volvió hacia uno de los hombres que maniobraban los motores.

—¡Eh, tú, Lito! ¿Cómo se llama la maestrita?

—La señorita Celeste, míster John —respondió el otro mientras se tocaba el sombrero y sonreía servicial.

—Ya oíste: Celeste. Se me había olvidado.

Se repitió para sí mismo el nombre mientras miraba hacia las casas donde ella se había perdido de vista.

Era una carretera bien cuidada, pese a ser de tierra, la que se internaba en la espesura camino de Xán en un recorrido de medio centenar de kilómetros. Desde el río, el recto trazado de la vía remontaba una cuesta donde los árboles eran sólidos y altos, pero luego la espesura de los grandes matorrales llegaba casi a cubrir las copas del arbolado, que se tornaba algo chaparro. Era una selva casi impenetrable, repleta de espinos y zarzales. A los lados de la carretera, en ocasiones, aparecían pequeñas lagunas, algunas naturales y otras formadas por las lluvias del invierno. El agua se iba secando al paso de los días y en los barrizales que rodeaban las charcas podían distinguirse las huellas de los animales: tapires, jaguares, venados, a veces la larga estela dejada por un gran cocodrilo. También podían verse, algunas veces, los huesos calcinados de los grandes reptiles, dejados allí por los «lagarteros», cazadores furtivos de los saurios que entraban clandestinamente desde México, o restos de la cena de una pantera o un jaguar.

Willy conducía el vehículo a buena velocidad y se excusaba con humildad cuando algún bache les hacía botar en el interior del auto como si trotasen sobre la silla de un caballo desbocado. Sufría así los gritos de John, atemorizado y sonriente.

—¡Ve con cuidado, indio, no vayas a joder el carro!

Durante unos minutos, Willy reducía la velocidad, pero al poco volvía a pisar con ganas el acelerador y John no parecía darse cuenta hasta que un nuevo bache le hacía saltar y su cráneo casi golpeaba el techo del vehículo. Había entre los dos, entre Willy y John, un extraño juego, algo en lo que se mezclaban un leve masoquismo y un cierto sadismo. En sus gritos, el norteamericano siempre intercalaba algún apelativo despectivo para el otro.

Al paso del todoterreno, bandadas de tórtolas volaban espantadas de los árboles próximos. Eran de color oscuro, casi azulado. Un par de pequeños zorros se cruzaron en el camino, lejos del alcance del vehículo. John sujetaba entre las piernas una escopeta cargada con postas, por si algún venado o jabalí se ponía a tiro en la carretera. No alcanzaron a ver ninguno, sin embargo.

Llegaron a Xán casi una hora después de haber cruzado el río. Era una gran explanada y, en su centro, la estructura del pozo aparecía coronada aún por la torre de prospección, que se mantenía instalada por las frecuentes averías que se producían en la bomba de extracción. Arriba de ella flameaba una banderita azul en cuyo centro se leía el nombre de la Compañía en letras blancas.

Al otro lado del calvero, media docena de «campers» formaban una uve de espaldas a la jungla. Cuatro se utilizaban como dormitorios en situaciones de emergencia; un quinto para oficina y cuarto de comunicaciones; el último servía como cocina y comedor de los operarios.

Permanecieron un par de horas en Xán y almorzaron allí. John le mostró las instalaciones como quien enseña a un extranjero sus propiedades particulares.

Al regreso, Willy frenó con brusquedad en las proximidades de la laguna.

—¡Qué haces, estúpido! —le gritó John, que a punto había estado de chocar sus narices contra el cristal delantero del vehículo.

—He visto cojolitas, señor Richardson —se excusó Willy.

John trocó su gesto de disgusto por una sonrisa. Se volvió hacia Manuel mientras descargaba el cartucho de postas y ponía en su lugar uno de perdigones.

—¿Quieres tirar tú? —ofreció al español.

—No, deja, hace tiempo que no uso un arma, desde el servicio militar, casi veinte años. Yo te sigo.

Descendieron los tres del vehículo, cruzaron la carretera y bordearon la laguna, sobre el barro seco. Poco a poco, con cautela, fueron aproximándose a la línea de los árboles. Manuel distinguió unos bultos negros, de buen tamaño, entre las altas ramas. Oyó susurrar a Willy:

—Tire, señor, tíreles ya.

El otro le hacía gestos de que se callara, pero a los pocos pasos Willy insistía:

—Tire, señor, van a volarse.

El norteamericano, finalmente, le hizo caso. Irguió el cuerpo con lentitud y alzó despacio la escopeta. Apuntó con cuidado. Cuando sonó el disparo, cuatro o cinco aves volaron con ruido y se perdieron en la espesura de la espalda de los árboles. John había marrado el tiro.

—¿Por qué no callaste, indio de mierda, por qué no callaste? —gritaba a Willy.

Estaba furioso. Incluso hizo un amago de echarse sobre el otro, que se retiró un par de pasos hacia atrás, acobardado y sonriente.

—¡Estaba lejos, estaba muy lejos! ¿No lo viste, indio? Debería arrancarte una oreja.

Luego se volvió a Manuel. La piel de su rostro brillaba enrojecida:

—El estúpido fregó la cena. Otra vez las probarás. Son exquisitas, como faisanes. Estos indios del diablo...

Durante aquel viaje de ida y vuelta a Xán, el recuerdo de Celeste apenas se había apartado de los pensamientos de Manuel.

6

El sol se aproximaba hacia las puntas de la sierra del Lacandón, en el occidente, cuando Manuel escuchó la voz fuerte de John, que le llamaba, al otro lado de la puerta de su cabaña. Salió.

—¿Vamos ya? —preguntó.

—Deberías ponerte una camisa bonita, habrá chicas —respondió el americano.

—¿Ésa era la sorpresa?

—Por ahí le anda la cosa, cuate. A elegir la que quieras.

Bajaron hacia el pueblo en el todoterreno. Al llegar a las primeras casas de la calle principal, John dobló a la izquierda, junto a un huerto pequeño donde verdeaban y se apretaban entre sí una veintena de grandes bananos. Varias gallinas y un pavo huyeron asustados al paso del vehículo.

Bordearon después la empalizada del campamento militar, bajo las garitas encaramadas a lo alto de las pirámides mayas cubiertas por la grama de los siglos, para descender luego en dirección al río por una callejuela estrecha, de suelo de tierra y plagada de baches. John detuvo el automóvil ante el puesto de inmigración, cerca de la puerta principal del cuartel. Un poste de madera sujetaba una tabla en la que se leía en caracteres escritos a mano: «Oficina de fronteras. Aviso: con el contrabando no se juega.»

Descendieron y caminaron hacia la izquierda. Frente al hotel de dos pisos, levantado con gruesos troncos de árbol tinto, se alzaba el almacén-comedor «Rey Maya», un caserón de madera pintada en su exterior de azul y techo de delgadas planchas metálicas. El suelo era de tierra alisada en la primera estancia, donde se vendían diversos productos ordenados en estanterías detrás del mostrador. La sala del comedor, a la que se llegaba desde el almacén a través de una puerta que tapaba una sucia cortina de hule de llamativos colores, era una habitación rectangular sostenida sobre el lecho del río por sólidos pilares de madera, a modo de palafito. Una baranda se abría al cauce del San Pedro. Bajo el suelo de tablones irregulares, que dejaba ver el brillo oscuro del agua en algunos puntos, se oía el leve rumor del río al lamer la orilla.

—Espérame ahí dentro —dijo John—. Voy a ver si todo está listo y a recoger al comandante. Es nuestro invitado, hay que estar a bien con la autoridad.

Manuel cruzó al otro lado de la cortina, atravesó la sala del comedor y se apoyó en la baranda. Encendió un cigarrillo, el último de marca española que le quedaba. Lo había guardado durante todo el día, mientras fumaba tabaco local, para consumirlo después de la cena, como un pequeño lujo que no podría permitirse en mucho tiempo a partir de ahora. Pero prefirió prenderlo allí, saborearlo a solas frente al hermoso paisaje de la selva y el río.

Volvía a recordar a Celeste. Y aunque no lograba dibujar con exactitud en su memoria los rasgos de su rostro, el evocar ahora el momento en que la vio levantaba en su interior un viento de calor, le producía una reconocible sensación de deseo.

Volaban decenas de vencejos alrededor suyo, en persecución de los invisibles insectos que salían con la proximidad de la noche. Repetía para sí el nombre de la muchacha, no quería dejar que se fuera aquella sensación de breve felicidad. Hacía mucho tiempo que no le sucedía algo semejante, tal vez nunca le había sucedido después de los primeros años de su matrimonio con Paula. Luego, mientras la relación entre ellos iba muriendo, desgastada por tantas cosas mínimas que ahora no recordaba con precisión y que, sin embargo, habían acabado por matar el amor, Manuel no había vuelto a notar algo parecido a lo que ahora sentía al recordar a Celeste.

¿Por qué muere el amor? ¿Y por qué nace, sin que alcancemos a presentirlo? No lo sabía, o tal vez era la primera ocasión en que se lo preguntaba. Pero se daba cuenta de que su vida reciente no había sido otra cosa que un vacío de amor, o de cualquier forma de emoción en general. Una desidia absoluta de la existencia. La muerte del hijo le había afectado, sí, pero no en exceso: apenas tenía dos meses de edad cuando aquella leucemia lo mató. Y ésa no había sido tampoco la causa de su separación de Paula. Sólo encontraba esa razón: que el amor muere y deja en su lugar un rastro de desidia y desconsuelo.

Desde la baranda, no lograba ver ocultarse el sol. El cielo brillaba sonrojado a su izquierda sobre las copas de los árboles mientras que a su derecha un tono grisáceo, de desvaído color plomo, crecía en el espacio. Anochecía con urgencia, y mientras un lado de la tierra ardía de pronto en un rojo encendido, el otro comenzaba a ser devorado por la negrura. El río no parecía moverse, y semejaba ser una plancha de plata. Sobre su superficie, una canoa movía con lentitud su negro perfil en el agua. Parpadeaba en el cielo la primera estrella. Y se escuchó el grito del tecolote, el pájaro nocturno del bosque tropical.

John asomó tras la cortina cuando las luces de la sala se encendían y los primeros mosquitos venían a revolotear a su alrededor. Le acompañaba un hombre de cuerpo menudo, delgado, seco de piel. Parecían dos seres de especies distintas, dos criaturas diferentes del mundo animal: el uno grande y rubio; el otro mínimo y moreno.

—Éste es don Julio —dijo John, al tiempo que casi empujaba al hombrecillo encima de Manuel.

—Gusto en saludarle, míster, y para servirle.

—Ahora bajan las chicas —guiñó el norteamericano el ojo al español—. Ándele, Julio, tráiganos unas cervezas para animar un poco el alma.

—Pues mire que lo siento, don John, pero no llegó el camión del suministro y no tenemos cervezas.

—Pucha con el camión... Bueno, pues unas aguas frías, lo que tenga.

—¿De qué gusto las aguas, señorones: coca, naranja, limón...?

—Es lo mismo. Traiga unas cuantas.

—Ahorita, don John.

—Y que se apuren las niñas.

—Ya bajan al instante, míster.

Salió el hombrecito. Se sentaron. John rechazó el cigarrillo que Manuel le ofrecía.

—Oye, dime —habló el español—. Eso de las chicas... ¿Son prostitutas?

—Ah, no, no tengas pena; no son prostitutas. Ésas quedan para la tropa y los peones. Traen enfermedades, ¿sabes? No; éstas son bomboncitos, verdaderos bomboncitos.

—¿Entonces?

—Verás, cuate, por aquí pasan, camino de México, muchos emigrantes que quieren llegar desde allí a los Estados Unidos. Ilegalmente, ya sabes. Ésta es una de las rutas que toma la emigración latinoamericana. Bueno, pues son gente de poco dinero, ya sabes. Aquí se les da el pase para México, y si vienen sin papeles, pues se les deja ir por cinco o diez quetzales. Luego, México también les cobra, y allá se las arreglen una vez en la frontera con los Estados... Pero, bueno, de vez en cuando los mexicanos tienen que ponerse serios, porque Washington protesta con tanta gente clandestina que se les mete por abajo. Y entonces los mexicanos hacen un gesto: deportan a la gente que llega a su frontera, los devuelven para acá. ¿Comprendes?

—Voy entendiendo.

—La gente deportada vuelve sin un centavo en el bolsillo. Y quiere regresar a su tierra, o ir a cualquier parte donde encontrar cómo vivir, o buscar otro lugar para intentar pasar. Claro, hace falta plata para comer unos días, para tomar el bus de regreso... En fin, a veces hay chicas bien lindas que necesitan plata. Son limpias, muchas están sin estrenar. Y casi todas paran aquí, en el hotel de Julio. Él arregla los acuerdos..., y aquí nos tienes. Creo que son siete colombianitas pero que bien lindas. ¿Has probado las colombianas? Guapas y calientes, te digo yo. Así es que siete para tres: el comandante, tú y yo. Buena sorpresa para tu llegada, ¿no, cuate? Además, hoy quedas invitado.

El comandante Rojas estrechó con vigor su mano. Vestía el uniforme de camuflaje, pero en lugar de botas lucía unos zapatos de brillante charol. No llevaba gorra tampoco. A la altura de su pecho, una tira de tela verde exhibía las letras negras que componían la palabra «kaibil». Un pesado revólver colgaba de su cinto.

Era un tipo de cuerpo recio, no muy alto, y cara morena. Los ojos algo achinados miraron sin interés a Manuel, a pesar de que los labios, muy finos, dibujaron una sonrisa de cortesía. John le trataba con deferencia, pero le gastaba algunas bromas.

—Veo que no deja usted el cohete ni para el placer, ¿eh, comandante? —le dijo John señalando la pistola.

El otro golpeó con la mano abierta la culata.

—Es como la esposa, señor. Mirá vos que nunca sabe uno dónde puede asomar el terrorista. Ni aquí dentro se está seguro.

—Exagera, comandante. Ellos saben que con ustedes no pueden aquí dentro. La guerrilla no entrará nunca en El Naranjo si hay kaibiles aquí.

—Son bien traidores, sí. Pero mirá vos que son como los lagartos del río: se esconden y no se les ve; a veces los pisas y no se mueven, como tronco muerto de árbol, y vienen a morder cuando uno no lo espera.

Volvió a golpearse la culata del revólver:

—Hay que tener siempre la escuadra lista.

Se oyó ruido de voces al otro lado de la cortina. Julio entró portando una amplia bandeja cargada de botellas y vasos. Le seguía el grupo de muchachas: bajas de estatura casi todas ellas, pieles morenas que revelaban su origen indio y gestos de timidez en la mayoría de los rostros. Llevaban vestidos de tela barata y ligera, puede que sacados del vestuario de Julio para casos parecidos.

John abrazó de la cintura a dos de las muchachas y las llevó hasta la mesa. Las sentó sobre sus rodillas mientras reía y susurraba frases al oído de una y de otra. El comandante se había quedado junto a un grupo de tres. A Manuel no le quedó más remedio que acercarse a las otras dos.

Tenía decidido irse, pero no sabía muy bien cómo hacerlo. Pensó esperar un tiempo prudencial, tomar un par de refrescos, charlar un rato con las muchachas y ver luego la manera de escapar de allí.

—¡Venga, Julio, ponme la música! —oyó gritar a John.

Las dos chicas le miraban esperando que él hablase. Estaban en pie los tres, cerca de la cortina que cubría la puerta de entrada.

—Bueno, hola —acertó a decir.

Las muchachas inclinaron la cabeza a modo de saludo, pero no hablaron.

—¿Cómo os llamáis? —preguntó.

—Corazón soy yo —dijo una—, ella es Ambrosía.

—Muy bonitos nombres. Venís de Colombia, ¿no?

—De allá, señor, para servirle —respondió la misma muchacha.

—No pudisteis entrar en México, según me dijeron.

—No, señor, ayer no dejaban entrar.

—Lástima. ¿Y qué haréis?

—No sabemos... Volver a casa, si podemos.

No se le ocurría qué decir. Miró alrededor. La música sonaba ya en un pequeño altavoz del techo. El estribillo se repetía con insistencia después de una letra sin grandes variaciones:

*Para que sufra la canalla,*
*para que llore la canalla,*
*para que sienta la canalla,*
*para que aprenda la canalla.*

John bailaba en torpes pasos de salsa junto a las dos muchachas. A veces, las atraía hacia sí, las estrechaba y besaba por el cuello y la cara. Parecían dos débiles cuerpecitos de trapo inermes entre los poderosos brazos del norteamericano.

El comandante se había acomodado sobre una silla. Acariciaba el rostro y el pelo de la muchacha que se sentaba frente a él y, con la otra mano, tocaba las nalgas de la que permanecía en pie a su lado. La tercera, un poco más lejos, le miraba inexpresiva, tal vez aliviada de que el militar no tuviese una mano de más.

—Bueno, ¿nos sentamos? —dijo Manuel a las chicas que permanecían en pie junto a él.

Se acercaron hasta la mesa donde reposaban las bebidas.

—¿Queréis un refresco?

—Agradecidas, señor.

Tomó las primeras bebidas que encontró a mano y les sirvió en los vasos. Dio un largo trago de Coca-Cola.

Decidió que se iría de inmediato. Le violentaba la situación y no sentía ningún deseo de permanecer allí ni un minuto más. Echó la mano al bolsillo y sacó un fajo de billetes. Se los tendió a la muchacha.

—Puede que eso os ayude.

La otra los tomó y contó sorprendida la cantidad que Manuel le había dado.

—Es mucho, señor.

—Mucho para vosotras; para mí es nada.

La otra sonrió por primera vez.

—¿No quiere que subamos con usted al hotel, señor?

—No. Id a casa cuanto antes.

Se levantó. Se acercó a John.

—Oye... —Tocó el hombro del norteamericano—. Mira, yo me voy al campamento. No tengo muchas ganas.

El otro le miraba sorprendido. Había soltado a las muchachas.

—Pero ¿qué pasa? ¿No te gustan éstas? Te las cambio si quieres, a mí me da lo mismo.

—No es eso... La verdad es que no tengo ganas.

Rió el norteamericano mientras ponía la manaza en su hombro.

—Claro, claro, amigo... llevas poco por aquí, llegaste hace bien poco. Ya tendrás ganas pronto. Ja, ja. Espera, que te acerco al campamento.

—No, John, gracias, puedo ir andando.

—Ni hablar, está muy oscuro. Lo mismo te pierdes o te topas una serpiente. Es un minuto, no te apure.

Se volvió hacia el comandante.

—Enseguida me regreso, comandante. Voy a llevar al amigo: se quebró, se nos puso enfermo. Ja, ja. Y guárdeme mi ración, que estoy aquí al punto.

Cruzó la verja que el guarda abrió para él y respondió a su saludo. Tomó el camino que ascendía hacia los «campers», entre las altas farolas. Las luces del automóvil de John se alejaban en la noche, alumbrando grupos de árboles y la empalizada del campamento militar.

Pasó junto al generador de electricidad, que marcaba sin pausa un ruido uniforme y obstinado. Luego, el sonido fue apagándose a sus espaldas mientras alcanzaba la zona de las viviendas.

Cantaban los grillos y se escuchaba el ulular lejano de las lechuzas. La noche tenía también otros sonidos: pájaros ignorados y ranas de las charcas ocultas entre la maleza.

No entró en su cabaña, sino que siguió caminando hacia la parte alta del campamento. Se detuvo ante la verja que limitaba el campo. Crecían los sonidos irreconocibles entre la espesura, y era capaz de distinguir, aquí y allá, a un lado y a otro, los leves fogonazos que enviaban las luciérnagas. No había luces próximas y el manto del cielo se tendía virgen sobre su cabeza. La luna no asomaría hasta algunas jornadas más tarde y por ahora el espacio era la absoluta propiedad de las estrellas. El viento bajaba fresco desde occidente y traía aromas de tierra y de bosque. Miraba hacia lo alto y le parecía que todo el infinito universo se mostrase ante sus ojos, que la más lejana y mínima de las estrellas se dejara ver por unos instantes ante el recién llegado. Era el cielo un bordado de millones de puntos de oro. Y cuanto más lo miraba, más astros le parecía descubrir, hasta el punto de tener la impresión de que el hondo azul se borraba bajo el poderoso brillo de las constelaciones y que todo era, sobre su cabeza, una inmensa plancha de uniforme color dorado, un mar de oro.

El recuerdo de la muchacha del río regresaba. Y era armónico con cuanto ahora tenía ante sí: la oscura selva llena de seres despiertos, que vivían a costa de la muerte de otros seres a los que en ese instante cazaban; las inmensas arboledas cegadas por la noche; el río, que más allá seguía su curso cargado de rumores y también de vida; la noche, que le enviaba su fulgor y le traía los aromas de tierras lejanas. Todo parecía un único ser, él mismo también podía formar parte de cuanto había en torno suyo. Y su emoción creció más aún. Sintió como si se asomara a un territorio que hasta ese instante le había sido extraño y ahora se le hacía más íntimo y familiar. Era como nacer de nuevo.

## SEGUNDA PARTE

### 1

El pulso de las estaciones se siente en el trópico en forma misteriosa. No parecen marcarlo las corrientes de aire frío o caliente que vienen desde lejos. Tampoco las sequías ni los temporales. Quien gobierna es la selva. Inmerso en su densa vida, se llega a pensar que es ella quien decide cuándo deben aparecer las lluvias y cuándo retirarse; ella es quien abre un día las microscópicas guaridas de las larvas para que los insectos formen las espesas nubes móviles sobre las lagunas y los ríos; de ella parte la orden para que comience la gran bacanal del sexo y su capricho se ejecuta sin rubores por todas las especies que la habitan, sean plantas o animales; ella toma la decisión de traer un viento fuerte e impregnado de lluvia desde el noroeste, desde el lejano golfo de México, que hace doblarse a los árboles como si fueran las frágiles cañas de un maizal; siembra la tierra de esperanza para más tarde secarla, hasta el punto de hacerla temer que es estéril. Doblega y humilla, juega a su antojo con todo lo que está vivo dentro de su vientre. Y atemoriza a los hombres que han violado su reino, enviándoles presagios que muchos de ellos no saben reconocer.

Un día de comienzos de diciembre, ya en época seca, la selva arrojó sobre El Naranjo y toda la región que lo circundaba una inesperada tormenta. El cielo se volvió gris y, un poco más tarde, casi negro, mientras un vendaval enloquecido arrancaba los tejados de algunas de las casas del poblado y quebraba los troncos de decenas de árboles gigantes, cegando la carretera que iba hacia Flores. Luego vino la lluvia en cataratas ensordecedoras y, durante casi veinte horas, no cesó de caer. El río creció cerca de tres metros, se tragó varios cayucos y a punto estuvo de hundir el ferry en su violencia desatada. Bajaba teñido de un turbio color pardo, como de café, después de que el agua arrancase la tierra de las orillas y se agitase en el centro del cauce en vehementes remolinos. Durante varios días después del temporal, el San Pedro discurrió sucio, y arrastraba en su superficie grandes troncos y matorrales desgajados de las riberas. También animales muertos: cerdos salvajes, pájaros y algunas vacas. Hubieron de pasar al menos dos semanas antes de que el río volviera a remansarse y a ofrecer a la vista la verde transparencia de otros días.

Los hombres que conocían la selva se refugiaron resignados dentro de las casa más seguras. Los recién llegados, como Manuel Márquez, percibieron con asombro cómo la violencia de la selva transformaba de pronto un paisaje antes plácido y en apariencia generoso, en un jolgorio de salvajismo. Durante horas, escuchó el golpeteo de la lluvia sobre el «camper» del comedor, junto a un John apagado que, una y otra vez, le proponía jugar una nueva partida de damas.

Cuando la lluvia cesó, se sentía cansado. Fue a dormir a su cabaña. El sólido techo de guano se había conservado casi intacto y tan sólo dos goteras manchaban el techo. Se echó en la cama sin sospechar que aquel estallido de la naturaleza era tal vez el prólogo de un presagio de dolor, que una historia trágica, probablemente ya decidida en sus rasgos fundamentales, comenzaba a escribirse.

Transcurrieron siete días antes de que las comunicaciones por carretera pudieran restablecerse. El avión de la Compañía, entretanto, había realizado varios vuelos a El Naranjo, llevando víveres para la población civil, el campamento militar y sus propios empleados. Los vehículos de la Texoil se utilizaron también para liberar de árboles caídos el camino de Flores. En cuanto a la carretera de Xán, apenas sufrió daños, y tan sólo hubo que rellenar de tierra dos grandes agujeros que había excavado la lluvia.

Fue poco después de que la normalidad volviera a restablecerse en la jungla y el poblado que se extendía junto al campamento de petróleo cuando el guerrillero moribundo apareció, precisamente a mitad del recorrido en la carretera que llevaba a Xán desde El Naranjo. Lo encontró el grupo de perforadores que, de madrugada, acudían al pozo para su jornada laboral. Estaba tendido, según contaron, al borde del camino y puede que no llevase más de una hora allí, pues de lo contrario ya hubiesen dado cuenta de él los zopilotes o los cocodrilos. Se hallaba inconsciente, con fiebre muy alta, presa de un ataque de paludismo. No había armas a su alrededor. Todo hacía suponer que sus compañeros lo habían abandonado con la esperanza de que fuese gente de la Compañía quien lo recogiera, y no el ejército. Vestía los harapos de un uniforme verde olivo y carecía de botas.

Lo transportaron de regreso a El Naranjo, al pequeño hospital del campamento. Sabían que era un caso perdido y que en pocas horas moriría, pero ninguno de los trabajadores se planteó abandonarlo en el camino o dar noticia al ejército.

Manuel estudiaba en su cabaña unos planos de la región que le había pasado Eddy, el topógrafo, cuando oyó los grandes gritos de John. Se asomó a la puerta y encontró al norteamericano rodeado de empleados. Su cabeza sobresalía sobre las de los demás. Estaba rojo, irritado, y alzaba una y otra vez los brazos mientras vociferaba.

Vio a Manuel y, con un par de empellones, se abrió paso entre el grupo de hombres.

—¿Te has enterado? ¿Sabes qué han hecho estos estúpidos del diablo? ¡Habría que sacarles el cerebro y ponerles uno nuevo!

Le explicó atropelladamente la situación y luego le pidió que le acompañase al hospital. Manuel le siguió.

El hombre estaba tendido sobre la camilla de la sala que Doc utilizaba para las curas. Le habían desprovisto de la ropa y ahora tan sólo le cubría el vientre una pequeña toalla. Su cuerpo era esquelético, los huesos se marcaban debajo de la piel. Los largos y sucios cabellos se enredaban y colgaban de la cabecera de la camilla. Doc le aplicaba paños empapados de agua en la frente, mientras tres empleados contemplaban alrededor del enfermo lo que el médico hacía.

John casi hizo saltar el pestillo de la puerta cuando entró. Miró durante un breve segundo al hombre que yacía inconsciente y luego preguntó a Doc:

—¿Está muerto?

—Todavía no. Pero no le queda mucho tiempo. Es imposible salvarle.

El norteamericano se volvió a los empleados:

—¿Y por qué no le llevaron a los militares?

—Se estaba muriendo, señor Richardson... —respondió uno de los hombres.

—¡Pues mayor razón! Pucha con ustedes..., ¿no pueden comprender el problema que esto supone para la Compañía?

Los hombres no respondieron.

—¡Pero ustedes son nacidos aquí, hijueputas! ¿No conocen su país? ¿Saben qué dirán los militares cuando se enteren de esto? ¡Carajo con esta gente...! ¡Me la fregaron del todo!

Se volvió a Manuel.

—¿Lo ves?, ¿qué te dije...?, son... son de otra manera... No saben pensar las cosas como se debe hacer... ¡A vergazos tendría que tratarles!

Giró de nuevo y dio frente a los hombres:

—¡Salgan, váyanse, quítense de mi vista...! ¡Demonio, lárguense hasta el pozo de Xán y no se me regresen hasta mañana!

Los tres hombres se precipitaron con urgencia a ganar la puerta.

John se dirigió ahora al médico:

—¿Le aplicó algo, Doc?

—Nada, no puede hacerse nada. Tal vez es cuestión de horas, o quién sabe si de minutos. Se puede ir en cualquier momento. Iba a ponerle un poco de suero..., para nada, por hacer algo, un gesto sólo.

—Póngale lo que quiera. Yo tengo que ir a buscar al comandante.

—¿Va a entregarlo?

—¿Y qué espera que haga, Doc? Usted sabe la responsabilidad que es esto para la Compañía. Y usted mismo ha dicho que nada puede hacerse.

—Espere a que muera.

—¿Qué quiere, que esté aquí una o dos horas aguardando...? No, Doc. Ahorita mismo lo sabrá casi todo el pueblo. Y muy temprano, el comandante. ¿Quiere que lleguen a buscarlo...? No le buscarían sólo a él, la Compañía sería también cómplice. Haga lo que quiera, Doc, pero yo debo ir ahorita mismo a buscar al comandante. ¿Vienes conmigo, Manuel?

El español negó con la cabeza. John se golpeó la palma de una mano con el puño de la otra, miró a Doc y a Manuel, luego al cuerpo que yacía. Al fin, salió dando un portazo a sus espaldas.

Los ojos de Manuel se encontraron con la mirada del médico. Así permanecieron en silencio durante unos instantes, frente a frente.

Manuel habló el primero:

—¿Qué harás, Doc?

—¿Qué harías tú?

—¿Es realmente imposible salvarlo?

—Del todo imposible. Durará un par de horas no más.

—Entonces, ponle lo que sea para terminar.

—¿Sabes lo que harán con él si se lo damos vivo? —preguntó el médico.

—No, pero puedo imaginarlo. Tú sí lo sabes mejor que yo. ¿Tienes algo rápido?

—Sí, lo hay.

—Pues hazlo, Doc.

—Lo hubiera hecho de todas maneras. Pero si tú te quedabas aquí, a mi lado, necesitaba tu complicidad.

—La tienes. Hazlo ya.

Doc se retiró unos pasos y hurgó en el pequeño armario del fondo. Preparó la inyección y regresó enseguida.

—Sujétale el brazo —dijo a Manuel.

No resultó difícil encontrar la vena, que sobresalía azul entre los huesos y la piel amarillenta. La aguja penetró con facilidad y, en un instante, el líquido de la jeringuilla corría mezclado con la sangre del hombre.

—Es apenas un momento —dijo Doc.

Y entonces el guerrillero abrió los ojos. Manuel contempló su rostro, en el que sobresalían los abultados pómulos, sembrados de venillas enrojecidas. Los labios se movieron levemente bajo la espesa barba descolorida, bajo la capa de calenturas purulentas y las costras de aquellas que ya se habían secado. No llegaron a asomar los dientes ni el hombre alcanzó a hablar. Sólo sus ojos parecieron tratar de indicar algo. Miraban como si ya conocieran su suerte, como si hubieran previsto de antemano cuanto ahora estaba sucediendo. No había en ellos ni tristeza ni esperanza; sólo miraban, tal vez para contemplar el mundo en un último vistazo. La expresión de aquel hombre únicamente certificaba y daba fe de la necesidad de lo inexorable.

Hubo un temblor en el cuerpo. Luego, un amago de brinco, como si las piernas quisieran saltar de la camilla y escapar hacia la puerta llevando a cuestas lo que quedaba de aquel hombre. Los ojos se quedaron quietos enseguida, colgados en el aire. Doc los cerró con sus dedos.

—Ya está —dijo.

—Supongo que es duro hacer esto.

—Hay cosas más duras, amigo, amigo... Ahora tú y yo somos amigos, cómplices del horror.

—Doc, yo estoy de acuerdo con lo que has hecho.

—Sí, estamos de acuerdo. Pero eso no basta.

La puerta se abrió un minuto después y el comandante entró en la sala, precediendo a un grupo de hombres armados de fusiles de asalto. Rojas llevaba la pistola en la mano y la agitaba de uno a otro lado. Detrás de la tropa asomó la cara pálida de John.

Los soldados tomaron posiciones junto a las ventanas y la puerta de la estancia, tal vez imaginando un enemigo invisible. El comandante se acercó al cadáver, apoyó el cañón de la pistola en su barbilla y movió de un lado a otro la cabeza del guerrillero. Luego, se dirigió a Doc:

—¿Ya murió?

—Murió, mi comandante.

El oficial se retiró entonces unos pasos hacia atrás, levantó la pistola y disparó sobre el muerto. El cuerpo se movió levemente al recibir el impacto. Un agujero oscuro asomó a la altura de su tetilla izquierda y, al poco, brotó un hilo de sangre.

Nadie habló ni se movió. Manuel no acertaba a entender lo que sucedía ni lograba tampoco digerir en unos segundos una realidad que se le antojaba enloquecida.

—Ya vieron —dijo el comandante—. Murió en combate.

Guardó la pistola y continuó hablando.

—Nadie sabrá esto, ¿oyen vos? Por mi respeto al señor John y a la Compañía, esta vez no tomaré medidas. Ya sé que ustedes tres no son responsables. Pero ésta es una lucha de la patria contra el terrorismo comunista, y cualquier terrorista que sea encontrado, donde se le encuentre, debe ser entregado inmediatamente al ejército. ¿Oyen vos? Usted, señor doctor, firmará ahorita un papel donde se cuente la muerte en combate de este perro, ¿comprendido? Y ustedes dos no dirán a nadie lo que vieron.

Doc asintió con un movimiento de cabeza. Manuel le imitó cuando los ojos achinados del militar se posaron en los suyos.

—Vamos, soldados, recojan eso... y llévenmelo al carro.

Dos de ellos se acercaron y empujaron el cadáver, que golpeó en el suelo al caer de la camilla. La toalla que cubría su vientre quedó a un lado y el cuerpo desnudo y famélico del hombre fue arrastrado hasta la puerta por la tropa.

Doc y Manuel volvieron a quedar solos. Durante unos minutos no supieron qué decir. Luego, el médico dio la vuelta y entró en el pequeño cuarto trastero, que le servía de oficina. El español le siguió.

Doc abrió un pequeño armario y sacó una botella de ron. La descorchó, dio un largo trago y después, sin hablar, la tendió hacia Manuel.

—No, deja, casi nunca bebo —rechazó el español.

El médico volvió a acercarse la botella a la boca para tomar un nuevo sorbo. Después se acercó hasta la mesa, se sentó al otro lado, dando frente a Manuel, y la dejó abierta delante suyo.

—Ha sido duro, Doc.

—Ha sido necesario, lo que quizás es peor aún.

Se levantó. Dio un trago más y luego fue hasta un armario del fondo del despacho.

—Tendrías que ver esto —siguió mientras lo abría—, tendrías que verlo. Yo no soy un fregado del diablo. Yo quiero ser alguien más. Mirá vos, mirá todo esto, por favor.

Manuel se acercó y contempló lo que el médico le enseñaba: eran sobres amontonados, en desorden, que mostraban en su interior manojos de yerbas, de flores secas y de hojas.

—Esto, esto —continuaba diciendo el médico— son años de buscar, de seleccionar. No parecen nada, ¿no es cierto? Gran diabla, es una tarea de años. Plantas que curan todos los males. Las fui recogiendo poco a poco, una a una, según indicaciones de la gente de acá. ¿Tú sabes? Costaría una fortuna enviar esto a un laboratorio, analizarlo, procesarlo, extraer el medicamento. Mirá vos, mirá... esta hoja es la mano de lagarto, sus infusiones remedian el paludismo. Y esta otra, mirá, contra la erisipela, lo llaman hierba de sapo. ¿Ves estas florecitas? Parecen jazmines. Y no, son condeamor, sirven contra la diarrea. Todo, todo esto. Nadie lo ha recogido para preparar medicamentos y curas. Ellos lo saben, los hombres de aquí, sólo ellos. Pero ¿qué puedo hacer? ¿Dónde lo envío, dónde encuentro un presupuesto para investigar todo esto? ¿Ves, amigo, te das cuenta? No creas que acá los médicos somos distintos. Allá en Europa, curan, ¿no? Acá matamos. Pero estudiamos también cómo curar.

Regresó a la mesa y bebió de la botella otra vez. Se sentó:

—La selva es dañina, la selva mata. Pero a la vez crea los remedios contra la muerte. Ya ves vos: es cruel y amable, como la vida. Yo la comprendo, yo la entiendo bien a ella.

—¿Qué harán con el cadáver?

—El comandante reportará a la capital que mató un guerrillero y lo avalará con mi firma. Eso va en su hoja de servicios, le pone más cerca del ascenso. Así son ellos.

—No tenía idea.

—¿No los ves? Apenas salen del campamento. Están acá, encerrados en el cuartel. Cuando les obligan a salir, mueren por decenas en la selva, la guerrilla los mata a cuatro metros, sin que ellos puedan verla hasta que reciben el tiro. No salen a buscar guerrilla casi nunca. Esperan a que ella venga a buscarlos. Y esas noticias que a veces dan los periódicos en la ciudad: campamento rebelde destruido, grupo de insurgentes abatido por el ejército, todo eso... babosadas, inventos. Ellos sólo persiguen a los «lagarteros» mexicanos, los que vienen del otro lado a cazar cocodrilos. Cuando encuentran un campamento de «lagarteros», los matan a todos. Después reportan a la capital que acabaron con un campo guerrillero. Así es, así los ascensos.

—Detestas al ejército.

—Todo mi país detesta al ejército. Pero no todos nos atrevemos a combatirlo. Yo, ya ves, no soy capaz..., yo sólo sé matar a tiempo para evitar la tortura, como hoy. Pero también aprendo a curar.

—El hombre iba a morir de todas formas.

—¿Y quién puede afirmarlo? Un organismo humano es capaz de recuperarse en el último instante de una crisis aguda de malaria. Era poco probable, pero ya ves, podía haber vivido. Y yo sabía que tenía que matarlo desde que entró en la clínica. Hay hombres a los que no puedes sanar.

—No bebas más, Doc.

—El trago es el consuelo de los cobardes, amigo.

## 2

No tardó mucho en sentir que su morada estaba allí: imaginaba que él mismo fuera uno de aquellos árboles gigantes, cubiertos de grandes barbas de musgo, una pacaya o una ceiba, un amarillo sanjuán, un roxul o un cenízaro. O tal vez un pájaro perdido, o un roedor asustadizo, o una serpiente que buscaba las hendiduras de los troncos carcomidos por la termita para hacer su guarida. O simplemente una hoja moribunda, o un pedazo de tierra viva y feraz.

Entrar en ella, en la selva, era como penetrar en el interior de una gran habitación, llena de seres a los que en su mayoría no podía ver ni escuchar, y que sin embargo a él sí le contemplaban y oían. Era una mansión ruidosa y perfumada, misteriosa, habitada por fantasmas, moviente, de salas amplias iluminadas por los rayos del sol que lograban filtrarse a través del espeso techo de la fronda, de rincones húmedos y oscuros, de gargantas casi ocultas por donde discurrían riachuelos sonoros, de pasillos abiertos por los ecos del aire. Y todo parecía formar la identidad de un ser omnipresente, un alma sabia y poderosa.

Allí dentro entendía que la muerte podía sobrevenir en cualquier instante y que ello sería algo natural, en absoluto trágico, que cualquier acto casual —poner un pie o una mano en el lugar equivocado, tomar una dirección que no era la correcta— podía costarle la vida. Estaba alerta y relajado a un mismo tiempo, frágil e inseguro. Alcanzaba a sentir un temor hondo, instalado en la sangre, esencial, pero ese miedo no le hacía temblar, sino que salía del fondo de él con una naturalidad similar al sudor, al llanto o a la risa. Reconocía que nada importaba demasiado, ni siquiera morir, porque cualquier cosa que sucediera sería inevitable, algo que la selva ya sabía de antemano y que quería hacerle notar. Y se encontraba bien, reconciliado con su ser primitivo, integrado en la vida densa amenazada a cada segundo por la muerte. La selva era él mismo, su yo olvidado original y ahora revelado a sus sentidos con una rotundidad casi mineral.

Durante las semanas que habían transcurrido desde que llegara al campamento de El Naranjo, la tarea de Manuel se redujo al estudio de los trabajos elaborados por los geólogos anteriores a él y las cartas topográficas de la zona levantadas por Eddy González. No había vuelto a ver a Celeste en ese tiempo, y sin embargo el recuerdo de la muchacha permanecía vivo y caliente en su ánimo. Rechazó una vez más acudir con John a una de sus «fiestas» con deportadas de México, pero ya notaba desde días atrás cómo el trópico bullía dentro de su sangre. O tal vez no era el trópico, sino su propio cuerpo que exigía a su sexo renacer. Sabía dónde estaba la escuela de Celeste, metida entre las casas de la derecha de la calle principal de El Naranjo, tras un huerto de cocoteros. Pero no se decidía a ir allá ni tampoco se había atrevido a buscar la forma de que alguien se la presentase. Esperaba una ocasión que, por el momento, no llegaba.

Una semana antes de las Navidades, decidió que acompañaría a Eddy en uno de sus viajes al interior de la selva. El topógrafo estaba terminando de «triangular» una pequeña región que se extendía al noroeste del campamento, muy próxima ya a la frontera de México. Le pareció que podría ser una zona interesante para tomar muestras y medir algunas curvas anticlinales en las formaciones rocosas del suelo. No tenía razones especiales para pensar que hubiera petróleo allí, pues contaba con muy pocos datos, pero por alguna parte había que comenzar a buscarlo y su trabajo iba algo retrasado.

Era una zona de alto arbolado y la densidad de los matorrales que bordeaban la carretera no permitía adivinar que, unos kilómetros selva adentro, el terreno se escarpaba en diversos cerros encadenados que formaban una pequeña y oculta serranía en el interior de la jungla.

Salieron con la primera claridad del día. Iban con ellos tres hombres contratados de El Naranjo para «brechear» la espesura, que asumían también la tarea de cargar con los instrumentos de Eddy y los alimentos para la jornada. Eran hombres de cuerpo magro y nervudo, músculos tersos, fisonomías sin una sola gota de grasa.

Arrimaron el vehículo al lado del camino cuando el sol había comenzado ya a hacer ver sus primeros rayos en el horizonte. El más joven de los brecheros se echó a la espalda el pesado trípode de topógrafo, pero lo hizo con tal agilidad que dio la impresión de que cargaba un liviano utensilio de madera y no un oneroso armatoste metálico.

Manuel no fue capaz de imaginar por dónde podrían penetrar aquella apretada barrera de follaje que cubría los bordes del camino hasta que vio al primer hombre internarse sin esfuerzo entre los árboles. Pareció que la selva lo devoraba con una pasmosa naturalidad.

Fueron cuatro kilómetros de recorrido que a él se le antojaron cuarenta. Marchaban los otros con lentitud para no dejarle atrás. No daban la impresión de cansarse y, cuando se detenían para darle un respiro, incluso encendían cigarrillos y charlaban animadamente, mientras él, transpirando y jadeante, era casi incapaz de pronunciar una palabra. Eddy marchaba al mismo paso que los brecheros y ni una sola gota de sudor se marcaba debajo de su camisa. La suya, sin embargo, estaba empapada desde casi el comienzo de la marcha.

Ascendían pronunciadas pendientes que, al coronarlas, proponían de inmediato un descenso igual de ariscado. Manuel no lograba distinguir una senda en aquel paso; se limitaba a marchar detrás de los otros hombres, procurando pisar en los mismos lugares que ellos lo hacían. Sin embargo, alcanzaba a ver algunos árboles sellados con cortes de machete, probablemente marcas que indicaban el camino a recorrer. Le habían dado dos instrucciones para andar en el interior de la foresta: que mirase antes de poner el pie en un lugar y que hiciese lo mismo cuando su mano fuese a sujetarse de un árbol o una liana. Las serpientes y los troncos de espino eran los dos riesgos con que uno se enfrentaba si no empleaba los ojos antes que las manos y los pies.

La senda era sumamente escurridiza a causa del rocío de la mañana. El suelo, cubierto por un lodo fino y brillante de color negro, estaba sembrado de hojas machacadas. Subían entre rocas afiladas como navajas y sujetándose en ocasiones a los troncos de los árboles y a las raíces que surgían del suelo. El casi invisible camino transcurría a veces junto a farallones de imponente altura, donde los árboles crecían con las raíces al aire, como si carecieran de tierra suficiente para sostenerse y permanecieran allí por milagro. Otras veces, la senda se estrechaba entre plantas de anchas hojas, guineos estériles y matorrales repletos de flores moradas de campanilla. Siempre, el techo de ramas y de hojas formaba una cúpula natural sobre sus cabezas, una campana ancha y espaciosa que no dejaba penetrar el sol más que en audaces rayos que se colaban como un puñal de luz. Olía a humedad, a yerba muerta, un aroma que a veces se hacía agobiante, como si los pulmones no fuesen capaces de filtrar el oxígeno del aire. Se oía el canto del guardabarranco y luego el grito de algún tucán. Más adelante, los rugidos sonoros del saraguate, el mono aullador, que podían recordar el grito amenazador de los jaguares. Enredaderas y lianas colgaban de los árboles, y los bejucos rodeaban los troncos hasta parecer cuerdas enrolladas a su alrededor por el capricho del hombre. Algunos árboles caídos mostraban su corteza devorada por las termitas, mientras que aquellos que habían derribado las lluvias o los vientos conservaban aún el verdor de sus ramas, una capa de musgo escurridizo sobre su larga fisonomía y una reciente población de hongos asomando en sus cavidades.

Encontraron orquídeas que parasitaban las ramas de un chicozapote, el árbol del chicle: eran de un fuerte color amarillo, moteadas con decenas de puntos negros, como la piel de los leopardos. También, bolas de color negro que colgaban de las ramas de las ceibas y que servían de nido a legiones de termitas.

A veces, cuando atravesaban lugares llanos entre los cerros, la selva se abría en su espesura y crecían los árboles jóvenes dejando huecos entre sí donde helechos y matorrales formaban una sabana densa y de poca altura. La luz parecía entrar entonces con mayor poder en el interior de la jungla, aunque recortada en grandes manchas, cual focos luminosos del escenario de un teatro. Entre los arbustos, los troncos quebrados de algunos árboles surgían del suelo como lanzas.

Toda la selva confería entonces la impresión de ser una construcción humana, descuidada después por falta de atención, un jardín ideado por el hombre, un gigantesco espacio acotado un día y más tarde abandonado.

Se detuvieron a descansar unos minutos en uno de aquellos espacios de mayor amplitud del bosque. Manuel llegó jadeante hasta el grupo cuando los otros encendían unos cigarrillos y daban un sorbo de agua a sus cantimploras.

Eddy le indicó que se sentara al lado suyo, sobre el musgoso tronco de un chacá.

—¿Cansado?

Asintió con un movimiento de cabeza.

—Toma aire, date un respiro. Quiero enseñarte ahorita algo que te gustará.

Sentía que transpiraban todos los poros de su piel. Le

dolían los muslos y notaba una debilidad general en todo el cuerpo.

—¿Queda mucho? —preguntó al final, cuando su respiración pareció recuperar su ritmo natural.

—Un tramo —dijo Eddy.

—¿Hay cuestas todavía?

Sonrió el topógrafo.

—Sólo una fuerte, la última. Pero es más fácil, porque uno la trepa con manos y pies, agarrándose a las piedras y las raíces. Es duro venir por aquí, pero en cuanto lo hicieras tres días seguidos, ya tendrías la costumbre. Todo es costumbre.

—¿Qué querías que viera?

—Algo bonito; ahí mismo, ahí detrás. ¿Vamos ya?

—Sí, vamos.

Siguió a Eddy, que saltó con agilidad al otro lado del tronco y caminó entre los helechos.

Una veintena de pasos más allá, Manuel distinguió una hilera de montículos que se elevaban de la tierra poco más de dos metros. Había piedras diseminadas entre los matorrales. Hacia una de ellas, de forma rectangular y clavada en el suelo en vertical, se dirigió Eddy. La señaló a Manuel. La piedra estaba cubierta de una capa de musgo verdoso y su superficie parecía rugosa, como si tuviese numerosos salientes.

—¿Sabes qué es? —preguntó el topógrafo.

—No.

De nuevo sonrió el otro:

—Es una estela maya, y todos esos montículos de alrededor son, probablemente, otras estelas ocultas. Y puede que haya tumbas.

—¿Una estela?

—Por acá debió de haber hace siglos un templo. Cualquiera de estas colinas puede ocultarlo. Esto lo descubrimos hace un par de meses. No hemos podido limpiarla. Mira...

Eddy fue señalando con el dedo los salientes de la piedra, como si dibujase sobre ellos.

—¿Ves? Es la figura de un sacerdote. Faltan los pies. Estarán ahí abajo, tapados por la tierra. ¿Alcanzas a verle la cara?

Aquella informe rugosidad de la piedra se transformó, de golpe, en un relieve de perfiles reconocibles. Manuel vio el rostro del hombre, el gran penacho emplumado que adornaba su cabeza. Y los ojos, dos puntos redondos, del color verde del musgo, que miraban hacia él como si pudieran realmente verle. Y al mismo tiempo, parecían no mirarle, semejaban traspasarle, como si buscasen algo que se ocultase detrás suyo.

—Sí, me doy cuenta... —dijo. Se sentía apresado por el poder de aquella mirada secular.

—Quién sabe si esto fue alguna vez una ciudad —añadió Eddy—. Aquellos hombres eran bien emprendedores.

El resto de la marcha se hizo muy trabajoso para Manuel, en especial el último tramo. Ascendieron primero una pendiente no empinada en exceso, pero cubierta de escurridizo barro, pegados a una gran pared de roca y entre árboles que en su mayoría exhibían el tronco cubierto de afilados espinos. Al llegar a la base del último cerro, el que habrían de coronar para concluir el trabajo de topografía, descansaron unos minutos. Olía a humo y Manuel distinguió pequeños fuegos, casi rescoldos, en algunos puntos cercanos. Ardían pequeños montículos de hojarasca.

—Son restos de un pequeño incendio —dijo Eddy sin esperar su pregunta—. Nada serio. Aquí es difícil que la selva se queme. Tiene mucha humedad la tierra en este lado.

Comenzaron la ascensión poco después. Casi a gatas

treparon la escarpada ladera de la colina, sujetándose a piedras que amenazaban con desprenderse, a los frágiles y flexibles troncos de los matorrales, a las raíces retorcidas que componían en el suelo formas agónicas.

Alcanzaron la altura doce o quince minutos más tarde. El estrecho espacio de la cima aparecía repleto de árboles tendidos, que los brecheros habían cortado días antes para facilitar el trabajo de Eddy. De inmediato, se colocó el trípode y, sobre él, el teodolito. El topógrafo comenzó su tarea ayudándose de un cuaderno de notas mientras los peones, algo retirados, preparaban un fuego para calentar su comida. Manuel se sentó sobre un tronco, aún jadeante, el cuerpo cubierto de sudor.

Nada sino la cabellera de la selva se ofrecía a su vista desde allí arriba. El cielo brillaba en un intenso azul, barrido de su superficie tersa cualquier rastro de nubes. Sólo el amarillo de las flores de los árboles sanjuanes alcanzaba a romper la extensa uniformidad del verde. A lo lejos se oían los rugidos de un grupo de saraguates y, más cerca, el grito del tucán. Una bandada de patos, en formación de uve, volaba hacia el sudeste, probablemente en busca de las aguas del río San Pedro. El denso olor vegetal se mezclaba con el del humo que brotaba, en pequeños hilos, de las fogatas de la falda del cerro. A su derecha y a su espalda, otros montículos cubiertos de fronda marcaban el espinazo de la oculta serranía.

Comieron un par de horas más tarde, cuando Eddy hubo concluido sus trabajos de triangulación. Los brecheros se mantenían apartados unos metros de ellos, y uno, el más joven, sesteaba con la espalda apoyada sobre el tronco caído de una gruesa pacaya.

—¿Cómo llamáis a esto? —preguntó a Eddy.

—Sierra Escondida le pusimos —respondió el topógrafo.

—¿Y la loma donde estamos?

—Cerro Humareda, por el pequeño incendio ese.

—No sabía que quedasen en el mundo lugares sin bautizar.

—El Petén está lejos del mundo. Ese cerro de ahí, por ejemplo, no tiene nombre. ¿Cómo te gustaría llamarlo?

—Celeste..., Cerro Celeste.

—¿Celeste? Bien... ¿Y eso, por qué?

—Por el color del cielo, supongo.

—Lo anotaré en el mapa. Así queda, Celeste. Es lindo. Bautizaste pues un monte, amigo.

—Nunca pensé que podría hacer en mi vida semejante cosa.

—Hay mucho aún sin nombrar en esta selva.

—Me gustaría poder bautizarla entera.

—No sé si la selva permitirá que eso pase algún día —concluyó el topógrafo.

La selva le mostró al regreso su cara más terrible. Habían recorrido ya la mitad del camino y subían una empinada cuesta, entre la compacta espesura. El joven brechero que cargaba el trípode y que marchaba unos pasos delante de Manuel, dio un mal paso y perdió el equilibrio. Apoyó las dos manos en un tronco cuando caía, para evitar rodar por la pendiente. Y entonces, algo verdoso y largo, como una rama oscura, brincó delante y le golpeó el rostro. Gritó de dolor el muchacho y Manuel pudo ver que aquella rama movediza se enroscaba sobre sí misma. Dio dos pasos hacia el brechero que, tendido junto al tronco, se cubría la cara con el antebrazo. A menos de un metro de él, la barba amarilla se mantenía en una posición parecida a la de las cobras. Manuel, en aquellos breves instantes, pudo ver con claridad la cabeza del animal: era pequeña y afilada, la lengua partida se movía delante de la raya de la boca, como si lamiese restos de comida, y sus ojos miraban insensibles hacia delante, puede que a él mismo. Se quedó paralizado en la contemplación del iris brillante del reptil. Y la barba amarilla permaneció quieta durante esos largos e intensos segundos. Tan sólo se giró levemente para observar al otro brechero que llegaba, con el machete en alto, hasta su altura. No intentó morderle ni escapar, como si intuyera que ahora le tocaba pagar el precio de su acción y que ese precio era justo. Brilló la hoja del machete en el aire. Cuando cayó sobre el animal, produjo un ruido seco; después la cabeza del reptil saltó separada del cuerpo y botó hasta los pies de Manuel, mientras que su cuerpo se desenroscaba, poseído de una nerviosa agitación.

El muchacho herido ya no gritaba. Estaba tendido boca arriba y había retirado el brazo de su rostro. En la mejilla, dos pequeñas incisiones dejaban escapar un hilo de sangre, y la carne y la piel se iban hinchando por momentos a su alrededor. Todos se habían acercado y uno de los peones comenzó a succionar el veneno de la herida y a escupir a un lado la sangre que extraía. Eddy tenía ya lista la inyección de suero antiofídico y clavaba con rapidez y precisión la aguja en el cuello del muchacho, a menos de un palmo de la mejilla mordida. Nadie hablaba.

Los ojos del brechero herido miraban hacia lo alto, hacia la cúpula cerrada de las ramas de los árboles, tal vez intentando ver un pedazo de cielo o la clara luminosidad del día, allá, al otro lado de la fronda, arriba de la jungla. Y parecía cumplir su destino con resignación, puede que consciente de la inminencia de su fin.

Murió en menos de siete minutos, sin dejar escapar ningún nuevo grito de dolor, ni siquiera un lamento. Hubieron de improvisar una camilla con ramas y hojas de palma para arrastrarlo penosamente de regreso a la carretera. Por la tarde fue enterrado en el cementerio próximo a El Naranjo.

## 3

Hubo encuentros entre el ejército y la guerrilla en la región del Petén durante aquellos días de diciembre, pero las noticias llegaban confusas a El Naranjo. Algunas veces, desde el campamento, vieron pasar helicópteros militares: tal vez transportaban tropas de refresco a las zonas de combate o acudían a recoger heridos en el interior de la selva. La vigilancia en el cuartel militar se había extremado y se notaba un nerviosismo mayor en la tropa. Algunas noches, los soldados provocaron peleas con paisanos en las cantinas del pueblo y, en una de ellas, hubo un muerto, un campesino que intentó luchar a machete contra un sargento armado de pistola. El disparo le atravesó la frente antes de que pudiera descargar su mandoble y murió en el acto. Se silenció el asunto y nada sucedió con el suboficial. En cuanto al campesino, fue enterrado discretamente en el cementerio, a la sombra de unos cedros.

Los rumores señalaban que, a poco más de cien kilómetros de El Naranjo, la guerrilla había atacado de noche un campamento militar, y que dejó detrás ochenta soldados y cinco oficiales muertos, y tres helicópteros destruidos. Se hablaba también de que, dos días más tarde, como represalia, la fuerza aérea había bombardeado dos poblaciones civiles, utilizando napalm en uno de los casos, quedando el pueblo enteramente destruido y cerca de trescientas víctimas civiles entre hombres, mujeres y niños.

Los periódicos que, una vez por semana, traía el avión de la Compañía desde Ciudad de Guatemala, no hacían referencias más que ocasionales a la lucha contra la guerrilla y las masacres del ejército. La crónica de sucesos, sin embargo, era generosa, con relatos sobre asesinatos múltiples, en los que familias enteras eran acribilladas por «ajustes de cuentas», incluidos niños recién nacidos; asaltos de bandoleros a los autocares de pasajeros en el oriente y en el sur; desapariciones de estudiantes, de sacerdotes, de líderes sindicales y políticos, de profesionales; hallazgos de cadáveres en el barranco de San Cristóbal, a las afueras de Ciudad de Guatemala, cadáveres que, previamente, habían sido torturados... En muy pocos casos, los periódicos relacionaban la ola de violencia con la situación política que el país atravesaba bajo la presidencia de Efraín Ríos Montt, un general iluminado que combatía la subversión en el nombre de Dios y que era un activo militante de una secta evangélica llamada Verbo, cuya sede central estaba en California. La crónica de sucesos eludía entrar en detalles sobre el carácter de las muertes, masacres o asesinatos. Sí que explicaba con precisión, no obstante, las torturas sufridas por las decenas de asesinados que aparecían cada mañana, o la forma concreta en que fue exterminada una familia, o cómo había sido degollado un estudiante cuando salía de su domicilio camino de la Universidad de San Carlos. Las únicas noticias políticas que podían encontrarse algunas veces en los diarios eran las que hablaban de los éxitos del ejército en la lucha contra la insurgencia, los campamentos destruidos, el número de partisanos muertos, la «gloriosa acción» emprendida recientemente contra el comunismo en la región del Quiché o en los volcanes de Atitlán. Pero no había tampoco referencias de las aldeas civiles arrasadas, donde el ejército entraba a sangre y fuego si había sospechas de colaboración popular con la guerrilla.

Allá en la selva, sin embargo, y pese a los rumores, las ocasionales peleas entre soldados y paisanos y el nerviosismo de la tropa, la vida transcurría en su ritmo natural. Cantaban los pájaros de todos los días y las mañanas eran húmedas y limpias, mientras que los súbitos atardeceres parecían convertir la sierra del Lacandón, al oeste, en una pintura bucólica y hermosa, con los perfiles oscuros y quietos de los árboles y las cumbres recortándose sobre el cielo carmesí como las sombras de seres inmortales.

La llamada del sexo se le hacía a Manuel cada vez más poderosa. El recuerdo de Celeste venía a sus sueños algunas noches, pero no había logrado volver a verla. Pocos días antes de Navidades, sin embargo, pudo cumplir su deseo de encontrarla, en una fiesta de marimba que la propia escuela del poblado organizó con sus alumnos.

Eso fue después de que, una noche, accediera a acudir con John a una de sus «fiestas» privadas en el comedor «Rey Maya», junto al río. Desde días atrás, Manuel notaba hervir su sangre, y las mujeres indias que lavaban la ropa en el río con los pechos al aire comenzaban a despertar su sexualidad.

Aceptó cuando John le propuso, una vez más, ir al encuentro de un grupo de deportadas que don Julio había reservado para aquella noche. Sonrió el norteamericano:

—Ya sabía que las ganas te acabarían quitando los prejuicios, cuate.

Más tarde, en una habitación de la planta superior del hotel de don Julio, la muchacha se desnudaba ante él. Con cierto pudor, dejó caer el ligero vestido al suelo. Llevaba unas sencillas bragas blancas y sus pechos, al aire, eran pequeños y redondos. Tendría tal vez dieciséis o diecisiete años y se llamaba Ninette. Su piel era morena y, sin embargo, extrañamente, sus cabellos lucían en un intenso color rubio y sus ojos en un tono verde esmeralda.

—Mi abuelo era alemán —le había explicado antes, mientras tomaban un refresco en la terraza del comedor que daba al río—. Yo soy de Cobán, en Alta Verapaz. Muchos alemanes llegaron allí a cultivar la tierra. Los expropiaron a todos cuando la guerra mundial. Mi familia es pobre desde entonces. Yo quería ir a los Estados

Unidos y vivir una vida nueva. Pero los mexicanos me echaron para acá.

Se sentía ahora avergonzado por lo que estaba haciendo, pero el deseo vencía sobre su repugnancia moral. La abrazó excitado y la tendió en la cama. Después, con torpeza, libró a la muchacha de la última prenda que cubría su cuerpo. Todo fue muy rápido, él mismo quiso resolver con urgencia una situación en la que su propio papel se le antojaba poco digno.

La muchacha no dejaba traslucir ninguna emoción cuando bajaron juntos, un poco después, al comedor. Tal vez no era la primera vez que eso sucedía, pensó Manuel. Tomaron otros refrescos, sentados cerca de la baranda. Se oía el seco croar de las ranas, un ruido fuerte, como de palos que dieran golpes regulares sobre una superficie de madera.

—¿Me entrega el dinero pues, señor? —pidió la chica.

—Sí, claro.

Le tendió un billete de cincuenta quetzales. Ella le miró con asombro.

—Es mucho, señor.

—Debería darte todavía más.

—¿Quiere venir mañana otra vez? Creo que estaré unos días por aquí aún, el bus de Flores se retarda esta semana. Eso me han dicho, señor.

—No, está bien así.

—Pero me pagó mucho más de lo que dijo don Julio.

—No importa, guárdalo.

—Si usted quisiera, yo me quedaría a vivir aquí en El Naranjo. Un tiempo, mientras pudiera pasar a México. Vos necesitará una mujer de cuando en cuando, éste es un lugar muy triste para ustedes. Yo podría darle placer siempre que quisiera. No sería cara para vos, señor, y yo tengo necesidad de comer.

—¿No vuelves a tu casa?

—No puedo, señor. Ya me fui de allá, para siempre. No quieren verme otra vez. No hay plata para todos.

—¿Y dónde irás?

—Sólo puedo ir para Flores. Allí, ya vería. Me han dicho que hay sitios de chicas…, no sé. Aquí también hay. Pero no me gustan los soldados. Una amiga mía estuvo con uno. Había tomado. Estaba bien bolo. La pegó y la amenazó con la mera pistola para que hiciese cosas que ella no quería. No voy a quedarme aquí en la casa de las chicas… Es un lugar sucio, además.

—No sé qué decir, Ninette.

—No tenga pena, señor, yo soy tranquila. ¿No le parecí linda?

—Eres muy linda.

—Yo estaría aquí, en el hotel, mientras hay ocasión de pasar a México. Sólo para vos, cuando vos lo quisiera. Y no sería caro.

—Pero yo no te gusto, Ninette.

—Usted me parece bueno; me agrada, señor.

—No te hice…, bueno, esto no debe de ser divertido para ti.

—Usted pagó, señor. El gusto era para vos, no para mí.

—Está bien, Ninette, quédate. Yo pagaré el hotel y tu comida, hablaré con don Julio. No te apures: no será necesario que me entregues nada a cambio. Avísame cuando puedas ir a México, te daré algo más de dinero.

—Gracias, señor —sonreía la muchacha—, es usted bueno. Yo estaré para vos siempre que lo quiera.

—No hará falta, Ninette.

Pero dos noches después regresó a llamar en la puerta de la muchacha. Se sintió egoísta, como la selva, como aquellos duros territorios.

Cuando Manuel llegó, con Doc y Efrén, a la explanada delantera de la escuela, había ya varias decenas de personas. Mediaba la tarde y la orquesta de marimba hacía sonar un ritmo tradicional, *Luna de Xenajú*.

Se alzaba la escuela abajo de una barrancada, en las afueras del pueblo. Arriba de la loma, podían verse los pabellones blancos, rosas, lilas y encarnados del pequeño cementerio. Era la escuela un largo barracón rectangular levantado con muros de cemento y tejado de uralita. Tenía un amplio porche donde se había situado la orquesta. Varias bombillas ya encendidas alumbraban el cobertizo. También colgaban luces de los árboles que rodeaban la explanada.

La multitud que se concentraba allí en aquella hora estaba compuesta en su mayoría por niños y mujeres. Casi todas ellas eran indias y vestían la camisola tradicional, el «huipil», adornado con el diseño de la etnia ketchí, en blanco con bordados gruesos cruzados en horizontal. Grupos de niños jugaban a rodar por la pendiente cubierta de hierba.

En el extremo contrario al edificio de la escuela, en el interior de un pequeño campo de fútbol de terreno irregular, con porterías construidas con troncos de árbol sin pulir, algunas mujeres freían tortillas y bananos o asaban elotes, las mazorcas tiernas del maíz. También había un par de puestecillos de bebidas.

Efrén se separó de ellos y se reunió con un grupo de hombres que bebían por turnos de una botella de ron blanco. Doc y Manuel compraron elotes y se sentaron en la pendiente, no lejos de la explanada. La marimba continuaba tocando largas piezas que parecían no tener fin mientras nuevos grupos de personas se iban acercando al lugar del festejo. Cuatro soldados armados de fusil de asalto se mezclaron con los paisanos. Dos borrachos abrazados bailaban en el centro de la pista y provocaban las risas de los mirones. Mientras componían uno de sus torpes pasos de danza, tropezaron y cayeron al suelo, lo que levantó una carcajada general. A duras penas lograron incorporarse y optaron por saludar con grandes reverencias, como dos artistas que agradecieran los aplausos del público.

—¿Te gustó el elote? —preguntó Doc, mientras arrojaba la mazorca pelada de granos.

—No veo a la maestra.

—Estará dentro. No te inquietes, amigo, lueguito te la presentaré. Hay mucho tiempo, el pachangón terminará tarde.

Un grupo de hombres armados de escopeta cruzó a su lado camino de la explanada.

—¿Quiénes son? —preguntó a Doc.

—Les llaman Milicias de Autodefensa Civil. En realidad son reclutados a la fuerza por el ejército. Al que se niega a integrarse lo fusilan por antipatriota. Los que tienen dinero pueden pagarle a otro para que ocupe su lugar. Algunos desertan y se van al otro lado de la frontera con los refugiados, o se pasan a la guerrilla. La vida, amigo…

La puerta de la escuela se abrió unos minutos después. Celeste salió precediendo a un grupo de veinte niños y niñas de diez a doce años de edad. De nuevo Manuel sintió una emoción parecida al primer día que la vio junto la río. Un ligero vestido blanco, de sencillo corte, cubría el hermoso cuerpo de la muchacha. Su pelo negro azabache se derramaba en ondas sobre los hombros.

La orquesta dejó de tocar y Celeste se acercó hasta el micrófono. El viejo aparato de megafonía producía un ruido de fondo que hacía difícil escuchar su voz:

—Señoras y señores, muchas gracias por su amable presencia en este sencillo acto. Los niños de la escuela van a ejecutar para ustedes algunos bailes de nuestra tierra. Luego, la marimba seguirá tocando para que ustedes gocen de la fiesta. Espero que todo sea de su agrado y que les dé satisfacción lo que los chamaquitos han preparado.

Unos hombres apartaron a los dos borrachos de la

pista de baile y los niños ocuparon su lugar. Vestían ropas tradicionales y se cubrían la cara con máscaras. Llevaban también pelucas de llamativos tonos, algunas de un amarillo chillón y también rojas y moradas.

Los niños y las niñas se separaron en dos filas, dándose frente a un lado y a otro de la explanada. La marimba volvió a sonar de nuevo. Y comenzó la danza. Los movimientos de los bailarines eran sencillos: pasos en un-dos y un leve meneo de caderas y de brazos.

Durante un rato, danzaron dándose frente; luego, a un cambio de ritmo de la música, unos minutos después, los integrantes de las dos filas se pusieron de lado y formaron, enlazados por los hombros, dos hileras, que comenzaron a caminar, con el mismo ritmo de siempre, alrededor de la explanada. Así siguieron durante largos minutos, como si se persiguiesen dando amplios giros circulares.

Más tarde, la hilera de los niños cruzó la pista por el centro y atravesó la fila de las niñas por su mitad. Bailaron todos durante un rato, formando una cruz humana que giraba sobre sí misma como la hélice de un aeroplano.

Las dos hileras se separaron al rato y volvieron a danzar en círculo. Finalmente, se colocaron la una cerca de la otra, en paralelo, y concluyeron el baile entre los aplausos de la gente.

Todavía interpretaron dos nuevas piezas de parecida índole. Terminada su actuación, Celeste volvió a tomar el micrófono:

—Muchas gracias por haber asistido a nuestro festejo, señoras y señores. Esperamos que haya sido de su agrado. Ahorita pueden ustedes bailar si así lo desean o visitar el interior de la escuela y ver los trabajos de dibujo que han hecho los niños.

—Bueno, vamos allá —le dijo Doc al tiempo que se levantaba y se sacudía los pantalones.

Manuel se sentía algo nervioso, como si de pronto le invadiera una ola de timidez. Siguió a Doc, atravesó detrás suyo la explanada y entró en el amplio porche. Celeste conversaba con unas mujeres, pero volvió el rostro y le miró antes de que llegasen a su altura.

—¿Qué tal, señorita Celeste? Mire, quería presentarle a un amigo español, casi recién llegado acá. El señor Manuel Márquez, la señorita Celeste.

—Encantada, señor.

—Mucho gusto, señorita.

Estrechó la delgada mano de la muchacha. Le parecía aún más hermosa vista de cerca. Sus ojos brillaban en un negro intenso, como sus cabellos.

—Fue muy bonito lo de los niños —acertó a decir.

—¿De veras le gustó, señor? Son danzas tradicionales de nuestra tierra. Ustedes tienen también bailes muy bonitos en su país, ¿no, señor?

—Distintos, muy distintos.

—¿Querría aprender cómo lo hacemos aquí?

—No soy muy bueno como bailarín.

—Venga conmigo.

Doc le sonrió:

—Yo vuelvo al campo, amigo. A mí no me gusta el baile.

Se mezclaron entre los grupos de gente que danzaba. Celeste movía ante él las caderas y los brazos. Bajo el blanco vestido, el pecho se marcaba con firmeza.

—Así, señor, hágalo así...

Intentaba imitarla. Probablemente, sus pasos resultaban ridículos, pero no le importaba. Tenía ante sí a la muchacha con quien deseaba encontrarse desde tantos días atrás. Y su emoción superaba cualquier otra sensación posible.

Cuando la pieza concluyó, aplaudieron a la orquesta.

—Lo hizo bien, señor.

—Podemos llamarnos por nuestros nombres, ¿no cree?

Ella asintió al tiempo que volvía a sonreír. Los blancos dientes resaltaban bajo el rojo de sus labios y la piel tostada de su rostro.

—Me gustaría invitarla a un refresco, Celeste.

Se sentaron juntos sobre la alfombra de grama. La noche se había echado sobre el poblado y ahora los iluminaba la luz de una cercana bombilla.

—Ya la había visto en el río, Celeste..., al poco de llegar.

—Sí, me acuerdo.

—Y la verdad es que deseaba volver a verla. Le pedí a Doc que nos presentara.

—Es un buen hombre el médico. Cura a mucha gente acá. La Compañía ha traído mucha ayuda a esta región: la luz, las medicinas... En la escuela se nos ayuda también. Le tengo mucho agradecimiento a la Compañía.

—Yo quisiera volver a verla, Celeste.

—Bien, si... Mire, yo vivo un poco más arriba, atrás de la loma. Siempre que quiera venir a casa, la puerta estará abierta para usted.

—Iré.

La muchacha se levantó:

—Ahorita debo irme y ayudar a recoger las cosas de los niños. No se quede mucho tiempo por acá, los hombres ya andan tomando y estarán pronto bolos. El guaro los vuelve peligrosos. Y usted... usted es extranjero.

Se quedó, sin embargo, sentado sobre la grama, mientras ella se alejaba camino del edificio de la escuela. Al contraluz, pudo ver sus piernas dibujándose desnudas bajo el vestido blanco. Eran largas, formaban camino de las caderas una curva creciente y regular. Tal vez Celeste se sabía contemplada y caminaba con un leve contoneo, puede que más lentamente que de costumbre. Después, se perdió de vista entre el gentío que llenaba la explanada. Manuel aspiró el aire de la noche. Hubiera tenido que remontarse muchos años atrás para recordar una sensación semejante ante el encuentro con una mujer.

Le gustaba aquel lugar ignorado, aquella grama sobre la que se sentaba, aquellos rostros anónimos que iban y venían y que, incluso, se le hacían extraños por sus rasgos raciales. Y también estar solo allí. Le rodeaba su propia sensualidad, sus sentidos despiertos por la humedad de la noche, por la tibieza del aire, por la proximidad reciente de una muchacha que animaba en él los deseos ocultos. No quería irse, ni hablar, ni escuchar ninguna voz que rompiese el entorno inmediato, sus pensamientos alterados por el cálido perfume de la noche. La marimba ponía un fondo de notas necesarias en sus oídos; incluso el olor de las tortillas y bananos fritos parecía acorde con su sensualidad.

Y de súbito, entre él y los grupos anónimos de gente, cubriendo con su figura la luz de la bombilla, se interpuso una sombra: Efrén se acercaba con pasos torpes, sosteniendo una botella de licor.

El mestizo llegó hasta él y se dejó caer sentado a su lado.

—¿Cómo le va, don?

—Bien, bien. Gracias, Efrén.

—Una buena noche, don, una buena noche. Allá al fondo se pelearon dos tipejos. Gran diabla, hubo que separarlos, querían matarse. ¿No escuchó la bulla?

—No oí nada.

—Gritaban como saraguates. Y debieron dejarles que se mataran. ¡Pucha con la gente incivilizada! Mire, don, en este país hay hombres que viven más tiempo del que tendrían que vivir. Tendrían que haber muerto mucho antes y no vivir haciendo pendejadas. Así andan…

Alzó la botella delante de los ojos de Manuel:

—¿Quiere un traguito, don?

—No, gracias. Estoy tomando un refresco de cola.

—Póngale dentro algo de esto, es bueno.

—No, Efrén, gracias; bebo poco.

—Babosadas. Venga, póngale algo, don, que sin pecado la vida no tiene gusto.

Dejó que el mestizo vertiera parte del contenido de la botella en el interior de la suya. Varios hilos de líquido se escurrieron por el exterior del vidrio y le mojaron la mano.

—Así está mejor, don. No tenga pena, es buen guaro. A su salud y a la de sus hijos.

Bebieron.

—No tengo hijos, Efrén. Por si le sirve…

—Los tendrá pronto. En mi tierra se acaba teniendo siempre hijos.

—¿Usted tiene?

—¿Yo? ¡Mamita! Pues claro, don, claro. Por ahí andan, mundo adelante, tres o cuatro pares de ellos. Patojos y patojas, que de todo hay que tener. Con varias los tuve, don, con varias…, yo he dado muchas vueltas. Gran diabla, si di vueltas. ¿No tuvo usted mujeres, don?

—Bueno, alguna vez. Soy divorciado, Efrén.

—Mala cosa, don, mala cosa… Uno deja detrás rencor.

—¿Y qué hacen sus mujeres, Efrén?

—Bueno, yo las ayudo. Ahorita vivo con una y dos chamacos acá, en El Naranjo, no lejos del campamento. Tendrá que venir a mi casa un día, don. Pero a las otras les envío víveres y dinero cuando lo hay. Y a veces las visito.

—¿Cuántas son, Efrén?

—No muchas, don. Otras dos y seis chamacos más, algunos ya crecidos. Pero todos quieren a su tata. Yo soy bueno, don.

—En mi país las mujeres no aguantan esas cosas, Efrén.

—Será porque no me las cuidan ustedes, don. Mire, le voy a dar una confidencia. Cuando yo era joven, viví un tiempo largo con las putas. Son muy buenas las putas, son muy necesarias. Uno aprende mucho con ellas, don, uno aprende todo lo que debe saberse con las mujeres. Plata y cama, don, ésa es la ley.

—Mucha plata y mucha cama hace falta para tanta como tiene usted, Efrén.

—No crea, don. Mire, le daré otra confidencia: yo aprendí con ellas, con las putas, que hay tres cosas importantes para las mujeres.

—Dígame...

—Usted, don, me cae agradable. No le digo esto a cualquiera, pues. Sólo a usted. Verá: lo primero es que hay que buscarles el gusto, buscárselo poquito a poquito, porque ellas son bien recatadas y remisas y no lo dicen al pronto, se retardan en comunicarlo. Hay que tener la paciencia precisa, don. ¡Carajo, lo difícil que es a veces dar con su gusto!

Tosió Efrén. Bebió de la botella y siguió luego.

—Lo segundo es que hay que besarlas enteras, don, hay que besarlas por todas partes. ¿Usted me entiende?..., el gusto más hondo deben dárselo los labios y la lengua, don, no me lo olvide...

—¿Y la tercera cosa?

—Bien, bien..., la tercera... Hay que entrarles a veces por detrás, convencerlas con cortesía para que lo quieran..., la que lo ha probado, le gusta..., y la que no lo ha probado, le sorprende. ¿Sabe? A ellas lo que más les gusta es que las sorprendan. Una mujer sin sorpresas se aburre, don, y le quema a uno el rancho.

—¿El rancho?

—Bueno, que le queman el rancho, le ponen gran cuerna. ¡Huuuy!..., la de cuates que yo conozco con el rancho quemado por aburrir a las mujeres, don.

—Muy trabajador le veo, Efrén, con tanta mujer.

—La vida hay que peliarla, don, en todos los terrenos. Si uno no pelea, ¿qué se hace? ¿Mero vivir y esperar a que se lo lleve a uno la gran diabla? Eso no es para nosotros, don..., pero hay que cuidarlas también, don, cuidarlas con mucho equilibrio. Si estás con una no puedes andar todo el día parrandeando. Al final, ella te quema también el rancho. Hay que ir poquito a poquito: un día darle lo suyo y otro a la parranda. Porque tampoco es bueno estar todo el día encima de ella, como un caracol, porque se aburre de tanto de ti y entonces también te quema el rancho.

—Difícil equilibrio, Efrén.

—Bien, sí. Difícil, don. Pero no hay gusto sin dificultad, sin peliar. Gran diabla, todo es difícil. ¿Usted no ve, don, que hay muchos que no viven la vida que tendrían que vivir?

—¿Quién, Efrén?

—Usted y yo..., me supongo. Y otros que conozco. No importa, le digo babosadas. El mundo es un error de Dios, don.

—Se supone que Dios no se equivoca nunca, Efrén.

—Ah, don, yo no soy creyente. Pero no quiero insultarle a Él para que no se encachimbe conmigo. Más vale no tentar al Diablo, como decimos acá.

—Eso se dice también en mi tierra, Efrén.

—Sí, pero acá el Diablo es pior que en otros lados.

—Bueno, Efrén, yo voy a irme al campamento.

—¿No se queda a unos tragos? Hay lindas chamacas por aquí.

—No, no; estoy cansado, Efrén.

—¿Ve qué lindas? Mire aquellas de allá, las inditas. ¿No le gustan las inditas? Usted no me pareció racista, don.

—No es eso. Hay que madrugar.

—¿Y qué le da? Cuando hay muchachas, la noche se borra y uno se amanece fresco, como los niños. Mire, por eso, don, es por lo que no estoy de acuerdo con Darwin.

—¿Cómo dice?

—Que yo estoy contra Darwin, don. Porque si vos vas a los sitios y en los sitios encuentras mujeres bonitas, que siempre las hay, tan bonitas como los ángeles de las pinturas..., ¿cómo van a venir de los monos, don? Usted es algo más sabio que yo, don, vos naciste en Europa..., ¿cómo es eso, cómo pueden venir de los monos las mujeres lindas?

—Tiene razón, Efrén. Yo estoy también contra Darwin.

—Pues no se me vaya. ¿No las ve? Nos miran y se ríen. Hay que ir antes de que llegue Nicolás.

—¿Quién es Nicolás?

—El que la mete cuando tú te vas... ja, ja, ja... ¿Le gustó, don? O a lo mejor viene Godoy... el que la mete cuando yo me voy... o quizá Gonzales, el que la mete cuanto tú te sales..., ja, ja, ja... ¿Vamos, don?

—No, Efrén; regreso al campo.

—Procure parar en algún lugar en el camino, don. Usted sabe.

—Adiós, Efrén.

La luna, casi llena, parecía querer devorar el cielo. Alrededor suyo, un halo de luz borraba todo rastro de estrellas. Era tal la claridad de su arrugada geografía, que semejaba, vista desde la tierra, un rostro humano surcado de cicatrices levemente azuladas.

Había canto de grillos, destellos de luciérnagas, croar de ranas y lamentos de pájaros nocturnos. Alrededor de las escasas bombillas, que iluminaban débilmente la calle principal del poblado, se formaban nubes de mosquitos y revoloteaban algunas pequeñas mariposas.

Olía a maíz asado cuando Manuel se acercó a una de las cantinas y se oían en su interior risas y voces. Vio soldados dentro cuando cruzó ante la puerta y algún que otro paisano mezclado con la tropa.

Más adelante, al pasar frente al prostíbulo, dos chicas le llamaron desde la balconada. La oscuridad velaba sus rostros, pero sus figuras dibujaban su perfil sobre una breve luz naranja que venía de la sala del fondo.

Un impulso le hizo doblar al final de la calle. Alumbrado tan sólo por la luz de la luna, siguió la vereda, al lado de los huertos hundidos en las sombras. Descendió la cuesta junto a los parapetos del cuartel militar y llegó hasta el comedor «Rey Maya».

Ninette cenaba sola al fondo de la sala que daba al río. Las aguas del San Pedro, iluminadas por la luna a espaldas de la muchacha, eran una lámina de plata quebrada, aquí y allá, por los grupos oscuros de árboles reflejados en el cauce como desconchones. Se notaba un denso calor húmedo en el interior de aquella estancia.

Ninette apartó a un lado de la mesa el plato de pollo con arroz y se levantó. Sonreía.

—Buena noche, señor. ¿Quiere que subamos ahorita?

—No, no. Toma tu cena, niña.

Se sentó al lado de la muchacha.

—Ya comí algo, calmé el apetito. No tenga pena, señor, subimos ya mismo.

—No, espera.

Encendió un cigarrillo y contempló el rostro de Ninette. Le atraía, avivaba sus deseos.

—Y deberías llamarme Manuel... —añadió.

—Lo intento, señor. Pero me cuesta. Vos es bueno, vos es el patrón, o algo así, aunque muy bueno conmigo, claro. Le tengo gran agradecimiento por lo que hace. Y le sirvo con gusto.

—Eso es, el patrón. ¿No sientes nada hacia mí?

—Ya le dije.

—¿No hay..., no hay más... desearme, amarme de alguna manera?

—Me complace hacerlo con vos, señor. Pero su gusto es primero. Y amarle... sí, yo podría amarle, pero ¿de qué iba a servirme a mí?

—Tienes razón. Olvídalo, Ninette. Son babosadas

mías, como decís vosotros. Perdona, bebí un par de tragos, no es mi costumbre.

—¿Quiere que subamos ya al cuarto?

—Sí, vamos.

Cuando una hora más tarde cerró la puerta a sus espaldas, le pareció que la muchacha sollozaba. Pero no se volvió. Descendió los escalones crujientes del hotel. Una rata saltó entre los maderos y corrió escaleras abajo hasta ganar el camino y perderse entre los matorrales de la ribera del río.

Regresó hacia el campamento en la soledad de la noche. La cara de la luna parecía ahora vivir y capaz de adivinar los sentimientos diversos que rompían su corazón, como un oleaje desatado por vientos imposibles de gobernar. Sabía que no había sido justo con Ninette. Había tomado de la muchacha su propio placer, y ello sin que se durmiera su sensualidad mientras recordaba y deseaba a Celeste. Incluso, en los últimos instantes, en la oscuridad del cuarto del hotel, había pensado que era Celeste quien le abría su cuerpo para que lo abrazase y tomara, y no Ninette.

El poderoso faro de la luna dibujaba ante él los perfiles de las altas tumbas mayas, coronadas por las garitas del ejército. Tuvo la sensación de que aquellas pirámides no escondían tan sólo enterramientos sino también seres fantasmales todavía vivos, tal vez hombres o tal vez dioses. La noche de la selva le hacía percibir que un corazón enorme y cercado de duras membranas, tersas como la piel de los tambores, latía debajo de sus pies.

## 4

El día anterior a la Nochebuena, John propuso que intentaran cazar un venado en la carretera de Xán, durante la noche.

—Es fácil —comentó el norteamericano—, como tirar al blanco. Los faros del carro los deslumbran y quedan paralizados. Habrá buena cena mañana, cuate. La cosa es que asome alguno. ¿Quieres tirarle tú?

—Iré de espectador.

Salieron dos horas después de la caída del sol. Willy manejaba el volante del todoterreno y Manuel ocupaba el asiento de al lado. Atrás, en la caja de carga, viajaban con las escopetas John y Efrén.

La luna, ya menguada, apenas tenía fuerzas para iluminar la cerrada cresta de la selva. A través de la ventanilla, el viento entraba húmedo y templado, con perfume de hojas y de flores invisibles. Manuel sentía su sensualidad despertar mientras azotaba su rostro y revolvía sus cabellos. Delante de los faros, la carretera lucía amarilla, partida en su mitad por un espinazo de yerba oscura. A los lados, la espesura cerraba un mundo misterioso, y los árboles que los faros del vehículo alcanzaban a iluminar semejaban animales extraños, dotados de inteligencia, como si asomaran al camino para contemplar con curiosidad el paso de un ser desconocido. El ruido del motor cegaba los sonidos de la noche de la jungla.

Fue la primera vez que vio el jaguar. Tal vez la fugaz aparición no durase más allá de unos pocos segundos, pero a Manuel le pareció un tiempo mucho más dilatado.

Habían doblado una curva y el vehículo marchaba a poca velocidad. Al tomar de nuevo la línea recta de la carretera, los faros del todoterreno lo iluminaron una veintena de metros. Estaba a un lado del camino. Sus ojos brillaron como dos fogonazos al encontrarse con las luces del automóvil. Era un enorme felino, poderoso y seguro, que emanaba orgullo en su actitud. Las manchas negras moteaban la resplandeciente piel anaranjada. Aquel altanero animal no pareció atemorizarse ni tampoco irritarse. Se podía pensar que en su mirada había algo de desdeñoso, la conciencia de que nada ni nadie, en la noche salvaje que convertía a la jungla en un territorio de caza y muerte, era capaz de hacerle daño, ni siquiera aquel extraño ser que corría rugiendo hacia él enviándole dos cegadores rayos luminosos.

Willy conectó entonces las luces largas. Se amplió el campo de visión y pareció que el gran gato se volvía casi blanco, como si envejeciera de pronto. Y entonces saltó, con gracia, sin aparente esfuerzo, impulsado por unos músculos capaces de contener toda la energía de la vida. Se perdió en la espesura justo una fracción de segundo antes de que sonasen los dos disparos en la caja trasera del vehículo.

Frenó Willy y el todoterreno se detuvo donde unos instantes antes había estado el jaguar. Se oyó el vozarrón de John:

—¡Le fallamos! ¡Sigue adelante, indio!

Willy arrancó y enfiló de nuevo la línea amarilla de la carretera.

—¿Visteis vos el tigre?

—Creo que no podré olvidar lo hermoso que era. Me alegro de que no le diesen.

Media hora después llegaron al término de la carretera, en la explanada del pozo de Xán. El foco de lo alto de la torre iluminaba un amplio espacio. Descendieron. Willy apagó el motor del vehículo y se escucharon los sonidos de la noche, el canto de los grillos y el ulular de una lechuza. Soplaba una brisa trémula y húmeda. Millones de estrellas cubrían la bóveda del cielo, alrededor de la luna debilitada.

—Nos quedamos sin la piel —le dijo John, al tiempo que le golpeaba con la manaza en el hombro—. Fue muy rápido el tigre, no dio tiempo a acertarle.

—No hay venados —comentó Manuel.

—Puede que encontremos uno en el regreso.

John se alejó unos metros para orinar. Ahora era Efrén quien se acercaba a hablarle.

—¿Lo vio, don?

—Sí, muy bonito.

Bajó el tono de la voz de Efrén:

—¿Sabe...?, no quise darle.

—¿Y John?

—Ah, él es lento, don, muy lento.

—Me alegré de que escapara. ¿Nunca mató uno, Efrén?

—Bien, muchos, don. Todavía lo hago. Pero no así. Hay que darles su oportunidad. Vendrá un día conmigo, si quiere.

—Era un animal magnífico... Y peligroso, supongo...

—Ya le dije, don: no más que los hombres.

Encontraron el venado en el regreso. Todo sucedió muy rápido: el animal saltó casi delante suyo, y en lugar de tratar de ocultarse entre la maleza, galopó siguiendo la línea de la luz que trazaban los faros. Apenas pudo recorrer una veintena de metros antes de que sonaran los disparos y cayera derribado. Willy frenó casi encima del cuerpo: no estaba muerto aún y, mientras sus manos delanteras pateaban el aire, las de atrás permanecían inmóviles. Intentaba levantar la cabeza, pero no poseía ya la fuerza suficiente para lograrlo: una y otra vez, el cuello se alzaba y luego golpeaba sobre la tierra. Era un animal joven, de astas poco desarrolladas.

Manuel llegó el primero a su lado. El ojo negro y redondo del ciervo le miraba oblicuamente. Babeaba espuma sucia de la boca, y asomaba su lengua manchada por la tierra de la carretera. Todavía intentó incorporarse, pero la cabeza cayó otra vez y chocó pesadamente contra el suelo. A Manuel le pareció que el animal agonizante no le contemplaba con temor. Se apartó a un lado para eludir las coces que otra vez lanzaban, quizá como estertores de muerte, sus patas delanteras.

Pero no apartó la mirada del ojo del venado. Y vio cómo giraba hacia su derecha, hacia donde Efrén aparecía armado con el machete. Luego se movió lentamente hacia arriba cuando Efrén alzó el brazo, y siguió el recorrido del machete, la curva que la hoja de acero trazaba en el aire antes de caer sobre su yugular y cortar de un tajo certero el último hilo de su vida.

Saltó la sangre del cuello del venado como un chorro violento y a punto estuvo de manchar los pantalones de Manuel. Las patas del animal lanzaron todavía dos golpes antes de que el cuerpo quedara inerte. El ojo quedó detenido en el vacío, con una gota húmeda prendida en el lacrimal.

La mañana del día de Nochebuena, Manuel bajó caminando desde el campamento hasta la casa de Celeste. Había poca actividad en el poblado, apenas si se veía gente en la calle principal de El Naranjo. El verano tropical se iba afirmando y las temperaturas habían subido. También se notaba menos humedad en el aire; de la tierra surgía un aroma denso y vivo.

Le abrió la puerta una mujer india, de rostro pétreo y cuerpo pequeño.

—La señorita se ausentó —dijo.

—¿Volverá hoy? —preguntó Manuel.

Por toda respuesta, la mujer se encogió de hombros.

—¿No sabe cuándo regresa? —insistió.

—Fue a casa de sus papás.

—¿Vendrá mañana?

De nuevo la india contestó con un movimiento.

—¿Dónde es la casa de sus papás?

—Al sur.

—¿Lejos?

—Bien…

Con fastidio, desanduvo el camino por la ancha calle del poblado. Había pensado invitarla a la cena de la noche en el campamento y, estúpidamente, no había caído en la cuenta de que Celeste tendría ya hechos sus propios planes. ¿Qué le hacía suponer que ella, como John, como Doc, como él mismo, era también un ser desarraigado y perdido en aquel lugar alejado del mundo?

Quedaba Ninette. Tal vez la invitase a venir a la cena. O puede que no lo hiciera. Ya decidiría en cualquier caso.

No se encontraba en el hotel ni tampoco en el comedor «Rey Maya». Don Julio le sirvió un refresco en una mesa junto a la baranda que daba al río.

—¿Y dónde fue, don Julio?

—Pues creo que a la iglesia anglicana.

—Ah..., ¿es anglicana?

—Parece, señor. Y es bien piadosa su niña, se hace tomar afecto.

Próxima la hora del mediodía, las aguas del San Pedro discurrían teñidas de un fuerte color verde. No había ninguna barca sobre su superficie y los árboles de espeso ramaje parecían dormir en pie bajo la calentura del sol.

Ninette llegó media hora más tarde. Vestía unos jeans y una blusa ligera. Su rostro se iluminó al ver a Manuel.

—Qué bueno que vino a verme.

Tomó asiento a su lado; sonreía. Los cabellos rubios brillaban sobre la piel color de té. Resplandecía el rostro de la muchacha en la claridad del mediodía.

—Bueno... —Manuel habló sin pensar—, hoy es Nochebuena, Ninette, y está bien encontrarse. Pensé que podríamos almorzar juntos. Esta noche no me es posible venir a estar contigo.

—¡Qué alegría me da vos, Manuel! Deje que suba a ponerme otra ropa. Compré un vestido nuevo, ¿sabe? El camión trajo ayer ropa linda y usted me da mucho dinero. Quiero que lo vea.

—Sube si quieres, yo te aguardo aquí.

Al regreso, Ninette lucía un vestido de una pieza, de blanco algodón surcado de bordados a la altura del pecho. Su piel parecía dorada ahora. Manuel nunca la había visto tan hermosa. La deseó de inmediato, pero se contuvo. Sólo acarició uno de sus brazos, el aire bajo la manga corta.

—¿Sabe qué pensé, Manuel?

—Dime.

—Podríamos llevar unas aguas y unos bocadillos y subir el río en la lancha de don Julio. Él me la presta a veces. A vos no se la negará y yo sé cómo gobernarla.

—¿No es peligroso?

—Hay unas pozas arriba, en las corrientes. Es un lugar bien lindo. Le complacerá, ya verá vos.

—De acuerdo. Vamos allá. Nunca subí el río.

—Esto es como una fiesta —dijo la muchacha mientras le sonreía sin timidez.

La lancha surcaba unos minutos después las aguas mansas del San Pedro. En realidad, se trataba de un cayuco, una canoa de forma afilada, de unos tres metros de largo, construida con el tronco de un amapolo en una sola pieza. El motor era poco potente, pero bastaba para arrastrar el liviano peso de la embarcación. Un bando de patos negros de buen tamaño cruzó junto a ellos, casi a ras de superficie, cuando atravesaron frente al centro del poblado, entre las orillas de paso del ferry.

Todo rastro de vida humana quedó de pronto atrás, después que doblaron una curva del río. Navegaban contra corriente, pero la quietud de las aguas hacía parecer que viajaban por el brazo largo e inmóvil de una laguna hundida entre la selva. Brillaba el San Pedro hendido por los rayos del sol estival y la marcha de la canoa les hacía sentir un ligero viento fresco sobre la piel.

Allá arriba era posible pensar que descubrían un cauce aún no bautizado. Los árboles parecieron crecer de pronto; sobre todos ellos, las esbeltas y poderosas ceibas, que creaban a su alrededor un breve espacio de soledad altiva; y las palmas reales, tan vanidosas como aquéllas, pero con un rastro de coquetería en la ondulada caída de sus ramas; y los provocadores sanjuanes, soberbios también en su altura, carentes sin embargo de hojas verdes, y plenos, en su lugar, de racimos de flores amarillas. Todos ellos sobresalían en una espesura desordenada, sobre troncos partidos que asomaban cerca del agua semejantes a osamentas que conservaban aún el gesto de su último intento por agarrarse a la vida. Y remansos de agua muerta arrimados a los recodos de las orillas, donde las plantas parecían desear echarse al río para aprender a nadar mientras otras, al lado, se abrazaban a la tierra como si quisieran escapar de su terror a las profundidades.

El río se hacía más hermoso y más salvaje conforme avanzaban. Y no porque la fuerza de sus aguas dibujase en la superficie la forma de las corrientes, sino por su grandeza, por su dominio sobre la tierra, por la seguridad con que abría su propio espacio entre la jungla densa y vigorosa. Si la selva era la madre de la tierra, el río era su orgulloso amante. Y aquél era su reino, en el que nadie ni nada podía oponer una razón de mayor altanería. La paradoja estaba en su pasmosa tranquilidad, en la firmeza de su mansedumbre y de su anchura rotunda.

Ninette gobernaba el timón y Manuel le daba frente. El llamativo pelo rubio de la muchacha flameaba como una bandera deshilachada y sus ojos ahora, golpeados por la luz, parecían haber tomado un tono amatista. Era de pronto una mujer segura de sí, en nada recordaba a la muchacha tímida y entregada que había encontrado, protegido y, desde luego, utilizado, desde semanas atrás. Sintió que ella pertenecía a aquel medio salvaje, mientras que él era tan sólo un extraño. La sensación le provocó una nueva excitación desconocida. Ella respondía en ocasiones a su mirada, y entonces le sonreía. Y al mismo tiempo daba la impresión de respirar su propio aire, de sentirse llena de la atmósfera de su propio mundo, ignorante él, ajena a su presencia. Manuel, en ese punto, se sintió algo torpe.

Viajaban ahora próximos a la orilla derecha, buscando la línea de sombra. Una gallina de monte huyó a esconderse entre los matorrales, espantada al paso de la barca. Manuel vio saltar un pez, tal vez un jolote o una mojarra, en la estela que la lancha dejaba detrás de ellos. Un gavilán blanco cruzó luego sobre sus cabezas. A veces, las libélulas se situaban volando a su altura, como si jugaran a poner a prueba su velocidad siguiendo la marcha de la barca, y luego daban un rápido golpe a sus alas y giraban raudas a perderse delante de ellos. Una garza blanca, de enorme tamaño, casi como una cigüeña, les contempló impávida desde el tronco roto de un árbol que, clavado en la profundidad del río, asomaba sobre la superficie su cuerpo desgajado. Navegaban en ocasiones junto a espesos matorrales de altos bambúes o al lado de grandes plantas de enredaderas repletas de campanillas, que caían hacia el agua y formaban una barba espesa, casi un farallón de melenas verdes y moradas.

Ninette le señaló con un brazo el cielo:

—Miré vos, son guacamayos.

La pareja de loros volaba en paralelo, al mismo ritmo, a igual velocidad. El bermellón, el rojo, el amarillo y el azul de su plumaje les hacía parecer, de pronto, dos aves surgidas, como por milagro, de un paraíso próximo e ignorado. Volaban en horizontal, a no mucha altura, rectos el cuerpo y las largas plumas de la cola, como dos dardos policromados.

—Son bien hermosos —le dijo Ninette, alzando la voz para hacerse oír sobre el ruido del motor—. Siempre van juntos macho y hembra, fieles hasta que se mueren.

A tramos, la profundidad del cauce se hacía menos honda y Ninette gobernaba el timón entre corrientes de agua alegre, que descendían rizadas lamiendo la borda y salpicando sus brazos. Pasaban en ocasiones junto a islotes cubiertos de fronda y, otras veces, al lado de bancos de piedras redondas y pulidas. Pero el río de nuevo cavaba un lecho profundo, el agua regresaba a su verdor esmeralda y parecía no moverse.

El cielo brillaba como una perla bruñida y todos sus perfiles se dibujaban con nitidez bajo la claridad intensa del espacio. Podían distinguirse los pequeños pétalos de las flores del sanjuán, que aquí y allá flotaban sobre las aguas, como mínimos puntitos amarillos. Un pajarillo saltaba, una y otra vez, de la rama de un árbol a la superficie del río. Se daba un breve baño, apenas un segundo, y regresaba a la rama después de haber levantado una pequeña espiral de agua, un estallido de gotas que semejaban fogonazos de luz bajo el reflejo del sol. El ruido del motor del cayuco no bastaba ahora para apagar el griterío, el concierto de decenas de pájaros y de monos que, escondidos en los rincones de la jungla, componían un hondo clamor para aquel abigarrado mundo de árboles silenciosos. Olía a sementera húmeda, a estiércol dulce, a polen de flores, aguas estancadas y, más remotamente, a miel y a primavera.

Llegaron una hora después de salir de El Naranjo al lugar elegido por Ninette, donde el San Pedro se dividía en varios brazos, para eludir islotes cubiertos de espesura y formar vados, leves caídas de agua, playas de guijarros endurecidos por la violencia del sol. Ninette redujo la velocidad de la lancha y enfiló hacia la derecha. Allí el río abría una ancha poza de aguas casi inmóviles y sobre ella sobresalía una plataforma de suelo empedrado por millares de chinarros de piedra caliza. El bote se arrimó a una miniatura de ensenada y encalló entre los roquedales. Manuel saltó y Ninette le arrojó el cabo. Después bajó a encontrarse con él. Tiraron de la cuerda de maguey y amarraron el cayuco a un matorral de ramas nudosas que, como por milagro, surgía entre las grietas del suelo calcinado.

Aquella superficie de tierra petrificada podía parecer un cementerio natural, aislada entre los márgenes repletos de fronda y los bancos de tierra fértil donde crecían los árboles y la maleza. A su alrededor, el agua saltaba transparente sobre un fondo de guijarros cuya profundidad no pasaría de unos centímetros. Al caer, sin embargo, bajo la plataforma, el río formaba una honda piscina de aguas verdosas. Sobre el endurecido suelo, abundaban las osamentas de grandes cangrejos, las conchas vacías de enormes almejas e, incluso, los restos del esqueleto de un cocodrilo devorado tal vez por algún jaguar meses atrás.

—Parece un jardín, ¿verdad, vos? —le dijo Ninette.

—¿Nadie viene aquí?

—Muy pocos. ¿A qué habrían de venir?

—Bueno, como venimos nosotros.

—Yo nunca estuve tan a solas con vos, por eso le traje. Y me gusta estar con vos así, lejos de la gente.

—¿Tu tierra se parece a esto?

—No. Pero es bien hermosa. Allá hay montaña, no se conoce la selva. Tenemos quetzales, ¿sabe?, el ave nacional, el ave de los mayas. El viento es fresco allí en Cobán.

—Tu tierra es hermosa y te fuiste. Yo me fui de la mía porque no me gustaba.

—Pero yo soy pobre, vos lo sabés.

—Yo no te amo, Ninette. Pero me gustas.

—Ya lo sé, Manuel. Me han dicho que sigue a la maestra. Lo comprendo. Yo no soy nada. Pero vos es bueno conmigo, eso es bastante para alguien como yo.

—Eres una hermosa muchacha. ¿Por qué no vuelves a tu tierra?

—No puedo. Tengo que irme lejos, tengo que buscar otra vida. Sólo vos me ha dado cariño.

—No te di cariño, Ninette.

—Más que nadie, Manuel.

—¿Cuántos hombres conociste antes que yo?

—Sólo uno. Hace dos años. Era ya un hombre crecido, mayor que vos. Me tuvo un año para él, allá en Cobán. Pero se ponía bolo todos los días, se emborrachaba y quería golpearme. Cuando escapé de él, me buscó para matarme. Lo supe por lo que la gente hablaba. No puedo volver.

—¿Y tu familia?

—Nadie hay. Sólo algunas mujeres. Cuando murió el abuelo, todo se perdió. Ahorita sólo quedan mujeres. A los pocos hombres que teníamos los mató el ejército, se quedaron en las grandes matanzas del año pasado.

—¿Eran guerrilleros?

—Ni eso. Sólo campesinos. Pero querían formar cooperativas. Se consideró subversivo.

—¿Qué hay de tu paso a México?

—No dan permiso ahorita. Yo, Manuel, soy de vos mientras me dejan ir.

—No digas eso. Eres libre.

—Si fuera así, vos me dejaríais sola. Soy de vos.

—Pero no disfrutas conmigo.

—Es su gusto lo que importa, sólo eso. Ya le dije…

—Ven. Yo quiero también tu placer.

Se arrimó a ella y puso la mano entre sus muslos. Los acarició y luego retiró el borde de la braga hasta alcanzar su sexo. Siguió tocándola mientras la besaba y la tendía sobre el suelo de piedra. Fue suavizando, poco a poco, los movimientos de sus dedos. Al fin, unos minutos después, la oyó gemir y notó cómo sus muslos se abrían y se cerraban, en movimientos regulares, bajo sus caricias. Después se echó sobre Ninette y alzó por completo sus faldas. Se movió despacio encima de la muchacha. Ella volvió a gemir y a dejar que su cuerpo se agitara descontrolado bajo el suyo. Besó sus labios, hundió su lengua entre ellos. Y cuando su propio cuerpo le anunció que llegaba el orgasmo, de nuevo escuchó los lamentos de placer que nacían en la garganta de Ninette.

Quedaron tendidos un largo rato allí, cara al cielo, contemplando el envés de las ramas del árbol que les daba sombra. Oía Manuel el rumor del río, el sonido regular del agua al caer desde la plataforma al remanso de la poza.

Ella se levantó antes. Trajo los bocadillos y los refrescos y los depositó a su lado. No hablaban. Luego, la contempló mientras se quitaba el vestido y lo doblaba cuidadosamente sobre el suelo.

Se echó desnuda al río. Él se incorporó hasta quedar sentado. La melena rubia de la muchacha ardía entre las aguas.

Cuando salió, brillaba dorada toda la piel de su cuerpo. Tomó la braga, la encajó en su vientre y se retiró unos pasos, hasta un lugar donde el sol golpeaba la piedra. Se sentó, las piernas dobladas delante suyo, el torso inclinado hacia atrás, la cabeza echada sobre la nuca. Sus manos jugaron con los cabellos, escurrieron el agua bajo su espalda. Y las gotas caían como briznas de luz mientras el pelo se iba volviendo cada vez más rubio.

Manuel cerró los ojos y volvió la cabeza hacia otro lado. Sentía que el mundo no podría ser de otra manera. Y sin pensar en ello demasiado antes de tomar la decisión, se puso en pie, se desnudó y se arrojó al río. El agua templada acarició su sexo. Pensó que jamás había sido tan libre como en ese instante, y que la selva le regalaba de pronto, inopinadamente, un instante de plenitud que muy pocos hombres podrían alguna vez tener, ni siquiera en un solo momento de su vida.

Desde el agua, miró hacia Ninette. Se había puesto en pie y, con cuidado, alzaba el vestido sobre su cabeza y lo dejaba caer hasta cubrir su cuerpo.

Podría haberse enamorado en aquel momento de la muchacha que parecía surgida como un fruto natural de aquel mundo de urgentes sensualidades. Pero no lo hizo. Nadó remanso adentro y luego buceó unos segundos palpando el arenal del río. Cuando salió a la superficie le pareció que volvía de una borrachera.

Al regreso, el río había cambiado de color. Ya no brillaba como antes y era opaco allí donde el agua se abría sitio en las hondas gargantas del cauce. El sol lucía con creciente debilidad sobre la selva y aumentaba el griterío de los pájaros.

Acompañó a Ninette hasta el hotelito. Pero ella le tomó la mano, al llegar a la puerta, y le miró a los ojos mientras dibujaba una breve sonrisa en los labios.

—Tome un cafetito conmigo, Manuel, sólo un último café antes de la noche.

Se sentaron juntos cerca de la baranda que miraba al río. El sol enviaba ahora sobre el San Pedro una luz plateada. Los árboles parecían haber adelgazado en el curso del día y sus troncos se recortaban con nitidez sobre los matorrales que crecían a sus pies.

—Siento no poder cenar contigo, Ninette.

—No importa. Vos me disteis un día muy bonito.

Deseaba invitarla a venir más tarde al campamento, pero de nuevo se contuvo: no quería alentar en la muchacha ningún género de esperanza.

—Estarás muy sola esta Nochebuena.

—No me importa.

—¿Qué hacías en tus Nochebuenas, cuando vivías en tu ciudad?

—Cuando era niña teníamos pollo para la cena. Y tamales, y elotes y dulces que sabía preparar mi madre. Cantábamos villancicos... Pero hace tiempo de todo eso. Las últimas veces, sólo llorar, sólo mujeres llorando.

—Ninette, debes ir a México en cuanto puedas. Yo te daré dinero para todo lo necesario: para el avión hasta la frontera, para que tengas algo cuando alcances los Estados Unidos, para que puedas vivir mientras encuentras empleo.

—Yo quisiera que me hablara alguna vez de vos. No tiene que preocuparse tanto por mí. Ya me da bastante.

—Tú me das mucho, Ninette.

—No es nada lo que doy; eso lo da cualquiera.

—Me das lo que tienes.

—Pero nadie me da a mí lo que le sobra.

—Ninette...

—Yo quisiera que me hablara alguna vez de vos, Manuel. Yo sé escuchar.

—¿Y qué puedo decirte?

—Lo que le guste, lo que le duela, lo que le preocupe.

—Nada se me ocurre, Ninette.

—¿Por qué se vino acá?

—Me aburría. O tal vez estaba solo. O puede que me sintiera viejo en mi país. O vacío. O todo lo que me enamoró alguna vez acabó traicionándome. No sé.

—¿Y se quedará?

—Quisiera quedarme.

—Es usted bueno, Manuel. Vos seríais bueno para esta tierra.

—Contigo soy egoísta, Ninette.

—Yo quiero que lo sea. Vos sos el primer egoísta que me da alguna cosa y no las toma todas.

—¿Tan duro es tu mundo, Ninette?

—No es duro. Es así.

—¿Y no te da miedo ir a lugares que no conoces?

—Sólo tengo miedo de los lugares que conozco.

—Me gustaría protegerte siempre.

—Y a mí hacer su gusto durante toda la vida. Pero vos no lo queréis.

Sonaban las guitarras en las cantinas y en el prostíbulo de El Naranjo, a la caída de la tarde, cuando Manuel regresaba hacia el campamento. Reconoció una canción al cruzar a la puerta de una de las pulquerías: *Las Mañanitas*, un ritmo tradicional de México. Pero la letra que los hombres cantaban se le hacía nueva por completo:

*En el día de tu muerte*
*te queremos advertir*
*que detrás no dejas nada,*
*que se acabó tu sufrir.*
*Alégrate el alma, hermano,*
*dispónte a mirar a Dios,*
*aquí abajo te lloramos*
*mientras decimos adiós.*

Habían puesto guirnaldas de colores en las pequeñas jacarandás del campamento. Las tiras de flores de papel, abrazadas a las ramas de los arbolillos, parecían ser el único elemento que significaba el carácter extraordinario de aquel día.

John estaba algo bebido cuando Manuel entró en el comedor. Alguien había adornado la mesa con un par de jarrones repletos de flores y cubierto el tablero, por vez primera, con un mantel de color blanco. El norteamericano se sentaba en el extremo opuesto a la entrada, flanqueado por Willy y Doc. No había nadie más en la estancia: el cocinero se había despedido después de dejar la cena preparada. Eddy, que durante unos días gozaba de su turno de descanso, había viajado a Ciudad de Guatemala, en el avión de la Compañía, un par de días antes. Los operarios de Xán, miembros de un nuevo turno recién llegado, vendrían a cenar unas horas más tarde.

La escena se le antojó algo patética. Delante de los tres hombres reposaban cubiletes con pedazos de hielo y una botella de ron ya mediada. No hablaban cuando

Manuel entró. Volvieron los ojos hacia él. A John, entonces, le asomó una sonrisa en los labios.

—Bien, cuate, siéntate. Toma una copa. Hoy es extraordinario, hoy se permite beber aquí dentro. Tráete un vaso. Brinda por la Nochebuena. A tu salud, cuate.

Alzó el vaso y bebió sin esperar a que Manuel se sirviera. Willy le imitó, mientras que Doc dirigió al español una sonrisa entristecida.

—¿Ya dejaste a la chamaquita? Bien linda la rubia —siguió John—. Deberías haberla traído.

—No importa.

—Hay venado para que cene medio pueblo.

Manuel se sirvió un par de dedos de ron y le añadió un largo chorro de zumo de naranja. Luego echó en el vaso tres pedazos de hielo.

—Vas a ahogar el guaro con la naranja, amigo —le dijo Doc, y Manuel notó también una cierta pesadez en la lengua del médico.

—No soy gran bebedor —respondió, al tiempo que se llevaba el vaso hasta los labios.

Sonó la radio en ese instante detrás de John: llamaban desde la capital.

—Anda, indio, contesta —ordenó el norteamericano a Willy.

Creció el ruido del aparato hasta hacerse casi ininteligible cuanto decían desde Ciudad de Guatemala. Parecían hablar en inglés.

—No entiendo, señor —se excusó Willy con media sonrisa.

—Ya voy, inútil, ya voy.

John tomó el micrófono. Gritaba en un inglés de fuerte acento sureño. Al otro lado, el ruido seguía siendo tan intenso que apenas se entendía.

—Thank you, sir, thank you...! —clamaba ahora John—. And happy Christmas for you and for the guys!

Regresó a la mesa.

—El Gran Jefe... Dice que feliz Navidad para todos. Navidad... Shit. Mierda, pura mierda. Brindemos por el Gran Jefe.

Hipó sonoramente después de dar el trago.

—Bueno, vamos a comernos el venado de una vez.

Se sirvieron de las bandejas que había dejado preparadas el cocinero. John trajo una nueva botella de ron.

Comieron en silencio. El norteamericano parecía resollar cada vez que ingería un pedazo de carne.

Sin preguntar, llenó luego los vasos de todos. Doc rechazó el suyo al tiempo que se levantaba.

—Para mí está bien, John. Me voy a dormir.

—¿Por qué, Doc? Es una noche especial.

—No, jefe, ya tomé lo mío y voy cargado. Buena noche a todos.

Salió después de dar un golpe en el hombro de Manuel.

—Yo me iré también —dijo con timidez Willy al tiempo que retiraba su silla hacia atrás y se incorporaba.

Entonces John pareció estallar en un ataque de cólera. Se levantó y tiró al suelo el vaso de Doc de un manotazo.

—Sons of bitches! ¿Qué pasa? ¿Nadie quiere estar aquí conmigo esta noche?

Willy retrocedió unos pasos, atemorizado, camino de la puerta.

—También me vino el sueño, señor.

—Son of bitch!, indio de mierda. ¡Son ustedes shit, pura mierda de animal, la mierda de la mierda!

Willy se retiraba hacia la puerta. John, en ese momento, saltó hacia él y ganó con agilidad el terreno que le separaba del otro. Le tomó por la camisa con una de sus poderosas manos, mientras Willy le contemplaba con gesto despavorido.

—¡Sí, vete, indio, vete! ¡Vete de quien te da de comer! ¡Estabais todos muertos de hambre! Son of bitch!

¡Nada agradecéis, mordéis el alma de los que os alimentan!

Le soltó y cuando Willy, asustado, se volvía para ganar la salida, el pie de John golpeó con fuerza en sus nalgas. Willy no cayó, pero fue a chocar contra la puerta después de dar un traspié.

—¡Vete, indio, vete! —volvió a gritar John.

Willy se giró. Durante un segundo miró hacia el norteamericano con temor. Pero enseguida su rostro se transfiguró: le invadía una tranquilidad repentina. Sus ojos se tornaron duros y fríos. A Manuel le pareció, en un fugaz instante, que carecían de párpados, que se vaciaban de sentimiento, de expresión humana, que se volvían como los de la serpiente que mordió al brechero.

Aquel hombre podía haber arremetido en ese instante contra John y respondido con violencia a su ataque. Eso le pareció a Manuel. Pero se mantuvo frío, tranquilo, tal vez calculando sus fuerzas. Abrió la puerta y, después de enviar una última mirada inexpresiva y vacía hacia el norteamericano, salió del «camper» y cerró con suavidad a sus espaldas.

—Tú también quieres irte, cuate; no te quedes.

Hablaba ahora despacio, sin alzar la voz, como si se mostrase fatigado tras su repentino ataque de violencia. No obstante, Manuel no había sentido miedo, sino sólo estupor. O quizá ni eso: durante las últimas semanas, su capacidad para la sorpresa había disminuido. Todo lo que en otro tiempo le hubiese parecido terrible, o acaso tan sólo extraordinario, ahora se le hacía natural.

—No, John, yo me quedo. Casi no me ha dado tiempo a sentarme.

El norteamericano retrocedió hasta su primitivo lugar en la mesa y se derrumbó sobre la silla. Alzó el vaso ante sus ojos, ya casi vacío. Luego volvió a dejarlo frente a él y lo rellenó de ron con movimientos torpes. No tomó hielo esta vez de la cubeta. Dio un trago. Se limpió después los labios con el dorso de la mano y miró a Manuel con ojos acuosos.

—No llegó la carta —dijo.

—¿Qué carta, John?

—Siempre espero una carta en días como éste. Pero nunca llega.

—Creo que no trataste bien a Willy.

—Me parece..., ¿cómo es la palabra española?..., shameful..., eso, impudoso. Ellos no trabajan, no quieren aprender.

—No se puede golpear a nadie así.

—Yo espero la carta. Es impudoso decírtelo, pero...

—Impúdico.

—Impúdico, sí. Yo soy casado y tengo dos hijos, cuate. Me separé, eso sucede. Yo era duro con ellos, pero les quería. Y nunca llega la carta en estos días.

—También has sido duro con Willy.

Alzó la voz el norteamericano. No había cólera, sin embargo, en su actitud, sino tal vez un aire de desesperanza. El líquido parecía crecer en el interior de sus ojos. Apretaba los puños al hablar.

—Pero... ¿no comprendes, cuate, no comprendes? Tú tienes que comprender, eres de los nuestros, eres como yo. Es tan estupendo que hayas venido aquí. Mira, cuate, no es dureza..., es que yo debo enseñarles cómo hacer las cosas. Pero yo les quería, yo la quería. Y también a él, a Willy, le aprecio.

—Nadie aprende a golpes.

—Cuate, tenemos que crecer, que ser mejores. De lo contrario, nos vamos al infierno.

—No es posible vivir así y ser feliz.

—Cuate, es impudoso decírtelo, pero sólo importa el amor. Y la carta no llega.

John cerró los puños y los enterró entre sus cabellos,

al tiempo que inclinaba la cabeza sobre la mesa. Sollozaba, hablaba entre gemidos.

—No hay carta, nunca está la carta.

Manuel sintió deseos de acariciar el pelo de aquel hombretón, de decirle algunas palabras de ánimo. Pero dio un nuevo sorbo a su vaso de ron. Notaba que el alcohol le hacía efecto.

—Y tú, John, ¿les escribiste alguna? —preguntó.

Alzó el rostro y le miró: la roja cara grande se mostró sembrada de lágrimas.

—¿Yo?... No, no..., pero ellos deberían comprenderme. Yo les quiero, cuate, sólo el amor me importa.

—Estás muy cansado, John. Deberías acostarte.

—¿Quieres irte tú también, cuate?

—No. Pero tú sí debes dormir.

Se levantó John pesadamente.

—Sí, como digas: iré a dormir.

Manuel se puso en pie.

—Te acompaño.

—No es necesario, cuate.

—Te acompaño.

Caminó al lado de aquel corpachón tambaleante, sin atreverse a hacer un gesto que revelara su deseo de sostenerle. Un sapo saltó delante. Cantaban ya los grillos.

John abrió la puerta de su cabaña y dio al interruptor. Se volvió aún antes de entrar:

—Cuate..., tendrías que haber traído a tu niña, esto hubiera sido más alegre.

—No tenía sentido.

—Es bonita. Cuate, no dejes el amor cuando pase cerca tuyo.

—No estoy enamorado, John.

—Yo sí, cuate, yo sí..., pero no llegó la carta.

Miró hacia arriba, hacia la noche, hacia la densa colcha azul inundada por las estrellas y las estelas doradas de las constelaciones. El alcohol le había afectado y no tenía sueño. Caminó hasta el repecho último del campamento y ascendió hacia el lugar donde la verja se cerraba delante de la selva. ¿Sería todas las noches el mismo tecolote el que ahora ululaba en algún árbol próximo? Tal vez los pájaros tenían costumbres parecidas a los hombres y buscaban a diario los mismos sitios desde donde cantar, o llamar a las hembras, o advertir a sus enemigos que ése era su territorio.

Vio la figura del hombre cuando tan sólo estaba unos metros detrás suyo, recortándose sobre la luz de las farolas más próximas. Reconoció el andar de Willy, su cuerpo macizo y sólido, fuerte como los matorrales de la jungla.

—No se ha acostado, ya veo… —dijo antes de que el otro hablase.

—Vos sabe que no puedo hacerlo, señor.

Había llegado a su altura.

—¿Quiere un cigarrillo, Willy?

—Bien, sí, gracias.

La cerilla iluminó el rostro del mestizo.

—¿Y vos, no tiene sueño? —dijo Willy.

—Nunca duermo tan temprano. Y la noche me gusta.

—Yo no soy así, como me vio vos. Quiero que lo sepa.

—No he pensado sobre eso, Willy.

—Yo estudié, tengo una profesión. Sé contabilidad, y escribir a máquina. A mí me contrataron para la administración del campo, no para otra cosa.

—¿Tiene familia, Willy?

—No en mi tierra, allá en Oriente. Aquí en el poblado hay una mujer. Pero no tengo chamaquitos.

—Yo tampoco tengo familia, Willy.

—Es un mal día hoy para la gente sin familia. ¿No añora usted a nadie?

—No. Ya terminé con la añoranza hace años.

—La Nochebuena no debería ser así.

—Yo la prefiero de esta forma.

—Vos es extraño, Manuel. No es como nosotros, pero tampoco es como él.

—Supongo que John le da motivos para que le odie, ¿no, Willy?

Dudó el mestizo unos segundos antes de responder:

—Yo soy un administrativo, tengo una profesión, estudié contabilidad y sé escribir. Me golpearon mucho cuando era un niño, estudié para que nunca nadie me golpeara.

—¿Y por qué lo permitió, Willy?

—Porque él es el patrón. Y sin patrón, hay hambre.

—No me gustó lo que él hizo, Willy.

—Vos es extraño, señor.

Cuando apagó la luz, solo en el interior de su cabaña, tendido sobre la cama y el zumbido fuerte del viejo motor de aire acondicionado sonando a sus espaldas, percibió un raro mareo, como si debajo suyo se moviera la tierra. El exceso de ron pasaba su tributo.

Sin embargo, tenía la sensación de que también su alma flotara en el aire, y no sólo el cuerpo afectado por el alcohol. Parecía que su corazón volase lejos de su carne, como si fuese un órgano ajeno, y que arrastrase en su vuelo al Manuel Márquez que había sido en otro tiempo, para fundirlo en el vacío del espacio. ¿Quién era él? No le era posible imaginar su propio rostro ni se reconocía como el habitante de su cuerpo. Su espíritu giraba sobre la nada, se apartaba de las sendas trazadas de otro tiempo, planeaba sobre abismos que nunca antes había sospechado existían.

Pero así lo había elegido. Y ahora no podía ya apartarse de los nuevos caminos que la vida iba a dibujar ante él. Se puede ser esclavo del instinto, pero es muy difícil ser el señor de los propios sueños. Y Manuel Márquez percibía que todo cuanto componía ahora el marco de su existencia le exigía de pronto una voluntad, una decisión. Y esa exigencia le hacía sentir que vivía, de pronto, inmerso en el peligro.

Pero ¿qué elegir, hacia dónde ir?

Desde luego que estaba borracho. Y, sin embargo, creía que no era fruto de su embriaguez la sensación de que el mundo le ponía a prueba como nunca antes había sido puesto a prueba. Y esa sensación no despertaba miedo en él, sino un temblor de emoción, un rescoldo de euforia.

Apagó a tientas el interruptor de aire acondicionado. Unos minutos después, todo se tornó caliente y húmedo a su alrededor. De nuevo escuchaba los ruidos de la selva. Y se sentía extrañamente feliz.

## 5

Hasta aquellos primeros días de 1983, la guerrilla había sido un ser misterioso e invisible que todos sabían presente pero que no se dejaba ver, que se ocultaba en los rincones perdidos de la selva, que caminaba sin ser visto, como el jaguar, con pasos acolchados, por sendas que nadie transitaba. Sólo el encuentro con el guerrillero enfermo de malaria daba fe de que la guerrilla existía, de que no era fruto de la imaginación de los hombres o del temor de las tropas.

Aquella tarde, John y Manuel se encontraban en el pozo de Xán. Había problemas con la bomba extractora y el norteamericano pidió al geólogo español que le acompañara. Cuando llegaron, los operarios les informaron que todo había sido arreglado minutos antes y que la bomba funcionaba de nuevo y sin problemas.

Entraron en el «camper» del comedor para tomar un refresco antes de regresar a El Naranjo. La botella de zumo de Manuel no estaba aún mediada cuando sonó el disparo afuera, junto al pozo.

John, Manuel y el técnico que les acompañaba se pusieron en pie. La puerta se abrió, sin embargo, antes de que llegasen a ella. Un hombre de largas barbas, de rostro sucio y amarillento, vestido con viejas y manchadas ropas, les apuntaba con un fusil ametrallador de cargador curvo.

—Salgan afuera —dijo con voz tranquila.

Se apartó para dejarlos pasar. Y pidió mientras cruzaban a su lado:

—Los brazos en alto, por favor.

El sol se había retirado ya de la cúpula del espacio, pero la luz del día iluminaba todavía la explanada. Arriba del pozo, un potente farol iba sobreponiendo su propia fuerza a la claridad moribunda de la tarde.

El resto de los operarios, cuatro en total, se agrupaban no lejos de la torre, todos ellos con los brazos alzados por encima de sus cabezas. Media docena de guerrilleros les rodeaban, las armas a punto, y alrededor del escenario se desarrollaba, entretanto, una singular actividad: hombres y mujeres entraban y salían de los «campers»; portaban bolsas repletas de comida y bebida, cables, el aparato emisor de la radio, herramientas, todo cuanto de utilidad se guardaba en el interior de las caravanas. Mientras, otros hombres armados habían retirado los dos vehículos de la Compañía hacia un extremo del llano. Procedían a arrancar las baterías de los motores.

Les llevaron junto a los otros empleados de la Compañía. Manuel contempló el rostro de John: había enrojecido, se adivinaba en su gesto una mezcla de sentimientos de temor y de cólera, aunque sin duda dominaba el primero de ellos.

Quizás había medio centenar de guerrilleros en el

pozo. La mayoría eran hombres, pero también se contaban algunas mujeres. Lucían variopintas indumentarias y diversos tipos de armamento. Manuel distinguió algunos ajados uniformes color verde olivo, pero también otras ropas: desgastados jeans, pantalones de lona, camisas oscuras y raídas, gorros y sombreros de diferentes formas. Semejaban un ejército de vagabundos armados.

Todos parecían delgados y frágiles. Algunos caminaban con dificultad sobre botas desgarradas por el tiempo y la selva. Largas barbas cubrían el rostro de los hombres y los cabellos de las mujeres eran un amasijo de desgreñadas y sucias melenas.

En tanto, la noche había caído sobre Xán y sólo la luz del faro de la torre iluminaba poderosamente la explanada. A Manuel le pareció, durante unos segundos, que era el espectador de una obra de teatro, una pieza del absurdo interpretada puntualmente, en cada detalle, por actores que parecían haber surgido tras el misterioso telón de la jungla.

Pero aquellos rostros carecían de maquillaje. Su delgadez, el amarillo tono de la piel de algunos, los ojos perdidos en un mar batido por la malaria, la carne picada por los insectos, las llagas en las mejillas, las calenturas que deformaban la curva de los labios, no eran una caracterización artificial, sino el espejo verdadero de una existencia dura, y pese a todo, posible, en el seno angustioso de la selva.

Se oían disparos intermitentes. Los guerrilleros tiraban contra las ventanas de los «campers», contra los aparatos de aire acondicionado y las ruedas de los vehículos. Manuel pudo ver cómo, más tarde, un grupo rociaba los dos todoterreno con latas de gasolina. En unos instantes se convirtieron en dos grandes llamaradas, dos fuegos que devoraban las patéticas formas de los autos. Una densa humareda negra se elevaba sobre ellos. Olía fuerte a petróleo quemado y briznas llameantes saltaban a su alrededor.

Un hombre se adelantó hacia ellos. La luz de las hogueras daba directamente en su rostro. Su nariz era larga y aguileña y medía algo más de un metro ochenta de estatura. Vestía jeans y camisa verde. De su cinturón colgaban algunas granadas y sostenía en su brazo derecho un fusil que apuntaba hacia el suelo. Sus ojos podían ser azules, o tal vez verdes. Era un rostro de formas rotundas, de huesos marcados con firmeza bajo la piel, un rostro difícil de olvidar o confundir con otros.

Habló:

—No tengan miedo. Nadie les hará daño aquí. Siéntense en el suelo, pero tengan los brazos sobre la cabeza.

Obedecieron. John resopló al caer sentado junto a Manuel. Una decena de hombres se mantenía vigilante a su frente y a sus espaldas mientras el jefe, con calma, apoyaba la culata del fusil en el suelo y comenzaba su discurso con voz pausada.

—Esto no es un asalto de bandoleros ni nada parecido, es necesario que ustedes lo sepan. Se trata de una acción revolucionaria contra el imperialismo norteamericano, una acción política dirigida contra la explotación, contra el capitalismo devorador de la propiedad del pueblo y contra el colonialismo que atenta contra la soberanía de Guatemala y de otros pueblos centroamericanos y latinoamericanos. Somos miembros de una brigada del Ejército Guerrillero de los Pobres, una organización del pueblo en armas que luchará hasta la victoria para acabar con el imperialismo norteamericano, por la libertad y la justicia, en favor de nuestro pueblo y de los pueblos oprimidos de América Latina, contra la política de los Estados Unidos y de todos los lacayos que le sirven en nuestra tierra y traicionan a la patria.

Crepitaban las llamas que iban consumiendo los dos vehículos. Olía fuerte a goma quemada. El guerrillero tosió un par de veces, escupió a un lado, y concluyó:

—La acción no va dirigida contra los trabajadores de este pozo, sino contra la propietaria de las explotaciones, una empresa multinacional que representa, como otras en nuestra tierra, los intereses del capitalismo salvaje. Aquí no se va a matar a nadie, ni siquiera al ciudadano norteamericano que les dirige, porque nosotros queremos respetar la vida de la gente en tanto no sean agresores del pueblo. Los alimentos y el material que nos llevamos es un impuesto de guerra. ¡Viva Guatemala libre! ¡Muerte al imperialismo y a sus secuaces! ¡Viva la revolución del pueblo en armas!

El jefe del comando se retiró. Luego, unos cuantos guerrilleros despojaron de las botas de goma y los relojes al grupo de empleados de la Compañía. En pocos minutos los vieron alejarse y hundirse tras la primera fila de árboles de la selva, mientras las llamas del incendio apenas ya alumbraban la explanada, convertidos los autos en dos esqueletos humeantes.

Durante unos minutos todavía, nadie se movió. Al fin, un operario se puso en pie y el resto de los hombres le imitaron. Descalzos, no sabían muy bien hacia dónde dirigirse ni qué hacer.

—¡Malditos...! —La voz de John fue la primera en escucharse—. ¿Los viste? —Se había vuelto hacia Manuel mientras blandía el puño hacia lo alto—. ¿Los viste? Sólo destruyen, sólo queman... ¡Están contra el progreso, contra el futuro! ¡Hijueputas! ¡Bestias salvajes!

No vinieron a buscarles hasta bien avanzada la noche, varias horas después. Manuel sintió, mientras regresaba sentado junto a Efrén en la cabina de una camioneta, que aquello era el signo de algo trágico. Pero apartó enseguida de sus pensamientos todo género de presagios. Recordaba el aspecto de los hombres y las mujeres del grupo guerrillero, la voz pausada del jefe, su extraña seguridad, los rostros comidos por las enfermedades y los insectos de la selva.

—Fregaron bien el pozo, don —dijo Efrén sacándole de sus pensamientos.

—Fue un buen destrozo.

—El patrón está que lo muerde todo. Habrá problemas. La Compañía ya pensó alguna vez en dejar esto... y si además los pozos no son muy buenos y usted, don, no encuentra petróleo, entonces esto huele a final. Los franceses ya se fueron el año pasado.

—¿Cree que la guerrilla vencerá en su país, Efrén?

—¿Quién puede decirlo, don? Lo que es seguro es que no acabarán fácil con ella.

—Son hombres duros, parece.

—La mera selva los hizo. Pero no están sólo en la selva, don. ¿Quién puede decir quién es y quién no es un guerrillero? En los pueblos, en las ciudades, en la capital, en todas partes viven. Mientras haya hambre en Guatemala, habrá guerrilla. Y hay mucha hambre en Guatemala, don, mucha hambre. ¡Gran diabla, si la hay!

# TERCERA PARTE

## 1

Conocía la ciudad y su paisaje no tenía para él nada nuevo. Pero al regresar ahora, después de dos meses en la selva, le sorprendía encontrarse en sus calles, como si visitara, por primera vez en su vida, una gran urbe. En cierta forma, aquello le hacía recordar, súbitamente, lo que sintió el primer día que vio el mar, cuando tenía nueve o diez años. Había quedado grabado en su memoria, como quedan las escenas emocionantes de la niñez: esculpidas en el alma, imborrables, exactas hasta el momento de la muerte. Iba en un autobús de línea con un familiar, y al ganar el lomo de un repecho, lo vio: marmóreo, recto en su horizonte, grande y noble, un ser vivo y colosal que se dibujaba sobre la línea de las casas que descendían carretera abajo. Recordaba, incluso, que en su superficie había una franja amarillenta que rozaban las nubes plomizas de un cielo tormentoso. Más tarde, ya en sus orillas, llovió mientras se mojaba los pies en una playa de arenas doradas.

Era parecido: encontrar de nuevo una ciudad y, sin embargo, poder pensar que era la primera vez. Las imágenes se prendían en sus ojos con precisión, como si nunca fueran a borrarse. Y notaba la torpeza de sus pasos al caminar entre la muchedumbre, su temor a cruzar las calles y ser sorprendido por el golpe de un vehículo al que no había visto. Le aturdían los sonidos y percibía el olor de la gasolina con una nitidez pasmosa.

Todo tenía, a su alrededor, algo de sorpresa virginal. El tráfico denso al mediodía y a la caída de la tarde, los viejos autobuses y camiones que circulaban apretados junto a turismos y taxis de abollada carrocería, y los centenares de ruidosas motocicletas. La humareda densa y negra que iba oscureciendo, al paso de los meses, las paredes de los edificios del centro de la ciudad, casi todos con no más de tres o cuatro plantas, de simple construcción, sin alardes arquitectónicos. Y la cresta de carteles multicolores que surgían de las fachadas y coronaban las calles, un ramaje de neón y cristal policromado para anunciar comercios, restaurantes, hoteles, marcas de pantalones y de automóviles, de aparatos de radio o cadenas musicales. Ése era el marco de la vida. Y debajo suyo, la abigarrada fisonomía de una multitud repartida en mil tareas: los loteros, los comerciantes ambulantes de frutas, con su puestecillo repleto de bananos, aguacates, mangos y zapotes; los quioscos de baratijas de plástico, de relojes digitales, de mazos de naipes y gafas de sol; los tenderetes con cordones de zapatos de colores vivos, camisas y pantalones; quioscos de caramelos y otros dulces, máscaras, revistas viejas, frutos secos, cigarrillos, cintas, hilos, encajes, ovillos de lana, latas de sardinas, galletas, artesanía de toscas formas... Un vendedor de afiches extendía sobre la acera temas tan antagónicos como la fotografía de un altar religioso y la efigie de «Rambo», de un rojo fórmula-1 y una pareja desnuda dispuesta a iniciar la ceremonia del amor. Había carritos para la venta de aguas frías o de «hot-dogs». El de los helados se anunciaba con una pequeña campanilla de metal. Las voces de oferta se cruzaban en sus oídos: «los mejores candados a buen precio», «muñecos para piñatas por poco pisto, señorón», «¿no le llevaría a su señora la medalla del amor?», «¿y por qué no le compra otra a su novia, don?». El limosnero demandaba unas monedas para comprar tortillas, mientras un cambista ofrecía buen precio para los dólares, uno de sus ojos puesto en el posible cliente y el otro en el guardia que, armado hasta los dientes, vigilaba la puerta del cercano establecimiento bancario.

La ciudad, trazada a cordel, llevaba a morir sus arterias más anchas hasta la gran explanada del Parque Central, frente al Palacio de la Presidencia, al que flanqueaba la tosca catedral. Era una enorme extensión sombreada por las ramas de varios ficus gigantescos, centenarios árboles de tronco fuerte y nudoso. El parque apenas era transitado por algunas gentes, pero frente al palacio, el hormiguero humano se concentraba otra vez bajo las arcadas de un ancho edificio que limitaba la plaza. Allá, junto al aparcamiento de los taxis, que no eran otra cosa que decrépitos coches norteamericanos de notable longitud, de nuevo se alineaban los puestos de venta ambulante: bolsos, plásticos, crema para el calzado, correas de reloj, cinturones, bisutería, lápices, bollos, especias, yerbas para infusiones, bragas y calcetines, sujetadores y medias, zapatos de plástico y de lona, cintas de magnetofón, castañas y cacahuetes, peines, pulseras, colgantes, pendientes, periódicos... Olía a fritura de tortilla y a elotes que alguien asaba en un hornillo entre las mercaderías. La gente hacía cola ante dos teléfonos públicos adosados a las columnas. Había algunas balanzas donde pesarse por un centavo y una de ellas ofrecía la carta astral para los clientes. Los limpiabotas gritaban su oferta de lustre por quince centavos, dispuestos siempre a regatear hasta los cinco.

A la noche, sin embargo, toda aquella multitud se retiraba a sus guaridas. Era el tiempo de las patrullas militares, hora de las bandas armadas de «la Mano Blanca», el tiempo de las desapariciones, de los asesinatos, de los disparos que chocaban contra el eco del silencio; la hora de la ciudad aterrada, sus moradores escondidos en sus frágiles refugios, sabiendo que la muerte, el dolor, la tortura y la sangre eran, en ese instante, las reinas de la calle.

Durante varios días, él y John hubieron de asistir a largas reuniones con directivos de la Texoil. Había dudas sobre si seguir o no con las explotaciones en Guatemala. De una parte, la situación política ponía en cuestión los intereses de la Compañía y, en general, de las empresas estadounidenses en el país. Un par de meses antes, un finquero norteamericano había sido asesinado por la guerrilla en una localidad de Baja Verapaz y ello había creado serias inquietudes en los Estados Unidos. Por otra parte, los índices de producción de los pozos de Guatemala se mantenían bajos y, de momento, la situación de la Texoil en el país continuaba deficitaria.

En las oficinas de aquel alto y moderno edificio del centro de Ciudad de Guatemala, Manuel discutió durante horas con técnicos y directivos llegados desde Houston. Exageró el alcance de sus investigaciones y el optimismo de sus pesquisas. Aventuró la posibilidad de encontrar en breve plazo algún yacimiento importante. Expresó su fe en la bondad petrolífera de los bosques que rodeaban El Naranjo. Tal vez nada de cuanto dijo sirvió para mucho, pero la Compañía, sin cerrar la posibilidad de retirarse de Guatemala en los próximos meses, pareció concederse un nuevo plazo.

La última noche antes de regresar al campamento, él y John cenaban en un restaurante de carne a la brasa, frente al lujoso hotel donde se alojaban. Era un enorme local, alumbrado por luces melancólicas, con capacidad quizá para unos doscientos comensales y, sin embargo, no ocupado a esa hora por más de una veintena. Todos ellos parecían extranjeros, gente de negocios que habitaba los modernos y caros hoteles de la zona. No eran buenos tiempos para el turismo aquellos días de violencia.

—Parece que ganamos unos meses, cuate —le dijo el norteamericano.

—No entiendo por qué no deseas irte, John.

—¿Y qué haría? La Compañía tiene pozos en Arabia, en Oriente, en África... sí, hay lugares donde ir. Pero están lejos, muy lejos, y lo de aquí, además, sería un fracaso.

—Puedes regresar a Houston.

—No, eso sí que no.

—Hay algo que no comprendo, John: tú detestas esta tierra y no quieres, sin embargo, abandonarla.

—Yo no la detesto, cuate. Yo la amo, yo amo Latinoamérica. No sabría vivir en otra parte. Pero me gustaría ayudar a que fuera un buen lugar.

—A mí no me gustaría que fuese de otra manera.

—No conoces aún a esta gente. Eres un ingenuo, cuate. Son bribones, vagos. Tienen que aprender a ser de otra forma.

—¿A patadas?

—Como sea. ¿Cómo se enseña en vuestros colegios, allá en España? Igual que en otros lados, supongo. Los niños necesitan de mano fuerte en ocasiones.

—También de buenas palabras.

La conversación parecía fastidiar a John. Bebió un largo trago de cerveza, hasta que apuró lo que restaba en el vaso. Hizo un gesto al camarero para que le trajese otra.

—Y bien —dijo—, parece que mentiste a los jefes.

—¿Mentir?

—Sí, sobre el petróleo que se puede encontrar.

—No mentí, exactamente. Digamos que miré con optimismo datos que, a su vez, otros podrían mirar con pesimismo. Eso no es mentir. Y creo, además, que tengo ya casi elegida una zona. Ten confianza.

John sonrió:

—Te conozco ya algo, cuate. Tú eres..., ¿cómo decirte?, casi un soldado de fortuna. Juegas fuerte. Quieres ganar tiempo, ¿no? Si consigues que se intente una nueva perforación, sabes que pasarán meses antes de que haya resultados, buenos o malos. Huy, huy, ahorita te veo... Eso te dará tiempo para cortejar a la maestrita. Linda chamaca, sí, bien linda.

—No es eso, John.

—Huy, huy. Peligroso juego, cuate. Tu amor le costaría mucho dinero a la Compañía.

—No exageres.

—¿Sabes, cuate? Yo te aprecio. Pero te jugarías tu carrera con esa apuesta. Y puede que la mía.

—No hay tal juego, John. De todas formas, mi carrera no me importa.

—¿Y qué te importa, la maestra? Mucho valor le das tú a una sola mujer.

—No es Celeste; hay más, no sabría cómo explicarte.

—Espero que les convenzas con lo del petróleo, cuate. Tu juego me gusta, me gusta el Petén. Allí soy alguien.

A la noche, sólo en la habitación del hotel, se sentía feliz por haber dado término a su estancia en la ciudad. Había tenido una curiosa sensación al atravesar el ancho y lujoso vestíbulo. Grandes plantas de interior adornaban los rincones del salón y una de ellas, en el centro, crecía como un árbol hacia la claraboya del alto techo. Eran plantas de la selva, como tantas otras que había visto allá en la jungla, salvajes en su medio, formando verdaderos bosques, sirviendo de guarida para las serpientes y los pequeños roedores. Éstas, por el contrario, eran como animales desarraigados y tristes en el interior del hotel. Le parecieron cómplices suyos, seres de su propia raza, más que los hombres y los empleados que se encontraban en aquel momento en el vestíbulo. Sintió tristeza por ellas y alegría por saberse libre, todavía con posibilidades de volver al norte, a la naturaleza poderosa. Mientras esperaba al ascensor, acarició la hoja ancha de una pequeña palma.

No podía leer. La emoción del regreso vencía sobre su capacidad para concentrarse en el libro que reposaba sobre sus piernas. Lo dejó a un lado y apagó la luz de la mesilla. El reloj le avisaría temprano, a eso de las seis. Pero al siguiente día, ya en su cabaña de El Naranjo, le despertarían los pájaros.

## 2

Los días transcurrían perezosos en las orillas de la selva. El aire traía aroma de lluvias lejanas que no acababan de llegar sobre El Naranjo, salvo en ocasionales y breves chaparrones nocturnos que la tierra devoraba en pocos instantes.

A diario, Manuel trabajaba en el interior de la jungla. La piel de su rostro se había tostado y sus músculos se habían endurecido. Al contrario que los primeros días, podía ya seguir el paso de los brecheros sin agotarse y ello le creaba una sensación de seguridad. Apenas paraba en el campamento durante aquellas semanas. Salía hacia los bosques antes del amanecer y regresaba cuando el sol ya se había ocultado. Casi con el tiempo justo para cenar y dormir o realizar ocasionales visitas a Ninette. En cuanto a Celeste, se había encontrado un par de veces con ella cuando regresaba de la selva y atravesaba el poblado, sólo el tiempo de intercambiar unos saludos. Aún se sentía atraído con fuerza por la maestra, pero la selva ocupaba ahora el primer lugar en sus emociones. Tal vez era algo temporal, una manifestación pasajera del gozo salvaje; y, sin embargo, nada le hacía sentirse mejor que la soledad oscura y húmeda de la jungla, la agobiada espesura que le cercaba, el techo murmurador de los árboles por donde la luz penetraba desfallecida y melancólica.

Aprendió a distinguir el canto de muchos pájaros y también algunas cosas curiosas. Un día, mientras caminaban abriéndose paso en una apretada arboleda, sintieron sobre ellos los rugidos poderosos de los saraguates. Al menos dos docenas de monos componían la manada que chillaba y se agitaba en las ramas más altas. Uno de los brecheros se volvió entonces a Manuel:

—Verá vos, patrón, lo celosos que son estos saraguates.

Riéndose, el hombre sacó de la bragueta su pene y comenzó a moverlo, agitándolo en dirección a los animales. Creció el griterío y arriba, en las copas, los monos empezaron a perseguirse entre ellos, a darse manotazos, a golpearse. La algarabía subía de tono mientras los brecheros reían a grandes carcajadas y el primero de ellos continuaba moviendo su sexo hacia arriba y hacia abajo.

—¿Lo ve vos, patrón, lo ve? Fíjese vos cómo les pegan los machos a las hembras para que no miren. Bien celosos que son, bien celosos.

Hubieron de alejarse de allí unos minutos más tarde, ante la lluvia de palos y de ramas que los machos saraguates comenzaron a lanzarles profiriendo sonoros rugidos.

Otro día, cuando regresaban de los cerros, la experiencia fue menos feliz. Eran cerdos salvajes, cochemontes, una manada de casi trescientos individuos. Debieron trepar a los árboles mientras los animales cruzaban el calvero del bosque, se detenían al pie de donde ellos se refugiaban y proferían amenazadores gruñidos. Parecían no terminar de pasar nunca, o puede que regresasen una y otra vez, en espera de que los hombres descendieran. Al fin, uno de los brecheros se desprendió de la camisa y la arrojó a los cerdos. Varios de ellos se abalanzaron sobre la prenda y la hicieron pedazos con violentos mordiscos. Unos minutos más tarde, la manada se alejó del lugar. Bajaron de los árboles cuando el ruido de aquella tropa de cochemontes cesó de escucharse, puede que una hora más tarde.

—No siempre atacan, patrón —le explicó uno de los hombres—. Pero hoy andaban ariscados, bien bravos viajaban. Hubieran tenido buena merienda si no trepamos.

Un gran jaguar había bajado durante varias noches seguidas a las cabañas de los arrabales de El Naranjo. Los dos primeros días mató cerdos y gallinas, pero sus visitas posteriores no le proporcionaron ningún fruto, ante la vigilancia de los granjeros, que habían conseguido espantarlo. Efrén se apostó en una de las viviendas durante un par de noches, pero no logró verlo con claridad suficiente como para poder disparar. Calculó, por el tamaño de sus huellas, que podría pesar más de doscientas cincuenta libras. Y se propuso darle caza.

Siguió su rastro una mañana, río arriba, ayudado por sus perros. Anduvo casi una veintena de kilómetros entre la selva, caminando junto a la ribera del San Pedro, hasta que perdió su rastro a la altura de las corrientes. Por aquel paraje de aguas poco profundas vadeaba el jaguar para internarse en la jungla en dirección norte. Efrén, cansado de la larga caminata, regresó, y decidió volver un par de días más tarde a bordo de una embarcación hasta aquel vado para proseguir la persecución de la fiera al otro lado del río. Manuel aceptó encantado la invitación del mestizo a que le acompañara.

—Verá, don, cómo debe cazársele... Así, con perros, dándole su oportunidad; no desde un carro y deslumbrándole con los focos.

—¿Hay peligro, Efrén?

—Claro que sí, don. Ya me han matado algunos perros esas fieras. Creo que es un «frijolillo».

—¿Un frijolillo?

—Hay dos clases de tigres por acá, don. Estos «frijolillos» son los más fieros. Su pelaje es casi blanco, bien lindo, y manchas como grandes fríjoles. Verá, don, qué hermosa piel logramos si los perros dan con la fiera. Será para usted, don, y se la curtiremos bien bonito.

Salieron antes de la amanecida, en un largo cayuco a motor. Los tres escuálidos perros de Efrén se tendieron con gesto aburrido bajo los toscos tablones que servían de asientos.

No había luna, pero el barquero que les llevaba parecía conocer cada palmo del río: tal vez lo había recorrido miles de veces en su vida. La brisa era fresca en aquella hora. Chispeaban las luciérnagas en las ramas de los árboles invisibles. El ruido del motor acallaba el canto de los grillos y de las aves nocturnas, aunque en ocasiones el grito de las lechuzas lograba sobreponerse al bronco ronquido de la canoa.

Efrén se sentaba en el banco de proa, delante de Manuel, quien apenas distinguía poco más que la sombra de aquél. No hablaron en toda la travesía, salvo poco antes de la primera claridad, cuando el mestizo se volvió al geólogo:

—¿Ve aquellas dos lucecitas en el agua, don?

—Sí, las veo.

—Es un lagarto. Los ojos le lucen como linternas.

—¿Grande?

—Puede que mida siete u ocho pies; cabales, don. Es la mejor hora para matarlos. Se acerca uno ahorita y no se van. Hay que meterles la bala en el ojo, fíjese vos que hay que cuidar no estropear el cuero. Si llevara bala le dábamos, pero la posta no le entra. Cuando les aciertas el ojo, se van al fondo para morir. Sólo hay que venir después, con la luz, y flotan panza arriba en el agua.

La neblina se levantó densa y pegajosa desde la superficie del río con la llegada del día. Parecía que les envolviera una humareda. Apenas podía distinguirse el agua más allá de la proa del cayuco. La bruma se deshilachaba al chocar contra sus cuerpos y, a tramos, se espesaba en tal medida que la figura de Efrén, tan sólo un par de metros delante de Manuel, se borraba casi a los ojos de éste. El barquero, sentado junto al motor en la popa de la embarcación, desaparecía en ese instante, tragado por la niebla. Daba la impresión que navegasen entonces sobre una nube, en el aire, a bordo de un frágil aeroplano. Y olía a incendio antiguo, a ceniza mojada.

Un cuarto de hora más tarde, con la salida del sol, la neblina desapareció en cuestión casi de segundos, devorada por la boca del cielo. Desde la garganta del cauce no distinguían aún al gran astro, y el agua del río, entre las sombras, guardaba un opaco color verde, bajo el espacio invadido por una tonalidad rosácea en el oriente y un azul desvaído hacia poniente. Despertaba la vida en el bosque, el chillido de las cotorras, el canto del tucán, el gruñido del torrejo, el silbo campanilleante del guardabosque, el parloteo del gritón, el tamborilero del carpintero, la voz plañidera del páparo, el llanto madrugador del tolobjo, la algarabía malhumorada de los pericos, los chirridos del chupaflor y el quejumbroso lamento, casi humano, del gavilán blanco. Cien voces más despertaban en aquella hora en el interior de la jungla, cegadas por el zumbido del motor en la barca, mientras los cocodrilos regresaban a sus guaridas de lodo en las riberas cubiertas de espesura y los carniceros tornaban a sus refugios del corazón de la selva. Los árboles, oscuros, casi negros, con la llegada de la primera claridad de la mañana, pulían ahora el verdor de sus hojas, brillantes por la humedad del rocío. Se abrían las campanillas sobre las enredaderas y los vivos colores de las flores surgían de la fronda.

Llegaron al vado de las corrientes, donde días atrás Manuel había viajado con Ninette, cuando la esfera tímida del sol comenzaba a asomarse detrás de los árboles más altos. Los perros saltaron a tierra antes que los hombres y, como atacados por una súbita ansiedad, corrieron de allá para acá, entre los matorrales de la orilla, olisqueando el suelo, moviendo los cuerpos en saltos y carreras urgentes, dejando escapar breves gritos, como quejidos.

Efrén se echó el morral con la comida y la munición a la espalda y le tendió la cantimplora a Manuel. Le señaló el río mientras cargaba la escopeta.

—Por ahí es donde cruza el tigre, don. Apenas tiene que mojarse un poco las manos. Y eso que les gusta bien el agua a estos gatos.

—¿Nadan?

—Como los meros peces, don. Tendría que verlos atravesar el cauce por los lugares más anchos. Y se atreven a piliar con los caimanes dentro del agua. Bien bravos que son, bien bravos, don.

Uno de los perros comenzó entonces a ladrar con fuerza y los otros dos corrieron hacia él y se unieron a la algarabía.

—Bien, don —dijo Efrén—, dieron con el rastro. Buenos canes esos tres, sobre todo el *Chango*. ¿Lo vio? Fue el *Chango* quien encontró el rastro.

Se volvió hacia el barquero.

—Bien, Herbert, aguárdenos acá y tómeselo con paciencia.

—Va pues, Efrén. Buena caza, señor Manuel.

Se internaron en la espesura, siguiendo a paso rápido la dirección tomada por los perros, que ya corrían a buena distancia delante suyo. Efrén precedía a Manuel, cortando con el machete las ramas que se cruzaban en su camino. Debían saltar sobre troncos derribados por tormentas antiguas y humedecidos por la madrugada. A Manuel le costaba seguir el ritmo del mestizo, que a veces se detenía a esperarle para que no se quedase rezagado.

—¿Vio las huellas? —le dijo en una ocasión, señalándole en el suelo.

Una ancha marca, en forma de flor, se dibujaba sobre un tramo de barro limpio de hojas y de yerbas.

—Es bien grande —añadió Efrén—, y puede que cruzase por acá hace menos de una hora. Estamos cerca. Pronto olerá a tigre, don.

Se internaron todavía en la espesura durante un par de horas, cada vez más trabajosamente. Manuel se sentía fatigado. Pensaba que, con toda probabilidad, habrían de regresar sin haber encontrado al jaguar.

Y de pronto, volvieron a escuchar a los perros delante de ellos. Ladraban sin interrupción, con vigor, mientras el revoloteo de decenas de pájaros espantados se escuchaba sobre las copas compactas de los árboles.

—Ya está cerca, don, ya le sintieron el olor caliente. Vamos, un esfuerzo: aprisa, don.

Casi corrieron durante varios minutos. Se oían cada vez más fuertes los ladridos y, al acercarse más, Manuel pudo escuchar los primeros rugidos del felino. Era una voz ronca, que parecía salir con ecos hondos desde la garganta recóndita de la selva.

Llegó a un pequeño calvero unos segundos después que Efrén. Bajo una pacaya, dos de los perros saltaban como si quisieran encaramarse a su altura mientras no cesaban de ladrar. Un tercero, el *Chango*, yacía sobre la manta de hojas oscuras, con el cuello abierto en una herida de la que manaba abundante sangre.

—¡Gran diabla! —clamó Efrén—, el hijueputa del «frijolillo» me quebró al mejor perro. ¿Lo ve, don?

Manuel alzó la cabeza. Sobre la vigorosa rama que crecía horizontal desde el tronco del árbol, el jaguar descansaba acurrucado sobre sí mismo, mientras miraba hacia ellos. Era muy grande, de piel casi blanca, moteada por llamativas manchas oscuras. A Manuel se le antojó que contemplaba un gato de gran tamaño, doméstico y pacífico, en lugar de un animal salvaje. El felino no rugía, ni les enviaba gestos amenazadores. Estaba quieto allá arriba, tranquilo, como si su último rasgo de fiereza se hubiese agotado en la pelea con los perros. Les miraba sereno, sin temor, sumiso.

—¿Quiere disparar, don? —dijo Efrén haciendo intención de pasarle el fusil.

—No, no… y me gustaría que no lo matara, Efrén.

—Ya no se puede, don, el tigre tuvo su oportunidad. Y bien que la aprovechó con el *Chango*.

—Hágalo usted, Efrén.

—Ya tuvo su oportunidad, don —concluyó el mestizo al tiempo que, con parsimonia, se echaba la escopeta al hombro.

Los ojos del jaguar, verdes como una gema, casi amarillos, giraron hacia Efrén. Aquel gran gato, ya domeñado, tranquilo como un animal doméstico, parecía reconocer el arma que le apuntaba.

Sonó el disparo. El felino abrió la boca y dio un gemido, casi un grito, un instante antes de desprenderse de su asiento y caer rompiendo en su camino hojas y ramajes. Chocó contra el suelo con ruido, y a Manuel le pareció que la tierra temblaba levemente a causa del golpe. Los dos perros saltaron sobre la fiera ladrando, intentando morderla. Pero Efrén se había acercado en un par de saltos, con la escopeta apuntando hacia el carnívoro, y a grandes voces obligó a los canes a alejarse.

—Venga acá, don —dijo al cabo de unos segundos—. Ya murió el tigre, ya puede verlo de cerca.

Sus ojos estaban abiertos y quietos, como si contemplaran algo perdido más allá de los árboles próximos. Había aún un temblor bajo su piel. Su olor era fuerte, algo repulsivo, como el de los gatos en época de celo.

Efrén tardó más de una hora en desollarle. Luego, se alejaron del lugar, dejando tras de sí el cuerpo sanguinolento del magnífico animal y regresaron a paso lento hacia el río. Efrén llevaba la piel enrollada bajo el brazo izquierdo, la escopeta cargada al hombro y el machete en la mano derecha. Sus ropas y sus brazos estaban manchados de sangre.

—Le dije, don, un «frijolillo». Gran fiera. Le saldrá una bonita piel. El martes la enviamos con el avión a Guate y en unas semanas la tendrá de regreso, para ponérsela de alfombra en la cabaña.

—No quiero la piel, Efrén.

—No diga... Regálesela pues a la maestra, don. Es un buen obsequio de amor la piel de un tigre. Es como decirle que uno es apasionado.

Y le sonrió mientras le guiñaba el ojo.

Ya en el vado, Efrén extendió la piel sobre el suelo duro y la cubrió de sal por la parte interior. Volvió a plegarla con cuidado antes de colocarla en la barca. Finalmente, se quitó las ropas y se echó a nadar en el remanso. Manuel le imitó: se sintió relajado dentro del río. Sus pies, sobre todo, agradecían el contacto fresco del agua.

Al salir, reparó en las dos grandes cicatrices que se marcaban en el costado izquierdo del mestizo, algo más arriba de la cintura. Eran las huellas de dos heridas horizontales, profundas y de color sonrosado. Efrén sorprendió su mirada y acarició instintivamente aquel punto de su cuerpo.

—Como el ganado, don, como mero ganado...

Sonreía.

—Ya le dije que la gran diabla me llevó de un lado para el otro —añadió—. Hice algunas cosas que no estaban bien, en otro tiempo. Di en la cárcel dos veces, don. Estas señales —miró hacia su costado y lo acarició de nuevo— las hace la policía cada vez que lo detienen a uno. Son como una ficha policial. Cuando te marcan por octava vez, ya no hay más, ahí muere el tema. La siguiente, no hay muesca: te desaparecen, un tiro en la nuca y no hay más delito. Ya ve, don, me quedan aún seis posibilidades de supervivencia.

Lucía el río en todo su esplendor de transparencia

verde cuando regresaron. Bandos de patos malaches subían en dirección contraria casi rozando, en su vuelo, la superficie diáfana de las aguas. Y un fuerte olor de flores impregnaba el aire.

## 3

Había decidido visitar a Celeste y aquella tarde, al regresar de su trabajo en la selva, bajó caminando desde el campamento al poblado. Encontró a la maestra sentada en una mecedora, bajo el fresco porche de su casa de madera. Leía un libro, que cerró y dejó sobre su regazo cuando vio llegar a Manuel. Bajo la sombra del cobertizo, la piel del rostro, de los brazos y las piernas de la muchacha parecía más oscura. Incluso sus facciones se dibujaban más angulosas. Vestía unos jeans cortos y una camisa ligera, que marcaba las formas de sus pechos.

No se levantó cuando Manuel le tendió la mano para saludarla.

—Pasaba por aquí cerca —se excusó— y quise ver si estaba, Celeste.

—Es un placer su visita. Mire, siéntese aquí.

Obedeció.

—¿Podría ofrecerle algo? ¿Un cafesito, o un agua fría?

—No es necesario. Pero si usted toma algo…

Celeste volvió la cabeza hacia atrás y llamó:

—¡Marita, Marita!

La cara de la sirvienta india asomó por la puerta.

—Dígame, linda.

—Tráenos unos cafesitos al señor y a mí.

Manuel miró a la muchacha con fijeza.

—Se deja ver bien poco por el poblado —dijo ella.

Al tiempo que hablaba, Celeste había subido los pies descalzos sobre su asiento y apoyado las rodillas sobre un brazo de la mecedora. El pelo suelto se derramaba a sus espaldas. Manuel sintió deseos, en ese mismo momento, de desnudarla y hacer con ella el amor sin más preámbulo. El aire soplaba denso y cálido. En los gestos de Celeste flotaba una sutil coquetería.

—Hay trabajo que hacer ahí dentro, en la selva. Nos urge encontrar petróleo. Eso dicen en la capital.

La india entraba con dos tazas humeantes. Celeste bajó los pies y colocó el platillo sobre sus muslos. Dio un primer sorbo antes de seguir hablando:

—Ya supe que la guerrilla atacó en Xán.

—Nos quemaron unos vehículos y se llevaron la radio. Destrozaron un poco..., pero no fue nada irremediable.

—¿Pasó miedo?

—Creo que no. No me pareció en ningún momento que fueran a hacernos daño. Sólo que fue incómodo. Tuvimos que esperar allí algunas horas, hasta que en el campamento pensaron que tardábamos mucho y fueron a buscarnos. Se llevaron nuestras botas, ¿sabe?

—Las botas son muy importantes en la selva. Eso dicen.

—¿Nunca entró en la selva, Celeste?

—No muy profundo.

La muchacha se inclinó para dejar la taza en el suelo. Al hacerlo, la camisa se entreabrió ante los ojos de Manuel. Vio un pecho casi entero de la joven. Le excitó el pezón oscuro y grueso coronando la curva de la carne. Ella, al regresar a su primitiva posición, sorprendió su mirada. Se arregló entonces el escote, en un movimiento instintivo, y de nuevo subió los pies sobre el asiento. Las rodillas tapaban ahora las formas de sus senos. Manuel se sintió algo avergonzado.

—Eso de la guerrilla —dijo— parece un feo asunto...

—Sí, la guerra no acaba. Es triste mi país.

—Bueno, a mí me parece hermoso.

—Y lo es, bien lindo que es. Yo no conozco otros,

nunca salí de aquí y apenas tampoco del Petén. Una vez viajé a la ciudad, a Guate, y también visité el lago de Atitlán. Dicen que es el lago más bonito del mundo. No sé. Creo que mi país debe de ser de los más lindos de la tierra.

—Yo también lo creo. Me quedaría siempre aquí si fuera posible.

—¿Y cómo es el suyo, Manuel? Siempre pensé que España debe de ser muy linda.

—Es muy distinta. Sí, hay ciudades, monumentos, muchas cosas modernas. No sé, Celeste. A mí me parece aburrido, cansado, como un trasto viejo de anticuario: bello y tal vez valioso, pero inútil.

—¿No ama usted su patria?

—No me he planteado eso nunca.

—Yo sí amo Guatemala.

—Eso de la patria es un concepto que no alcanzo a sentir.

—Yo sí siento el amor por mi tierra. No podría nunca amar otro sitio como amo el Petén.

—Eso sí lo comprendo, Celeste.

—Y cuénteme un poco: ¿cómo es aquello, dónde nació usted?

—Soy de Madrid, la capital. Verá, no sé decirle, me parece casi que he olvidado cómo es. Un lugar donde uno no mira el cielo más que de cuando en cuando, donde corre de un lado a otro entre millares de personas y huele a humo por todas partes. Algo inhumano.

—¿Y esto le parece humano?

—Tal vez sea también inhumano, claro. Pero aquí me siento vivo y allí no tenía tiempo para sentir casi nada.

—No me ha dicho cómo es su ciudad.

—Supongo que es un lugar muy agitado, en donde todo transcurre con urgencia, sin tiempo para sentir o para pensar. Pero hay a menudo tristeza y mucha locura debajo de esa urgencia.

—Tan distinto de aquí, ¿verdad? No me lo pinta bello, Manuel, pero a mí me gustaría ir a verlo.

—Bueno, tendrá que hacerlo un día.

—Es difícil para mí.

—Y usted, Celeste, ¿qué vida hace?

—Ya la ve vos, Manuel: el trabajo de la escuela. A veces me bajo hasta la hacienda de mis padres, allá camino de Flores, cerca del Ciento Veintisiete.

—Ah, su padre es finquero…

—No llega a finquero. Es una hacienda modesta, no mide más de dos caballerías. La compró hace quince años. Él nació en Quetzaltenango, venimos de Quetzaltenango mi familia, aunque yo nací en Petén, en La Libertad. Mi papá se vino bien joven como colono. Hizo algo de plata y compró la hacienda. Y va bien ahorita. Tiene algunos empleados, una milpa grande, frijoleras, algo de ganado y un poco de cardamomo.

—¿Tiene hermanos, Celeste?

—Sí, uno, un varón. Trabaja en Guate, es funcionario. Mi papá nos dio estudios a los dos, fue bien previsor. Él sabía que la cultura es importante, aunque ni él ni la mamá la pudieron tener. Yo les estoy bien agradecida.

La muchacha dejó caer las rodillas hacia un lado, se recostó sobre el asiento y los pechos volvieron a marcarse bajo la blusa.

—¿Y por qué no baja un día conmigo a la hacienda, Manuel?

—Me gustaría.

—Miré vos, dentro de dos domingos habrá feria en el Ciento Veintisiete, un mercado grande, la gente vendrá de los ranchitos y los poblados a comprar y vender. Es casi una fiesta, una vez cada mes. Todos van ese día al Ciento Veintisiete. Podemos acercarnos a la hacienda y así conocerá a mis papás. Si usted consigue un carro de la Compañía, será todavía más fácil.

—Lo hablaré con el jefe, con el americano.

—El señor John.

—Sí, John. No creo que haya problema.

—Ande, lógrelo. Queda emplazado.

La muchacha había echado hacia atrás la cabeza al concluir la frase y movido el pelo con las manos a sus espaldas. El gesto se le antojó a Manuel como una promesa.

Encontró a John presa casi de un ataque de histeria cuando regresó al campamento. Mezclando palabras inglesas con un atropellado castellano, le explicó que había encontrado una barba amarilla en su cabaña hacía apenas una hora. Hubo de refugiarse en el baño y desde allí gritar para que acudiesen a ayudarle. Los peones emplearon más de media hora en matarla. John creía que alguien había echado la serpiente allí dentro para que le mordiera.

—Son asesinos... sons of bitches..., te dije, gente asesina, diferente, mala raza y mala sangre... ¡bloody indios! Podía estar ahorita ya muerto. Alguien la puso allí, estoy seguro. Me tapaba la salida y estaba enrollada como las cobras... son of a bitch... Si descubro quién fue, lo mato yo mismo. Estaba enroscada, lista para saltar. Dicen que brincan para morder; cuando están enroscadas, brincan a tanta distancia como la longitud de su cuerpo. Y medía alto más de dos metros... son of a bitch... Sólo me quedaba el baño, y gritar, gritar para que vinieran. Tardaron, ¿sabes?, tardaron en llegar, y bajo la puerta hay una rendija ancha, podía haber entrado a buscarme... ¡bloody indios!

Manuel cenó solo con Doc. John había perdido el apetito y se refugió en su cuarto, probablemente para beber güisqui.

—¿Crees que alguien puso allí la serpiente, Doc?

—No tengo idea. Desde luego, es difícil que una serpiente entre en las cabañas. ¿Por dónde lo haría?

—Como broma me parece muy pesada.

—Nadie pone una barba amarilla en un cuarto para embromar al inquilino.

—¿Quién piensa que pudo ser, Doc?

—John no tiene muchas amistades acá. Es bien duro con la gente, olvida que trata con seres humanos, capaces de odiar entre otras cosas.

—Willy tiene motivos.

—No sé, amigo, hoy no se dejó ver mucho por el campo.

—¿Dónde está?

—Creo que bajó al poblado a la atardecida. Habrá ido a una cantina. A veces le gusta echar unos tragos.

—Nunca sabremos quién lo hizo.

—Tal vez sirva para que John baje algo sus humos.

—O para aumentar su cólera. No es bueno acosar a un tigre, eso dicen por aquí.

—Desde luego que John no tiene muchas amistades. Sólo tú pareces entenderlo algo, amigo.

—En el fondo le veo frágil, inseguro, casi como un niño en ocasiones. Y es un desarraigado... como tú, Doc, y como yo.

—¿Me ves desarraigado, amigo?

—Sí, te veo así.

—Claro, bien. Mirá, en un país como el mío es una salida desarraigarse si uno es muy sensible a la muerte. Mi país está cansado de morir, pero se sigue matando. ¿Qué puede hacer uno, matar o morir? La neutralidad sólo es posible marchándose.

—Tú no eres neutral, Doc.

—No lo soy. En realidad nadie puede ser neutral, ni siquiera la ciencia, según dicen. Pero yo soy cobarde, ya sabes. Nunca tuve el valor suficiente para ponerme en un lado..., el de los que mueren, claro. No tengo ninguna razón clara para agarrarme a la vida, pero el caso es que quiero seguir vivo y que siento terror ante la muerte. ¿Tú comprendes? Creo que ya no tengo ninguna esperanza, a lo mejor tan sólo la de seguir vivo, aunque sea como los vegetales.

—Eso suena triste.

—Bien, sí. Pero, amigo, tú verás cómo a ti te sucederán las cosas, quizá no muy tarde. No serás neutral.

—Yo no soy de aquí.

—Estás aquí... y sé que esto te gusta. Y tendrás que ponerte a un lado.

—¿A un lado?

—Sí, amigo, a un lado del espanto.

—Espero evitarlo.

—No podrás. Hay un momento, amigo, en que uno llega a acostumbrarse al horror hasta tal punto que le parece el modo natural de vida. Entonces, uno no intenta destruirlo, porque piensa que no puede lograrlo; y trata de corregirlo, de hacerlo más llevadero, más digerible, más humano. Pero lo acepta, sí, y eso es lo malo. Tiene uno que elegir una cara, la que se le haga más soportable. Si uno mira el horror, el horror le mira también a uno.

—Eres un pesimista sin remedio, Doc.

—No, amigo, soy centroamericano.

El recuerdo de Celeste, sus muslos desnudos, el pecho que había visto bajo la camisa abierta, aquel pezón moreno y grueso, excitaba su sensualidad. Decidió visitar a Ninette.

—Me han comentado que la semana próxima los mexicanos tal vez dejen cruzar —le comentó la joven.

Ya habían hecho el amor y los dos se tendían desnudos, el uno junto al otro, en el humilde cuartucho del hotel que servía de vivienda a Ninette.

—Me lo comentó un hombre que conocí en el comedor antier —agregó.

—¿Quién es?

—Vino de La Libertad. Quiere también pasar. Tal vez vaya con él.

—¿Y quieres irte ya?

—Vos sabés que vine a eso, Manuel. Pero yo me quedaría si vos lo quisieras.

—Debes hacer tu gusto. Yo no te doy nada.

—Vos sabés que yo le amo, Manuel.

—Ninette, tú me gustas, me gustas mucho. Pero yo no te ofrezco nada, ni quiero ningún compromiso.

—No me importa. Da lo mismo lo que dure su capricho, Manuel. Si vos lo desea, yo me quedo. Hasta que quiera que me vaya. Entonces yo me iré.

—¿Quién es ese hombre que conociste?

—Ya le dije. Uno que vino de La Libertad.

—¿Es joven?

—Bien.

—¿Y atractivo?

—No es un hombre feo.

—¿Te gusta?

—A mí sólo me hace sentir vos, Manuel.

—No quiero que le veas más.

—No le veré si vos lo querés así.

—Y no quiero que te vayas todavía de El Naranjo, Ninette.

—Me quedaré, pues, si ése es su gusto.

—Es egoísta, pero no quiero que te vayas.

—Me alegro de ese egoísmo y de que no quiera que me vaya.

Apagó el cigarrillo y giró el cuerpo hacia ella. La abrazó de nuevo y la besó en la boca. Ninette respondió a sus besos y a sus caricias, sensual, mansa, cálida.

Cuando regresaba en el todoterreno al campamento, bajo la noche cerrada y el cielo sembrado de estrellas, el olor de la muchacha permanecía impregnado en su cuerpo. Era un perfume fuerte de sexo, una acidez sensual, como el olor a mar de los puertos pesqueros del norte de su tierra.

## 4

En las proximidades del kilómetro 127, la carretera registraba aquella mañana de domingo una rara actividad. Llegaban automóviles desvencijados, en su mayoría furgonetas de caja abierta, donde se hacinaban hasta veinte o más personas, entre hombres, mujeres y niños. Eran los taxis de la selva, los «pick-ups», como los llamaban en Petén. Marchaban lentos, fatigados por el peso de su carga, las ruedas dobladas hacia los lados, como si fueran patizambos. Arriba, las gentes viajaban con un gesto de resignación, o tal vez simplemente de indiferencia paciente, los cuerpos apretados los unos contra los otros, madres que sostenían sus hijitos sobre el hombro para evitarles el peligro de ahogo, muchachos sujetándose a las barras de la caja con el cuerpo casi entero fuera del vehículo, la corona de sombreros de pita blanca encima de aquel montón informe de personas. Resultaba un milagro que, en las curvas del camino, no se desnivelasen aquellos «pick-ups», pues a tal punto se inclinaban al doblarlas que parecía posible, en cualquier momento, que las ruedas de un lado perdieran contacto con la tierra y se dejaran llevar por la gravedad hasta que el automóvil volcase, dando en el suelo con toda su carga humana.

Grupos de personas, familias enteras, bajaban también hacia el poblado Ciento Veintisiete desde los ranchitos de los alrededores por ambos arcenes de la carretera de tierra. Transportaban grandes bultos, las mercancías que ofrecerían para su venta en la feria. Muchos hombres y mujeres se ayudaban para llevar sus fardos del mecapal, una tira de cuero que se sujetaba a la frente para sostener el peso de la espalda, milenario sistema de carga heredado de sus antepasados mayas.

También marchaban por las carreteras pequeñas manadas de toros bramanes, conducidos por jinetes que cubrían sus piernas con desgastados zahones de cuero de vaca. El vehículo en el que viajaban Efrén, John, Celeste y Manuel se abría camino despacio entre aquella muchedumbre de gentes, animales y vehículos que parecían huir de algún desastre, una batalla o la erupción de un volcán, en busca de lugares más seguros.

A los lados del camino, la selva había dado paso a espacios abiertos por la acción de los hombres. La yerba alta verdeaba en los potreros, donde pastaban reses chepudas de piel blanquecina, rodeadas de garzas de pico largo y plumaje albo. Aquí y allá, entre los pastizales, se alzaban hacia el cielo ceibas de tronco pulido y palmeras de ramas bruñidas que se curvaban hacia el suelo como bucles de cabellos humanos. Brillaban los campos bajo el azul luminoso de la mañana.

Después de atravesar un largo puente de madera sobre el río, que en aquel lugar hendía la tierra formando una amplia curva en cuyas orillas se apretaban los árboles, entraron en el Ciento Veintisiete. A pesar de no haber alcanzado todavía el rango de municipio y, por lo mismo, carecer aún de otro nombre que no fuera el número del kilómetro que ocupaba en la carretera hacia Flores, el Ciento Veintisiete era ya un poblado extenso y con un número de habitantes superior a lo que era normal en aquellas tierras. Se extendía a ambos lados de la carretera y luego crecía hacia el interior, en las proximidades de los pastos y de las siembras de maíz y fríjol. En su mayoría, y sobre todo en los arrabales del poblado, las casas eran cabañas edificadas con madera de escobo para las paredes y hojas de guano para el techo, lo que daba lugar a la apariencia de un asentamiento de tribus africanas. El centro de la población lo constituía una extensa explanada que cubría más de veinte mil metros cuadrados, rodeada por casas de madera de una sola planta, con techumbre de uralita, en su mayoría cantinas, tiendas donde se vendían todo tipo de útiles y un prostíbulo, a cuyas ventanas asomaban los rostros de algunas jóvenes, que sonreían a los hombres mostrando a menudo bocas en las que escaseaban los dientes y menudeaban las prótesis de oro.

En el centro de aquel ancho espacio se elevaba un enorme chicozapote, el árbol del chicle, casi un símbolo de lo que, durante décadas, había sido la industria principal del Petén. Alrededor del tronco del gigante, las reatas de mulas, caballos y, sobre todo, vacas y toros bramanes, se ofrecían a los compradores. Olía allí a pienso y excremento, entre el clamor de mugidos, relinchos y rebuznos. A partir de aquel círculo reservado al ganado, el mercado se extendía en decenas de puestecillos, construidos provisionalmente con una estructura de horcones sobre los que se ajustaba un plástico a modo de techo, y formando entre ellos callejuelas por donde caminaba la abigarrada multitud de curiosos y compradores. Desde lo alto, aquel mercado podría haber parecido un campamento compuesto por un multicolor conjunto de tiendas de campaña, brillantes bajo el sol en azul, rojo, verde, gris y marrón.

Se vendía allí todo lo imaginable y todo lo necesario: aperos de labranza, machetes, mantas, bolsos, leña, café, dulces, máscaras rituales, zapatos de plástico, ladrillos, frutas, carbón, maíz, fríjoles, cerámica, camisas, sombreros, ponchos, perfumes falsificados, botones y cordones, sacos, alfombras, amuletos, arreos y sillas de montar, botas de goma, látigos y fustas, cubos de metal o de plástico, cántaros de agua pintados en franjas verticales rosas y verdes, tejidos de yute y cáñamo, ponchos, huipiles bordados, jabón, instrumentos de ferretería, remedios para curar enfermedades humanas o de animales, huevos, pollitos recién nacidos, ovillos de lana... Había también una zona, en un extremo de la explanada, donde se instalaban varios comedores: bajo el techado rudimentario se levantaban mesas de tablas bordeadas de bancos y formando cuadrado alrededor de un espacio donde las mujeres cocinaban y servían a los parroquianos. Olía a pollo, a sopa de chile picante, a especias diversas y guiso de res.

Desfilaba y se agitaba en aquel vasto campo una variopinta multitud. En su mayoría, las mujeres indias vestían el huipil tradicional de las etnias ketchí o catchiquel, más alegres de colores y de abundancia en bordados los segundos que los primeros. Muchas de ellas sostenían niños chicos colgados a la espalda, al tiempo que mantenían una manta echada sobre el hombro, también de hermosos bordados, que servía como bolsa para las compras. Los hombres, por su parte, calzaban botas de cuero repujado y algunos llevaban colocadas sus espuelas e, incluso, los anchos zahones de cuero. Casi todos se tocaban con altos sombreros de pita, adornados por cintas de colores. Entre los campesinos y los compradores se mezclaban los limosneros, los niños limpiabotas, los buhoneros que ofrecían adornos y perfumes para las mujeres, algunos impedidos que demandaban caridad, un hombre que mostraba una pequeña imagen de un santo para que la gente besara en sus pies y dejase un donativo en una cajita de madera. También se veían indias que, sobre una manta extendida en el suelo, vendían rajas de sandía, de melón o de papaya, y bolsas de cacahuetes. Una orquestina se abría paso entre la muchedumbre precediendo la imagen de una virgen que llevaban en alto, sobre parihuelas, dos hombres fornidos. Algunos carritos blancos anunciaban helados y perritos calientes, mientras sus dueños convocaban a los posibles clientes haciendo tintinear una campanilla.

Sonaban, de cuando en cuando, cohetes y petardos

a la orilla de la iglesia, una sencilla construcción de ladrillos encalados que se levantaba en un extremo de la explanada, con pretensiones de recordar el estilo colonial de las grandes catedrales de América. El templo tenía, en su torre, una campana de buen tamaño y unos altavoces que sobresalían de un ventanuco de la fachada. Desde allí llegaban hasta la plaza las oraciones del interior, interrumpidas a veces por algún canto religioso. De la ermita bajaba a la plaza una escalinata de piedra, de no más de doce tramos. Allí, la multitud se agolpaba sentada: indias que vendían flores o candiles, gente que simplemente descansaba. Una decena de hombres agitaba ante el edificio latas que sostenían por un asa de alambre, esparciendo a su alrededor el fuerte aroma del incienso. La humareda era tal que parecía cubrir como una densa niebla la escalinata, impidiendo en ocasiones que pudieran distinguirse con claridad las figuras de las gentes. Aquellos hombres rezaban mientras movían sin cesar sus sahumerios y animaban su fuego cuando se consumía la resina.

—Es copal-pom, don —dijo Efrén a Manuel.

—No sé qué es.

—Es el antiguo humo sagrado de los mayas. Se quema desde muchos siglos atrás, don, para que las oraciones y las peticiones de los hombres lleguen por medio del incienso hasta los dioses. El copal es la resina de un árbol, árbol casi sagrado, pues, y muy apreciado entre la gente india. Ellos son los chamanes, don, los que saben rezar y pedir las cosas. Todo puede pedirse: desde riqueza hasta venganza.

El aroma del copal llegaba fuerte y agradable. Manuel lo sentía diferente a los sahumerios de las iglesias de su tierra. Era más natural, como más fresco y liviano. Le hubiera gustado olerlo durante mucho tiempo.

Dejaron a Efrén y a John en el Ciento Veintisiete, y Celeste y Manuel siguieron en el vehículo la carretera que continuaba más allá del poblado. Recogerían a los otros de regreso, después de la comida. Manuel se sentía excitado a bordo del todoterreno con la muchacha sentada al lado suyo. La brisa llegaba perfumada con aroma de plantas.

Torcieron para tomar un sendero que se abría al lado del camino, un par de kilómetros más adelante. La espesura se echaba de nuevo sobre los flancos del auto, dejando casi el espacio justo para que éste pasara. La altura de los árboles, que crecían sobre apretados matorrales y atenazados por los bejucos, cubría de sombra la estrecha senda. El aire parecía allí más fresco.

Si existía un paraíso en la Tierra, bien podía ser aquel paraje donde llegaron quince o veinte minutos más tarde, pensó Manuel. Los árboles se retiraron de los bordes del camino y se abrió ante sus ojos un largo valle, que corría hasta los pies de una sierra de laderas azuladas. La leve brisa movía los penachos de los maizales y el verde bruñido de la tierra retaba con descaro la superficie perlada del espacio. Casi cegaba el brillo de las hojas de las palmas bajo el reflejo del sol.

El aire era acuchillado. Había un invisible tono dorado en alguna parte, algo de metálico en aquellos campos cultivados, una atmósfera mineral sobre las milpas. Y el agua de los arroyos que cercaban los cultivos lucía en transparencia turquesa. El horizonte irregular de las montañas semejaba estar vivo, ser capaz, de pronto, de dar un salto hacia el espacio y arrastrar consigo hacia el infinito el hermoso valle para hacerlo eterno. En aquel lugar de asombro, tierra y cielo convivían en armonía, en equilibrada concordia, guardando con celo el secreto de la belleza y de la sensualidad del mundo.

La madre de Celeste era una mujer menuda y silenciosa, de inconfundibles rasgos indios, tez oscura, ojos achinados, llamativa papada y blancos cabellos lacios que se recogían bajo la nuca en un laborioso moño. Apenas dijo nada, tan sólo usó monosílabos, poco más que síes y noes, durante el largo rato que pasaron almorzando en aquel saloncito. En cuanto al padre, era un hombre recio, no muy alto, de cara cuadrada, mestizo, que hablaba con solemnidad ante las dos mujeres de su familia, como si quisiera mostrar a Manuel que él era el rey indiscutible de aquel hogar. Celeste le trataba con respeto y, en ocasiones, con una leve ironía.

Después de la comida, los dos salieron a dar un breve paseo por los alrededores de la casa. Manuel se sentía deseoso de estrechar en sus brazos a la muchacha. Pensaba que, bajo la vitalidad de aquel paisaje, bien podían ser ellos los primeros habitantes de la Tierra, los dueños absolutos de virginales paraísos, anhelantes por cometer el primer pecado del mundo. Recordaba el pezón de ella.

—No comprendo, Celeste, cómo no vive usted aquí.

—¿Le gusta?

—Creo que nunca vi un lugar tan magnífico. No hay palabras para describirlo.

—He vivido acá muchos años. No es lo mismo con la costumbre.

—¿Y cómo es que da clases en El Naranjo, por qué no en el Ciento Veintisiete?

—Miré, hay que estar un poco lejos de los padres, eso le hace a una más independiente. Yo los quiero, claro. Pero todos los padres son posesivos.

—¿No pensó en casarse, Celeste?

—Sí, bien, toda mujer piensa hacerlo.

—¿Nunca tuvo novio?

—No encontré a mi hombre aún.

—¿Cuántos años tiene, Celeste?

—Veintitrés.

—Es una bonita edad.

—¿Y usted, tuvo mujer?

—Estuve casado unos años. Ya terminó aquello.

—No es bueno que el hombre esté solo.

—Yo, Celeste, no quisiera estarlo. Usted, bueno, usted me gusta.

Intentó tomar una mano de la muchacha, pero ella la retiró.

—Pero vos no está solo, Manuel.

—Lo estoy.

—Hay una niña, allá en El Naranjo, en el hotel, una deportada.

No supo responder.

—Todo se sabe en los pequeños poblados —continuó Celeste.

—Es otra cosa. Algo casual, o transitorio. Yo quería decirle que lo que siento por usted, Celeste, es otra cosa, es...

—Hay una niña allá —cortó ella—. No puede decirme nada, Manuel, mientras haya una niña allá.

—Se arreglará, Celeste. Y hablaré con usted de nuevo.

—¿Ve esos cultivos, Manuel? Eso es cardamomo. Es la planta que da más dinero a mi papá. Pero es bien delicada, hay que cuidarla con esmero. De ella salen los mejores perfumes. Es la planta mejor, la más olorosa, la más dulce, la más cara. Hay que cuidarla mucho. ¿Y ve allá el maíz? De maíz fueron hechos los hombres, según los mayas.

—¿De qué hicieron a las mujeres, Celeste?

—No sé..., tal vez de cardamomo —rió.

Encontró a John presa de gran excitación cuando llegaron de regreso al Ciento Veintisiete. El norteamericano le apartó de Celeste y Efrén y se alejó unos pasos con él.

—Escucha, cuate, ha sucedido algo... ¿Sabes? Encontré al tipo, aquel tipo, el de Xán.

—¿Qué tipo?

—¿Quién ha de ser, cuate? El jefe del grupo de terroristas que nos quemó los carros.

—¿El comandante guerrillero?

—Sí, ese hijueputa. Él no pudo verme. Fue casualidad, mera suerte. Salía de un almacén, afeitado, con buena salud en la cara. Pero se le reconocía, no se olvida una cara como la suya. ¿Sabes?, parecía un paisano cualquiera, un campesino acomodado, de los que tienen riquezas. Yo me eché a un lado, me escondí entre la gente, detrás de unos palos. Le vi que charlaba con algunas personas. No los conozco. Luego se alejó. Lo tenemos, cuate. Esta vez la paga.

—¿Qué quieres decir con eso de que lo tenemos?

—¿Qué va a ser, cuate? Hay que reportarlo al ejército. Esta tarde mismo, cuando regresemos al campo.

—Esta guerra no es nuestra, John.

—¿Cómo que no es nuestra? ¡Clarito que lo es, cuate! Ellos nos quemaron los carros, son incivilizados, son salvajes... Ésta es una guerra contra el salvajismo. Y nos implica, clarito que nos implica.

—A mí no me implica, John.

—Tú eres de la Compañía.

—En mi contrato no se habla de guerras.

—¡Bah!, contratos... Te quitaron las botas, ¿no te acuerdas?

—¿Y qué importan un par de botas? No iré contigo a ver al comandante Rojas.

—¡Pendejadas, pendejadas!

—No iré, John, no es mi guerra.

—Es nuestra guerra, cuate. ¿Y qué más da? Si no es tu guerra, sí que es la mía. Iré solo a ver a Rojas si es necesario.

—Irás solo, John. Aunque creo que no deberías hacerlo, que no tendrías que mezclarte en esto. ¿Qué ganas con denunciarlo? No es probable que lo encuentren. Habrá vuelto a la selva cuando el ejército llegue acá.

—¿Qué gano? Esa gente precisa escarmientos, cuate, mano dura. ¿Y quién dice que no es posible que lo encuentren? Aquí hay poca gente, no son muchas las casas.

—No deberías hacerlo, John. No sabes cómo actuará el ejército ante una denuncia así.

—Pendejadas.

Regresaban al encuentro de Celeste y Efrén cuando Manuel casi topó de bruces, en la puerta de una cantina, con don Vito, el patrón del campamento de xateros que conoció el día de su llegada al Petén. La tropa familiar seguía a aquella especie de jefe de tribu.

—¿Qué tal, don? —le dijo el otro al tiempo que le tendía la mano y sonreía.

—¡Ah!, don Vito, gusto de verle.

—¿Cómo usted por acá?

—Dando una vuelta. ¿Y el xate, y los tigres?

—Van bien los negocios, don, van bien.

—Pues me alegro mucho.

—Fue un placer encontrarle —concluyó el otro tocándose la visera de la gorra de béisbol, antes de tenderle de nuevo la mano para despedirse.

John se había mantenido algo apartado. Cuando se reunió con Manuel, señaló hacia el grupo de xateros que se alejaban precedidos por don Vito.

—¿Quiénes son?

—Unos xateros que conocí apenas al llegar. Es don Vito y su familia. Cazadores de tigres, también.

John le detuvo sujetándole el hombro.

—¿Sabes, cuate? Ésos son los hombres que hablaban con el jefe terrorista cuando le vi.

—¿Don Vito?

—Sí, ellos.

—No lo digas al ejército, John.

—¿No? Dame una razón para no hacerlo, cuate.

—Puede que los maten. Los cogerán para interrogarles... con torturas.

—Eso no es problema mío ni tampoco tuyo.

—John, no lo hagas.

—Vámonos, cuate. Así que don Vito, ¿no?

Seguía limpio el cielo de la tarde al entrar en el campamento de El Naranjo, después de haber dejado a Celeste en su casa. El sol era aún abrumador, calentaba más que en días anteriores. Una nube solitaria permanecía detenida en el cielo, como un náufrago. Cuando el sol cayó una hora después y John tomó el todoterreno para dirigirse al campamento militar, la nube seguía allí, aunque había cambiado de forma y parecía una pelota de bordes desgajados. La línea de las montañas ardía en el atardecer y la nube se sonrojó entonces, como si sintiera vergüenza del mundo de los hombres.

Ninette comía en el «Rey Maya» cuando Manuel bajó después de la cena. La noche era cálida y los mosquitos y las pequeñas mariposas flotaban alrededor del tubo de neón que iluminaba la baranda sobre el río. Se sentó a su lado. No había nadie más que ellos en la sala.

—¿No quiere que subamos, Manuel?

—No, Ninette, hoy no. Venía a hablar contigo tan sólo.

—Siempre es bonito verle.

—También verte a ti..., pero..., vengo a decirte que, bueno, esto se termina.

—¿Qué termina, Manuel?

—Bueno, puedes quedarte aquí cuanto tiempo desees. Yo pagaré, como siempre. Pero no nos veremos.

—¿Qué pasó, vos?

Una fina película de humedad se había aposentado en los ojos de la joven.

—Nada pasó. Debe ser así, no puede ser de otro modo. Yo nada te doy, Ninette. No es bueno para ti.

—Vos me da lo que queréis. No necesito más.

—Tienes que ir a México, intentar llegar a Norteamérica, hacer allí tu vida, como habías pensado. Para ti esto no es bueno.

—¿Por qué así, de pronto? El otro día vos dijiste...

—El otro día fui un estúpido. No hagas caso de lo que dije entonces. Debes irte.

—No sé si habrá paso ahorita.

Aumentaba el brillo de la humedad en la mirada de Ninette.

—Puedes estar aquí cuanto quieras, cuanto tiempo haga falta. Pero ya no vendré más.

—Es la maestra, ¿no? Sé que fue con ella al Ciento Veintisiete.

—Estuve allí con ella. Pero no es eso, Ninette. Es por ti, para que tu vida no se trunque aquí. Ya te dije que nunca habría un compromiso.

La muchacha había bajado lentamente la vista sobre la mesa.

—Yo me iré cuando pueda. Mañana preguntaré si hay paso.

—¿Se fue aquel muchacho, Ninette?

—Sí, él ya se fue. No le vi otra vez, como vos quería.

Tomó la mano de la muchacha, pero ella continuó sin alzar el rostro para mirarle.

—Lo siento, Ninette, de veras que lo siento. Yo no sabía lo que decía entonces.

—No importa. Vos habéis sido bueno conmigo, Manuel. Sólo puedo guardaros agradecimiento.

—Tú has sido la buena; me dabas lo que tenías.

—Eso no es mucho en mi país.

—Lo era para mí.

Ninette alzó ahora el rostro. Dos líneas de lágrimas recorrían sus mejillas y bajaban a humedecer sus labios. Manuel la sintió aún más deseable que otras veces. Pero se contuvo.

—Dígame la verdad, Manuel... Es la maestra.

—No es sólo eso, Ninette. También es por ti.

Las lágrimas caían ahora en mayor abundancia por el rostro de la mujer. Pero sus labios no dejaron escapar un solo gemido mientras hablaba. Era una manera dura de llorar, como un llanto resignado en el que el dolor surgía hondo y presentido.

—Si no va a volver más, Manuel, suba conmigo si lo desea. Como última vez, para su gusto.

—No, Ninette, ya no.

Le costó dormirse aquella noche. Sus sentimientos chocaban. Percibía un vacío extraño cuando pensaba en Ninette, como si hubiera amputado una parte de sí mismo al decidir la ruptura. La imagen de Celeste se le hacía atractiva, pero no le producía el mismo calor que el recuerdo de Ninette. ¿Qué sucedía? Imaginar que ya no vería nunca más a la muchacha deportada era como cortar una parte de sus esperanzas. ¿Esperanzas? No había pensado en aquellos últimos meses en algo que pudiera abrirle la puerta de un futuro feliz.

Se durmió después de fumar en la penumbra casi medio paquete de cigarrillos. Le despertó el ruido de los helicópteros poco antes del amanecer.

Salió a la puerta de la cabaña, tan sólo con el pantalón calzado, y vio volar al menos media docena de aparatos en dirección sureste. Luego trepó hasta la parte alta del campamento. Las luces de los jeeps y los camiones militares rompían la oscuridad de la madrugada, iluminaban la carretera que bajaba hacia el Ciento Veintisiete.

## 5

Los primeros rumores de la masacre del Ciento Veintisiete llegaron a El Naranjo poco después del atardecer. El cocinero antes de la cena comentó los «diceres» que habían traído algunos campesinos venidos del sudeste.

—Se cuenta que hay muchos muertos y que casi todo ha sido quemado por la tropa. La gente ha huido de allá por montones, buscó refugio en la selva.

John apenas comentó nada mientras cenaban. Se ausentó luego de devorar su ración de carne con urgencia. Doc y Manuel quedaron a solas en el comedor, con las tazas de café humeando delante de ellos.

—¿Crees que son exageradas esas noticias, Doc?

—En mi país nunca se exagera lo bastante, amigo. La realidad sobrepasa siempre acá a la imaginación. Mirá, el ejército tiene una política de tierra quemada. Una vez oí decir a un militar que en los lugares donde había comunistas tenía que matarse también a los niños, porque de mayores serían también comunistas si se los dejaba vivos. Bajaré mañana por si hay heridos. Hoy no dejarán entrar, seguirá allí la tropa.

—Iré contigo, Doc.

—No te gustará nada lo que vas a ver.

—Quiero verlo.

—Saldremos antes del amanecer, amigo. No te gustará.

—¿Qué crees encontrar?

—Mañana me dirás, amigo..., si insistes en venir. Llamaré a tu puerta temprano. Procura no desayunar demasiado fuerte: no voy a tener tiempo para atenderte cuando vomites.

El día se levantó como si debajo del vehículo no hubiera una superficie de tierra, sino un océano, tal era la densidad de la niebla que emergía a su alrededor. Las luces de los faros no lograban penetrar las cortinas de la bruma, que se alzaban ante ellos como blancas murallas. A duras penas, Efrén manejaba el volante, intentando eludir los hoyos y los baches que asomaban delante del todoterreno. Daba a veces la impresión de que se abrían al paso del automóvil invisibles precipicios y saltaban entonces hasta casi tocar el techo con la cabeza, para caer luego sobre el esqueleto metálico de los asientos y sentir la realidad de sus propios huesos. Doc viajaba al lado del mestizo, mientras que Manuel, acomodado en mitad del asiento trasero, se sostenía con los brazos en los respaldos delanteros, con el cuerpo inclinado y tenso. Al cabo de una hora de viaje, ya le dolía la espalda.

Apenas eran las cinco de la mañana y todo se hacía extraño a su alrededor. Parecía que marchasen por un territorio de ensueño, tal vez como cuando se nace o como cuando se muere. Manuel incluso podía pensar que sus ojos carecían de la fuerza necesaria para penetrar en el aire y percibir las formas del mundo. Era fuerte la luz, en ocasiones cegadora. Pero ningún árbol, ningún matorral, ninguna curva del camino mostraba su perfil. Viajaban sobre una nada densa y luminosa, sobre una superficie que notaba sólo su cuerpo magullado y que otros sentidos eran incapaces de percibir. Aquel plano y sólido paisaje de la luz borraba cualquier género de certezas, incluso en su conciencia. No era un hombre en ese instante, sino tan sólo sensaciones a bordo de una máquina pertinaz. Era ella, la máquina, quien impulsaba a seguir el viaje. Y veía cómo todos ellos se doblegaban a la voluntad del mecanismo, sin sentirse otra cosa que seres transportados por fuerzas extrañas rumbo hacia un destino no deseado.

Tal vez a causa de aquella irrealidad no se sobrecogieron a la vista del primer cadáver. Surgió entre la bruma, a la izquierda del camino, de golpe. El cuerpo desnudo del hombre colgaba de un poste del luz. Su rostro, oscurecido por jirones de neblina, parecía mirar hacia el suelo. La cuerda había roto su cuello y la cabeza se inclinaba con resignación sobre el pecho. No se veían sus manos, presumiblemente atadas a la espalda. Carecía de testículos y de pene, y en su lugar, un gran cuajarón de sangre manchaba el vientre, como una enorme salpicadura, y la sangre seca pintaba de oscuro carmesí los muslos, las rodillas y las pantorrillas. Era el primer brochazo de color que emergía en la mañana de luz palidecida y opaca. El cuerpo del hombre parecía gris, a tono con el aire.

Le siguieron otros cadáveres, que asomaban tendidos a los lados del camino. Casi todos tenían las manos atadas a la espalda y sus cuerpos componían posturas grotescas. Algunos carecían de cabeza. Vieron uno desnudo y con el vientre abierto en canal, como las reses de los mataderos, sólo que el largo paquete intestinal salía de su vientre y se extendía sobre la tierra como una serpiente sin piel.

La niebla se iba deshaciendo por el empuje del sol. Ahora los árboles asomaban a la carretera, primero con apariencia espectral, luego mostrando el verde de sus ramas, bruñido por la humedad de la neblina que se retiraba.

Humeaban aún las primeras edificaciones de los arrabales del Ciento Veintisiete, o mejor: lo que quedaba de lo que habían sido humildes cabañas de escobo y guano. Muy pocas habían escapado del incendio, y en su mayoría mostraban las paredes ennegrecidas y el techo hundido. Había nuevos muertos en las puertas de las viviendas y también cadáveres de animales domésticos: cerdos, perros, gallinas, pavos... La niebla se marchaba y los potreros se abrían ante sus ojos en larga extensión. Las manadas de vacas pastaban allí con la misma indolencia de otros días.

Dentro del poblado, su visión le pareció a Manuel el escenario de una pintura salida de la paleta de un loco. Algunas de las casas de madera que rodeaban la explanada central de la población habían sido también incendiadas, mientras que las que aún se mantenían en pie mostraban en sus fachadas los agujeros abiertos por los balazos. Dos viejos «pick-ups» volcados y quemados se mezclaban con los cuerpos de algunas vacas liquidadas a tiros. De las ramas del chicozapote que ornaba el centro de la explanada colgaban los cuerpos de dos ahorcados, desnudos y mutilados como el primero que encontraron en la carretera. A los pies del enorme árbol, un niño de poco más de un año lloraba sentado sobre el suelo, el rostro cubierto de mucosidades.

Descendieron del vehículo. Olía fuerte a madera y carne quemadas. Efrén bajó los restos de los dos hombres, ayudándose del machete, y los dejó tendidos a un lado del árbol. Manuel limpió el rostro del niño y luego lo tomó en brazos. Seguía llorando, pero no opuso ninguna resistencia a dejarse llevar.

Varios hombres, tal vez los únicos supervivientes que no habían huido del poblado, entraban y salían de la iglesia, sacando cadáveres que depositaban alineados al pie de la escalinata. Había al menos veinte dispuestos en aquella fila, que seguía aumentando con nuevos cuerpos. Todos eran varones y en su mayoría mostraban el sexo y las manos amputadas, mientras que en algunos los ojos ya sólo eran masas de pulpa sanguinolenta. Muchos tenían varias heridas de bala en el cuerpo, pero varios habían sido acabados a golpe de machete y mostraban los cráneos abiertos y el rostro cubierto de sangre seca.

Delante de aquella línea de muerte, un viejo chamán se arrodillaba y agitaba al aire su lata ennegrecida, de la que brotaba la humareda del incienso. El aroma del copal se mezclaba con el olor de la madera y de la carne quemadas.

Doc entró en la iglesia acompañado de Efrén, mientras que Manuel permanecía fuera con el niño en brazos. Había cesado de llorar, pero gimoteaba aún sobre su hombro y le mojaba la camisa.

De la puerta del templo al suelo de tierra de la explanada, un reguero de sangre manchaba los escalones. A un lado, un sacerdote permanecía sentado, con la mirada perdida en el paisaje de los campos que ahora verdeaban bajo la luz vigorosa del sol. Vestía hábitos blancos, salpicados de rojo, y parecía hipnotizado. Tal vez llevaba largas horas así, quién sabe si desde que concluyó la masacre. Manuel se acercó:

—¿Puedo ayudarle, padre?

Su rostro era moreno, con acusados rasgos indígenas. No volvió la cara hacia Manuel cuando éste le habló y sus ojos continuaron posados en algún punto lejano del paisaje. Pero abrió los labios y musitó unas frases, como si lo hiciera para sí mismo tan sólo:

—Profanaron la Casa de Dios..., la profanaron... Les picaban los ojos con clavos y les echaron machete.

—¿Necesita usted ayuda?

—Profanaron la Casa de Dios, la profanaron...

Doc salía apresurado del templo, seguido de Efrén, que cargaba el pesado maletín.

—Vamos —le dijo— no hay nada que hacer ahí dentro. Creo que al lado de la escuela hay heridos.

Manuel siguió al médico y al mestizo, que caminaban a buen paso atravesando la ancha explanada. El niño gimoteaba sobre su hombro.

Penetraron hacia el interior del pueblo por una calle de tierra. Casi todas las casas habían sido incendiadas. El olor a carne achicharrada crecía. Había más animales muertos y también algunos cadáveres humanos.

Una casucha de cemento, sin techo, servía como improvisado hospital, donde tres mujeres y un hombre intentaban calmar, sin saber muy bien qué hacer, los lamentos de los heridos. Había varios niños, todos ellos de corta edad, en un rincón de la habitación. Manuel dejó en los brazos de una de las mujeres al crío que había recogido en la explanada. Ella le dio una tortilla fría y los gemidos del niño cesaron. Se quedó allí, entre los otros, apretando con las dos manos contra la boca el pedazo de masa de maíz.

Los heridos, en su mayoría mujeres, yacían sobre mantas extendidas en el suelo. Doc parecía no saber por dónde empezar. Tomó el pulso de un hombre que parecía desmayado y que exhibía una profunda cuchillada en el costado, probablemente producida por un golpe de machete. Dio orden de que lo sacaran fuera cuando comprobó que estaba muerto y Manuel ayudó al campesino a transportarlo al exterior de la casucha.

Casi toda aquella gente había sido torturada. Una mujer mostraba las dos manos con todas las uñas arrancadas. Otra carecía de pezones, cortados a machete.

Manuel volvió a salir. Se alejó unos metros de la casa y vomitó una, dos, varias veces, hasta que no quedó un resto de comida y de agua en su estómago. Pero aún permaneció un rato dando arcadas antes de que notase que su cuerpo comenzaba a recuperar fuerzas.

La escuela había ardido hasta quedar casi convertida en cenizas. Entre los restos carbonizados del techo y las paredes se amontonaban cadáveres de niños y mujeres. Los cuerpos componían formas retorcidas y niños muy pequeños, casi bebés, permanecían aún abrazados en la muerte a quienes fueron sus madres. Humeaban algunos rescoldos todavía, y el olor a carne quemada era tan fuerte que casi impedía respirar.

Un hombre se había acercado hasta Manuel, pero éste no reparó en él hasta que llegó casi a su altura. Tenía los brazos y las ropas manchadas de sangre y mantenía el sombrero apretado entre las dos manos. Su rostro delgado estaba pálido y ojeroso, cubierto de ceniza.

—Perdóneme, señor… yo quisiera demandarle un favor. Miré, vos, usted parece hombre de recursos… Yo lo perdí todo menos las dos mulas. Me quemaron la casa y la milpa y la frijolera, y también la máquina de coser y la radio y los bananos que tenía plantados detrás de la casa. Me han muerto dieciocho de la familia, los acabó el ejército mismo ayer… Miré vos, yo tengo que ir a La

Libertad para comprar clavos con que hacer los ataúdes. Madera hay, señor, pero no clavos... Quiero que reciban buena sepultura. Perdí a dieciocho, a todos..., y preciso de pisto para comprar los clavos, allá en La Libertad... Me quedaron las dos mulas, gracias a Dios... Hasta la máquina de coser la quemaron.

Manuel echó mano al bolsillo y dio al hombre, sin contarlo, un puñado de billetes. El otro los guardó con gesto inexpresivo y siguió hablando con la misma patética serenidad:

—Gracias, señor... Mucho pisto me dio. Sobrará casi para que levante otra casa. Pero ¿dónde? A nadie tengo ya en la tierra. Todos huimos de la casa cuando llegó el ejército, mis hijos, mi mujer... Pero nos persiguieron como a conejos por el monte y a todos, menos a mí, los quebraron... Sólo yo vivo, como por milagro... Y quisiera haber muerto con ellos. Ojalá que me muera cuando les dé digna sepultura... Y luego, cuando regresé, supe que mis hermanos y mis padres y mis sobrinos y mis cuñados..., todos muertos aquí, por el ejército. Ellos vinieron así, de golpe, y comenzaron la matazón, echando tiros a todos lados con los «galiles»... A muchos hombres tiraban en la calle y perseguían a los que escapaban para los campos y la montaña... A mero balazo, señor... Después, cogieron a muchos y los metieron en la iglesia. A los hombres en la iglesia, en la Casa del Señor. Profanadores, cabrones ellos, los ejércitos... Decían que querían guerrilleros, pero aquí no había guerrilleros, no encontraron ninguno... Y ellos gritaban viva el ejército y viva la patria. Y a los hombres los metieron en la iglesia, les tiraron tiros en los testículos, les picaron con clavos los ojos, les echaron machete y luego hicieron explotar bombas dentro de la iglesia y toditos se murieron... Y a las mujeres, ya las vio, se las trajeron aquí, a la escuela, con los niños. Y las usaron a todas, así en filas las usaron. Después las hicieron cocinar y las usaron más veces. Y luego no las perdonaron, a pesar; empezaron a machetiarlas y a los niños les clavaban la bayoneta en el vientre delante de las madres... Una escapó y lo ha contado. Logró brincar por la ventana y no la dieron aunque la tiraron... Y luego cerraron bien todas las puertas y clavaron las ventanas con maderos y prendieron fuego a la escuela por todas partes. Era una gritazón la que salía de aquí dentro. Hasta que el techo se cayó y todo ardió, el último madero ardió... Y luego los soldados saquearon todas las casas. Se llevaron las radios, las máquinas de coser, la comida, los relojes de los muertos. Y siguieron tirando contra los animales porque no quedaban humanos vivos... Gritaban viva el ejército y viva Guatemala, y guerrillero visto guerrillero muerto... Yo oía los tiros desde el campo. Mis hijos y mi mujer estaban muertos allá cerca. A todos los traje acá. Y a mis padres y mis hermanos y mis cuñados y mis sobrinos... Ahí en la casa los tengo: unos muertos a balazos, otros torturados y quemados, otros machetiados... Quiero que cada uno tenga su ataúd, su buena caja, señor, y una cruz encima con el nombre. Ojalá me muera después. Sólo me quedaron las dos bestias, señor. Con ellas cargué los muertos... Gracias por la plata, señor... Compraré clavos para las cajas.

A la tarde, nuevos grupos de habitantes regresaban de los campos. Llegaban temerosos, buscaban su vivienda para comprobar si aún seguía en pie y si sus siembras se conservaban en buen estado o habían sido destruidas. Doc terminó los medicamentos y las gasas que había traído desde El Naranjo. Manuel se ocupó en buscar tela para hacer nuevos vendajes y botellas de ron con que sustituir el alcohol para las curas. Efrén, con algunos de los hombres del poblado, recogió algunos animales muertos y preparó raciones de comida para los supervivientes de la masacre en una improvisada barbacoa. Por un sarcasmo del destino, los vivos del Ciento Veintisiete comieron como tal vez nunca habían podido hacerlo en todos los días de su existencia. Al tiempo, Efrén apartó grandes raciones de carne de res para salarla y hacer tasajo. Aquella misma tarde también, comenzaron los enterramientos en una gran fosa común que se excavó en las afueras del poblado.

Doc sudaba cuando se despidieron. Acordaron que Efrén y Manuel regresarían al campamento mientras el médico permanecería atendiendo a los heridos en el poblado. Después, Efrén viajaría de nuevo al Ciento Veintisiete con cuantos medicamentos pudiera lograr en El Naranjo.

—¿No es peligroso que te quedes, Doc? El ejército puede volver.

—Deja que un día en mi vida sea valiente, amigo... Y no, no pienso que regresen. ¿Crees que les queda algo por matar?

—¿Cuándo volverás allá?

—Cuando no me quede nada por hacer aquí. Hay dos heridos muy graves... Tal vez mañana, o puede que pasado. Procura explicarle a John. Y que le deje el carro a Efrén para que traiga las medicinas. Intenta enviar medicinas, amigo. Hacen falta, mucha falta.

—Da igual, Doc. ¡Al diablo con todo! Habrá medicinas. Todo lo que se pueda. Las robaré si es necesario... Doc, yo... Doc..., tú tenías razón.

—Envía medicinas, amigo, todas las que encuentres. Lo que tú y yo pensemos ahora importa un carajo.

Manuel y Efrén, mientras regresaban camino de El Naranjo, bajo la noche cerrada, apenas mantuvieron algún breve diálogo. Ninguno de los dos comentó los sucesos de aquel día, ni puso adjetivos a las escenas que, durante varias horas, habían contemplado. En una ocasión, a mitad del viaje, surgió brevemente ante los faros del vehículo un tepezcuinte. Efrén intentó atropellarle, pero el rollizo roedor saltó ágilmente a ocultarse en la espesura.

—Perdimos un exquisito bocado, don —comentó el mestizo.

Manuel guardó silencio. En su olfato quedaba prendida una confusión de olores: la carne abrasada, las viviendas de madera incendiadas... y el aroma del copal. Aquéllos parecían ser ahora, para él, los únicos elementos ciertos de la realidad: los olores, los olores de la destrucción y de la muerte confundidos con el incienso que, según los ritos mayas, subía hacia los cielos para llevar las peticiones de los hombres: la riqueza y el amor, la felicidad y la salud..., pero también la venganza.

La página de su vida se había vuelto en forma inexorable. Era como si los años anteriores hubiesen muerto en el recuerdo y su alma se hubiese reencarnado en otro cuerpo.

Renacía en una sensación extraña de frialdad, de indiferencia, como si recorriera regiones del espíritu donde no habitaban otros seres, donde no existían líneas precisas que separasen el bien y el mal, donde no había lugar para la maldición o la plegaria. Tan sólo cabía allí lo que era necesario.

Odiaba a John con todas sus fuerzas y deseaba que el mundo de los olores que ahora le poseía se transformase en uno solo, que el humo del copal llegase hasta los dioses clamando la venganza y que ellos lo aceptaran y cumplieran el rito sobre aquellas tierras. No podía haber compasión. Pero le asombraba que su odio fuese también un sentimiento calmo, helado, no una pasión arrebatada. Eso era lo terrible, la aceptación simple de la necesidad.

Se había instalado en aquella región deshabitada y espantosa del alma. Tal vez estaba perdido porque, en ese instante, quizá sólo creía en la muerte.

# CUARTA PARTE

## 1

Aquella noche, al regreso del Ciento Veintisiete, no sintió deseos de ir al campamento y pidió a Efrén que lo dejase en el poblado. Aunque ya era tarde, había luz en las cantinas. Entró en una de ellas, donde apenas media docena de parroquianos apuraban la borrachera. Pidió a la patrona una botella de ron «Venado» y fue a sentarse junto a una mesa libre. Vació de un trago el contenido del primer vaso y lo rellenó de inmediato.

A la tercera copa sentía ya los efectos del alcohol en su cabeza. Y de pronto le gustaba aquel bar desconocido. Y estar allí solo, y emborracharse rodeado de seres que nunca había visto: el tipo ebrio, un campesino tal vez, que apoyaba delante de la copa el machete con la hoja desnuda; el otro que, llorando junto a la máquina de discos, una y otra vez echaba monedas para que sonara una misma canción; la patrona, que acodada sobre el mostrador, contemplaba indolente a su clientela.

La frialdad le abandonaba. Su odio hacia John Richardson crecía. Y junto al odio, otros sentimientos se cruzaban en su confundido espíritu. Deseaba ver con urgencia a Ninette, casi sentía fiebre y temblores en la piel al recordarla. ¿Por qué había sido tan estúpido, hasta qué punto desconocía los impulsos de su corazón? Hervía al recordar a la muchacha del hotel, mientras que la imagen de Celeste, si la convocaba, no lograba despertarle más que una lejana sensación de tibieza. Se veía torpe.

Bebió la cuarta copa con prisas. Luego, enroscó el tapón en la botella de licor, la encajó bajo su brazo y, tambaleante, atravesó la puerta y ganó la calle.

La luna creciente, todavía una fina curva amarilla en forma de arco, se dibujaba sobre el azul del cielo, rodeada por millares de estrellas que parecían las luces de barcos perdidos en el océano. No había nadie en la calle en aquella hora tardía y tan sólo se escuchaba el ladrido de un perro.

Tenía prisa por llegar al hotel. Una duda se había instalado en sus pensamientos. Le obsesionaba. ¿Y si Ninette había cruzado la frontera, y si México había dado paso a los emigrantes aquel mismo día? Se repetía que eso no podía ser, que la casualidad no podía jugar de semejante manera..., pero sentía un profundo temor. Y apretaba el paso a pesar de la torpeza que invadía sus piernas, con miedo de caer o de chocar contra algún obstáculo.

Las luces del hotel estaban apagadas, pero conocía el camino. Subió las escaleras, que gemían bajo sus pisadas. Atravesó el vestíbulo y ganó la puerta de la habitación. No se filtraba luz por las rendijas. Tal vez Ninette no estaba allí. O puede que durmiera.

Respiró hondo, intentó controlar el bombeo de su corazón. Al fin, alzó la mano y dio tres sonoros golpes a la puerta.

Le pareció que la respuesta se dilataba. No sentía ningún ruido en el interior del cuarto. ¿Medio minuto tal vez? Quizá dormía profundamente. Volvió a alzar la mano. Y golpeó de nuevo.

No había respuesta. Un vacío profundo iba creciendo en sus sentidos, una angustia capaz de despejar su cabeza de la borrachera. Volvió a llamar. Y el mismo silencio se hizo al otro lado. ¿Era real o estaba soñando?

Manuel comenzó a llorar en la oscuridad. Las lágrimas empaparon sus mejillas. Permaneció quieto allí, delante de la puerta que no se abría, ante la certeza de su propia impotencia para cambiar el rumbo de lo real.

## 2

Hundido en los vapores del alcohol y en su desesperanza, no reparó en la presencia de la muchacha hasta que ella llegó a su lado y le tocó el hombro.

—¿Qué hace aquí vos, Manuel? —preguntó Ninette.

Volvió el rostro, mientras se secaba apresuradamente las lágrimas.

—¿Tú, Ninette?... Creí que te habías marchado.

Su lengua se movía torpemente.

—Estaba allá fuera, junto al río.

—¿Tan tarde?

—Me gusta pensar durante la noche... Pero entre, vos.

La muchacha abrió y encendió la luz. Manuel volvió a secarse los restos de lágrimas antes de traspasar el umbral. Notaba escozor en los ojos.

—No deberías dejarme estar aquí —dijo una vez dentro.

—Vos paga la habitación —respondió mientras cerraba la puerta.

Manuel fue a sentarse en la cama. Ella permaneció en pie, cerca de la entrada.

—Yo, Ninette..., tenía miedo de que te hubieses ido a México...

—No dejan pasar. Creo que la semana próxima se puede.

—Yo quería decirte que... que no quiero que te vayas nunca, Ninette.

La muchacha atravesó la habitación y fue hasta la ventana. Le daba la espalda ahora.

—Yo, Ninette —siguió—, yo no entendía nada. Hoy lo comprendí...

—Vos me ha dicho unas veces que me quede y otras que me vaya. ¿Qué dirá mañana?

—Lo mismo que ahora: que te quedes.

—Ha tomado usted trago, ¿no, Manuel?

—Sí, tomé..., estoy casi borracho. Pero eso no tiene que ver. Sé que quiero que te quedes. Y lo querré mañana. Yo creo... yo creo, Ninette, que te amo, que estoy enamorado de ti... y no me daba cuenta.

—No tiene que hacer la comedia si quiere quedarse acá esta noche, Manuel. Usted paga mi vida y este cuarto. Estoy para su gusto.

Se levantó. Dio un traspié antes de llegar a ella. La tomó por los hombros y la hizo volverse.

—Yo no lo quiero así. Te digo la verdad. No vine para hacer el amor contigo. Ni siquiera sé si podría, o si lo deseo ahora. Verás, no haremos el amor, para que te des cuenta de que hablo en serio. Te quiero.

Tomó la cara de la muchacha con las dos manos y la besó en la boca. Ella le dejó hacer.

—Te tenía al lado —dijo luego— y no me daba cuenta. Soy un hombre torpe, Ninette, ni siquiera sé entender mis sentimientos. Hoy lo vi claro. Es cierto, yo te quiero.

—¿Y la maestra?

—No es nadie para mí. Era... era, no sé... como un espejismo bobo... Pero no la amo. Es a ti a quien amo, Ninette. Me di cuenta hoy. O puede que anoche mismo, después de verte, antes de dormirme.

Ninette se abrazó a él y apretó el rostro contra su hombro.

—¿No quiere hacer el amor, Manuel?

—Háblame de tú, dime que me quieres.

—Te quiero. Hazme el amor, Manuel.

—Estoy borracho.

—No importa. Házmelo. ¿No lo deseas?

—Más que eso, Ninette..., lo necesito para sentir que estoy vivo. Hoy vi mucha muerte. Sí, quiero hacer el amor para sentirme vivo.

Más tarde, volvió a beber de la botella de ron.

—Te va a caer mal, Manuel —dijo Ninette, desnuda en la cama—. No sigas dándole al trago. No tienes costumbre.

—Tengo que darme fuerzas. Hay una cuenta pendiente que debo saldar.

—¿Una pelea?

—Algo así. Hoy estuve en el Ciento Veintisiete. ¿Oíste lo que pasó?

—Escuché «diceres» que trajo la gente. Hubo una gran matazón, ¿no? Fue el ejército, cuentan.

—Muchos muertos, incontables. Y torturas terribles. No puedo explicarte. Pero hubo más. Si tuviera valor para pasar el mensaje.

—¿Qué mensaje, a quién?

—Me gustaría que la guerrilla supiera. Y sé quién informó al ejército, yo sé quién avisó que había guerrilleros el domingo en el Ciento Veintisiete.

Ninette se sentó en la cama. Su mirada se había tornado mineral, más oscura, como el verde metálico de la obsidiana. Era como aquel día en que navegaban por el río, cuando ella tomó el timón y gobernaba el cayuco aguas arriba del San Pedro: alguien integrado al mundo salvaje y hermoso que les rodeaba, el mismo gesto de las estelas mayas, el ojo sin párpado de la barba amarilla, la sabiduría de un sentido de la vida que a él se le escapaba porque le era ajeno.

—Dime, Manuel, ¿quién informó al ejército?

—Fue John, John Richardson, el jefe del campamento. El domingo, en el mercado, vio al jefe del grupo guerrillero que atacó Xán a comienzos de año. Y vino a decírselo al comandante Rojas. Por eso el ejército cayó sobre el Ciento Veintisiete.

—Maldito gringo —dijo ella.

Le besó en los labios antes de que él pudiera decir nada. Se abrazaron y se tendieron de nuevo sobre la cama.

Aturdido y borracho, Manuel regresó al campamento poco más tarde de las cuatro de la mañana. Atravesó la verja después de identificarse ante el guardián y subió cansinamente la leve cuesta en dirección a su cabaña.

No entró, sin embargo. Se detuvo ante la vivienda de John Richardson y dio un largo trago de la botella que todavía llevaba consigo.

—¡Cerdo! —gritó al tiempo que arrojaba el recipiente contra la puerta del norteamericano.

El cristal se hizo añicos, con ruido, al chocar contra la madera.

—¡Cerdo, sal de ahí! —gritó de nuevo.

Se encendió la luz en el interior de la cabaña. Instantes después, la puerta se abría y asomaba, al contraluz, el corpachón de John.

—¿Qué pasa ahí?

—¿Viste los muertos, viste los muertos? —preguntó Manuel a grandes voces—. ¡Tienes que ir al Ciento Veintisiete, tienes que ir a contar los muertos! ¡Son tus muertos, John, son tus muertos!

—¿Qué dices? Estás borracho. ¿No sabes que en el campo no se bebe, cuate?

—¡Ve a contar tus muertos, cerdo! ¡Ve a contarlos ahora! ¡Están allí, en las fosas! ¡Sin manos, sin ojos, sin cabeza, sin senos! ¡Hay mujeres, hay niños! ¡Ve a contar tus muertos!

—¡Estás loco! Vete a la cama, mañana hablaremos.

—¡Lo pagarás, canalla, lo pagarás!

—¿Me amenazas? No me hagas reír, cuate. Estás borracho, vete a dormirla.

Con pasos torpes, Manuel se adelantó hasta la puerta. Con una mano, agarró un pedazo de tela del pijama de John, a la altura del hombro.

—¡Vas a pagarlo, cerdo, vas a pagarlo! —le gritó en la cara.

John levantó su manaza y la apretó contra el rostro de Manuel. De un fuerte empujón le arrojó tres o cuatro metros hacia atrás. Manuel perdió el equilibrio y cayó sobre la grama.

—Date una ducha, cuate. Y ven mañana a verme, cuando estés sobrio. Prefiero pelear con alguien que sepa defenderse.

—¡Cerdo!

El norteamericano cerró la puerta. La luz se apagó al otro lado del ventanuco. Manuel intentaba incorporarse, pero las fuerzas le fallaban. Se sentía mareado.

Unos brazos tiraron de él hacia arriba entonces. Vio el rostro sonriente de Willy cerca del suyo.

—Es un cerdo —dijo al tiempo que se levantaba apoyándose en los brazos del otro.

—Tardó usted tiempo en averiguarlo, señor —dijo Willy en voz baja.

—Un cerdo que debe morir.

—Pero usted no debe hacerlo, señor.

—Alguien tendrá que hacerlo alguna vez, si es que hay justicia sobre la tierra.

—Alguien lo hará algún día. Ande, camine, le llevo hasta la cabaña. Debe dormir, tragó mucho. Está mero bolo, señor.

—Un cerdo, un auténtico cerdo. ¿No supo, Willy, no supo lo del Ciento Veintisiete? Yo estuve allí. Muertos, muertos, montañas de muertos, tantos como nunca imaginé. ¿Lo supo, Willy, lo supo?

—Llegaron «diceres» Y también contó Efrén lo que vieron.

—Es un cerdo, ese John es un cerdo que debe ser sacrificado. Fue él quien denunció al ejército que había guerrilla en el Ciento Veintisiete… fue él… suyos son los muertos.

Willy le abrió la puerta y le acompañó hasta la cama.

—¿No habrá una serpiente por aquí, Willy? —se le ocurrió preguntar.

—No, señor; para usted no hay serpientes.

Las primeras luces del día se filtraban en la cabaña cuando notó que la borrachera comenzaba a abandonarle. Se hundió en el sueño mientras los pájaros del amanecer comenzaban su desaforado concierto.

## 3

Durante los días siguientes, procuró no coincidir con John. Bajaba a desayunar después de la hora acostumbrada, se iba luego a la selva hasta que la tarde caía y al regreso permanecía con Ninette hasta muy tarde. El norteamericano, por su parte, parecía no tener tampoco demasiado interés en verle. Se eludían como boxeadores cansados.

Doc regresó tres días después. Se encontraron por la mañana, desayunando en el «camper» del comedor. El médico tenía el rostro surcado de ojeras y una palidez extrema en la piel. Apenas había comido y dormido en las últimas jornadas. Sonrió a Manuel con gesto cansado mientras estrechaba su mano.

Manuel acompañó a Doc hasta la clínica antes de marchar hacia la selva. Se sentaron unos minutos en el despacho vacío.

—En el fondo estoy satisfecho, amigo, a pesar de tanta muerte y de tanta tortura. Pude ayudar en algo, salvé alguna vida. Ya ves, a veces, el trabajo de médico consiste en salvar, no en matar a tiempo.

—Yo, Doc, sigo impresionado por aquello. Pero quiero confesarte que hay algo morboso en todo esto. No quisiera estar en otro lugar que aquí.

—Ten cuidado, amigo. Hay que temer esto.

—¿Qué cosa, Doc? ¿La muerte?

—Tendrás que irte, amigo. Éste no es tu lugar.

—¿Quién dice eso? Es mi lugar, Doc, uno elige su lugar.

—¿Por qué viniste acá, amigo? Nunca me lo dijiste.

—Tal vez aburrimiento, puede que cansancio, quizá me empujó a escapar de allí el vivir como vivía. Creo que buscaba pasión. O tal vez me buscaba a mí. Éste es mi sitio, aunque tú no lo creas.

—No lo es, amigo, no te equivoques. Tendrás que irte.

—¿Quién me echará?

—Puede que la selva.

—Vas muy lejos con tus metáforas.

—Siempre fui un tipo muy dado a lo simbólico, pero yo pienso que la verdad se nos muestra a los hombres a través de símbolos. Leí algo parecido, hace poco, en un libro de un compatriota tuyo.

—No sabía que te gustara leer, Doc.

—¿De dónde crees que saqué mi afición por las metáforas?

Una de las noches que regresaba de ver a Ninette, la puerta de la cabaña de John se abrió y asomó el corpachón tambaleante del norteamericano. Estaba borracho.

—¡Eh, cuate…! Espera.

Manuel se paró junto a su cabaña. El otro caminó unos pasos y se detuvo cerca de él.

—Quiero platicar contigo, cuate. Ven y toma un trago conmigo, ahí dentro, en mi casa.

—No hay nada que hablar, John.

—No, no busco pelea, si es lo que piensas, cuate. Quiero explicarte, darte razón.

—Dímelo aquí.

—Yo no sabía todo lo que era capaz de hacer la tropa, cuate. Era mi deber reportar lo que vi, ¿lo entiendes? La Compañía es un huésped de este país.

—La Compañía es una empresa de petróleo; no es un organismo policial, John.

Hipó el norteamericano antes de seguir hablando:

—Ellos son salvajes, todos ellos son salvajes... la tropa, la guerrilla... Yo no sabía lo que iban a hacer... Mujeres, niños... no sabía...

—Llevas años en este país, John.

—Pero no soy como ellos, cuate.

—Tal vez no seas mejor.

—Cuate... tú debes comprenderme, alguien debe comprenderme... Yo nunca mataría mujeres y niños... Yo mismo tengo mujer y también hijos.

—Son tus muertos, John, debías haber visto cómo los mutilaron..., tus muertos.

—No digas eso, cuate... Yo soy neutral.

—¿Neutral? De eso hablamos el día del mercado. No eras de esa opinión entonces.

—Pero yo no sabía.

El corpachón del norteamericano se dejó caer sobre el suelo, como un pesado fardo y quedó allí de rodillas, delante de Manuel.

—¿Quieres esto, quieres esto? Está bien, perdona, perdóname, cuate. Tú tienes que entenderlo todo, saber que yo no esperaba esa matanza.

—No soy yo quien tiene que perdonarte.

—¿Y quién si no, cuate? Sólo tú sabes lo que sucedió. ¿O lo has contado a alguien?

—A nadie que tú conozcas.

—¿A alguien? Dime la verdad, cuate, ¿lo contaste?

—No dije nada, no temas.

—¡Entiéndeme pues! ¿No me ves de rodillas? ¡Por favor, cuate! ¿Quieres que suplique más?

John comenzó a sollozar.

—¿Crees que si yo perdono bastará?

—Bastaría, cuate, bastaría...

—No bastaría.

Entró en la cabaña y cerró a sus espaldas con un violento portazo. Todavía, durante largo rato, escuchó los lamentos de John y frases inconexas que no lograba entender. Al fin, oyó rumor de pasos y el ruido de la puerta del norteamericano al cerrarse.

Se tendió en la cama y, en la penumbra, encendió un cigarrillo. Su odio no había remitido. Y de todos modos quizá ya era tarde.

La última vez que vio a Celeste fue una de aquellas mañanas en que partía hacia la selva, a hora temprana. La muchacha se cruzó con ellos y Manuel ordenó al chófer que detuviera el vehículo. Bajó y estrechó la mano que la maestra le tendía.

—¿Y cómo le va, Manuel?

—Mucho trabajo, Celeste, mucho trabajo.

—Ya noté que no vino más a visitarme.

—Estos días son difíciles. ¿Supo lo del Ciento Veintisiete? Claro, imagino que sí. ¿Sus padres están bien?

—Bien, sí, muchas gracias. A ellos no les llegan estas cosas. El ejército los conoce y la guerrilla los respeta, es discreta con ellos.

—Fue horrible.

—Sí, bien terrible la matazón, según cuentan. ¿Y usted estuvo allá?

—Bajé al siguiente día..., para ayudar al doctor.

—Es usted un buen cristiano, Manuel. ¿Qué fue de la niña del hotel?

—Bueno…, ahí sigue.

—Ya le dije, Manuel…

—No creo que ella vaya a irse, Celeste.

—Ha sido un placer verle.

—Lo mismo digo, señorita.

Se sintió aliviado cuando el vehículo arrancó y llegó hasta el ferry, junto al río. Al otro lado le esperaba la selva, su lado salvaje y libre, el paisaje que más se parecía a su propio corazón.

4

Aquel sábado Ninette le había pedido que volvieran al río, que subieran de nuevo hasta las corrientes. Manuel no sentía muchos deseos de hacerlo. Durante los últimos días había bebido más licor de lo que era su costumbre y notaba la amenaza de un próximo dolor de cabeza. Pero Ninette insistió una y otra vez y él accedió al fin.

—Parece que fuera muy importante para ti.

—Lo es, Manuel.

—¿Por qué?

—Tengo deseos de estar sola con vos y lejos de la gente. Y estuvimos tan bien allí la vez primera…

—Podemos quedarnos en tu habitación.

—¿Todo el tiempo? —Los labios de la muchacha se fruncieron en un mohín de coquetería—. Mirá vos el día bonito que hace. Ni modo quiero estar encerrada hoy con vos, amor. Vamos al río…

—De acuerdo, niña.

Ella le tomó la mano mientras se encaminaban a la salida del comedor. Le besó la mejilla antes de traspasar el umbral.

—Me haces feliz, Manuel.

El verano entraba en su apogeo y el calor era más fuerte aquellos días. Manuel se caló el sombrero de pita y Ninette una vieja gorra de béisbol de color azul, manchada de oscuros lamparones y de raída visera.

—¿De dónde sacaste la gorra? —le señaló Manuel mientras empujaba la canoa desde la orilla y ella, colocada junto al timón, se disponía a arrancar el motor.

—¡Ah, sí! —Ninette se tocó con la mano la visera—. Me la emprestó don Julio. No me niega nada. Como vos le pagás bien, es gentil en todo conmigo.

—Recuerdo que te compré un bonito sombrero la última vez que vino el camión de suministro.

—Ése lo guardo para un día muy especial. Cuando me llevés contigo para siempre.

Entró en el agua hasta los tobillos y sintió la canoa ya libre en el río. Saltó dentro. Se quitó las sandalias, unos caites de cuero trenzados a mano, y las arrojó a un lado. Luego, se remangó los bajos empapados de los pantalones. Ninette tiraba de la correa del motor y la hélice comenzó a revolver el agua en la popa del cayuco.

Unos minutos más tarde, de nuevo les recibía la selva solitaria, al doblar la primera curva del río y perder de vista las casas de El Naranjo. Se acercaba la hora del mediodía y el sol daba de pleno sobre el río San Pedro, hasta hacerlo casi parecer un espejo. No había sombras a las que arrimarse en ninguna de las dos orillas y navegaban por el centro del cauce. Ni siquiera soplaba una mínima brisa y la jungla sesteaba, pegada a la tierra, quieta, anestesiada, las ramas de los árboles y los matorrales de las orillas apuntando hacia el río como si le suplicaran unas pocas gotas de agua para refrescarse.

Se bañaron más tarde, desnudos, en las corrientes. Al salir, buscaron la sombra de un árbol, sobre la grama verde de una de las isletas. Los cabellos mojados de Ninette lanzaron chispazos de oro cuando los sacudió bajo el sol, antes de tenderse boca abajo, al lado de Manuel. Su piel morena y húmeda parecía de bronce.

—Eres como una estatua antigua —dijo Manuel.

—Vos me quieres halagar.

—No, eres preciosa, Ninette.

—Vos tampoco eres feo. Me gusta tu pelo y también la piel tan blanca.

—En mi tierra no gusta la gente pálida.

—Acá sí, pues… es distinguido, parece uno tener la raza más pura, más española.

—Prefiero tu piel tostada.

—Tengo el pelo rubio.

—Eso también me gusta.

—Y los ojos claros.

—Todo en ti me gusta.

—¿Sabés vos?, me complace que me digan cosas lindas, que me halaguen. Nadie me ha dicho cosas como vos.

—No he dicho nada, Ninette.

—Todo eso, que soy preciosa, que te gusto. Eso no lo oí antes en boca de nadie.

—Me alegro de ser el primero.

Ninette le besó, apretando la cabeza de Manuel sobre la grama. Luego trepó sobre su cuerpo. Hicieron así el amor y temblaron juntos junto al sonar del río, los silbos de los pájaros y el perfume de la jungla.

Se había quedado dormido sin sentirlo, hundido en el sueño, como en la nada. Por ello le costó regresar, darse cuenta de que aquel ruido de explosiones lejanas no eran alucinaciones de su cerebro dormido, sino un sonido cierto que llegaba desde río abajo, desde El Naranjo.

Abrió los ojos y contempló las ramas del árbol que le daba sombra, entre las que se filtraba a pedazos la claridad azul del cielo. Continuaba el ruido de las explosiones. Sus pensamientos fueron tomando contacto con la realidad y sus sentidos despertaron. Se incorporó. Ninette, sentada bajo el sol, en una pequeña explanada junto al agua, le daba la espalda, ya vestida, y miraba hacia el río.

—Ninette —llamó.

Ella volvió el rostro y le miró. Su gesto era grave. Parecía que hubieran caído en un instante sobre ella varios años de vida. Pero seguía hermosa.

—¿Qué es eso? —preguntó.

Ella se había levantado y caminaba hacia él. Se sentó a su lado.

—Parece que se lucha en El Naranjo. Tal vez la guerrilla.

Manuel tomó su ropa y comenzó a vestirse.

—¿Qué hacés vos? —preguntó la muchacha.

—Hay que regresar.

—¿Por qué regresar? Si hay lucha, es peligroso. Mejor aguardar a que termine.

—¿Y qué hay en tu país que no sea peligroso? Tenemos que regresar, Ninette.

—¿Para qué, qué ganas con estar allí ahora? A lo mejor, sólo un balazo perdido.

Había terminado de vestirse. Tomó a la muchacha de la mano.

—Vamos, Ninette.

Ella se dejó conducir. Subieron al cayuco después de empujarlo desde el vado. Ninette comenzó a tirar de la correa. No arrancaba.

—¿Qué sucede? —preguntó cuando la muchacha intentaba por sexta o séptima vez poner en marcha la canoa.

—Creo que está mal el motor.

—Déjame.

Se acercó hasta la popa. Quitó el manguito de la bomba y un chorrito de gasolina cayó al suelo de la lancha.

—Lo has ahogado —dijo a la muchacha.

—Hay que esperar, Manuel.

—Déjame a mí.

Ocupó el lugar de la joven. Ella se sentó cerca, dándole frente.

—No podemos volver, Manuel. Hasta que aquello termine, es peligroso.

—¿Hasta que termine el qué?

—Será arriesgado.

Ella le contemplaba impasible. Su mirada, de nuevo, se había tornado mineral.

—No hay que bajar, Manuel.

—¡Demonio, quiero ver qué sucede allá abajo! Y hay amigos míos, allí, Ninette; no sólo John…

—Ellos saben…

—¿Quiénes saben? ¿La guerrilla, mis amigos? Todo el mundo parece saber menos yo.

Se agachó junto al motor, comprobó la bomba y tiró de la correa. Arrancó al segundo jalón. Sujetó el timón y fue girando la canoa, hasta colocarla con la proa dirigida río abajo. Luego, aumentó la velocidad y la mantuvo navegando en medio del cauce. No quería correr el riesgo de embarrancar.

—No seas desconfiado, Manuel —insistió la muchacha—. Yo sólo digo que es peligroso regresarse ahora.

—No quiero enfadarme contigo, Ninette. Pero tengo que estar allí.

Cesaron las explosiones cuando se encontraban a mitad de camino de El Naranjo. No hablaban. El agua del San Pedro era otra vez verde oscuro ahora que el sol comenzaba a retirarse. No volaban pájaros. Antes de doblar la curva del río anterior al poblado, distinguieron una densa humareda elevándose por encima de los bosques y cegando la luz del sol que caminaba exhausto hacia poniente.

Ardía el ferry, embarrancado en la orilla del río, una parte de su estructura hundida ya en el agua. Pero el gran incendio venía del otro lado, del fondo del poblado, a la altura del campamento de la Texoil. Las nubes surgían en enormes volutas y, a veces, descubrían su vientre y dejaban ver cegadoras llamaradas de fuego. Era un cielo extraño el que dibujaban el sol escondiéndose a la espalda de la sierra y los jirones de la humareda desparramándose en el espacio, dejando prendidas del aire, aquí y allá, pavesas y briznas de ceniza. Parecía que llovieran fuego y carbón sobre El Naranjo.

Manuel intentó cruzar frente al embarcadero del ferry y la calle principal para dirigirse al pequeño muelle del comedor «Rey Maya». Pero había soldados por todas partes. Al verles, dos de ellos, le conminaron a acercarse. No quedaba otro remedio que obedecer. Giró el timón y enfiló hacia la orilla. Casi a empellones, los sacaron a él y a la muchacha del cayuco cuando apenas habían tocado tierra.

—¡Venga, bajen, jodidos! —gritaba uno de ellos, que mantenía el fusil apoyado en la cintura y apuntando hacia el cielo.

Les rodeó un grupo de varios soldados. La muchacha apretaba su cuerpo contra el de Manuel, buscando protección. Manuel miró el rostro de aquellos hombres, apenas muchachos, alguno casi niño todavía. Eran ojos vacíos los que les rodeaban, ojos que parecían no sentir nada, tal vez a causa de su propio miedo. Percibió que de cualquiera de aquellas armas que se movían a su alrededor en manos de los soldados podía surgir, en cualquier momento, un disparo producido por el temor. O por un reflejo simple y animal.

—¿Quiénes son, jodidos, qué hacen aquí? —preguntaba uno.

—Serán pues subversivos —aventuró otro.

Manuel sacó fuerzas para hablar:

—Soy de la petrolera, de la Texoil, ¿no me conocen ustedes? Trabajo en el campamento, soy el geólogo..., soy español.

—No le vi antes, güevón —señaló otro soldado mientras movía de un lado a otro el cañón de su fusil—. A ver los papeles, muéstreme los papeles, güevón.

—No los llevo encima. Están en el campo.

—El campo arde... papeles... Y ella también, papeles...

—Ella es mi prometida, mi mujer.

Un teniente a quien Manuel conocía de vista se abrió en ese instante paso entre los hombres de la tropa.

—Cálmense, cálmense —dijo a sus hombres—. El señor dice la verdad, trabaja allá, en el campo. ¿Está bien, señor?

—Sí, gracias, ahora sí.

Se volvió a los otros.

—A ver, dos soldados... Tú y tú... Acompañen al señor y a la señorita. Que lleguen sanos, ¿okey? Les hago a los dos responsables.

Sonrió al dirigirse de nuevo a Manuel.

—Ha sido duro el ataque de hoy y mi gente está nerviosa, comprendan. ¿Precisa algún servicio, señor?

—Nada, teniente, nada. Ya me dio todo el servicio que necesitaba. Le doy las gracias.

—A la orden.

Comenzaron a ascender por la calle principal, frente al paisaje del gran incendio. Los dos soldados, en silencio, les flanqueaban, el fusil al brazo, las mismas miradas insensibles, los mismos ojos vacíos de vida. Mantenía a Ninette abrazada por la cintura y, de cuando en cuando, le daba nerviosos apretones en la carne, bajo la blusa. Ella respondía poniendo su mano sobre la del hombre, como una caricia.

En toda la extensión de la avenida no encontraron ningún paisano. La tropa, en gran número, entraba y salía de las casas, de las cantinas, de los comercios. Parecía desorientada y nerviosa, como sabuesos en busca del olor del tigre. Se oían disparos de cuando en cuando y confusas voces de mando de algunos oficiales. También podía escucharse ahora el crepitar del gran fuego.

El camino se le hizo más largo que nunca, pero al fin llegaron al comedor «Rey Maya». Don Julio y su familia estaban dentro.

—Ninette —le dijo mientras le tomaba de las manos—. Ahora te quedas aquí mientras voy al campo. No te muevas para nada del comedor. Vendré a buscarte en cuanto pueda, ¿de acuerdo?

—Bésame antes, Manuel.

Apretó sus labios contra los de la muchacha brevemente. Luego se volvió hacia don Julio.

—Usted va a cuidármela bien, ¿eh, don Julio? La dejo en sus manos.

—No tenga pena, señor, vaya con confianza. Acá no pasa nada, estamos protegidos por la tropa. Ellos nos conocen. Son al fin nuestros vecinos, pues. Vaya tranquilo, señor.

Giró el rostro de nuevo hacia ella.

—Regreso en cuanto pueda, Ninette.

Ella se acercó y le besó otra vez en los labios antes de que él saliera a reunirse con los dos soldados.

Ardían algunos «campers», ardía el generador de luz y ardían los depósitos de gasolina, de los que brotaban la espesa humareda y las grandes llamaradas que distinguió desde el río. Todo el campo aparecía iluminado por las llamas, mientras los trabajadores y un buen número de soldados se mantenían en la puerta del campamento, alejados del fuego. Vio a Doc sentado, con gesto somnoliento; a Efrén, en pie, con aire ausente; a Eddy, los técnicos del pozo y los peones, con rostros abatidos; y al comandante Rojas, rodeado de la tropa. Más allá, no muy lejos, dando la espalda al fuego, el corpachón de John, desnudo, colgaba ahorcado de un poste de luz. No tenía testículos y, sobre el pecho, le habían grabado a cuchillo tres letras, EGP, las siglas del Ejército Guerrillero de los Pobres, que aparecían borrosas por la sangre ya seca que las rodeaba. Había algo de pintura sagrada, de cuadro medieval en aquel escenario, como si todas las figuras interpretasen posturas correspondientes a una liturgia: el rito del sacrificio, o tal vez el de la venganza.

Fuera del campamento, cerca de la verja, Manuel vio los cadáveres alineados de seis guerrilleros, y a su lado, otros diez que, de rodillas, mantenían los brazos atados a la espalda, vigilados por un pelotón de soldados que no dejaba de apuntarles con los fusiles.

Transcurrieron así largos minutos. Manuel fue a sentarse al lado de Doc, pero no hablaron. El médico parecía hundido en la contemplación de visiones que correspondían a su imaginación y no a la realidad. No había abatimiento en su actitud, sino tan sólo lejanía.

Casi una hora más tarde, cuando el fuego remitió y la noche comenzaba a echarse sobre la tierra, descolgaron el cuerpo de John. Doc fue el primero en acercarse al cadáver y reconocerle.

—¿Y bien? —preguntó Rojas al cabo de un rato.

—Creo que le mató la cuerda.

—Ahorcado.

—Eso es. Estaba vivo cuando le castraron y le grabaron a cuchillo las letras.

Rojas se volvió hacia los soldados de la tropa.

—Llévenme dos de esos hijueputas de ahí al cuartel para el interrogatorio, una mujer y un hombre. Y fusilen de inmediato a los otros.

Se alejó. Manuel miró al médico.

—¿Qué pasó, Doc?

—Ya lo ves, amigo. No hay más que lo que ves. Atacaron por tres puntos, mortereando primero el cuartel militar y el ferry. Distrajeron a la tropa y entonces se llegaron aquí. Fueron directos a por John. A los demás nos sacaron fuera. Lo torturaron y lo ahorcaron. Willy jaló la cuerda, estaba con ellos. Después comenzaron a incendiar. Cuando la tropa llegó, hubo un enfrentamiento. Murieron ésos y algunos soldados. Después..., bueno, tú lo viste, amigo. Willy escapó con ellos a la selva.

Oyeron la descarga de los fusiles a sus espaldas. Manuel no quiso volverse. Aún contempló un instante el cuerpo mutilado de John. Y no sintió nada: ni alivio, ni vergüenza, ni satisfacción, ni remordimiento.

A la noche, cuando el incendio había sido ya casi dominado, comprobó que su cabaña permanecía intacta. Doc y Efrén bajaron al campamento militar para comunicar por radio con Ciudad de Guatemala, pues su transmisor no funcionaba tras el ataque. Manuel les dejó junto al cuartel y se dirigió al comedor «Rey Maya».

No había nadie en la sala que daba al río. Regresó al hotel y ascendió las escaleras. Sonaba el croar de las ranas y el canto de los grillos en las orillas oscuras del San Pedro.

No obtuvo respuesta al otro lado de la puerta de Ninette. Descendió de nuevo hacia el comedor. Encontró a don Julio que llegaba.

—¿Y la niña? —preguntó con ansiedad.

—Se fue, señor.

—No entiendo, don Julio.

—Sí, señor, se fue. Se llevó mi lancha con ella. Yo la había traído desde el embarcadero. Y cuando oí sonar el motor, no pude ya detenerla. No supe quién iba ahí dentro hasta que noté su falta. Tuvo suerte la niña que no hubiera tropa aquí mismo; le habrían disparado.

—¿Cuándo fue eso?

—Tal vez una hora y media.

—¿Y adónde fue?

—Río abajo, míster, rumbo a México.

—Deme un agua, don Julio.

—¿De qué gusto, señor?

—Da lo mismo.

Se internó en la sala y se acodó en la baranda que daba al río. Los mosquitos y las mariposas revoloteaban sobre su cabeza, rozaban a veces sus orejas y su nariz.

—Aquí le dejo el agua, míster.

No respondió. Aún permaneció unos largos instantes así, quieto frente al río, frente a la noche todavía sin luna.

Olía de pronto a lluvia próxima, a lluvia de verano, a promesa de tormenta.

5

Poco más de una semana después del ataque de la guerrilla, la oficina central de Houston decidió que la Texoil se retiraba de sus explotaciones en Guatemala. La noticia llegó a El Naranjo casi al mismo tiempo que la flotilla de helicópteros y de pesados camiones, que venían a recoger cuanto de útil quedaba en el campamento principal, a precintar el pozo de Xán y a desarmar la torre de prospección. Fueron jornadas de intensa actividad: Manuel hubo de acelerar la conclusión de sus trabajos y dejar listo un plan general de acción para los terrenos donde había venido trabajando, especificar sus rastreos de la zona, concretar los resultados de sus análisis geológicos y geofísicos. Tuvo que emplear largas horas en ello, ayudándose por las noches de las luces de las velas, pues el generador no había sido reparado. La intensidad de su tarea le permitió burlar las depresiones que le asaltaban cuando pensaba en Ninette o cuando calculaba los días que faltaban para su marcha.

Retirada la Texoil, no había para él modo de permanecer allí. El ejército no concedía permisos de residencia, ni siquiera como simple turista, y no existía ningún trabajo en que poder ocuparse. Llegó un día a concebir la absurda idea de pedir en matrimonio a Celeste, con la esperanza de que aquello pudiera suponer una especie de aval para permanecer en El Naranjo. Pero ¿de qué serviría, se dijo después, si tal vez Ninette no iba a regresar nunca? Eddy y los otros empleados volvieron a Ciudad de Guatemala con los primeros helicópteros. En cuanto a Efrén y Doc, se quedarían en aquellas tierras: el primero, porque era natural de ellas y tenía allí su casa y su familia; el segundo, porque consiguió el permiso para seguir dirigiendo la clínica del campamento, intacta tras el ataque de la guerrilla. La Compañía aceptó la petición del gobierno de donar sus medicamentos y sus modestas instalaciones al pequeño municipio.

Manuel recibió enseguida una oferta de nuevo contrato, para seguir trabajando con la Texoil, esta vez en Brasil. La rechazó, sin saber todavía qué haría en los próximos meses. Una sustanciosa cantidad de dólares le aguardaba en Ciudad de Guatemala como liquidación del trabajo que no había llegado a concluir.

Retardó su partida hasta los últimos días y logró que la Compañía le autorizase a regresar en vuelo desde Flores, en lugar de trasladarse en helicóptero desde el campo. Pero no pudo detener la cuenta atrás de los días. Y así, llegó la noche anterior a la fecha de su partida.

Doc le había invitado a compartir con él una botella a última hora, en la pequeña clínica donde era, al fin, el único señor. «Ya me costó lograr el guaro, amigo. Desde lo del Ciento Veintisiete, el suministro viene flojo.» Parecía contento, alegre en sus nuevos dominios. «Aquí, en mi clínica, no se matará más a nadie, amigo, se intentará salvarlos. Voy a hacer, además, un departamento de estudios de yerbas de la selva. Tendrás que ver esto en unos años. Si algún día llega la paz a Guatemala…»

Se sentaban frente a frente, junto a la mesa del despachito, alumbrados, casi como fantasmas, por la luz de las velas, un vaso de ron seco delante de cada uno.

—Era un niño grande, una mole de inocencia bruta… —decía el médico al recordar a John Richardson.

—No, Doc —refutó Manuel—. Tal vez fuera un niño, pero era también perverso. Yo… Doc, creo que desde el día de la masacre en el Ciento Veintisiete descubrí algo:

no sé explicarlo muy bien, pero detesto la ignorancia. John era perverso por eso, porque era ignorante.

—¿Y qué tenía que ver John con eso?

—No te lo había dicho, Doc: ahora ya no importa. John reconoció el día antes, en el Ciento Veintisiete, al jefe del grupo guerrillero que asaltó Xán y quemó los carros a principios de año. Se empeñó en que su deber era decírselo al ejército. Y lo hizo, a pesar de que yo me opuse varias veces. Luego… ya viste lo que sucedió.

—¿Quién más sabía que fue John el que informó?

Manuel dudó un instante.

—Da lo mismo ya. Bueno, Doc… nadie, él y yo solos… Ahora también tú.

Doc se había levantado. Caminó con su vaso en la mano, hacia un rincón en la penumbra de la habitación. Manuel apenas podía ver más que la sombra del médico.

—Amigo —dijo al fin—, has aprendido mucho, has pasado también la línea. Te has sacrificado a la pasión.

—Es lo único que podía hacer.

—Suena a barbarie.

—Prefiero ser bárbaro que ignorante.

—Ahí no te queda salida, sólo arder en la pasión misma.

—Eso es lo que deseo.

—Ella…, tu niña…, ¿sabía lo de John?

—Ella se ha ido, Doc.

—¿Lo sabía, amigo? ¿Y Willy, lo sabía Willy?

—John tenía que morir.

—Lo dices en el mismo tono que hablan los hombres justos, amigo.

—¿Qué habrías hecho tú, Doc?

—Tal vez en una situación semejante hubiera optado por morir yo mismo antes que decidir.

El médico regresó a sentarse frente a Manuel. Permanecieron un rato así, bebiendo en silencio, mirándose a través de las sombras móviles que formaban las llamitas de las velas.

—Dime, Doc —Manuel rompió a hablar—, ¿por qué las torturas? Primero el ejército, allí en el Ciento Veintisiete. Luego, lo de John.

—Muchas veces he pensado en ello, amigo. Y no sé responderme. Quizá lo que sucede es que el horror se alimenta del horror. Y es una siembra....

Le parecía que podría ser aquélla la última mañana, tal vez en toda su vida, que escuchase la algarabía de los pájaros. Tendría que acostumbrarse a despertar sin ellos, se dijo, y al pensarlo le invadió una sensación de desamparo.

El amanecer les sorprendió en la carretera, camino de Flores. Efrén tarareaba una canción al volante del vehículo, un desafinado ritmo de salsa. Manuel pensó que a nadie entristecía su marcha. O que tal vez la gente de aquellas tierras estaba en exceso acostumbrada a las despedidas, incluso a las despedidas del mundo.

Comenzaban los árboles a asomar entre la neblina, no demasiado espesa aquella madrugada. Podía reconocerlos a casi todos, distinguir las especies por la forma de sus troncos, el vigor de sus ramas, la tersura de sus hojas: cedros, ceibas, chicozapotes, caobas, hules, madrecacaos, sanjuanes, machines, barillos, cojones de caballo, pimientas, maculís, tamarindos, encinos, copales, ébanos, sagues... Tantos amigos silenciosos.

Un sembrado de cacahuete anunció después, cuando el sol ya lucía fuerte sobre el espacio y había borrado de la tierra los últimos jirones de la bruma matinal, la llegada a tierras habitadas. Cruzaron el Ciento Veintisiete sin detenerse, dejando a los lados del camino las casas derruidas. En algunas de ellas, patrullas de peones levantaban de nuevo la estructura antigua, sobre troncos de escobo, mientras las mujeres, cerca de la cuadrilla, tejían los techos con las largas hojas de guano colocadas en hilera. Se alejaron de allí y Manuel sintió como si huyera de su propio recuerdo.

—¡Pucha, don! —dijo de pronto Efrén, sacándole con violencia de sus emociones—. ¿Y la piel del tigre...? Aún la están curtiendo para vos. Tendrá que darme sus datos. Se la enviaré a su tierra si puedo, ya veré el modo.

—Déjelo, Efrén, para nada la quiero.

—Todo se olvida en la vida, don, hasta el dolor. Se la enviaré como sea, será un recuerdo mío.

—Mejor guárdela usted.

—¿Y qué hará en su tierra, don?

—No sé siquiera si volveré a mi tierra. No he querido pensar todavía en el futuro.

—El mundo es grande, hay que correr lo que se pueda. Cuando fui marino, hace muchos años... también fui marino, ¿sabe...?, pues corrí cuanto pude. Llegué hasta Chile, don, hasta el mero Chile. Bien lejos, sí.

—¿Y usted qué hará, Efrén?

—Tengo casa, ya sabe, familia que cuidar... Familias que cuidar. Volveré a la caza. Quedan tigres, venados, tepezcuintes... No es como antes, pero todavía tengo el rifle y dos perros bien adiestrados. Hay que hacer lo que se pueda. Como decimos acá, don, la necesidad tiene cara de chucho. Gran diabla si la tiene.

—Les envidio, Efrén, a usted y a Doc: por quedarse aquí.

—Es la vida. Él sabe curar males y yo sé cazar, buscar chicle, lagartear. Lo suyo es pior, don, usted sólo vale para buscar petróleo, y eso sirve de bien poco.

—Podría aprender a disparar.

—Para eso hay en mi país mucha competencia, don.

Atravesaron más tarde junto a lo que fue el campamento de xateros. Las chozas habían sido destruidas y quemadas y el tramo del bosque que las rodeaba estaba también reducido a cenizas.

—Incluso llegó acá el ejército cuando lo del Ciento Veintisiete —comentó Efrén antes de que Manuel le preguntara.

—¿Murieron don Vito y su familia?

—No, don, ni modo. Ellos son bien avispados, huelen las cosas antes de que sucedan. Alguien les alertó, volvieron a la selva.

—¿Cree que estaban con la guerrilla?

—¿Y quién puede decirlo, don? Pero si no lo estaban entonces, lo estarán ahorita. Ya ve vos: por cada guerrillero que mata el ejército, hace tres nuevos.

Eran cerca de las cuatro de la tarde cuando el mestizo dejaba a Manuel en la puerta de embarque del vuelo de Flores a Ciudad de Guatemala.

—Le recordaré siempre, Efrén.

—Acá quedamos para servirle, don. Puede que vuelva un día.

—Puede.

—Ya sabe: la gran diabla le hace dar a uno muchas vueltas. Nunca se sabe. ¿De veras no quiere que le envíe la piel del «frijolillo»?

—No, amigo, guárdela para una mujer.

—Le recordaré cuando la vea en mi pared, don. Ésa no la venderé.

Estrechó la mano de Efrén. Se dio luego la vuelta con urgencia y echó a andar por la pista del aeropuerto, en dirección al avión plateado que esperaba un centenar de metros más allá, bajo el ardiente sol del verano tropical. No se volvió para mirar hacia atrás. Sentía escozor en los ojos y algo parecido a una pelota que se agarraba a su garganta.

## 6

Tomó asiento junto a una ventanilla del lado izquierdo del pasillo y se abrochó el cinturón. Le pareció, de pronto, que todos los meses anteriores podían no haber sido otra cosa que un sueño, y que él, a bordo del mismo avión que le trajo a la selva, permanecía sumido en una irrealidad donde el tiempo no corría y su conciencia no era capaz de aprehender nada.

Fue tan sólo una fugaz sensación. Él había cambiado y ahora mismo percibía cómo crecía su desesperanza y cómo el vacío tomaba cuerpo en su corazón.

Sabía que nadie iba a venir a reclamarle. Se sentía expulsado, desdeñado por todos cuantos había conocido aquellos últimos meses. Los motores del avión se habían puesto en marcha, aunque las hélices no se movían aún con la celeridad suficiente como para iniciar la carrera a lo largo de la pista. Apretaba el calor, con los ventiladores de aire todavía apagados. No se molestó en dar inútiles vueltas a la ruedecita de plástico. Olía a ella allí dentro, a la selva, y el aroma del trópico le parecía un último sarcasmo, una postrera burla.

Las hélices daban ahora vueltas a mayor velocidad. Podía distinguir, detrás de ellas, más allá de la fina película azulada que su giro dibujaba sobre el paisaje, la línea verde de los árboles. Parecían cansados.

Notó debajo del asiento el primer brinco de las ruedas del avión, apenas un breve movimiento. Lo percibió como un golpe infinito de tristeza. Y pensó que la indiferencia del mundo puede ser más dolorosa que la muerte.

Imaginó ahora que debía haberlo supuesto. Sobre todo a través de las miradas. El gesto frío, demoledor, de aquel dios esculpido en la vieja estela maya perdida en el interior de la espesura. Ese mismo gesto repetido una y cien veces, uno y otro día. El ojo de aquel ciervo que, en la noche de caza, agonizaba a sus pies en espera del último machetazo, su falta de temor, sus sentidos preparados para el instante último de la muerte. Los ojos del guerrillero que encontraron en la carretera de Xán y murió en brazos de Doc, que miraba hacia ellos sin temor ni esperanza. Los ojos sumisos del gran jaguar arriba de los árboles, mientras los perros ladraban a sus pies, fija la vista en el fusil que Efrén preparaba con parsimonia para descargar un único y letal disparo a la fiera domeñada. Los ojos de don Vito, el jefe de los xateros, su gesto burlón de sabio rey de tribu que miraba hacia él como si fuese invisible. Los ojos sin párpados de la barba amarilla, iguales a los del brechero muerto, ojos que parecían reconocer una historia que alguien le contó de niño y en la que le relataron con exactitud cómo habría de morir. Los ojos de Celeste, el primer día en el río... y aquella mirada de Ninette, sus ojos metálicos en la última tarde del río.

El avión inició luego un breve desplazamiento hacia la izquierda, seguido de una nueva detención. Las mismas azafatas de meses atrás, luciendo sobre sus sonrisas las prótesis de plata, comprobaban que los cinturones del pasaje estaban abrochados. El calor era agobiante y una capa de humedad pegajosa se había fijado sobre su cuerpo. Quieta a los lados de la pista asfaltada, la selva permanecía vigilante: árboles desmayados, apretados, melancólicos, extraños a la suerte particular de alguien como él. Sólo escuchaba, desde su asiento, el ruido de los motores del avión. Pero allá afuera era seguro que cantaban los pájaros.

Ahora sí, tras unos instantes de duda, el avión se movía hacia delante. Temblaba todo el esqueleto del aparato mientras se dirigía hacia la cabecera de la pista, dando botes sobre el suelo irregular.

Giró el aeroplano en redondo y se situó para el despegue. Los árboles estaban más próximos, al otro lado de la ventanilla, afuera del cristal amarillento. Sus ramas se movían como melenas agitadas por el viento que llegaba desde las hélices, mientras una mínima polvareda surgía de sus pies y trepaba alborotada por sus troncos.

De nuevo el aparato avanzó. La velocidad aumentaba conforme recorría la pista. Parecía que aquel viejo armatoste, cuyas paredes de metal crujían por el esfuerzo, iba a estallar y hacerse trizas, que su corazón iba a partirse de golpe.

Un instante después, Manuel sintió que algo parecido a una mano sobrenatural tomaba el aparato desde arriba y lo suspendía en el espacio. Hubo un segundo de vértigo al ver la tierra hundirse bajo su mirada. Luego, el aire saltó fresco y todavía húmedo de los agujeros del techo. Contempló los árboles de la pista mientras se empequeñecían poco a poco y tomaban una apariencia de arbustos apretados. Pero, al tiempo, el paisaje se agrandaba, la selva crecía hacia el horizonte, abría espacios para lagunas azuladas, para la línea ocre de la carretera, para los pastizales donde las reses adquirían el tamaño de los insectos. Y era interminable, una jungla como la superficie de toda la tierra: viva y segura de sí, insensible a la aflicción que inundaba el espíritu de Manuel Márquez.

Un desdén absoluto, milenario, caía sobre su alma atribulada, mientras la larga virginidad del Petén crecía hacia el horizonte bajo las alas del aeroplano. Ninette quedaba también allá atrás. Implacable, la vida le regresaba a los caminos helados de su viejo corazón.

El avión había tomado su altitud de crucero, alrededor tal vez de los cuatro o cinco mil metros, y la selva parecía, allá abajo, un inmenso sembrado que rompían tan sólo, en ocasiones, ríos semejantes a canales de riego o calvas tierras deforestadas que eran como mínimo jardines de brillante césped.

No había reparado en su compañero de asiento. Le miró de reojo: un tipo de mediana edad, de piel cobriza y pulida, mejillas regordetas y buena papada. Sudaba aún, a pesar del aire que salía de los cañones del techo.

El otro se sintió observado. Sonrió y se llevó la mano a la frente, en forma de saludo militar:

—Capitán Rubén Granados, para servirle. ¿Extranjero?

—Sí, español.

—¿Mucho tiempo en Guatemala?

—Unos pocos meses.

—¿Y le complace mi patria?

—Es muy hermosa.

—Ya ve, le dicen el país de la eterna primavera. Será verdad si así le llaman. Yo tengo mi puesto acá, en Flores, pero regreso de permiso unos días a Guate.

—Está dura la guerra.

—Ya ve, los subversivos no cejan. Pero les tenemos bien sujetos, ahí dentro, en la selva. Lo mejor es no entrar a por ellos, sino esperar a que salgan. Pero sí, es dura la guerra. ¿Sabe?, yo tengo un hijito. No quisiera que fuera militar como su padre. Quiero darle estudios.

—No le gusta la guerra, según veo.

—No es eso. La guerra es necesaria para salvar a la patria. Es porque los estudios abren puertas. Yo quiero que mi hijito estudie. Y que cuando sea grande tenga la oportunidad de conocer Disneylandia. Yo soy bien consciente de que hay que dar a los hijos formación para abrirles las puertas del mundo. ¿Comprende usted, señor?

—Muy razonable. Usted disculpe, pero voy a dormir un poco.

—No tenga pena. A su servicio, señor.

Cerró los ojos y reclinó hacia atrás su sillón. Se hundió de nuevo en sus sensaciones y en sus pensamientos. Le dolía con fuerza el recuerdo de Ninette.

Y sin embargo..., sin embargo... Su corazón se agitó de pronto, comenzó a bombear aceleradamente. Ninette había ido hacia México, y era probable que se hubiera dirigido a los campamentos de refugiados del otro lado de la frontera, en Chiapas. Sin duda ella estaría allí, al otro lado, en las bases de Chiapas, donde los refugiados. Había mapas y maneras de ir.

Eso era. El amor. Volver. La selva. Un avión de regreso a México, de inmediato. No. Al día siguiente, cuando cobrase el dinero que le debía la Texoil. Necesitaría dinero. Avión hasta México D. F. Apenas una hora. Después, a Chiapas. Avión o tren, daba lo mismo. No sería un largo viaje. Y si era largo, ¿qué importaba? Luego, buscarla en los campamentos... Sería fácil. No habría tantas muchachas como Ninette.

El amor lo era todo. Y la selva, y la humedad, y su sensualidad recobrada. Regresaría junto a Ninette. La encontraría. La imaginaba como aquel día en el vado del río: sus cabellos dorados cayendo sobre los hombros, su piel de cobre, su cuerpo que ardía en el abrazo. Sonreiría sin duda al descubrir que era él. Y correría a su encuentro. Rodeados por ella, por la selva, por la sensualidad del mundo, por el destino caliente que les condenaba a vivir o a morir en un breve segundo; pero abrazados, reconciliados con la pasión y la barbarie.

Los nervios saltaban bajo su piel. Se movía inquieto en el asiento. Su vecino, la cabeza recostada hacia atrás, dormía con la boca entreabierta, el labio inferior caído y un hilo de saliva que colgaba y llegaba a prenderse en la solapa de la camisa.

Miró a través de la ventanilla. La línea del altiplano, a la derecha, surgía de pronto, como el rostro de un largo y violento acantilado. Allá terminaba el reino de ella, de la selva; y el suelo ascendía en centenares de metros, los volcanes surgían entre las nubes, la tierra se tornaba parda y menudeaban los poblados.

Pero aún la veía. Como un mar de algas, o miles de tentáculos de un pulpo gigantesco y verde, la jungla arrojaba sus últimos ramajes y malezas contra la base del alto farallón. La espesura semejaba desde lo alto un oleaje que quisiera trepar por la escarpada piedra para ganar las cumbres y devorar el mundo. ¿Acaso ahora le aceptaría? Quiso pensar que podría ser así.

Y pensó también que volvería a sentir cómo la grama se movía bajo el cuerpo de Ninette mientras él la abrazaba. Escucharía el concierto de los pájaros cuando enterrara su boca en la de ella. Habría sabor de selva en sus labios. Le envolvería el perfume de las flores ignoradas, el olor dulzón de las hojas moribundas, la suave miel de la primavera en la jungla... Y quizás el aroma del copal.

Ahora quería creer que no había indiferencia hacia él allá abajo, en la línea verde que iba quedando atrás y que le obligaba a girar la cabeza para contemplarla unos segundos todavía, mientras ella, la selva, tendía los brazos hacia él.

El militar del asiento vecino se había despertado. Miró hacia la ventanilla. Sonrió:

—Ta bueno, señor. Ya se aleja el Infierno.

—Y se acerca Disneylandia, capitán. Buena cosa.

Miró otra vez y no la vio ya. Pero quiso pensar que la selva le enviaba un último guiño de complicidad. Y por primera vez en su vida, se sintió un ser nacido de la tierra.

# EL HOMBRE DE LA GUERRA

BELIZE
Mar del Caribe
ISLA BAHÍA
Roatán
Golfo de Honduras
GUATEMALA
Puerto Cortés
Tela
La Ceiba
Trujillo
Limón
Río Plátano
Aguán
San Pedro Sula
Pico Bonito
Olanchito
Lago Catarasca
Patuca
Sico
El Progreso
San Lorenzo
Wampú
Puert Lempira
Villanueva
Yoro
Catacamas
Chamelecón
Santa Bárbara
Valencia
Lago Yojoa
Juticalpa
Río Coco
Gracias
Siguatepeque
Ulúa
HONDURAS
Nueva Ocotepeque
Comayagua
La Paz
CORDILLERA COMAYAGUA
TEGUCIGALPA
Danlí
Yuscarán
Nacaome
Choluteca
NICARAGUA
Golfo de Fonseca
Océano Pacífico
Norte

El destino se hace más adorable cuanto más implacable.

Albert Camus

# 1

Sobre los restos de la arruinada escollera, el gran pelícano posaba sus ojos arcillosos en el mar que batía delante. Todavía centelleaba de humedad su pico desde la última zambullida en su fracasado intento por atrapar un pez. La bolsa se mecía bajo su mandíbula arrugada, como un testículo enfermo. Parecía cansado y tal vez era un pájaro viejo. Ahora, las gotas que derramaba el oleaje sobre la costa, al chocar contra aquella barrera de rocas y de piedras pulidas por la vehemencia del océano, salpicaban su plumaje, y sus alas semejaban haber sido talladas en un metal sucio. Sin embargo, el ave mostraba una actitud noble. Había algo de resignación y altanería en su semblante. Atenta, contemplaba el hervor de las olas en su viaje hacia la playa. Puede que descansara sus músculos mientras su cerebro trataba de idear un sistema infalible de pesca. Había algo de grandeza en su soberbio conformismo.

Cincuenta metros tierra adentro, sobre la linde de la playa, Claudia Torrente se apoyaba en la baranda de la terraza del segundo piso del hotel, los ojos fijos en la figura del pelícano, y se preguntaba si en verdad se trataba de un animal viejo. Creía reconocerle. Parecía que era el mismo que acudía muchas otras tardes a la desbaratada escalera para reponer fuerzas en su esfuerzo por atrapar peces del seno del océano. Y tal vez fuera viejo, más aún que los otros componentes del gran bando, los que ahora se alejaban mar adentro para regresar de nuevo raseando la superficie del oleaje, a escasos centímetros del agua, planeadores diestros en el arte de fisgar en los abismos del piélago sin caer nunca atrapados por su furia: un breve aleteo, cuatro o cinco golpes de las alas, les bastaban para lograr un vuelo de casi cincuenta metros, los ojos sobre el agua, el pico como una daga, las patas recogidas bajo el plumón del vientre.

Semanas atrás, cuando comenzó a reparar en el ave, decidió llamarle *Matusalén*. Le hubiera gustado ofrecerle comida, pero tal vez su intento constituiría una ofensa para el orgullo de aquel gran pájaro libre. ¿Cuántos años puede vivir un pelícano y cuántos habría vivido *Matusalén*? ¿Y cómo y dónde van a morir los pelícanos? No sabía nada sobre pelícanos. Y sin embargo, sí que conocía que las tortugas alcanzaban una edad muy longeva. La indolente *Berta*, que recorría el jardín desde años atrás y que, en ocasiones, permanecía oculta durante meses quién sabe dónde, puede que hubiera cumplido ya los cien. Se decía también que las cotorras, los loros y los guacamayos pasaban en ciertos casos del medio siglo de vida. Quizá *Melita*, que gritaba allá abajo dentro de su jaula, caminaba hacia los cincuenta años.

Claudia acarició con las yemas de los dedos su mejilla derecha y la línea gruesa de los labios mientras pensaba que ella sí tenía plena conciencia de sus propios años. Cuarenta ahora, desde unos pocos meses atrás. Y se decía a sí misma que el tiempo había superado con creces, en velocidad, la realidad del espacio de su vida. Se sentía aún muy cerca de la niña que acompañaba a su madre a vender pescado en el puerto de Barcelona. Guardaba indemne en su olfato el olor de aquel mar. Y podía oír su ruido, las voces que gritaban los nombres de los peces, las calidades, los precios, las riñas, las risotadas y aquella extraña canción que entonaba un borracho, a quien nadie prestaba atención, sentado a la puerta de la pequeña taberna de los muelles:

*Dels llavis d'un malalt de cor*
*aprenc que sols l'ànima es mor.*
*Em palpo el cos. Sento el consol*
*d'esdevenir col o cargol*
*o tal vagada gos amb os,*
*a l'endemà del meu repòs.*[1]

Barcelona vivía aún en sus sentidos, como si hubiera abandonado sólo unos días antes la ciudad. Y no obstante, no le disgustaba ahora la idea de no regresar, quizá, nunca más a las calles donde nació. Imaginaba que todo el tiempo transcurrido desde aquellos lejanos días quedaba de pronto borrado de su existencia, como si nada significaran la felicidad y el dolor, los dulces y también los tortuosos caminos por donde su vida se había deslizado durante algo más de veinte años.

Pero no le agobiaba la idea de una juventud que comenzaba a escapar. Desde que su marido había muerto, tres años antes, su existencia tenía algo de vegetativo. En cierta manera, se identificaba en la actitud hierática de *Matusalén*, con la diferencia de que en su corazón no hallaba ningún rastro de orgullo y sí en el rostro hierático del pelícano.

La brisa que llegaba del cercano Caribe traía un aroma de sal y de humaredas y dejaba en su piel una caricia de humedad cálida. Se palpó el cuello y la nuca con un leve y lento movimiento de la mano. El aire parecía pesar sobre su carne.

1. En realidad, se trata de un verso de Salvador Espriu, cuya traducción es: «De los labios de un enfermo del corazón / aprendo que sólo el alma muere. / Me palpo el cuerpo. Siento el consuelo / de llegar a ser col o caracol / o tal vez un perro con un hueso, / al día siguiente de mi reposo.»

—Está bien maldito el tiempo, niña.

Le sobresaltó la voz del negro Erasmo. No le había oído llegar. En realidad, pocas veces se le sentía: andaba como un jaguar cauteloso en la noche de la selva.

—Podías avisar, me asustaste.

—¿Qué pensaba, niña?

Se había acodado en la baranda, junto a ella, y miraba también hacia el mar. Claudia contempló su perfil: un rostro chato y grande, piel bruñida, como de pizarra, pelo recio y enredado en miles de rizos menudos que encanecían a la altura de las sienes.

—¿Cuántos años viven los pelícanos, Erasmo?

—Ése no es muy chavalo ya.

Señalaba al pájaro con su dedo rugoso, dejando ver parte de la palma amarillenta de la mano.

—¿Qué opinas, viven muchos años?

Los poderosos hombros de Erasmo se encogieron. Era recio y alto y pasaba tal vez de los sesenta años; pero conservaba el vigor de un hombre mucho más joven.

—¿Qué opino? Por ejemplo y nada, para el caso y todo, y así sucesivamente.

—No te burles, Erasmo.

—Oíme, niña, si me pregunta la historia de Grecia, puedo darle una conferencia. Pero de pelícanos... ¡la gran chuca!, me agarró en la ignorancia.

Rió el hombre y mostró su dentadura marmórea, veteada por algunas prótesis de plata. A Claudia le gustaba Erasmo, sentía un profundo aprecio por él. Desde siete u ocho años atrás, trabajaba en el hotel como una especie de capataz, o mejor: como un discreto protector. Había sido buen amigo de su marido, compañero de cacerías al tiempo que empleado del hotel, y muerto Rafael, continuaba junto a ella. Erasmo lograba, con su presencia, que Claudia sintiese la vida un poco más segura.

—Bien maldito tiempo, sí —repitió el negro—, tal que melancólico.

Claudia volvió la vista hacia el mar y hacia el cielo. Tras el espacio encapotado y cubierto de nubes polvorientas, el sol invisible enviaba sobre la tierra y el océano una luz difuminada, un rastro marchito de claridad. Las aguas adquirían un aceitoso color de barro y la espuma de las olas parecía pringada por una capa de grasa parda. No era la mejor imagen del Caribe, majestuoso y cegador en otras horas. Una vasta soledad se extendía al frente, y el cielo, invadido por nubes graníticas, semejaba poder desplomarse sobre ellos. El oleaje producía un hondo rumor al golpear contra la costa. Y el ruido levantaba ecos remotos, como si más allá del mar repicase el son de un órgano escondido. En los intervalos de silencio que las olas dejaban al retirarse de la playa y la escollera, aquella resonancia permanecía con una fuerza propia, suspendida en la lejanía que ocultaban los nubarrones, llegando hasta ellos con el tono de una amenaza.

—¿Crees que tendremos tormenta?

Volvió Erasmo a encoger los hombros.

—Con la méteo me pasa como con los pelícanos: otra vez me pilló en la ignorancia, niña.

—Tal vez llueva.

—No huele a lluvia.

—No siempre huele antes de llover.

—¿Y qué le da, niña? Si llueve, pues llovió.

—Hoy no me apetece la lluvia.

—Veo que le pone melancólica el tiempo, pareja al muy maldito.

—No es eso. Pensaba en el pelícano, tenía curiosidad por su edad.

—Preguntaré a algüien si tiene empeño. O dígale a la noche a don Rolando. Es bien erudito el profesor en los saberes. ¿Vendrá hoy?

—¿Por qué no ha de venir? No falta casi ninguna noche.

—Bien que le place echarse sus octavitos de guaro.

—Tampoco tú le haces ascos al ron, Erasmo.

—Ya sabe niña que el trago es cosa inventada por Dios. Y no debemos tener asco de lo que viene del cielo.

—No te sabía religioso.

—En lo único que no creo es en los santos que orinan.

Claudia miró de nuevo hacia el mar.

—Hay como un rumor de tormenta.

—Venga adentro, niña, juguemos a los dados. No hay trabajo en el hotel por falta de clientela. No se melancolice más.

—Se está bien aquí fuera.

—Hay pollo para la cena. Zunilda prepara un guiso de los que embraman: pizca de chile y salsa de almendras. Se huele en el vestíbulo. Un guiso como de fiesta, de carnaval. Y si no sale bueno el pollo, lo comeré de todos modos: no hay mejor salsa que el hambre.

—Tengo poca gana de cenar.

—Ya le vendrá cuando lo huela. ¿Le hacen los dados, niña?

—No, Erasmo. Y por cierto, ¿qué pasa con las cuentas? No has hecho el balance de fin de mes.

—Ya se verá. De momento no estamos quebrados.

—Pero hay que saber cómo van las cosas.

—No se encachimbe, niña. Al menos baje al vestíbulo y tome un fresco. No la quiero melancólica.

—Te digo que no estoy melancólica.

—Ta güeno, ta güeno... Me voy si es de su gusto, pero no se encachimbe.

—No estoy enfadada, no hace falta que te vayas.

—Veré de dar una vuelta y tal vez juegue unos naipes con los compadres en la cantina, ahí cerca, en «El Pajarillo». Son buenos chiviadores, sólo piensan en naipes.

—La última vez perdiste la paga.

—Es la gracia del juego. Otras la gano. Hay que arriesgar con el naipe. Como en el amor, niña, como en el amor.

Se alejó con andar pesado y se perdió de vista al doblar el recodo de la terraza. Claudia volvió a mirar al pelícano. Pero pensaba aún en Erasmo, en la seguridad que aquel hombretón daba a su vida. Tal vez, gracias a él, podía colgar del vacío como en un sueño. Le hubiese gustado que viviera también en el hotel y en alguna ocasión le había ofrecido construirle una casa al otro lado del jardín. Pero Erasmo se negaba a aceptarlo y continuaba habitando su destartalada cabaña, casi un bohío, de los arrabales de la ciudad. A veces respondía: «Un hombre es libre si tiene casa propia.» Y no obstante, pasaba la mayor parte del día en el hotel, ocupado en tareas necesarias o en trabajos imaginarios; en ocasiones sin hablar con ella durante todo un día, pero siempre allí, cercano, como una gran sombra protectora.

De súbito, el pelícano abrió las alas y levantó vuelo. *Matusalén* reemprendía la tarea de ganarse la merienda. Y Claudia, después de contemplar unos instantes al pájaro que se alejaba a ras de agua sorteando los rizos del oleaje, se encaminó despacio, dejando que su mano se escurriera y acariciase la húmeda baranda de madera, en busca de las escaleras que llevaban al piso bajo y al vestíbulo del hotel. Se frotó los labios con la mano húmeda antes de entrar.

La cena en el hotel Barcelona tenía algo de rito y un aire de ceremonia, para aquella pequeña familia en la que ninguno de sus miembros mantenían entre sí lazos de sangre. Claudia presidía siempre la sólida mesa de madera que su marido compró unos días después de inaugurar el local. Allí se había sentado él durante años y Claudia no había querido dejarlo vacío. A su derecha se sentaba Atilio, el muchacho negro que recogió diez años atrás, cuando apenas contaba cinco, y que oficiaba en el hotel como una especie de «chico para todo». Seguían luego Olga Marina, algo así como el ama de llaves, una mestiza de cuerpo magro, cuarentona, hija de un terrateniente arruinado; la cocinera Zunilda, una negra de buen tamaño y entrada en años, y Wendy la camarera, la mujer más joven del Barcelona, mulata, bailona, amiga de guasas y frágil de voluntad para resistirse al acoso de los hombres. Frente a Claudia, al otro lado de la mesa, se acomodaba Erasmo, que ejercía como un innominado presidente de la empresa hostelera.

Alguien habló del tiempo, de los nubarrones de la tarde.

—Eso son fenómenos —intervino Atilio—, los llaman fenómenos. Así les dicen, sí.

—Todo en la naturaleza son fenómenos, chavalo —le corrigió Erasmo.

Wendy y Zunilda iban y venían ahora de la cocina, sirviendo y retirando platos y bebidas.

—Ta güeno, señor Erasmo —añadió el muchacho—, pero las nubes son más fenómenos que el sol. Y los rayos y los truenos, aún más fenómenos. Cosas del Diablo dicen.

—Come el pollo, Atilio —conminó Olga Marina—, se quedará frío. ¿Es que no te gusta?

—Dios guarde, sí que es sabroso —respondió el chico mientras pinchaba un nuevo pedazo y lo acercaba a la boca—. Pero está del Diablo que hoy noche caerá tormentón.

—Qué sabrás tú, chavalo —señaló Erasmo al tiempo que movía la pesada cabeza de un lado a otro.

—Tengo la presunción —dijo el muchacho.

—Presentimiento, tengo el presentimiento —le corrigió Claudia—. ¿Cuándo vas a aprender a hablar con corrección?

—Si leyera los libros que usted le compra… —añadió Olga Marina.

Parecía que afuera se movía viento. Una ventana golpeó en el vestíbulo próximo. Atilio abrió los ojos y los labios, su rostro pareció redondearse.

—¿Oyés vos, señor Erasmo? Viene el fenómeno —y se santiguó.

—¿Desde cuándo el pollo le va a enseñar al gallo? Calla la boca y come, chavalo.

—Cuando el viento viene hay que dejarlo entrar —protestó el muchacho—. Dicen que los espíritus se encachimban si se les cierran las casas.

—Come —insistió Claudia.

Pero Atilio se levantó y caminó hacia el vestíbulo.

—El chavalo acabará medio penco si le siguen dando esas ideas en la cabeza —dijo Erasmo.

—Correcto —sentenció Olga Marina—. No debería dejar que fuera con esos «garifuna», doña Claudia.

—Es un niño todavía —respondió Claudia—. Y después de todo, él mismo es «garifuna». O eso creo yo.

—También Zunilda es «garifuna» —intervino Erasmo— y no le hable de espíritus. Esos «garifunas» son bien chiflados.

—Son negros como usted, señor Erasmo —señaló Olga Marina.

—Negros sí, pero otra clase de negros. Ellos creen en espíritus, en magias, tienen esa lengua que nadie entiende en el mundo más que ellos. Dicen que la trajeron de África. Pero hay otros negros, madrina. Yo soy de las islas de la Bahía y eso es bien distinto. Allá en las islas no hay «garifunas» —se rió ahora— y los negros de allá nos llamamos a nosotros mismos «ingleses» y a los blancos «indios». —Volvió a reír—. Es el único sitio del mundo donde los negros somos más ingleses que los blancos. Tome nota, madrina.

—No me llame madrina, señor Erasmo. Todavía soy joven.

—Ta güeno, la llamaré mamita.

—Eso es lo mismo que lo otro.

—No se encachimbe, madrina, que la gallina vieja hace buen guiso.

—Erasmo… —reprendió con suavidad Claudia.

—Los años pasan para todos —dijo Olga Marina—. También para ustedes los ingleses, aunque sean ingleses con la piel más negra que el alma de Judas.

Atilio regresaba del vestíbulo. Se santiguó otra vez antes de sentarse a la mesa. Claudia le miró.

—¿Dónde anduviste por la tarde, Atilio?

—Al mercado fui.

—¿A la tienda del chamán?

—Como sí —afirmó el muchacho bajando la mirada.

—Ya imaginaba. Te llenaron otra vez la cabeza con tonterías. Esos brujos de feria…

—No hay brujería, patrona. —Atilio abría los ojos, que parecían querer escapar de sus órbitas—. Han traído la «herradura de San Simón», que es milagrosa. Cuesta diez lempiras. Podría comprarle una, patrona, si me da pisto. Trae buena suerte a los hogares.

—¿Qué es eso de la herradura?

—Lo que es, una herradura. Va pegada a cartón y, dentro, el retrato del santo, que era bien milagroso. Y trae semillas pegadas, granos de mostaza, un frijolillo de Guatemala, y la piedra de ara, que es talismán. Todo eso lleva felicidad a los hogares. Por diez lempiras podría traer una, patrona.

—Nunca oí hablar de San Simón.

—Era santo. Vivió en México.

—Un santo de los que orinan —terció Erasmo mientras volvía a mover la cabeza de un lado a otro, mirando hacia su plato.

—En la foto lleva paraguas y corbata y traje negro —seguía el chico—. Tiene oraciones. Y también se le ponen candelas: las rojas para el amor y la fe, las celestes para el dinero y la felicidad, las negras contra enemigos, las azules…

—Deja, deja —cortó Claudia—. Me estás mareando. Si aprendieras a hacer cuentas con la rapidez que memorizas esas tonterías.

—También venden escritas en un librito las leyendas de don Germán —continuaba Atilio—, que traía lluvias y mataba a los enemigos del pueblo.

—Todo eso son guayabas —señaló Olga Marina.

—Pendejadas de «garifunas» —sentenció Erasmo.

—... don Germán traía la lluvia con sus conjuros. Hacía conjuros con la sandalia. Luego lo echó San Francisco de Asís. Y como don Germán se fue, pues la lluvia se hizo caprichosa —agregó Atilio feliz de encontrar respuestas.

—Deja, Atilio, deja ya —cortó de nuevo Claudia—. Me pones loca la cabeza.

—Los espíritus vuelan esta noche —insistió el chico.

—La que vuela hoy es tu mollera, chavalo, como los meros pájaros —dijo Erasmo.

La mulata Wendy entraba de la cocina. Llegó a la altura de Claudia.

—Señora, tendría que demandarle un favor a su merced.

—Pues dime, Wendy.

—Quisiera ausentarme un ratito antes de la hora. Zunilda no pone inconveniente, ella se ocupará de mis tareas.

—Me parece bien, Wendy.

Erasmo abrió la boca en una amplia sonrisa.

—La niña va de baile. ¿Erré el tiro?

Wendy le sonrió.

—Correcto, señor Erasmo. Hay orquesta en «El Piloto». De salsa, de salsa bien cachimbona.

—Buen bocado eres, mulatita, buen cuero. ¿Te salió un novio?

—Quiera Dios. Nada hay fijo, señor Erasmo. Pero hay un chele que me pretende, un chele casi que pelirrojo. Me da buenas bailadas, pero nada más por ahora.

—A un cuero como tú habría que darle más que baile. Ese chele debe de ser un cabeza de ayote.

—No es tonto, ni lo crea. Bien que me baila.

Claudia se levantó de la mesa.

—Anda, Wendy, recoge esto antes de irte.

—Zunilda lo hará, señora, eso me dijo.

—Vete pues.

Wendy se inclinó ante Claudia sujetándose un pliegue del delantal.

—Gracias le dé el cielo, señora.

—El cielo es hoy cosa del Diablo —sentenció Atilio.

El maestro Rolando Carreto salió de su casa pocos minutos después de las ocho. La noche se cerraba sobre La Ceiba y la ciudad se recogía bajo una apariencia somnolienta, con los tenderetes callejeros ya retirados, las luces macilentas de las farolas iluminando a duras penas la avenida de San Isidro, y apenas una docena de personas y un par de taxis dando vida a la larga vía que cruzaba como una vértebra la urbe. La Ceiba no dormitaba, sin embargo, y pese a que el aire y la pesadez del cielo presagiaban lluvia, la gente se echaría de nuevo a la calle cuando hubiese cumplido con el ceremonial de la cena. Volverían a aparecer los autobuses públicos, surgirían decenas de taxis y unos cuantos cientos de personas se apresurarían por lograr plaza en el cinematógrafo «Dorado», junto al Parque Central. Aquella noche proyectaban *Los intocables de Eliot Ness*, en una de las salas, y *La venganza del tiburón*, en la otra. Rolando Carreto, que cruzaba ahora junto a la puerta del «Dorado», se sobresaltó al distinguir, en uno de los fotogramas que anunciaban la segunda película, las fauces de un enorme escualo. ¿Habría alguien, en toda La Ceiba, que osaría ir la mañana siguiente a tomar un baño en la playa?

El maestro vivía unas cuantas manzanas al sur del

Parque Central. Y le agradaba la rutina de aquellas noches, el paseo que, casi a diario, emprendía camino del hotel de su amiga Claudia, para tomar el último trago junto a ella y el negro Erasmo. Marchaba despacio en dirección al mar, cruzando el espinazo de su amada ciudad, de su «Ceibita», como él la llamaba. Tal vez hubiese en el mundo lugares más hermosos que su querida Ceiba. Pero él no los conocía ni tal vez deseaba conocerlos. Aquí nació, aquí trabajaba y vivía, y aquí esperaba poder morir. Consideraba casi un sacrilegio la idea de terminar sus días en algún otro lugar de la tierra.

Por encima de otras razones, amaba el carácter alegre de su ciudad, mucho más alegre y desenfadado que las otras dos grandes urbes del país, la cercana San Pedro de Sula y la propia capital, Tegucigalpa. En La Ceiba, la mezcla de razas, la presencia de numerosos habitantes de color, convertía la vida en un escenario relajado y festivo. Carreto, a lo largo de los últimos años, había elaborado en su intimidad casi una teoría metafísica de las ciudades hondureñas. Pensaba que, mientras Tegu y San Pedro manifestaban una urgencia casi patológica por ser verdaderas urbes, a La Ceiba no le preocupaba ese problema. La Ceiba alentaba un carácter escéptico, el de una villa conquistada con esfuerzo a la naturaleza tropical, arrasada en varias ocasiones por los piratas, batida por el mar embravecido y asolada por los tifones, y no obstante reconstruida una y otra vez por el celo amoroso de sus habitantes. Era fatalista y, por lo tanto, jovial en su honda desesperanza. Se había resignado a no ser y, por eso mismo, era; al contrario que Tegu y San Pedro, empeñadas en serlo todo y sin alcanzar nunca a ser nada. A nadie había expuesto Carreto esta teoría, desde luego; pero se recreaba en pensarla cuando deambulaba por las calles de su «Ceibita».

Atravesó junto al Parque Central, una extensión de hectárea y media que formaba un perfecto cuadrado, sombreado por altas palmeras y otros árboles viejos y que se abría frente a la sencilla catedral. En el centro de los jardines de la explanada, rodeada por macizos de flores, se alzaba una columna que coronaba el busto de Francisco Morazán, padre de la independencia hondureña. Un círculo de columnas con nuevos bustos, a nivel más bajo, circundaba el del gran héroe patrio, entre ellos el de Lempira, el jefe indio que resistió la colonización española, y el de don Miguel de Cervantes. En uno de los ángulos del jardín, bajo un gigantesco ficus donde, en horas diurnas, cantaban los pájaros, convivían en armonía una familia de caimanes y otra de galápagos, en el interior de un estanquillo de no más de un par de palmos de agua sucia y al que una verja de escasa altura protegía de la curiosidad excesiva de los humanos. Los grandes saurios permanecían inmóviles durante horas, el cuerpo medio hundido en el agua, la cabeza flotando en la superficie y los afilados dientes asomando desde la mandíbula superior, mientras que los galápagos jugaban a nadar entre ellos y a trepar por sus largas narices. Los impávidos monstruos no parecían interesarse, desde un punto de vista nutritivo, en aquellas frágiles tortuguitas, tal vez, pensó Carreto, porque lo mismo que perro no come perro, reptil no come reptil y saurio no come quelonio.

El parque se constituía en el punto medular de la vida de la ciudad, en el lugar natural de encuentro. La gente acudía allí a diario para leer el periódico, bajo los árboles, sentada en los bancos de piedra, o lustrarse los zapatos mientras esperaba la llegada de los autobuses, cerca de la fachada del hotel París. Los domingos, en el borde sur de los jardines, justo al otro lado del hotel, se abrían seis o siete tenderetes que ofrecían tortillas y elotes asados a los transeúntes. Bandos de palomas, gritadores zanates y parejas de pericos de plumaje verdoso, gustaban de sobrevolar y alborotar en la arboleda del pequeño vergel.

A la anochecida, los pájaros dormían en las ramas de los ficus y de los amates, y las pocas farolas dispuestas en el interior de los jardines apenas lograban extender a su alrededor una luz marchita. A primera vista, el parque ofrecía un aspecto sombrío y turbador. Pero se trataba tan sólo de la impresión primera: si uno cruzaba al interior de los jardines, las sombras inquietantes de quienes paseaban entre los árboles oscuros se convertían, bajo las luces mortecinas, en rostros amigables que daban las buenas noches. En los bancos, los grupos de jóvenes limpiabotas gritaban alegres, como durante el día: «lustre, amigo, lustre», «¿le shaino, broder, le shaino?». El umbrío jardín del anochecer conservaba vivo el amable calor de las horas diurnas.

Así era el centro de La Ceiba, pensó satisfecho Carreto, así era su corazón: un órgano festivo y amable, un músculo que latía con vitalidad y entusiasmo. Y los excesos del Barrio Inglés, San Isidro arriba, hacia el norte de la ciudad, no eran más que un pequeño contrapunto pecaminoso al vigor existencial de su ciudad. Toda ciudad que se precie, pensaba, debe servir al tiempo a Dios y al Diablo.

Su amor a La Ceiba era, sin embargo, algo casi físico, sensual, un sentimiento que no podía racionalizar al completo por más que lo intentara. ¿Podría decir que en conciencia amaba su país, que amaba en verdad Honduras? Muchos días, cuando impartía clases de Historia a los muchachos de catorce y quince años, casi niños aún, curiosos todavía, muchos de los cuales tal vez aprendían sus palabras para ir labrando su concepción de la vida, se avergonzaba, sabía que estaba engañando al futuro mientras les hablaba del pasado. Nunca osaba llegar ante ellos hasta el fondo de la verdad, porque sabía que la verdad, en Honduras, era ponzoñosa. ¿Cómo explicar que la historia de sus guerras consistía tan sólo en una sucesión de derrotas? ¿Cómo contarles que el heroísmo de su ejército se había construido únicamente en la lucha contra los campesinos y los miserables? ¿Cómo hablar de los grandes hombres de la patria y no decir que casi todos ellos habían sido poco más que simples títeres de las compañías exportadoras norteamericanas? ¿A quién podría ensalzar delante de sus alumnos, salvo a Morazán y Lempira? ¿Cómo podría explicar que uno de sus presidentes quiso hacer de Honduras un país asociado de los Estados Unidos, entregando la dignidad nacional a los hombres de Washington? ¿Cómo relatar a los jóvenes la verdadera historia, la historia de la gran humillación, diseccionar ante ellos el corazón y el alma de la triste Honduras? Mentía, mentía siempre. Y no porque distorsionase la verdad en su discurso, sino porque callaba, porque no hablaba a los oídos del porvenir. Tendría que recitar a sus alumnos aquellas frases hechas que los hombres honestos y entristecidos de su patria repetían en los cenáculos de la amargura: «Honduras sólo produce hondureños», «Aquí nada es digno de sí mismo: el plomo flota y el corcho se hunde», «Honduras no es un país, es un paisaje», «Honduras no tiene renta per cápita, la renta está decapitada»... Frases brillantes de cafetín, tal vez tan sólo eso; pero palabras al fin que revelaban el corazón de la sumisión hondureña, de la traición, de la tortura, de la cobardía. Pero pensaba que, si alguna vez hablaba, ¿para qué? ¿Para crear rebeldes que luego morirían durante la noche en un callejón de un balazo en la cabeza? ¿Para crear nuevos mártires anónimos? ¿Para engordar la lista de los desaparecidos?

Las excusas no valían, sin embargo, para ocultar la realidad de su propia cobardía. Él enseñaba cuando todo el mundo mentía, mintiendo a su vez a aquellos muchachos. Era consciente de que todos los fraudes comienzan en la enseñanza y de que más tarde impregnan todo el tejido social, lo envenenan como una epidemia. Su pecado era superior a la cobardía, puesto que en aquella gran comedia fraudulenta de su país él era un cómplice.

Pero el precio de no hacerlo, se decía ahora, era la

muerte, la suya propia y la de otros. Así había sucedido con Rafael, el marido de Claudia. Se había expuesto, había dado la espalda a la mentira, pese a ser un extranjero. Y había cosechado aquel disparo en la cabeza. Nadie le recordaba como un héroe o como un mártir. Simplemente, nadie le recordaba. Su valor se había esfumado en el viento. ¿Merecía la pena tanto para tan poco? ¿No era mejor callar, odiar a su patria y odiarse a sí mismo en su silencio cómplice?

Los ceibeños comenzaban a salir de sus guaridas, terminada la cena, y se cruzaban con Carreto camino del cine o del paseo al aire libre. Otros se arrimaban a las paradas de los autobuses para dirigirse a lugares dispersos de la urbe en busca de farra, trago y baile. Autos particulares y taxis comenzaban a hacer oír el ruido de sus destartalados motores en las calles de la ciudad.

Carreto siguió San Isidro arriba. Pasó junto a la farmacia, frente a la cantina «San Carlos» y el hotel Iberia. Miró de reojo los «almacenes de la moda de París» y se asomó unos segundos, después de cruzar de acera, al comedor del Gran Hotel La Ceiba. Sólo dos mesas estaban ocupadas en aquella hora y la débil luz iluminaba apenas el interior del sencillo restaurante. Al llegar al siguiente cruce, se detuvo un instante para mirar hacia el lado occidental de la ciudad: una manzana más allá se extendía el Barrio Inglés, el lado turbio de su dulce y virginal «Ceibita». Desde donde estaba, veía las luces de los primeros garitos, instalados a uno y otro lado de aquel sector de la avenida de la República. La avenida permanecía sin asfaltar en aquella zona y por su centro cruzaba el último tramo del tendido del ferrocarril de vía estrecha que unía los campos bananeros del sur con el puerto carguero de La Ceiba. En aquella parte de la ciudad, las casas se alzaban en dos o tres pisos construidos en madera. Los bajos se utilizaban, en su mayoría, como cantinas y salas de juego, mientras que las habitaciones superiores se alquilaban por horas para las prostitutas y su clientela. Al final de la avenida, en las proximidades del muelle, se hallaba el presidio, un edificio encalado, con portones de hierro y coronado por torreones blanquecinos. Y un poco más allá, echadas sobre el mar, en la playa que desde el muelle se tendía hacia el oeste, se hacinaban las chabolas miserables que habitaban unos cuantos miles de seres desesperados, de hombres y mujeres hartos de su pasado, en pugna con su presente, cegados ante un porvenir de hambre, de insectos, de malaria, de sida, de sífilis y de espanto. Ese pedazo de mundo que ahora vislumbraba a su izquierda era la cara oculta de la alegre Ceiba, la que muchos no querían ver, la que él mismo ignoraba casi a todas horas del día. Y sin embargo, sentía una imponente atracción hacia ese mundo donde se mezclaban lo sórdido, lo pecaminoso y lo injusto. El Barrio Inglés y las chabolas del hambre le llamaban no sólo como una realidad que era necesario conocer y afrontar. Carreto creía que necesitaba impregnarse algún día del aire de aquel universo mezquino, por oscuras razones que ni él mismo se atrevía ahora intentar comprender.

Continuó caminando hacia el final de la calle. Dos manzanas más adelante, después de atravesar un inservible tendido de vías devorado por la maleza y la tierra, el mar bramaba detrás de la playa. La arena oscurecida en la noche sin luna aparecía sembrada de pedruscos, yerbas y sargazos. Los últimos edificios de la ciudad que daban frente al océano mostraban fachadas descoloridas y desconchadas, ennegrecidas por el hollín y cegadas por la ceniza. Pese a la negrura del espacio, se percibía un cielo agobiante y un mar revuelto. La luz de alguna farola iluminaba un pedazo de costa y allí podían distinguirse las crestas rizadas y sucias de algunas olas que venían a lamer los primeros tramos de la tierra. El horizonte se hundía en la noche como una mancha achocolatada, una móvil pared de sombras. Y el oleaje alborotado zumbaba camino de la playa, huyendo de algún peligro, desarbolado y temeroso.

Caminó aún durante diez minutos paralelo a la línea del mar. Sentía el húmedo calor apretarse contra su piel y un leve agobio al respirar. Tenía la impresión de que la pesadez del cielo limitaba la anchura del espacio y ello impedía al aire libre correr a su antojo.

Al fin llegó a la altura del hotel Barcelona. El edificio sobresalía en la linde de la playa y era entre todos los otros el más próximo al Caribe, como la proa de un velero deseoso de echarse a navegar. Casi todas las luces del albergue estaban apagadas y el porche permanecía en penumbra, tan sólo iluminado por las lámparas del vestíbulo. Al acercarse, Carreto distinguió las figuras de Claudia y Erasmo, que se balanceaban en las dos mecedoras, bajo el cobertizo que la terraza del primer piso del hotel formaba sobre la entrada. Erasmo se sentaba a la derecha de Claudia y había otra mecedora vacía a la izquierda de la mujer. Delante de ellos, la mesita sostenía una botella de ron, el platillo de limones cortados, tres vasos, una jarra de naranjada y la cubeta repleta de pedazos de hielo. Oyó la voz del negro:

—Bienvenido, don Rolando. El trago está que rebrinca de la botella en espera de su merced.

—Buenas noches, Claudia; buenas noches, Erasmo.

Claudia observó a su amigo Rolando Carreto mientras éste se inclinaba sobre la mesa y llenaba de hielo y ron el largo vaso transparente. La menuda mano del maestro se escurrió sobre la bebida del jugo de medio limoncillo y agitó luego el vaso, sosteniéndolo en lo alto y mirándolo atento contra la luz que llegaba desde el vestíbulo. Después, se sentó a su lado.

—Parece que lloverá —dijo Carreto.

Claudia seguía mirando el perfil de su amigo. Pensaba que, a veces, la naturaleza es injusta. Y lo era sobre todo con Carreto, un buen hombre de apariencia fea e, incluso, ridícula y grotesca, bajo de estatura, brazos cortos y manos pequeñas. Al sentarse, el estómago sobresalía de su cuerpo en forma de pelota, marcándose bajo la camisa. Su pelo, frágil y lacio, escaseaba a la altura de la coronilla. En cuanto al rostro, era redondo y de tono aceitunado, con dos ojos mínimos ocultos bajo las gafas de miope. La piel de sus mejillas colgaba arrugada sobre la débil barbilla y la nariz encorvada le daba el aire de un quelonio que ha perdido su caparazón. Esa impresión debía de ser común entre la gente, pues en el instituto donde impartía clases los alumnos le conocían con el apodo de El Tortuga. Había pocos rasgos hermosos en la fisonomía de Carreto, por no decir ninguno. Y, sin embargo, al paso de los años, Claudia había llegado a sentir cierta ternura ante la visión de aquel hombre cuyo físico parecía a otros irrisorio. Era un amigo, en todo caso.

—Puede que llueva o que no llueva, como siempre —sentenció Erasmo.

—Hay más humedad en el aire que hace unas horas —respondió Carreto.

—Mire, don —añadió Erasmo—, esto del tiempo es como las mujeres: nunca se sabe cómo vienen ni cómo van a salir. Y es cambiante como ellas: al minuto se vuelve distinto.

—Erasmo... —reconvino Claudia—. ¿Y crees que sois distintos los hombres?

—Algo más planos somos, niña. Más simples, más pendejos. Se nos ve llegar.

Durante unos instantes, los tres guardaron silencio, las miradas perdidas en la oscuridad del mar. Se escuchaba el batir del oleaje, el océano que bramaba en la lejanía y enviaba hacia la tierra rumores como lamentos, ecos de quejidos y sollozos. Ahora pareció escucharse un trueno, apenas un apagado tamborileo en la recóndita profundidad de la negrura.

—¿Lo oyeron? —dijo Carreto.

—Pedorreo de las olas —terció el negro.

—Ya los escuchará más cerca, Erasmo.

A intervalos, el ruido del Caribe se aplacaba y Claudia oía entonces los sonoros sorbos que Erasmo daba a su bebida. Parecía hablador el negro aquella noche, al tiempo que Carreto se sumía en una cálida ensoñación, como si estuviera sintiendo que recuperaba su tibio caparazón de tortuga feliz.

—A mí la lluvia no me place —decía Erasmo—. Cuando era un cipotino, mi padre nos llevó a todos a vivir a la Mosquitia. ¡Gran cagadal hizo el viejo! Tres años nos tuvo allí, luego murió de enfermedad y nos volvimos todos a las Islas de la Bahía. ¡La maldita lluvia! La Mosquitia, me da espanto recordar. El viento nos hacía volar a los cipotinos, como si nuestros cuerpos fueran como las hojas del árbol. Las tormentas revolvían la laguna de Puerto Lempira y las olas salían a correr por la plaza y las calles. A los niños nos subían a las sillas, pero si gritábamos no se nos escuchaba, pues los berridos del lago y de la tormenta dejaban sordo. Las lluvias llegaban ruidosas, y eran tan espesas que no podía verse a tres metros. Se apagaban los candiles, los cipotinos llorábamos subidos en las sillas y el suelo de la casa se cubría de agua. Teníamos miedo de los tigres, que nadaban en las noches de temporal y entraban en las casas para robar las criaturas y llevarlas al bosque para comerlas. Los mayores se iban con las barcas en busca de fríjoles y tortillas cuando la lluvia arreciaba por días. Pero las desgracias no acababan cuando pasaba la lluvia: entonces venían los mosquitos, las serpientes, las enfermedades. La lluvia despertaba todos los males del bosque. Allí aprendí a ser valiente, a comerme el miedo, y comprendí bien eso del dicho: «El que vive temiendo a muerte, muere mil veces.» Pero no me gusta la lluvia, no me gusta nada. Me hace recordar lo peor de mi vida.

Carreto terminó de un golpe el contenido de su vaso. Luego, se levantó de la mesa y procedió a llenarse de nuevo el recipiente de hielo y ron.

—Ése es un dicho sabio, Erasmo —comentó el profesor mientras regresaba a su asiento.

—Lo comprobé en mi carne, don.

—Pero no todos los hombres son capaces de ser valerosos, de no morir mil veces en su vida.

—¿Habla de vos, licenciado? —preguntó Erasmo.

—Valdría para mí. No soy valiente.

—No hay que dramatizar, la vida es más sencilla —dijo Claudia sonriendo.

—El hombre ha de ser bravo, niña —añadió Erasmo—. Eso se sabe desde la cuna.

—Tu marido lo era —dijo Carreto.

Claudia quedó pensativa unos instantes, antes de responder:

—Puede que lo fuera. O tal vez más inquieto que valiente.

—¡Bien bravo era el tipo! —corrigió Erasmo.

—Él se atrevió, y eso que no era hondureño —agregó Carreto.

—Hizo algo natural, nada especial. Y él se sentía de aquí —dijo Claudia.

—Lo natural es delito en Honduras —dijo Carreto.

—Era de todas partes el gran tipo —intervino el negro—. Le caía el mundo pequeño. Andaba águila siempre y no se rajaba. Tiempo aquel…

—Aquello fue…, no sé. —Claudia dudó un instante—. Yo creo que él no fue consciente de todo, no reflexionó.

—Eso no importa —señaló Carreto—. Él se atrevió.

Claudia encogió los hombros mientras su mirada parecía perderse más allá de la negrura.

—Vale de ahora poco que se atreviera o no. Lo único cierto es que le costó la vida. Y de poco sirve recordar.

—Sí, claro —concluyó Carreto—, perdona que haya mencionado aquello.

—No importa, Rolando. —Tocó levemente la mano del profesor—. Yo he olvidado ya, eso creo, ni siquiera siento deseos de venganza. Eso no le devolvería la vida. Y además, ¿quién lo hizo?

Un breve resplandor, como un fugaz chispazo, abrió una franja de luz en las tinieblas.

—¿Lo vieron? —dijo Carreto—: el primer relámpago.

Instantes después, el repiqueteo del lejano tambor se escuchó con claridad viniendo desde el horizonte marino. Carreto se inclinó hacia delante y se dirigió a Erasmo:

—¿Lo ve? Lloverá sin duda.

—Hay temporales sin lluvia. Los he visto muchas veces —respondió el negro sin mirar al maestro—. O puede anunciar tifón.

—O las dos cosas. ¿Quiere apostar unos pesos?

—Me quedé sin pisto, don, perdí en los naipes hace rato.

—Pida un adelanto a la patrona.

Claudia sonrió:

—Si le cobrara todos los adelantos que me debe, estaría trabajando gratis para mí todos los días de su vida.

—¿Y qué más da si llueve, don? Ya le dije a la patrona que no soy ducho en la méteo. Dígame, licenciado: ¿qué sabe vos de la edad de los pelícanos, cuántos años viven? Ahí sí que le juego los calzones a que no me responde.

—¿Y qué tiene que ver el temporal con los pelícanos? —preguntó Carreto.

—¿Ve? —añadió el negro—. Le pillé en la ignorancia.

—Dejadlo ya —conminó Claudia.

—Miré vos, don Rolando —insistió Erasmo—, que en las universidades deben enseñar mucho de truenos y nada de pájaros. También es cultura, digo.

—¿Qué tontería? —añadió Claudia—. ¿Y qué más dará si llueve o no?

—Eso dije yo —agregó el negro—: que si llueve, pues llueve. Pero a mí no me gusta.

Otra línea de fuego se dibujó al frente, dejando ver con nitidez la línea rizada del mar en la lejanía.

—Anda, Erasmo, ponme otro ronsito, por favor —pidió la mujer.

La humedad aumentaba, dejaba impregnada una fina capa líquida sobre la piel de Claudia. Sintió bajo sus poros un pasajero estremecimiento de sensualidad. Y un fugaz temblor que recorría su cuerpo.

Ahora, los gritos de la cotorra *Melita* llegaban desde la cocina, al otro extremo de la casa.

—¿Aún está despierta la lora? —preguntó Carreto.

—Se duerme cuando apago la última luz —respondió Claudia.

—Es lo único de humano que tiene —añadió Erasmo—, ni siquiera aprendió a hablar como los seres.

—Deberías cambiarlo, Claudia —opinó el profesor—. Los guacamayos bien que platican. Y sus plumas son más bellas.

—*Melita* está ahí, es una presencia conocida —dijo Claudia—. Casi que le tengo cariño.

—Pues ella no se lo tiene a vos, patrona —señaló Erasmo—. Los pájaros son bien egoístas.

Pese a la oscuridad de la noche, Claudia tuvo la impresión de que el espacio se estrechaba un poco más a su alrededor. Crecía el agobio de la humedad, el calor aumentaba. Se sentía como en el interior de una botella llena de invisible vaho. Y otra vez notó que un fogonazo de sensualidad daba tibieza a su sangre.

Casi dos horas más tarde, la botella estaba vacía y en la cubeta reposaba el agua del hielo derretido. Carreto percibía los efectos del alcohol en sus miembros y en su mente. Se levantó. Erasmo le siguió, casi de inmediato, mientras Claudia permanecía sentada.

—¿Le placerá el último buche en «El Piloto»? —preguntó el negro al profesor—. He oído que hoy interpreta una orquesta de salsa.

—Creo que rebasé la medida, es hora de echar un sueño.

—Entonces vamos en direcciones distintas, don —concluyó Erasmo.

Claudia le tendía la mano y Carreto la estrechó. La luz del vestíbulo daba en la espalda de la mujer, pero aún podían distinguirse en la penumbra su rostro y su figura. Y aunque así no fuera, el profesor se creía capaz de dibujarlos en la memoria tal y como eran: el pelo castaño oscuro, espeso, cerrado en grandes bucles; la cara delgada, los ojos grandes y los labios gruesos y sensuales; la rosada nieve del cutis; la nariz recta; la sonrisa que dejaba marcarse dos hoyuelos próximos a las comisuras de la boca; el aire ausente en la mirada color de miel entristecida; el cuello largo, los hombros algo alzados; las piernas que se ensanchaban, quizá con leve exceso en las pantorrillas; los delgados tobillos y los menudos pies. Si estuviese dotado para la pintura, Carreto podría haber dibujado el cuerpo de Claudia sin necesidad de tener ante sí el modelo vivo. Le parecía, sin duda, la mujer más bella de La Ceiba. Claudia conservaba todavía el aspecto de una muchacha, tal vez a causa de su actitud indolente, puede que por su aire de ausencia. Quizá Carreto estaba enamorado de ella, aunque no se atreviera a preguntárselo a sí mismo nada más que cuando había bebido con cierto exceso.

—Hasta mañana, pues, Claudia. ¿No te retiras aún?

—Me quedaré un rato aquí.

—¿Quieres que me esté contigo?

—No, no. Te lo agradezco. Me apetece quedarme a solas unos minutos.

—Bien, hasta mañana. Que tengas un buen día. Adiós, Erasmo.

—Vaya, pues, don.

Carreto se alejó desandando el camino que recorriera unas horas antes. Todavía volvió el rostro, veinte o treinta metros más adelante, y vio la figura oscura de la mujer sentada al contraluz del porche. Erasmo se había perdido entre las sombras por el otro lado de la playa. Carreto suspiró y continuó su camino.

Se sentía inquieto, molesto. ¿En razón al desasosiego que le producía la atracción hacia Claudia? Creía haber asumido ese sentimiento desde tiempo atrás. Puede que la desazón viniese del recuerdo de Rafael. Evocar su memoria le sumía en la ambigüedad de sensaciones: de una parte, admiraba la fuerza, el empuje y el valor de quien había sido su amigo durante veinte años; de otro lado, esas cualidades, las que probablemente le habían hecho ser amado por Claudia, le producían repulsión, quizá celos inconfesados. ¿Se pueden sentir celos de un fantasma?

Ahora envidiaba de nuevo a Rafael. Había tenido a Claudia. En cuanto a él, nunca podría aspirar a una mujer así. Ni siquiera poseía el valor suficiente para acercarse a ella, y decirle cuanto sentía. Otra vez cobarde. Quizá todo su infortunio partía de su falta de valor. Además de feo y deforme, su ridículo cuerpo no alentaba una brizna de coraje. ¿Quién podría amar a un hombre así? Tal vez nadie, y menos aún Claudia, que había amado a un hombre valiente y, por supuesto, mucho más agraciado que él. Ni siquiera las prostitutas del Barrio Inglés dejarían de reírse de él, aunque las pagara por amarle. Se sabía incapaz de atravesar al lado sórdido de la ciudad para pagar por unos instantes de placer que su cuerpo, en muchas ocasiones, demandaba con urgencia, como si de sus nervios y sus músculos escaparan alaridos.

Las primeras gotas de la lluvia comenzaron a caer

cuando ya caminaba por la calle San Isidro en dirección a su casa. En apenas unos segundos, la cantidad de agua se multiplicó por diez, por veinte, por cien. Parecía que el cielo abriese de pronto sus compuertas para derramar sobre la tierra cascadas interminables de lluvia. Y se vio obligado a detener uno de los numerosos taxis que, en aquella hora tardía, recorrían La Ceiba de un extremo a otro de la ciudad, incansables, todas las noches del año.

Llovía a tal punto que el fondo opaco del espacio desaparecía tras el sedoso visillo del agua. Pero Claudia no se movía. Ahora, en la soledad, se abandonaba a la honda sensualidad que emanaba de su cuerpo, una sensualidad que se enlazaba al calor húmedo y pegajoso del aire, como si ella misma formara parte de la atmósfera y no fuese un ser singular sentado frente al aguacero. Si en ese instante un golpe de viento la arrebatase de la mecedora y la llevara en volandas al centro del temporal, habría celebrado ese género de muerte, su disolución en el seno de la tormenta. Por ello, cuando un súbito relámpago produjo un apagón de luces en aquella zona de la ciudad y en el hotel, Claudia no se alteró ni se movió de su sitio.

Inmersa en las tinieblas que la rodeaban, escuchando tan sólo los sonoros golpes de la lluvia al estrellarse contra el suelo, pensó que era como un mínimo animal abandonado, una minúscula criatura refugiada en un lóbrego rincón del mundo inmenso. Su conciencia anhelaba diluirse en la noche, su individualidad deseaba borrarse, Claudia quería dejar de ser alguien con noción de sí mismo. Tal era la fuerza que nacía de su interior y que empujaba desde dentro para fundirse con el aire lujurioso y cargado de lluvia tibia.

Creía estar lográndolo cuando la luz regresó, después de un leve parpadeo de las bombillas. Y la conciencia de sí misma volvió rotunda a instalarse en su cuerpo y en su cerebro. Miró todavía, durante unos instantes, hacia el chaparrón que se abatía delante de ella. Luego, se levantó de la mecedora, entró en el vestíbulo y remontó las escaleras camino del segundo piso.

Cerró el pestillo de la puerta a sus espaldas, ya en su dormitorio. Claudia ocupaba tres habitaciones del ala oriental del edificio. El resto de los cuartos de la planta, y todos los aposentos del piso tercero, estaban destinados para los huéspedes del hotel.

Esa noche no había clientes en el establecimiento. Pero no le producía temor saberse sola. Ni tampoco que Atilio y Olga Marina durmiesen algo lejos, en la casita del otro lado del jardín, sino porque se había acostumbrado a su soledad, como si hubiera construido para sí una sólida coraza que ahuyentaba el miedo.

La lluvia golpeaba con furia contra las paredes de madera y se escurría por los cristales de las ventanas. El dormitorio era una estancia de grandes y regulares proporciones. Allí seguía la gran cama de matrimonio, tallada en caoba, en la que durante tantos años durmió al lado de Rafael. Él mismo la había hecho labrar para ellos en aquel enorme tamaño. La fotografía de su marido reposaba en un marco de plata sobre la mesilla de noche. Era un retrato algo antiguo, de unos diez años antes, cuando Rafael contaba treinta y cinco o treinta y seis. Aquella imagen le gustaba a Claudia, era la que en su opinión reflejaba mejor la personalidad de su marido: los ojos dulces y algo irónicos del hombre miraban hacia ella, su sonrisa se dirigía hacia Claudia como si estuviera a punto de decirle alguna de sus bromas o, sencillamente, que la amaba.

Se sentó en el borde de la cama, próxima a la fotografía, los codos apoyados sobre las rodillas y la barbilla enterrada entre las manos. Miraba en los ojos de Rafael y sentía que él podía revivir de un momento a otro, escapar del cuadro, abrazarla. Si fuera posible... Necesitaba, de pronto, que aquellos años se borrasen como si fueran una humareda y encontrarse bruscamente junto al cuerpo del hombre, los dos desnudos, las bocas buscando un húmedo beso, sus vientres y sus pechos apretados en el abrazo...

Podía recordarle aún con nitidez. Ella acababa de cumplir diecisiete años cuando le conoció. Era un joven seis años mayor que ella y que alentaba un espíritu expansivo y abrumador. Le gustaron sus ojos, esa melosidad que parecía envolver en su mirada cuando los posaba en ella, y esa chispa burlona que centelleaba en sus pupilas al sonreír. A causa de la edad, se le hacía un muchacho mayor, casi un hombre; pero su timidez se esfumó enseguida. Rafael poseía la virtud de despertar en los otros una inmediata sensación de confianza y eso hizo que Claudia, al poco de conocerle, tuviera la impresión de que se encontraba con un ser familiar. De una manera natural, en el curso de las siguientes semanas, Rafael iba envolviéndola, como quien teje una tela de araña alrededor de un alma, sin que ello engendrase ni rechazo ni extrañeza en el corazón de Claudia. Él era vital, entusiasta, parecía caminar por el mundo dando sentido a la vida, en lugar de tratar de adaptarse a ella. Pertenecía a esa clase de personas para las que parece que la existencia es un traje hecho a la medida, y más por su entusiasmo, por su vigorosa vitalidad, que por algún género desmesurado de orgullo. Claudia no acertaba a saber si estaba enamorada de aquel hombre o sencillamente apocada ante su exultante personalidad. Sólo alcanzaba a darse cuenta de que, en presencia de Rafael, todo cuanto les rodeaba parecía difuminarse, como si los contornos de los objetos y de las personas se borraran y el mundo fuera un lugar fantasmagórico al lado de la sólida presencia de él. Cuando por primera vez la besó en los labios, Claudia percibió aquel contacto húmedo y leve como algo que debía de haber sucedido mucho antes, algo anclado en la naturaleza de las cosas, y creyó sentir también, al siguiente beso, ya más largo y profundo, que algo parecido a las raíces de las plantas brotaba de sus propios pies, se unía a la tierra y se abrazaba a su vez a otras raíces que crecían de los pies de Rafael. En ese momento tuvo la certeza de que aquello era el amor.

Después vino el torbellino de una existencia acelerada por la vitalidad de su marido. Primero, el matrimonio, tras vencer con no poco esfuerzo la resistencia de la familia. Más tarde, aquel duro año de vida en la estrecha buhardilla, subsistiendo apenas con el corto salario que ganaba Rafael como camarero nocturno. Y al fin, América: el barco hasta México, luego los meses en Oaxaca, la inquietud de Rafael, la agria realidad frente a la ingenuidad de los sueños. Y otra vez el viaje, ahora al sur, a Guatemala, la suerte de un buen empleo para su marido, el ahorro durante dos años para marchar a Honduras, a La Ceiba, y comprar el hotel frente al océano, terminal de aquel viaje en el lugar que, según Rafael, les esperaba a los dos y desde siempre, «junto al mar más hermoso de la tierra».

Los que siguieron habían sido, tal vez, los mejores años en la vida de Claudia. La existencia transcurría lenta y blanda. Rafael no parecía soñar con viajar a otro lado, pese a que a temporadas su talante se ensombrecía, su humor se volvía irritable. Claudia pensaba en esos días que, por primera vez, se le ofrecía la ocasión para reflexionar, que muchas veces la separaba de su marido una barrera pétrea de incomunicación. Y se daba cuenta, también, de que nunca había dedicado tiempo a pensar por ella misma, a plantearse qué quería ella de la vida y qué deseaba hacer con su propia existencia. Al paso de los meses y los años, construía su existencia en La Ceiba, acumulaba objetos a su alrededor, conocía gentes como Erasmo, Olga Marina y Atilio, a los que comenzaba a amar, contemplaba todos los días un mismo paisaje que podría dibujar con exactitud en su memoria cada noche. ¿Era eso todo cuanto cabría de esperar del mundo? Los días en que Rafael se hundía en su silenciosa melancolía, ella deseaba hablarle, decirle que quizá anhelaban lo mismo: partir de nuevo, marchar a otro punto lejano, más al sur tal vez, o en un barco hacia un nuevo continente. Podría haberle dicho que ella también había aprendido a vivir de otra forma, que su inquietud era semejante a la de él, que no se conformaba con un mismo paisaje y una existencia repetida año tras año, frente al mismo horizonte, junto al mismo mar, rodeados por los rostros de los seres de todos los días. Pero Rafael no quería o no era capaz de salir de su interior, de un silencio amargo que a Claudia se le antojaba egoísta. ¿Y si él sufría por seguir allí? Más aún: ¿no habría renunciado a continuar una marcha interminable pensando que ella deseaba quedarse? Pero ¿por qué no hablar, por qué no escuchar? A Claudia le dolía percibir que, en ocasiones, su marido no contaba con ella, como si Claudia fuese un ser sin derecho a decidir, o al menos incapacitado para opinar.

Le amaba, claro, pero le irritaba aquel papel de pasividad absoluta, casi de objeto en ocasiones, que Rafael le asignaba. Su propio carácter, sin embargo, traicionaba a Claudia: era más sencillo, puede que más cómodo, resignarse y aguardar a que él saliera por propia cuenta de su apatía y dejarse llevar por el hombre que de nuevo recuperaba su carácter reidor y vigoroso, cuya personalidad, plena de intensidad, parecía colmar el espacio de la tierra. Entonces olvidaba los días de la incomunicación, se sumergía en Rafael, quizá se anulaba a sí misma, envuelta por la seguridad que él transmitía.

Los años transcurrían con lentitud y, sin embargo, ahora en el recuerdo, parecían devorados por el tiempo. La muerte de Rafael, incluso, podría parecer una pausa, pues ella había continuado con el mismo género de vida de los años anteriores. Incluso se preguntaba, a veces, si en realidad había asumido como un hecho la desaparición de su marido. ¿No le seguía sintiendo a su lado, no había entre ellos la misma incomunicación de tantas ocasiones, en cierta manera no vivieron aislados el uno del otro pese a permanecer siempre juntos? Pero estaba el sexo...

La muerte es algo irreal, pensaba ahora Claudia, no tiene existencia propia, puede llegarse a creer, incluso, que es algo imaginario. Ni siquiera el cadáver de Rafael, en la morgue de La Ceiba, la cabeza envuelta por una ancha venda para ocultar los desgarros del pistoletazo, brindaron a Claudia una conciencia absoluta de la realidad. La piel de Rafael se sentía fría al tacto, como apergaminada. No había vida en aquel cuerpo que bien podría ser una imagen modelada en cartón piedra. No era Rafael, no se percibía el olor y el calor de Rafael. La muerte no era la continuidad de la vida. Aquel cuerpo yerto nada tenía que ver con Rafael.

Los tres años transcurridos no habían hecho, tampoco, crecer en ella la conciencia de que él no existía. Y las razones absurdas de su muerte contribuían también a hacerla irreal. Empezó aquel día en que Rafael cobijó en el hotel a dos refugiados políticos que huían del norte, tras el descalabro de una estúpida y minoritaria acción guerrillera. Una semana después, la policía se los llevó, junto con Rafael. Pero su marido regresó unos días más tarde, libre de cargos, una vez que los hombres declararan que se habían registrado como huéspedes en el hotel bajo nombre falso. Nada podía suceder, Rafael quedaba exculpado, no existía ninguna razón para que la policía o las autoridades políticas desconfiaran de él y ni siquiera se pensó redactar una orden de expulsión del país.

Pero Rolando Carreto tenía razón: lo natural, lo lógico, no existe en Honduras. Dos meses más tarde, cerca del Parque Central, a pleno día, alguien disparó a bocajarro un tiro de revólver en la nuca de Rafael. Junto al cadáver apareció un papel arrugado en el que habían escrito esta frase: «Los cómplices del terrorismo son también terroristas y son culpables. Y son castigados.» No hubo más: ni firmas, ni siglas, ni un solo dato que señalara a los «escuadrones de la muerte». La policía cerró su investigación un mes después, por falta de pistas que seguir. Y los periódicos dedicaron poco más que un par de páginas, el día de su muerte y el de su entierro, a tratar del crimen. Vino luego el silencio. Y Claudia aún se levantaba muchas mañanas de la cama sintiendo que el calor de él permanecía a su lado, que una voz podía darle los buenos días y que dos tazas de café para el desayuno les esperaban abajo a ella y a Rafael.

El rostro de la fotografía, sin embargo, no se movía; la sonrisa, aunque viva, era un gesto inmóvil, una instantánea detenida en el tiempo, y los ojos de Rafael no miraban a nada ni a nadie, pese a que la seguían a todos lados de la habitación, fijos en ella. Claudia pasó las yemas de los dedos sobre el cristal: lo percibía frío, insensible, y el rostro de Rafael continuaba inmóvil.

Se levantó y, con lentitud, comenzó a desabrocharse los botones del vestido de algodón. Liberó un brazo de la manga, después el otro, y dejó que la ropa se escurriera despacio por el pecho, la cintura, las caderas y las piernas hasta quedar enredada en sus tobillos. La apartó de un puntapié y arrojó también las sandalias lejos de sí.

Caminó hasta el armario, abrió una de las puertas y contempló su cuerpo entero en el espejo. Aún debía de ser bella, podía considerar que su fisonomía conservaba una apariencia de hermosura. Permaneció así casi un minuto, observando las formas de su figura. Siempre había pensado que las caderas eran su parte más hermosa. Ahora, se mostraban firmes, curvadas dulcemente hacia la cintura, apenas cubiertas por la pequeña braga que se recogía en dos mínimas cintas a los lados y que no alcanzaba a ocultar por entero la rizada mata de vello azabache que cubría su sexo. Sus manos, que había cruzado sobre el pecho unos instantes antes, bajaron a acariciar la piel de la cintura, también del vientre y luego se posaron en los muslos. Volvió a quedarse inmóvil unos momentos. Luego, mientras alzaba el busto hacia delante, las manos giraron hacia la espalda y liberaron el cierre del sujetador.

No lo dejó caer, sino que sujetó contra su piel las dos cazoletas, mientras que las cintas de los hombros se deslizaban por los antebrazos. Sabía que un movimiento así podía ser excitante para un hombre y eso hizo que también resultase incitante para ella. Y le pareció apetecible y sensual imaginar que, en lugar de ser su propia figura la que se dibujaba frente a ella en el espejo, fuera un desconocido quien la miraba y deseaba su cuerpo.

Se desprendió del sujetador y alzó el busto. Sus senos se mantenían firmes aún. Los pezones surgían gruesos, carnosos, en un acentuado color cereza oscuro. Sin prisas, mojó en sus labios los dos dedos índices y luego los hizo girar, húmedos, alrededor de las rosadas aréolas. Crecieron y se endurecieron los pezones y notó que su cuerpo era recorrido del cuello hasta los muslos por una descarga de calor enardecido. Luego, abrió las manos y se apretó los senos bajo las palmas.

Se desprendió después de las bragas, que quedaron a sus pies como un pequeño papel arrugado. Su cuerpo se ofreció desnudo a su mirada. Giró hasta situarse de perfil y la nalga se mostró en el espejo como una curva pulida y redonda. Acarició su piel desde el muslo a la cadera.

Volvió a colocarse de frente. Los dedos de su mano derecha jugaron entre el vello del pubis, sin llegar a rozar el sexo, y luego la mano abierta subió hasta el vientre. Allí trazó círculos con suavidad, pausados, desde el ombligo hasta la altura del nacimiento del vello, mientras que la otra mano regresaba a acariciar la parte inferior de su seno derecho. Permaneció así unos minutos, los labios entreabiertos y húmedos, dejando que el calor fluyera del interior de su cuerpo e incendiase la piel.

Al fin, se retiró del espejo. Fue hasta la cama y se hundió entre las sábanas. Miró una vez más la sonrisa y los ojos de Rafael y apagó la luz de la mesilla. La lluvia fustigaba con fuerza contra las ventanas y las paredes de madera, en un enojoso y monótono concierto, interrumpido por la violencia de los truenos repentinos. El ruido del aguacero apagaba los gemidos de la mujer. En ocasiones, el fogonazo de un relámpago entraba en su habitación como un estallido de luz y Claudia podía ver el bulto móvil de sus pies bajo la sábana, sus rodillas agitándose hacia los lados dentro de la suave y tibia tela blanca. Ardían sus manos, ardía su piel, la noche ardía azotada por aquel temporal del trópico que parecía haber penetrado hasta el fondo de su carne.

## 2

Hacia el oriente hondureño, el Caribe baña el límite norte de Puerto Lempira, capital de la región de la Mosquitia, después de pasar bajo un largo y afilado banco de tierra florecida y convertirse en un enorme lago, el gran Caratasca, de aguas salobres y profundas. Desde siempre hubo allí una especie de pacto natural entre el mar y la tierra indomada que se abría al sur de la pequeña ciudad. De hecho, la barra y el lago protegían a Puerto Lempira de los embates de las tormentas marinas, mientras que el Caribe podía ocultarse a la vista de los hombres y mantener, en aquellas costas remotas, su gusto por las inmensas soledades. Únicamente, alguna que otra vez cada diez o quince años, los tifones lograban romper aquel acuerdo, haciendo inútil el escudo de la barra, arrojando el oleaje embravecido por encima de la franja de tierra, fundiendo el lago con el mar que hervía e inundaba en tropelía de aguas enloquecidas la ciudad cogida por sorpresa. Así había sucedido en 1978, cuando el huracán Glenda arremetió sobre la costa septentrional del país, arrebatando de la tierra las frágiles viviendas de madera, quebrando sembrados y arboledas para llevárselos con ella en su viaje hacia el oriente, obligando a los poco más de mil habitantes de Puerto Lempira a buscar las alturas de los cerros para escapar del aluvión. Desde entonces, la mayoría de las casas de la ciudad se construyeron al modo de los palafitos, elevados sobre gruesas patas de madera que se hincaban en la tierra pantanosa.

Si bien, desde antiguo, Puerto Lempira figuraba en los mapas y en las guías turísticas como una ciudad importante y como capital de una gran región, el hecho parecería un fingimiento a quien acudiese hasta allí. Puerto Lempira, en realidad, podría ser poco más que una aldea con funciones de centro administrativo en una región, la Mosquitia, olvidada y perdida en la geografía de Honduras, junto al lado norte de la frontera de Nicaragua. El poblado no contaba con un solo centímetro de asfalto y, pese a la presencia de unos cuantos todoterreno de patente japonesa, los medios de transporte más utilizados eran el caballo y la mula. Desde La Ceiba, volaban a Puerto Lempira dos aviones por semana, viejos bimotores con plaza para una veintena de personas, y algún que otro aparato de carga de mercancías que, ocasionalmente, se fletaba desde la capital Tegucigalpa. La pista de aterrizaje era de tierra alisada, surcada por numerosos baches, excavados por los frecuentes chaparrones tropicales. Un chamizo de madera hacía las veces de torre de control, aduana, tienda de refrescos y refugio de emergencia para los viajeros cuando caía un aguacero inesperado mientras esperaban vuelo.

La aldea se abría en una feraz llanura al sur del lago,

y semejaba ser antes un bosque habitado por hombres que una ciudad nacida en la espesura. En la avenida central, entre la mayoría de casas de madera de una o dos plantas, se levantaban algunas construcciones de hormigón. Allí se concentraban los principales comercios de la villa y los edificios oficiales: las tiendas de abarrotes, las pulperías, las factorías de ropa y alimentos, las cantinas, los bazares, el Banco Nacional de Desarrollo Agrícola y la sede de las autoridades municipales.

La avenida central comenzaba en las proximidades del aeropuerto y venía a morir en los bordes del lago Caratasca. El único muelle del poblado seguía en línea recta sobre las aguas, como una continuación de la avenida, en una línea de casi trescientos metros, formando una sucesión de anchas traviesas de madera que se apoyaban sobre varias decenas de pilares clavados en el fondo turbio de la laguna. A ambos lados del muelle, atracaban los afilados cayucos, construidos para alojar a no más de diez o doce personas, y que sin embargo solían transportar incluso a más de veinte en sus viajes a las pequeñas poblaciones de la barra: Caurquira, Prunmitara o Yauravila. Las frágiles canoas se adentraban también en las lagunas que formaban, en su conjunto, el gran Caratasca: las de Siksa, Tibalakán, Waranta, Tansin y Kohunta. Ver las embarcaciones partir, cargadas de bultos, de seres humanos y animales domésticos, hacía presagiar desastres, imaginar naufragios. Acongojaban por su fragilidad cuando, impulsadas por un bronquítico motorcito, se alejaban del muelle, hundidas dos palmos más arriba de su línea de flotación, sobre las aguas locas, para recorrer durante hora y media las cuatro millas que separaban el muelle de la barra. Sin embargo, los hundimientos no eran frecuentes, puede que a causa de la pericia de que hacían gala los capitanes de los cayucos, hombres adustos, gritadores, ocupados en la insólita tarea de hacer flotar el plomo.

A ambos lados de la avenida central de Puerto Lempira, el pueblo se extendía en casas de madera y techo de palma, entre la naturaleza exuberante y descuidada, construidas con tosquedad y cuya calidad variaba según el ingenio y la habilidad de quienes las levantaron, que no eran por lo general otros que sus propios dueños. Casi todas las viviendas contaban con un amplio jardín donde crecían algunos cocoteros y bananos, arbustos de café, árboles de mango y de papaya. Menudeaban los cerdos en los corrales, así como los gallos, los gansos y los patos. Decenas de zopilotes, los buitres centroamericanos, campaban a su antojo por el poblado, disputando basuras a los perros y a los gatos. En general, las casas carecían de luz, agua y servicios sanitarios. Las habitaban pobres familias de campesinos, pescadores y braceros, en su mayoría indios misquitos a los que castigaban con violencia el alcoholismo, la sífilis y el tifus. Resultaba habitual, a cualquier hora del día, ver hombres que dormían la borrachera tendidos en las puertas o en las escaleras de entrada de sus casas, el rostro rojo e hinchado, tirados de cualquier modo, mientras mujeres de miradas desterradas molían el maíz con largos palos para preparar la masa de las tortillas y los niños raquíticos intentaban con torpeza librarse de los insectos que venían a posarse en sus rostros surcados de mucosidades.

Los propietarios más adinerados, la mayoría criollos de raza blanca, a quienes se conocía en el país como «ladinos», o los mestizos de veinte sangres, no podían considerarse mucho más afortunados, aunque disfrutaran de enganche de luz e instalación de agua. En Puerto Lempira había agua corriente tan sólo entre las seis y las ocho de la mañana, mientras que la luz se conectaba de siete a nueve de la noche, con excepción de sábados y domingos, en que el horario se extendía desde el atardecer, a eso de las seis de la tarde, hasta las nueve y media. Únicamente dos locales, la cantina «El Búnker» y el «Hospedaje Doña Elvira», gozaban del privilegio de poseer generador propio, dos anticuados y ruidosos trastos de gasoil. Así es que, al oscurecer, la negrura borraba la capital mosquitia de la faz del mundo, quedando tan sólo un par de oasis de luz, de los que brotaba el rugido de los motores con tal alboroto de oxidados mecanismos que acallaba las voces de la noche de los bosques.

Puerto Lempira contaba con escuela, una emisora de radio, un dispensario-farmacia regentado por monjas españolas, un vídeo-cinematógrafo donde repetían las películas hasta que llegaba el avión de La Ceiba con títulos nuevos, estación de policía, cuartel militar, juzgado y lupanar con cuatro putas. Era, no obstante, un poblado rico en religiones, con seis templos donde se celebraba culto católico, anglicano, baptista, evangélico, mormón y el de una secta californiana. Los católicos mantenían buenas relaciones con evangélicos y anglicanos, regulares con mormones e indiferentes con baptistas. Todos los protestantes andaban entre ellos a la greña, disputándose un sector móvil de creyentes. Los mormones encontraban serias dificultades para instalarse en la poligamia. Y las primeras cinco iglesias se aliaban como enemigas juradas de la secta de California, que era la que contaba con mayores recursos económicos y menor número de fieles.

Al sur de la capital de la Mosquitia, se extendían las grandes haciendas de cultivo de cacao, yuca, coco y maíz. Y los potreros de pastos jugosos para unos cientos de cabezas de ganado vacuno y caballar. Más al sur, comenzaban las cadenas montañosas, las estribaciones de las sierras de Colón y de la Cordillera Isabelina, cuyo macizo central nacía en Nicaragua. Y los intrincados bosques, las selvas, el predio del jaguar, de la pantera negra, del puma y las serpientes.

A cuatro horas de viaje, desde Puerto Lempira en dirección sureste, discurría el trazo vigoroso y azul del río

Coco, como una pulida espada que sirviera de frontera natural con la tierra nicaragüense. En la franja noroccidental de su cauce, dentro de territorio hondureño, menudeaban los campos militares de la guerrilla «contra», el ejército armado y apoyado por los Estados Unidos en la lucha por derrocar el gobierno sandinista de Managua. Eran establecimientos de apoyo logístico, con capacidad para no más de quinientos hombres, y servían en su mayoría como depósitos de armas, alimentos y medicinas. Ninguno era tan grande como El Aguacate, la enorme base militar «contra» en el departamento de Orlando, al sur de la Mosquitia. Todos los campos eran clandestinos, su existencia no se reconocía oficialmente por el gobierno de Tegucigalpa. Pero los habitantes de Puerto Lempira y otros pequeños poblados cercanos veían a menudo volar los helicópteros de guerra sobre los techos de sus casas y las arboledas.

En Puerto Lempira había, finalmente, un misterioso lugar vedado a los habitantes de la ciudad. No muy lejos del aeropuerto, en el otro extremo del muelle, un espacio de terreno rodeado de punzantes alambradas acogía una vivienda construida en material prefabricado. Vivían allí tres empleadas de servicio doméstico traídas de Tegucigalpa y dos oficiales norteamericanos, un mayor y un suboficial, que contaban con dos vehículos todoterreno y un helicóptero de dos plazas. Muchos días, el aparato despegaba de la pequeña explanada con los dos hombres a bordo y se perdía en dirección a río Coco.

Próxima la hora del almuerzo de aquel día de febrero, Wilson Ramírez, un visitante extraño en aquella vivienda protegida por alambradas, salió cerrando a sus espaldas la puerta metálica y echó a andar calle abajo, camino de la avenida principal. Vestía un pantalón ligero y una camisa de algodón de colores vivos. Ambas prendas le caían grandes, como si le hubieran sido prestadas por alguien de mayor envergadura. Pese a su andar pausado, daba la impresión de ser un hombre poco habituado a calzar sandalias de piel curtida. Era un recién llegado a Puerto Lempira, pero los habitantes de la localidad no mostraron excesiva curiosidad a su paso, ni siquiera ante el hecho de que llevara un brazo en cabestrillo. Como toda población fronteriza, aquélla era una tierra de tránsito, un lugar donde los rostros nuevos eran casi tan frecuentes como los de las gentes establecidas allí desde años atrás. Soplaba un aire cálido y el enrabietado sol de mediodía quemaba la piel de los hombres.

Durante toda la semana anterior, desde que llegó del campamento de la frontera, había llovido sobre Puerto Lempira. Aguaceros imprevistos, decían, pues no había finalizado aún la época seca. Por ello, a pesar del agobio de aquel día de sol cegador, olía a humedad escapada de la tierra y los charcos espejaban en los agujeros de las calles.

Wilson Ramírez tomó la avenida principal, en dirección al muelle. Era viernes, con toda probabilidad su último día en Puerto Lempira antes de viajar a La Ceiba. Miró con desganada curiosidad las telas multicolores y los sombreros de pita que se extendían delante de la fachada del bazar «Rubí», las cajas de frutas y de pescados en salazón alineados frente a la pulpería «El Buen Amigo», el cartel que colgaba de la puerta de un comercio y donde se leía: «Confieso creer en Cristo.» En los jardines que se abrían entre las cabañas, los zopilotes, caminando con pasos torpes sobre sus patas zambas, husmeaban en busca de restos de comida o frutas podridas caídas de los árboles. Algunos se aupaban a descansar en los postes de donde pendían las cuerdas para secar la ropa lavada.

Desde lo alto de la calle, Wilson podía distinguir la ancha superficie del lago. Las aguas, revueltas todavía por los chaparrones caídos días antes, cobraban un color de caramelo sucio. Un cayuco colmado de pasajeros se apartaba penosamente del muelle. También allí, sobre las riberas del lago, un bando de zopilotes planeaba a poca altura, avistando los cubos de basura que ahora sacaban de la cantina «El Búnker».

Nubes ocasionales cruzaban el cielo con urgencia y durante unos instantes manchaban de sombras los techos del poblado y enfoscaban la superficie del lago Caratasca. Pero el sol pujaba por abrirse paso, chupaba el agua de los charcos, desecaba la tierra, marchitaba humedades.

Wilson movió el brazo bajo el cabestrillo. Ya no le dolía el hombro, aunque notaba el miembro entumecido. La bala no había tocado hueso y, pese a que la herida era escandalosa y dejaría una ancha cicatriz, rasgó con limpieza su carne y no desgarró ningún músculo. Tenía otras marcas de balazos en el cuerpo, no era la primera vez que le alcanzaban y puede que no fuese tampoco la última. Al menos, las heridas de guerra servían para lograr unas cortas vacaciones, para alejarse unos días de la muerte. El médico de campaña había firmado varias semanas de baja y ahora Wilson sentía cierto fastidio por haber perdido una de ellas en Puerto Lempira, donde los aviones de transporte no habían podido aterrizar durante los últimos días a causa de la lluvia. Parecía probable, sin embargo, que pudiera embarcarse la madrugada siguiente, si no estallaba un inesperado temporal. Pasaría unos cuantos días en La Ceiba, junto al mar. Le habían dicho que era un lugar hermoso. Y luego se acercaría a Tegucigalpa la última semana, pues el mando le había convocado a una reunión. Había rumores de que la guerra tocaba a su fin. En Nicaragua, los sandinistas dejaban el poder, tras el triunfo electoral de la oposición de derechas, y Washington respaldaba la paz. ¿Volvería pronto a casa? Sonrió. ¿Valía decir a casa, no sería más exacto hablar de regreso a la soledad de Nueva York?

No llegó hasta los muelles, sino que torció en la última calle transversal del lado de la izquierda. Dos policías militares cruzaron junto a él y le miraron con curiosidad. Siguió andando y los dejó atrás, aunque percibió, sin necesidad de volverse, que los dos se habían detenido. Unos segundos después, oyó que le chistaban, pero continuó su camino. Sólo se detuvo cuando escuchó la voz: «Eh, amigo, aguarde un minuto.»

Esperó sin girar el cuerpo hasta que llegaron a su altura. Eran dos hombres jóvenes y portaban como único armamento dos pistolas de bajo calibre enfundadas y sujetas al cinturón de lona.

—Usted no es de por aquí, ¿cierto? —dijo uno.

—No.

—Ya decía yo, no le había visto antes. Mire, mi compañero agente y yo tenemos un problemita: el comandante no pudo regresar de Tegu la pasada semana y venía con la paga. No tenemos pisto. Queríamos pedirle que nos emprestara unas lempiras, apenas veinticinco o treinta, no más, y se las damos de vuelta mañana a la tarde, cuando se haya regresado el comandante.

—Me voy por la mañana; no tengo plata, amigos.

—Vaya pues —dijo el policía mientras se rascaba la cabeza por debajo de la gorra—. Pues eso sí que es fastidio... ¿Y de dónde dijo que era, amigo?

—No dije nada. Sólo que no era de por aquí.

—Tendré que ver su documentación.

—No la llevo encima.

—Chucha, ésta sí que es buena. Me parece que el suyo es un caso de detención e interrogatorio. Ésta es zona de guerra. Tendrá que venir con nosotros.

—¿Adónde?

—Al cuartel, clarito. Tenemos que andar con mil ojos con los extraños, son las órdenes. ¿Dijo que no tenía plata?

—Ni un centavo. Y tampoco tengo ganas de ir a su

cuartel. ¿Por qué no me dejan tranquilo y buscan otro pendejo a quien sacarle pisto?

—Chucha... ¿Oíste vos? —Se dirigía a su compañero—. Resistencia a la autoridad se llama eso.

Le tomó del brazo.

—Tendrá que venir ahorita, por las buenas o por las malas.

—Iré por las buenas, si quiero. Y mañana, hablaré con el comandante Bonilla de todo esto.

La sonrisa se diluyó en el rostro del agente.

—¿Bonilla? ¿Le conoce?

—Yo a él y él a mí. No necesito papeles con su comandante.

—Me está mintiendo.

—De acuerdo, okey. Vamos al cuartel y mañana platicamos con el comandante, los tres juntos si lo desean.

—¿No está mintiendo?

—Ni punto. Al comandante le complacerá saber cómo sus agentes logran plata extra por las calles de Puerto Lempira.

El otro le había soltado el brazo.

—Miré vos, no sé si miente o no. Pero no queremos malentendidos. Olvide esto y siga su camino.

—Así está mejor. Buen día.

Echó a andar de nuevo. Movió levemente la cabeza hacia los lados mientras sonreía para sí. Ralea de cuervos aquellos tipos... La mayoría de los soldados hondureños no valían un chavo. Ni para la paz ni para la batalla. Nunca ganarían una guerra. No eran como los nicas, enemigo bravo. Ni como los vietnamitas.

Esquivó de un brinco un amplio charco y sintió una pequeña punzada en la herida. Al cruzar junto a una mísera casa de madera, le llegó el olor de las tortas calientes de maíz y el sonido de un transistor, que emitía música desconocida para él. Un poco más adelante, pasó junto al salón de videocine. Se anunciaba el mismo film de todos los últimos días: *El reverendo trinquetero*. Un grupo de ocas y patos cruzó corriendo de un lado a otro de la calle, perseguido por un perro que ladraba con furia y provocaba en las aves chillidos de terror.

Llegó al Hospedaje Doña Elvira pocos segundos después. Cruzó el vallado de madera y entró en el amplio patio por una puerta cuyos goznes chirriaron como si fueran animales heridos. Humeaba la chimenea del gran caserón de dos plantas levantado en el borde del lago. Un puñado de zopilotes zascandileaban en la grama, entre los frutos caídos de los altos cocoteros. Al otro extremo del edificio, el cervatillo *Linda* corría alrededor de un árbol, en una de cuyas ramas gritaba el mono *Lucio* intentando librarse de la cadena que lo mantenía prisionero. El papagayo *Imelda*, desde el porche de la casa, contemplaba con ojos inexpresivos el estúpido juego que se traían los dos mamíferos.

Cerró la puerta, de nuevo quejumbrosa, y caminó sobre la grama. Olía a guiso de pescado y el aroma despertó su apetito. Cuando se acercaba ya a la casa, la figura grande y obesa de doña Elvira apareció en el umbral. Se quedó quieta, arriba de las escaleras, los brazos en jarras, mientras le enviaba una cálida sonrisa. «Detesto esa sonrisa —se dijo Wilson mientras componía un gesto semejante—. Si no guisara tan bien la vieja, no gastaría en este lugar ni un solo minuto de mi vida.»

Doña Elvira mantuvo su sonrisa mientras veía acercarse al hombre hasta la escalera. Lucía algo grotesco el tipo con aquella ropa que le venía grande y, desde luego, no le cuadraban los colores llamativos de la camisa. Pero su atractivo no se esfumaba por ello. Era alto, musculoso, de piel curtida por el sol, pelo y bigote oscuros y espesos. Le gustaba. Incluso antes que su físico, le atraía aquel poso de frialdad que transmitía su mirada y que se escondía detrás de sus sonrisas. Emanaba virilidad al mismo tiempo que una sensualidad animal. Tenía algo de primitivo Wilson, un rastro de violencia contenida en su aspecto. Y en fin, además de todo eso, era guapo y, por añadidura, misterioso. Casi todos los elementos que a ella le atraían de los hombres.

Desde una semana antes, venía a almorzar a su hospedaje. Ella le ofreció también alojamiento, pero el otro se negó y no quiso explicar dónde vivía. Claro está que ella lo sabía: a doña Elvira no se le escapaba un solo dato de la vida en Puerto Lempira, era como un periodista local informado sobre el más mínimo detalle de quién era quién y dónde andaba.

Decía que era un «contra» herido que esperaba el avión de La Ceiba para disfrutar unas semanas de baja. Pero ¿cualquier «contra» tenía derecho a alojarse en el «campo» de los misteriosos gringos, un lugar donde no se permitía la entrada a ninguna persona de la aldea? Decía que era nicaragüense, un luchador antisandinista. ¿Un nica? Ella conocía de sobra el acento de los nicas y Wilson no hablaba como ellos. Su deje y sus modos de lenguaje recordaban el hablar venezolano o quizás el modo de los portos.

Doña Elvira estaba segura de que se trataba de un mercenario. Y que cumplía en la guerra algún tipo de tarea singular e importante. Se notaba de inmediato que no era un idealista ni tampoco un «contra» cualquiera, borracho y mariguanero como la mayoría de aquellos soldados embrutecidos que los gringos pagaban a razón de trescientos dólares al mes. En aquel tipo había una solidez especial, un toque de dureza profesional, algo de la seguridad de quien conoce bien su oficio. ¿Cuál sería su verdadera patria?

—Huele sabroso el guiso, doña —dijo el hombre mientras ascendía los últimos tramos de la escalera y llegaba a su altura.

—Sopa de caracol, señor Wilson, para chuparse los dedos.

Tendió la mano el hombre y ella la estrechó con rudeza.

—Pues hace que las tripas den brincos, doña.

—Todo a su tiempo, todo a su tiempo. Aún queda media horita para que esté presto. Hay un buen róbalo para segundo, se llenó el lago de róbalos con la crecida de las aguas.

—¿Vienen con la lluvia?

—No así. La abertura de la barra se ensancha y entra más pescado. Claro que, a veces, se cuelan barracudas, tiburones, peces sierra. No son días para tomar un baño, se pone peligrosa el agua. Han visto caimanes por el lado de Siksa.

—Creí que los lagartos no iban al agua salada.

—Van donde puedan llenarse el buche. Aquí mismo subirían si les aprieta el hambre.

—Esperemos que no. Yo me quedo con los róbalos, doña.

Ella le miraba en los ojos.

—Los otros no han llegado aún —dijo—. ¿Por qué no vamos a sentarnos ahí fuera, en el muellecito, y tomamos usted y yo un fresco mientras se hace el guiso y llegan ellos? Da buena sombra la palma y llega brisa del agua.

—¿Quién viene?

—El francés, ya sabe, el que trabaja en el comisariado para los refugiados, don René… Y un viejo amigo mío, un gringo, Jack se llama. Tiene un buque langostero que pesca en estas costas.

—René…, ya.

—Sé que no le place el francés.

—Es muy entrometido, sólo gusta de preguntar.

—Y a usted no le placen las preguntas, ¿cierto?

—A mucha gente no le placen las preguntas. ¿Vamos al muellecito?

—Con gusto, señor Wilson.

Atravesaron el ancho vestíbulo y el salón, que eran dos estancias abarrotadas de muebles y toda clase de trastos. Luego, cruzaron el comedor, una ancha sala cuyo único mobiliario lo componían la larga mesa y las sillas de madera. Al extremo de la habitación, un marco batiente cubierto por una mosquitera de alambre daba al pequeño muelle de madera, sombreado por un tejado de palma.

Se sentaron junto a la mesa situada al final del muellecito, casi en los bordes donde batía con suavidad el agua del lago. Una lancha a motor pintada de rojo se mecía cerca del costado del dique. Doña Elvira abrió las botellas de Coca-Cola que había tomado del frigorífico del salón.

—Por usted, doña —dijo Wilson alzando la botella.

Ella rió:

—Brindar con cola no es cosa al uso.

—Es lo que trajo, doña. Espero que haya alguna cervecita para la sopa y el róbalo.

—No queda, señor Wilson; no hay suministro hasta que llegue el avión de mañana.

Luego, la mujer guiñó el ojo:

—Pero guardo un buen trago de güisqui para echarnos usted y yo después del almuerzo.

—Después del almuerzo apetece la siesta —respondió el hombre.

—¿Sólo dormir?

Calló Wilson, apartó los ojos del rostro de la mujer y bebió de su botella. Doña Elvira echó el cuerpo hacia atrás y apoyó el brazo en la baranda del muelle. En aquella posición, sus senos sobresalían poderosos, como las ubres de un gran mamífero.

—Veo que es usted bien glotón, señor Wilson.

—Me harté de comer basura en la selva.

—¿Y qué hacía en los bosques?

—¿Qué iba a hacer? Pelear..., por la libertad de Nicaragua, ya sabe.

Doña Elvira dejó escapar una risotada.

—No simule conmigo —dijo luego—. Usted no es de los que luchan por la libertad de nadie..., por la suya tal vez. Esas palabras suenan en su boca como a un mico una flauta.

—Tómelo como quiera, doña, es la mera verdad. —Hizo una pausa—. Y dígame, ¿dónde aprendió a guisar tan sabroso?

—Es usted un pingo, señor Wilson, un buen pingo —rió la mujer—. No quiere venir a mi terreno. Ta güeno: iré yo al suyo. Una vez vino aquí, cuando yo era cipotina, una señora francesa. Murió de malaria hace unos años. Pero me enseñó algunos buenos guisos, me tenía simpatía la vieja.

—La sopa de caracol es plato de aquí. O eso creo.

—Yo la hago a la francesa. Y no me ha probado vos todavía la salsa de róbalo. Es una creación libre: mitad costeña, mitad francesa. Le pongo aceite de coco, es bien dulce.

—Hace que mi estómago grite.

—Todo a su tiempo, señorón. Los hombres misteriosos se merecen un poco de sufrimiento.

—No lo lleve hasta la tortura, doña.

La mujer entornó los ojos y recostó un poco más su corpachón sobre la baranda. Aquel hombre era bien escurridizo, pensó, y faltaban pocas horas para que se fuera de Puerto Lempira, quizá para siempre.

—Quédese unos días más —le dijo—. Puedo alojarle aquí, y comerá guisos nuevos, como los hay en La Ceiba. Aquí hay cuanto desee: cama y plato.

Vio en los ojos del hombre un fulgor pétreo. Él le sonreía, pero su sonrisa no era cálida, sino un gesto fingido. Respondió con voz congelada:

—No... La Ceiba.

Jack, el norteamericano que patronaba el barco langostero, había traído una caja de cervezas y un par de botellas de güisqui, lo que daba al almuerzo un aire de fiesta inesperada. Wilson, después de comer los sabrosos guisos de doña Elvira, se sentía reconfortado, delante de una taza de café y un colmado vaso de güisqui, saboreando un grueso veguero. René Laffitte y el americano fumaban también imponentes cigarros y la humareda del comedor la completaba doña Elvira, que daba cuenta, uno detrás de otro, de los cigarrillos de un paquete de Winston, regalo también del marino.

—Ha venido usted como Santa Claus —comentó el francés en un español apenas sin acento, mientras contemplaba su propio veguero y lo hacía girar entre los dedos.

Jack era un tipo delgado y larguirucho, de piel tersa y músculos fibrosos, que rondaba los cincuenta. Exhibía un rostro surcado por incontables arrugas mínimas y profundas, y aireaba una cabellera lacia de color trigo. Laffitte era ancho de rostro y de cuerpo, alto de estatura, pelo pajizo y escaso y la barba de un par de días le punteaba las mejillas.

—Ha sido bueno el último viaje —dijo el marino—. Llené los congeladores de langosta y regreso «full» a Puerto Cortés. Allí embarcaré la mercancía en un carguero para los Estados. Vendrá buena plata de vuelta.

—¿Dónde pescó? —curioseó el francés.

Se rió el yanqui y bebió un buche de güisqui antes de responder:

—La costa de Nicaragua es rica en langosta. No tan buena como nuestra «lobster» del Maine, pero langosta después de todo. Sólo engañaría a un experto.

—¿Nicaragua? —El francés compuso un gesto de asombro—. Eso suena a violación de aguas territoriales, si no me equivoco.

—El mar es de todos. —Jack se encogió de hombros—. La riqueza está allí abajo, para quien la agarre. Y más en tiempo de guerra. En la guerra no hay dueños. Los dueños se hacen en la paz. Dígame, ¿de quién son las langostas, de los sandinistas o de las guerrillas? Mientras ellos deciden quién manda, las langostas son del que las saque.

—Suena a piratería —insistió Laffitte.

Wilson se echó para atrás en su asiento. Se anunciaba bronca. Esperaba un buen espectáculo en el que aquel jodido francés se llevara su merecido.

—Nadie pesca allí —siguió Jack— ni los nicas siquiera. Si no las saco yo, las langostas se morirán de mero viejas. Mejor que acaben en la tripa de la gente.

—En estómagos gringos —dijo el francés.

—En los estómagos de quien las pague.

Wilson miraba los rostros de los dos hombres mientras fumaba en silencio. Jack parecía no enfadarse. Laffitte insistía en preguntar:

—¿Y no hay patrullas de vigilancia de los sandinistas?

—Alguna. Pero las lanchas son lentas, demasiado lentas. Además..., además los sandinistas tienen otras ocupaciones.

Jack miró a Wilson antes de seguir:

—Tenemos colaboradores en tierra que entretienen a los sandinistas, ¿no es verdad, amigo...? Mientras ustedes balean en tierra a los sandinistas, nosotros nos llevamos las langostas. Sigan así, ténganles ocupados en tierra... Ja, ja... Tendré que dejarle una caja de puros como regalo por sus muchos servicios. Gran cosa es la «contra», gran cosa.

René Laffitte sonrió. Wilson chupó fuerte de su cigarro y arrojó el humo hacia el francés. El otro no se inmutó mientras le hablaba:

—¿No dicen ustedes que son luchadores de la libertad? No sabía que les hacían el trabajo sucio a los langosteros —dijo Laffitte.

—Parece que usted se dedica a pensar en cosas que no le incumben —dijo Wilson—. ¿Por qué no se ocupa más de sus campos de refugiados y olvida a los que hacemos nuestro trabajo?

—¿Trabajo? —respondió el francés—. Creí que lo suyo era una causa.

—Es una causa.

—No me diga... Su guerra contra Managua parece en ocasiones un pretexto.

—¿Qué quiere decir?

—Un juego de palabras, no se enfade. Pero, ¿sabe?, yo conozco bien la región. Hay algo que me intriga de usted. Bueno, si lo prefiere me callo.

—Sus intrigas me dejan frío. Pero siga.

—Su acento no es nica.

Wilson tragó saliva. Pensó en callar. Notó que doña Elvira y Jack le miraban ahora, esperando una respuesta.

—¿Insinúa algo? —dijo para ganar tiempo.

—No, sólo digo que su acento no es nica.

—Tal vez no conozca todo mi país. Soy de San Juan del Sur.

—Estuve también por allá y el acento no cambia tanto. No me suena a su país, qué quiere.

—¿Y a qué le suena?

—Tal vez chicano, o portorriqueño.

Wilson rió con el puro apretado entre los dientes.

—Nunca anduve por el norte.

—Tal vez sea coincidencia.

—Antes de esta lucha fui muchos años marino, en un buque de bandera panameña.

Jack dio un golpe en la mesa con la mano abierta.

—¡Chucha! Así que un colega.

—No, colega no. —Wilson tomó aire—. Jamás mandé un barco. Era un simple marinero.

—¿Pesca? —preguntó Jack.

—No, un petrolero.

—¿Cómo se llamaba su barco? —insistió el americano.

Wilson pensó que, en este punto, podía ya jugar con Laffitte. Tenía sus coartadas bien aprendidas.

—El *Lone Star*, un buque botado en San Francisco. Se hundió en 1978, cerca de Suez. Una mina perdida.

—¿Iba usted a bordo? —preguntó doña Elvira.

—No, por suerte. Una hepatitis me había dejado en tierra, tuve que bajar antes, cuando íbamos camino de Suez. Murieron veinte marineros, algunos amigos míos.

—Vaya, cosa dura ésa.

Jack le señalaba con el puro, la brasa mirando hacia Wilson.

—Si algún día deja esta guerra en la que anda metido, véngase conmigo: siempre hay sitio para alguien que sepa de mar. Estoy harto de tripulaciones misquitas.

—Ya he oído hablar de ese tema —señaló Laffitte.

—Malos marineros, malos... puff. —Jack parecía ahora hablar para sí—. Borrachos, mariguaneros, indisciplinados, vagos... Hay que andarles con el látigo.

—Pero buenos buceadores —atajó el francés.

—Sí, bajan profundo y saben agarrar la langosta.

—Y baratos —añadió Laffitte.

—No más que los braceros o que los sirvientes.

—Pero mueren pronto.

Jack alzó la mirada hacia el francés.

—Mire, Lapi... Lapi... o como se llame...

—Laffitte, René Laffitte.

—Como diablos le llamen. Yo no tengo culpa si ellos son incultos. Bajan hondo y cobran bien por ello. No es mi culpa si van borrachos y no hacen la descompresión.

—Podía hacerse enviar tablas de descompresión.

—No saben leer.

Laffitte apuró el acoso:

—¿No los ha visto en los poblados? Cuando no mueren por bajar tan hondo y subir deprisa, quedan tontos o inválidos para toda la vida.

El marino aplastó el cigarro contra el cenicero. Se controlaba. Dio un último trago de güisqui y se levantó.

—¿Tiene un lugar donde dormir la siesta, doña?

Se volvió luego hacia Wilson, ignorando al francés:

—Ya sabe, si deja esta guerra, búsqueme. Y siga dando duro en la tierra a esos sandinistas. Llévese la caja de cigarros, apenas faltan los tres que fumamos. Son buenos, de Santa Rosa de Copán, los mejores de Honduras. Es mi regalo a su «contra».

Se dio la vuelta y siguió a doña Elvira, que caminaba ya hacia la sala contigua.

—Parece que se molestó el gringo —dijo sonriendo Laffitte.

Wilson se levantó.

—¿También usted se va? —preguntó el francés—. Parece que apesto.

Wilson clavó sus ojos en el otro. Procuró hundir la mirada en la de Laffitte, durante unos segundos, antes de responder:

—Tiene razón, señor: usted apesta.

Y salió del comedor con pasos lentos, ignorando la carcajada del francés.

El sol se retiraba y la luz se tendía y venía sesgada desde los bosques para bruñir la superficie sucia del lago. El verde se remansaba en el agua, se tornaba vivo, y la cresta de las ondas despedía reflejos de turmalina y jade. Soplaba una brisa que traía olor de frutas muertas, el aire amalgamaba aromas de putrefacción y nacimiento, mientras la selva hervía bajo el atardecer.

Acodado sobre una mesa próxima a la puerta de la cantina «El Búnker», Wilson dejaba que sus dedos jugaran haciendo girar el vaso de ron y cola. Aquel olor que sentía llegar desde más allá del lago le hablaba en cierta forma de su propia vida, algo así como una sucesión de muertes y nacimientos. Su existencia había estado muchas veces a punto de terminar, quizá demasiadas para poder soportarlo de una manera natural. No sabría contar ahora en cuántas ocasiones se había encontrado al borde de la muerte.

Era consciente de que ese hecho le había afectado y le obligó a cambiar. En el mundo, es probable que no hubiera muchos seres humanos que hubieran rozado tantas veces los bordes del abismo. Quizá, tan sólo los locos que amaban el riesgo gratuito, corredores de autos, domadores de tigres, estúpidos por el estilo. Él no quería el riesgo. Pero formaba parte de su trabajo y, al paso de los años, de su biografía.

En cualquier caso, no estaba muy seguro de poder decir quién era. Tal vez, pensó, alguien cuya actividad se define simplemente por intentar no morir. Desde luego que otros podrían señalar que se trataba de un buen soldado. Pero ¿en qué consiste ser un buen soldado? Un arma y unos dientes apretados, un enemigo invisible a quien hay que intentar destruir antes que él te destruya a ti. Y el pavor inconfesable que hay que masticar a solas y que puede llegar a enloquecer los pensamientos. Y la suerte, claro, la fortuna de escapar vivo una vez más cuando parece que la muerte va a lograr agarrarte. Y la muerte alrededor, los cuerpos despanzurrados a tu lado después de la explosión de una granada, el camarada a quien un balazo ha reventado el estómago y hecho saltar las entrañas al aire. Y el rostro de los cadáveres, convertidos en máscaras de asombro, en gestos estúpidos, a veces incluso en cándidas sonrisas de sorpresa, puede que a causa de una alborozada liberación.

Sólo unos pocos días antes había escapado otra vez de la muerte y se preguntaba ahora cuánto tiempo más duraría su buena estrella. Si la matemática era una ciencia exacta, su margen de probabilidades para vivir se iba estrechando. Se preguntaba cuál era la estrechez de ese margen. Después de todo, tal vez la matemática no era una ciencia exacta. Un piloto de líneas aéreas, por ejemplo, podía decir lo mismo, y la mayoría de ellos se jubilaban con decenas de miles de horas de vuelo y morían en paz en su cama. Puede que el problema fuese espacial y no matemático: la distancia en centímetros que mediaba entre el hombro, donde estalló la bala y el pecho. Y el espacio, hasta ese instante, había jugado siempre en favor suyo. Pero ¿hasta cuándo?

El ruido del generador de luz, al ponerse en marcha como una súbita y sonora explosión, le sobresaltó arrancándole de sus pensamientos. Tintinearon las luces de «El Búnker» y luego se debilitaron, dejando el local alumbrado por una sombría luminosidad. La cantina era un gran barracón de madera dividido en dos espacios por una columnata, que dejaba a un lado las mesas y las sillas para la clientela y, al otro, el amplio mostrador y una pista de baile que se utilizaba sábados y domingos. Era un lugar destartalado y limpio. Del techo, construido con una estructura de listones, colgaban guirnaldas de papel de colores puros, restos del bailongo del anterior fin de semana. Las paredes se adornaban con afiches de mujeres llamativas, todas ellas de raza blanca, entre las que se mostraban dos carteles con las imponentes musculaturas de Rambo y Bruce Lee. El establecimiento acogía en aquella hora escasa clientela, tan sólo un par de borrachos apoyados en el mostrador, uno de los cuales portaba al cinto un pistolón, y una pareja de enamorados ceñidos por la penumbra en una mesa del rincón.

Oscurecía en el exterior súbitamente, como en todo el trópico. La luna creciente se abría camino en el espacio y el agua del lago brillaba en obsidiana. Los cocoteros recortaban su perfil quieto y opaco sobre el cielo alumbrado por la luna. Un vaivén arrullador ondulaba las aguas y el ruido del generador dormía el canto de los grillos y el croar de los sapos.

Se palpó el hombro herido. Y se preguntó qué hacía él en aquella guerra ajena, combatiendo a unos sandinistas a quienes no conocía y en nombre de un ejército «contra» cuyas ideas no le interesaban en absoluto.

Había transcurrido una semana desde que llegó a Puerto Lempira, pero los recuerdos de la última batalla seguían vivos, como si hubieran sucedido el día anterior y la estancia en la capital mosquitia fuese tan sólo un paréntesis irreal. Aún podía recobrar la sensación abrasadora del golpe de la bala en su hombro. Y era capaz también de escuchar el pitido instalado con firmeza en su oído sobre el fondo ruidoso del combate. Era como todos los grandes recuerdos de su existencia: siempre quedaba el estrépito de los disparos y los lamentos, siempre revivían en su olfato los ácidos perfumes de la muerte.

La expedición a territorio nicaragüense había comenzado alrededor de un mes y medio antes. El objetivo consistía, como casi siempre, en desbaratar carreteras, puentes, redes de tendido eléctrico, embalses, cosechas y en crear entre la población campesina un sentimiento de temor y de inseguridad. En este caso, se trataba de entrar casi cincuenta millas en el interior del territorio de Nicaragua, dentro de la provincia de Jinotega, y arrasar la cooperativa agrícola «Julio Victorioso». Sabían por informes llegados desde el otro lado que estaba defendida por una docena de milicianos, apenas unos muchachos movilizados por los sandinistas y entrenados con urgencia en las prácticas de la guerra.

Iban dos grupos de comandos y Wilson mandaba el segundo de ellos. Utilizaban la radio para comunicarse entre sí y también para orientar al helicóptero encargado de suministrarles con regularidad provisiones y armamento. La dieta era escasa durante la marcha: un plato de arroz con fríjoles dos veces al día y carne de lata dos veces por semana. Encontraban fruta en su camino y, en ocasiones, sembrados de milpa y arrozales con que poder variar el menú. También pudieron requisar cerdos y gallinas en algunos ranchitos que asaltaron en el camino.

La docena de mulas que acompañaba a la tropa transportaban la mayor parte del armamento, los misiles Sam-7 tierra-aire, el lanzacohetes RPG-7 y las cargas de dinamita. Los hombres llevaban a cuestas sus mochilas y el arma personal de combate, rifles Dragonow Sniper, ametralladoras RPD, pistolas lanzagranadas de 40 milímetros y algunos Kalashnikov AK-47. Wilson utilizaba uno de los «kalas», pues se había acostumbrado a este fusil desde Vietnam, cuando se hizo con el de un «vietcong» muerto.

Dos semanas después de haber cruzado el río Coco, llegaron a las proximidades de su objetivo. Los dos grupos se desplegaron en la zona de asalto. El comando dirigido por Wilson atacaría por el sur, un terreno de geografía escarpada, mientras que la otra sección lo haría por el norte. Un ala del grupo de Wilson se abriría al oeste, en tanto que el otro comando se ocuparía de cerrar el lado oriental. Desde lo alto de un cerrillo cubierto de vegetación, Wilson recorrió con sus gemelos de campaña el espacio de terreno que ocupaba la cooperativa. Había unas treinta viviendas prefabricadas en madera y un gran barracón, con toda probabilidad destinado a comedor y a todo tipo de servicios comunes. También distinguió tres amplias naves para almacenaje del café y la caseta donde se guardaba el generador de luz. Eran las primeras horas de la mañana y de la chimenea del barracón brotaba una espesa hilera de humo. Algunos campesinos se acercaban con platos y tazas en la mano. Alrededor del campo, varios milicianos montaban guardia con el arma en bandolera.

Media hora más tarde, llegó la señal de ataque lanzada por el otro grupo, por medio de una bengala que cruzó el cielo como un lengüetazo de fuego y se deshizo, sin apenas ruido, en una pelota de humo. Wilson dio la orden de avance, saltó de su refugio y corrió monte abajo. A su alrededor, la tropa aullaba mientras se escuchaban los primeros disparos.

En pocos minutos, la explosión de las granadas, el fragor de la fusilería y el eco regular de las ametralladoras dominó sobre cualquier otro sonido. El reconocible pitido se instaló en el oído de Wilson. Quemaba el cañón de su arma. Su mente parecía embotada mientras cambiaba el cargador. No disparaba a nada en concreto, sino hacia delante, a cualquier sombra, móvil o detenida. Había aprendido que en la batalla hay que disparar, siempre disparar, sin aguardar a distinguir qué o quién se sitúa delante de uno. Disparar es como una salvaje protección, arruina a un posible adversario aunque la mayoría de las balas, o quizá todas, se pierdan en la nada. Y disparar, al mismo tiempo, ciega el miedo. En ocasiones, percibía el ruido de los disparos que se estrellaban cerca de él llegando desde la cooperativa.

Atravesó un sembrado de fríjoles antes de penetrar en la explanada. Derribó cañas en su carrera, se enredó entre las piernas largos ramajes que parecían pequeñas y frágiles serpientes. Tropezó con el cuerpo de un caído, pero no se detuvo para averiguar si era uno de sus compañeros. Delante, ya en el poblado, el humo y el polvo cerraban la visión. Había otros bultos en el suelo, nuevos muertos. Los disparos volaban al azar de un lado a otro. Una gran llamarada brotó de súbito del techo de uno de los almacenes de café, tal vez alcanzado por un lanzacohetes.

El fuego cruzado arreciaba. A gritos, ordenó a sus enlaces, sin distinguirlos, que ordenaran a la gente cubrirse. Intentó comunicar a los suyos que se distribuyeran al abrigo de la primera línea de trincheras. El eco de la fusilería se hacía ensordecedor. Alguien llegó a su lado y le pasó la radio de campaña. Creyó entender que el otro grupo también había sido detenido, en el lado contrario de la explanada, y que el enemigo resistía con mayor vigor del esperado.

Nunca se sabe bien cómo se gana una batalla cuando se está de lleno metido en ella. Wilson conocía sobradamente la realidad de ese gran enigma. Durante cerca de dos horas, disparó, cargó, mandó alto el fuego a una tropa que no podía distinguir, dio nuevas órdenes de disparar, se quedó ronco de enviar instrucciones a un lado y a otro sin saber muy bien qué sentido tenían. Al fin, los disparos que llegaban del otro lado comenzaron a remitir. Clamó para que un pelotón se desplazara hacia el lado izquierdo y que cerrase la huida del enemigo. Pero no logró ver si alguien seguía sus órdenes. Los lanzagranadas y lanzacohetes bramaban con estrépito lanzando su munición, con riesgo de caer en la línea donde se encontraba el otro comando. Nadie, probablemente, era capaz de saber lo que sucedía en aquellos instantes. Los almacenes ardían y también muchas viviendas y, desde luego, el gran barracón donde, pocas horas antes, hervía el primer café de la mañana. Corrían bultos oscuros entre las humaredas, tal vez adversarios que buscaban el abrigo de los bosques. Y ahora sí, ahora Wilson identificó el inconfundible olor de la carne quemada.

Cesaron los disparos del enemigo. Wilson ordenó alto el fuego y comunicó por radio al otro comando que la batalla había terminado. Avanzó con su grupo hasta la caseta del generador de luz y mandó incinerarla. Olía ahora a gasoil y el humo negro y viscoso se alzaba por encima de los árboles. Ordenó a la tropa que requisara todos los alimentos y útiles que encontraran en el asentamiento.

Después, procedieron a incendiar todas las viviendas que habían quedado en pie después del combate. Se contaban veinte bajas, entre muertos y heridos, de su tropa. Del otro lado, habían muerto cerca de treinta milicianos y campesinos, entre ellos algunos niños y mujeres. La mayoría de los integrantes de la cooperativa había logrado huir a los bosques, pero en el centro de la explanada quedaban una veintena de prisioneros.

Wilson se acercó y los contempló unos instantes. Parecían animales domésticos abandonados por sus dueños. En el grupo había mujeres, ancianos, unos pocos muchachos y varios niños. Ofreció cigarrillos a los hombres y la mayor parte de ellos los tomaron con manos temblorosas. Dio pastillas de chicle a los pequeños. Luego se dio la vuelta y caminó hacia el centro de la explanada. El cabo Flores se acercó:

—Sargento, dicen los hombres que si pueden tomar un rato a las mujeres.

—Que vayan rápido. Y no quiero más muertos, ¿clarito?

—Como ordene, mi sargento. ¿No toma usted una?

No respondió y se alejó unos pocos pasos. Oía los gritos de las mujeres a su espalda y las quejas de algún muchacho. Se apoyó sobre un muro derruido y encendió un cigarrillo.

Y en ese momento sonó el disparo casi en el instante mismo en que un súbito golpe en el hombro dejaba una parte de su cuerpo como adormecido. Luego, sintió la quemazón y la mano, que instintivamente saltó hacia la herida, se empapó en una materia viscosa. Otra vez su propia sangre. Supo de inmediato que la herida no era grave, que no había tocado ninguna parte vital y, tal vez, ni siquiera el hueso. Pero el dolor acometió de pronto y gritó llamando al sanitario.

Una patrulla salió en busca del tirador. Regresó un cuarto de hora más tarde, después que se oyeran algunos disparos en el bosque. Resultó ser un muchacho herido en las piernas, que se había escondido unos doscientos metros más abajo, en la zona más boscosa. Era su última bala. Lo mataron con una ráfaga de ametralladora.

Media hora más tarde, los dos comandos, fundidos ya

en uno solo, emprendieron el camino de regreso, dejando atrás una tierra desolada, un grupo de campesinos que rezaban para dar gracias por no estar muertos y algunas mujeres que se acurrucaban contra los muros de las casas derruidas. Un bebé lloraba, tal vez hambriento, y era el único sonido turbador en el sosiego del mediodía luminoso.

Tomaron caminos distintos para la retirada de los que habían recorrido en el viaje de ida. Apenas había ya paradas. Wilson y los demás heridos viajaban a lomos de las mulas, aligeradas de material, pues la mayor parte del armamento pesado se había arrojado al fondo de un río cenagoso. Los que caminaban pedían más horas de descanso, pero sólo se concedía media hora de reposo para cada comida y tres horas de sueño durante las mañanas. Wilson, en sus adentros, daba gracias al tirador que había rozado su hombro con la última bala y que le había regalado por ello el privilegio de viajar a lomos de la caballería. Durante dos días, un avión nicaragüense de reconocimiento sobrevoló la zona por donde marchaban y en algunas ocasiones pasó por encima de la columna agazapada entre la floresta.

Una semana y media después de haber abandonado la cooperativa, llegaron a las riberas de río Coco y cruzaron el cauce sin incidentes. Fueron felicitados por sus superiores.

Apuró los restos de ron y cola que quedaban en el fondo de su vaso, se levantó y caminó hacia la puerta. Uno de los borrachos del mostrador había caído sentado en el suelo, en tanto que su compañero se mantenía en pie a duras penas, su cuerpo tambaleante meciéndose hacia los lados. Al fondo, los enamorados parecían fundidos en un solo cuerpo rodeados por la penumbra.

Fuera, la noche se afirmaba unos metros más allá de la cantina. La luna creciente no poseía vigor bastante para iluminar las calles que se extendían hacia el interior de

Puerto Lempira. Caminó en dirección a la parte sur del poblado. El ruido del generador de luz iba debilitándose a sus espaldas y también se esfumaba el rudo olor del gasoil. Los grillos y los sapos componían un concierto disonante a su alrededor, mientras le envolvía el perfume a muerte y nacimiento que llegaba de los bosques. Olor de selva, olor de su propia vida.

No lograba conciliar el sueño. Puede que a causa del exceso de alcohol ingerido a lo largo del día. Daba vueltas en la cama buscando los rincones más frescos de las sábanas, pero no conseguía dormir y, una vez tras otra, encendía la luz y prendía un cigarrillo. Había tirado el pañuelo con que sujetaba su brazo, y no obstante, no lograba estar cómodo.

Se masturbó imaginándose a sí mismo en el centro de una gran bacanal. Hacerlo le sumía, en ocasiones, en una blanda laxitud que le llevaba con facilidad al sueño. Y ahora logró sumergirse por unos instantes en el dulce sopor. Pero, poco después, el insomnio regresó con renovados ímpetus y encendió la lamparita y un nuevo cigarrillo. Eran las piernas, sobre todo las piernas, la parte de su cuerpo donde se producía aquel cosquilleo nervioso que luego recorría todos sus músculos y espabilaba su cabeza.

O quizás era su mente quien se negaba a serenarse y dirigía la muda histeria a sus tejidos y encendía en su cuerpo aquel estado de nerviosismo. No podía dejar de pensar y alejar de sí las emociones que alteraban el pulso de su alma.

Le obsesionaba un hecho que nunca antes había percibido: su propia identidad. Desde luego que era un soldado profesional, que tenía cuarenta y dos años de edad y que se encontraba en territorio de guerra. Pero ¿por qué luchaba, qué significaba aquello de ser un miembro de la «contra»? Ni siquiera en Vietnam, en aquella perra guerra perdida, había alimentado sensaciones de indefensión y de vacío como las que ahora alentaba. Después de todo, y a pesar de la sucia guerra, él era él mismo, mientras que aquí se suplantaba con un disfraz, llegaba a convencer a los otros que él era un nicaragüense idealista en la lucha contra los tiranos que dominaban su tierra. Había mucho de grotesco en todo ello, por no decir algo peor.

No era lo mismo que en Vietnam. Allí, al principio de todo, creyó en una causa, en algo tan impreciso como la libertad frente al enemigo comunista y en la fuerza de la civilización que ellos representaban frente a lo invisible. Luego, al paso de los años y de las batallas, cuando la bestialidad arrasaba las aldeas civiles, cuando las drogas y el alcohol se apoderaban de sus propias trincheras, cuando la cobardía razonable dio el relevo a la valentía absurda, ya no creyó en la civilización que la tropa americana exportaba a aquellas lejanas tierras y en que la libertad exhibiese tan sólo el rostro con que los norteamericanos querían representarla. Pero se pensaba que todavía podría ganarse la guerra, aunque fuese a costa de arrasar el país con las bombas y el napalm y reducir Vietnam a un paisaje baldío y desolado. Aquí era distinto: ni llegó con ideas de liberación ni la victoria parecía probable de ninguna manera.

Representaba, además, el papel de alguien que no era él mismo. Algunos, como Laffitte, desconfiaban de su identidad. Y no marraban. Él era realmente portorriqueño, aunque no nacido en la isla originaria, sino en el Bronx neoyorquino, en aquel barrio mugriento donde sólo funcionaba una farola de cada cinco, donde los árboles y los bancos de madera habían sido arrancados de las aceras para hacer leña, donde los edificios cobijaban diez veces más personas de las que deberían habitarlas en condiciones normales, donde las basuras llenaban el aire con el olor dulzón de la mierda, donde la droga era moneda corriente de cambio y todas las familias tenían al menos un miembro en la cárcel, donde la vida se medía por la habilidad para evitar un navajazo, donde el número de parados superaba con creces el de aquellos que lograban un empleo miserable, donde la policía golpeaba antes de preguntar, donde el rostro de un blanco de pura raza era tan raro como en una provincia perdida de China, donde las alcantarillas rebosaban incapaces de digerir tanta porquería, un lugar a tan sólo unas cuantas millas del centro mundial de la riqueza y el lujo, un lugar donde tan sólo uno de cada mil podía escapar hacia una vida distinta de aquella que dibujaban los rostros de los alcohólicos y las prostitutas, de aquella verdad desesperada que se grababa en el gesto de los adolescentes e, incluso, de los perros callejeros.

Desde que salió del Bronx y se alistó en el ejército, su vida había cambiado, pero no tanto: en realidad, tan sólo estaba en un nuevo campo de batalla. Pero el de ahora le abría la puerta a una vida distinta. Luchaba, como en el Bronx, para sobrevivir y esquivar la muerte, antes en Vietnam y ahora en Honduras. Y no obstante, podía considerarse alguien respetado. Tenía un rango, el de sargento mayor de marines, y un apartamento en Queen's, fuera de la mugre y del barrizal humano del Bronx. Pese a la guerra perdida y al desprecio de los civiles, dentro del ejército se consideraba mérito haber servido en Vietnam. Y podía olvidar aquellos días de Hué, de Khe Sanh, la retirada de Danang, todo eso. Y podía olvidar el primer instante de pavor, recién llegado a Vietnam, cuando esperaba junto a varios centenares de compañeros en el aeropuerto de Saigón su traslado al frente, la marcha en helicóptero a su punto de destino. Aquel silencio que invadía los largos bancos donde aguardaban los soldados, el arma apoyada sobre las rodillas, el morral entre los pies, los miles de cigarrillos que podían consumirse en unos pocos minutos, el alma suspendida en la nada, las miradas colgadas en el vacío, el silencio, el enorme silencio, el pavor colectivo a la muerte que se adivinaba. Había como un gran acuerdo para que el mutismo fuera absoluto, e incluso los oficiales ahorraban sus voces de mando. Era un silencio que se metía en la sangre, pesado y espeso, que hablaba más que las palabras, más que los gritos, los lamentos o el eco de la fusilería. Era un silencio correoso, amargo y lúcido. Y aunque se manifestaba en forma colectiva, no despertaba en ninguno de los soldados un sentimiento de solidaridad. Era común a la vez que egoísta y no convocaba a sensaciones de camaradería. Era objetivo, pero no compartido; era la suma de muchos silencios particulares, un silencio que explicaba la pavorosa necesidad de supervivencia que todos y cada uno de los soldados alimentaban como algo propio y también privado, algo personal e incomunicable y al tiempo igual para todos. A Wilson, desde luego, no le importaba que todos aquellos soldados murieran con tal de quedar como único superviviente de la masacre.

Fue herido varias veces y ganó algunas medallas. Eran una útil chatarrería, porque a su regreso pudo lograr el grado de sargento mayor, después de un cursillo especial para veteranos de guerra, y consiguió seguir en el ejército. De otro modo, habría debido volver a una sociedad civil que nada le ofrecía, para la que no se sentía preparado, pues no conocía otro oficio que la guerra. Fuera del ejército, además, nacía la repulsa hacia todo lo que tuviese relación con Vietnam, hasta el punto de que muchos de cuantos combatieron allí se sentían apestados. Nadie en la sociedad quería escuchar a los soldados que regresaban, nadie deseaba oír sus relatos del sufrimiento, del dolor, del valor y también de la cobardía. Los de Vietnam eran parias y muchos de ellos enloquecieron, mientras otros se aislaban del mundo o, en los peores casos, se convertían en dementes asesinos. También estaban los lisiados de la guerra y los que no encontraban modo de integrarse a la sociedad en un trabajo normal.

Wilson, que había esquivado a la muerte en los campos de batalla, pudo ahora sobrevivir al desprecio y a la locura. No cedía a la vergüenza que muchos veteranos de Vietnam sentían ante el desdén de los civiles. Aceptó soportar su soledad y se refugió en el ejército, supo que su vida estaba en los cuarteles y que su única opción, tal vez para el resto de su existencia, era ser un soldado. Lo había asumido así, con serenidad y escepticismo, dispuesto a enfrentarse al reto de nuevas guerras, todo con tal de no verse obligado a volver a las calles sucias del Bronx o al seno de una sociedad que podría hacerle enloquecer y en la que se sentiría, en cualquier caso, un perfecto inútil y un ser desdeñado.

Pero eso no remediaba sus pensamientos de ahora, tendido en el camastro de aquel barracón del pequeño destacamento militar norteamericano. Le alteraba la sensación de verse convertido en nadie, de no poder afirmar, ni tal vez adivinar, quién era. Percibía una certeza: que había vivido para nada, o tal vez que ni siquiera había vivido. Pero ¿qué otra vida podía anhelar si no conocía más que los límites de la propia, siempre en la frontera del miedo y de la muerte? «Si no fuera por las tumbas que puedo reconocer —se dijo— mi existencia sería como el humo.»

Se palpaba la piel, ahora que había vuelto a apagar la luz, y pensaba que aquel tacto le daba una cierta conciencia en el existir. Tenía una misión, claro: lograr que aquella tropa de soldados de la «contra», casi todos mariguaneros y borrachos, muchos de ellos mercenarios a sueldo por trescientos dólares al mes, aprendiese a pelear y cumpliese objetivos militares precisos. ¡Partida de miserables! Aquellos «luchadores de la libertad», como los llamaron una vez en Washington, no eran en su mayoría más que un puñado de piratas, prestos al saqueo y cobardes a la hora de la batalla. A duras penas lograba encontrar entre ellos alguno que alentase un cierto género de idealismo. El resto no eran más que una tropa de modernos piratas, alquilados en dólares, y desde hacía unos meses vigilados estrictamente por oficiales americanos que verificaban el uso del dinero enviado por Washington y los supuestos «éxitos» militares que cacareaban cada semana los jefes «contra». Todo era aquí más sucio que en Vietnam y a él mismo le estaba negado ser el verdadero Wilson Ramírez. Allí, diluido en el absurdo, otra vez matando y otra vez destruyendo, caía sobre él todo el peso de su esencial fragilidad como ser humano. Era aburrida la violencia, era aburrido matar, tanto como para otros pudiera ser una tarde de domingo con la televisión estropeada. Y era inútil preguntarse sobre sí mismo después de tantos años. Tan sólo le quedaba hacer lo que hizo siempre: luchar para intentar no morir. Ése era su deber absoluto en esta tierra y la necesidad que dictaba su código moral.

Cayó en una fatigada duermevela cuando faltaban menos de dos horas para que el despertador sonara y hubiera de levantarse e ir en busca del avión que le llevaría a La Ceiba.

## 3

Fascinado, Atilio contemplaba el tenderucho del chamán y rascaba en el bolsillo de su pantalón en busca de imaginarias monedas. La mañana del sábado lucía bajo el ávido sol de febrero y las cuatro manzanas que, entre la calle San Isidro y la avenida 14 de Julio, ocupaba el mercado municipal de La Ceiba, estaban saturadas de gente. Un gustoso olor a café y a tortillas recién asadas espesaba el aire. Los grandes racimos de plátanos, de un verde lustroso, colgaban junto a las puertas de los almacenes de frutas hasta casi cegar la entrada. Los carritos ambulantes de caramelos y refrescos recorrían las callejuelas del bazar, sorteando a las mesitas que, sentadas en las aceras, ofrecían elotes o naranjas o porciones de papaya y sandía sobre mantas extendidas en el suelo. Los niños trotaban por decenas de un lado a otro, entre la multitud de hombres y mujeres que, canasta al brazo, atestaban el mercado. La música de viejas rancheras mexicanas ambientaba el bazar, brotando de los tenderetes de venta de casetes piratas. En los puestos de confección y en las zapaterías, los vendedores sonreían y gritaban a los transeúntes: «Pase adelante, pase adelante, no hay compromiso en mirar.» Olía a cuero joven en los comercios de arreos para caballerías y a cerdo asado en los improvisados cafetines.

De la tienda del chamán brotaba un aroma de yerbas medicinales y flores muertas. Los codiciosos ojos de Atilio recorrían las estanterías donde se acumulaban las bolsas abiertas de los remedios naturales, cada una adornada con un cartelito donde figuraban su nombre y propiedades: yerba cola de caballo («cura las afesiones de la vejiga»), quirajona («para lavar heridas»), hojas de jalapa («para úlseras y parásitos intestinales»), cáscaras de nance («para mestruosidades furiosas»), cresta de gallo («para ynflamasiones de garganta»), poleo («para acidez, estorbos estomagales y ventocidades»). Los retratos de santos de la Biblia, de Cristo o el santón Simón; la imagen de una joven beata de cabellos rubios que ardía entre pavorosas llamaradas mientras sostenía en alto sus manos sujetas por cadenas; los exvotos, los ungüentos, los folletos que explicaban mil sortilegios; los insectos secos, las pieles endurecidas y rotas de los sapos; las lociones, los amuletos y toda suerte de objetos de propiedades mágicas y curativas, salpicaban las repisas del estrecho bazar. Se vendían jabones «para la paz del hogar» y «de la buena fortuna», o tan sólo de Judas Tadeo, sin más explicaciones. Y sobre un anaquel se alineaban decenas de candelas de diversos colores cuyos dones alcanzaban a cubrir todo el catálogo de las necesidades humanas, desde el amor al dinero.

El muchacho permanecía allí, frente a la tienda, ensimismado, al menos desde diez minutos antes. El chamán, un viejo negro de cabellos y barba blancos, no le prestaba atención, ocupado en ir y venir de un lado a otro del estrecho cuartucho, abriendo y cerrando gavetas que contenían nuevas pomadas y talismanes, retocando la posición de una herradura o echando puñados de yerbas a las bolsas más vacías.

Atilio sujetaba en su mano izquierda el zurrón donde guardaba los dos pares de zapatos que acababa de recoger en la tienda de arreglos, un par del señor Erasmo y el otro de doña Claudia. Pero había perdido el sentido del tiempo. Le obsesionaba, sobre todo, aquella herradura de San Simón, el nuevo amuleto al que se atribuían poderes mágicos tales como llenar de felicidad el hogar donde se guardase. Valía diez lempiras. Atilio pensó que tardaría al menos dos meses en ahorrarlas.

El viejo chamán reparó ahora en el muchacho:

—¿Y no tienes cosa que hacer, pendejo, que quedar pasmarote aquí delante?

—Sólo miraba, pues —respondió el chico saliendo de sus ensoñaciones.

—Pa eso están los cines, pa mirar. Ándate.

—¿No haría una rebajita con la herradura de San Simón, maestro?

—No hay descuentos con los santos y los diablos. Son ellos quienes ponen precio a sus cosas. Si no tienes pisto, ándate.

—Ta güeno. Estoy en el ahorro para la herradura. ¿No se acabarán, maestro?

—Lo que acabará es mi paciencia si no te andas. Espantas clientela, pendejín. ¿No tienes cosa que hacer en otra parte?

—Vine a un mandado del ama... Sí, maestro, me voy

ahora. Pero guárdeme la herradura para cuando vuelva con pisto.

Atilio dio la vuelta, resignado, y echó a andar hacia San Isidro. Los loteros ofrecían sus billetes con un soniquete monocorde: «¿Quiere la chica, quiere la chica?» Algunos mendigos suplicaban limosna junto a los puestos y tenderetes: «Déme un veinte y tenga gracia del Señor, déme un veinte.»

Dobló la esquina y tomó hacia el norte. La calle ofrecía un aspecto animado. Los vendedores de flores exhibían sus ramos olorosos en las aceras. Jóvenes muchachas de color paseaban sin prisas con rumor de caderas.

Vio al hombre frente a la puerta del hotel Iberia. Era un tipo alto, de aspecto curtido y vigoroso. Miraba a un lado y a otro de la avenida, con el aire de alguien que se ha perdido, y mantenía junto a las piernas, apoyada sobre el suelo, una bolsa marrón, como las del ejército.

Atilio se acercó sin pensarlo. Su curiosidad vencía siempre sobre la timidez:

—¿Busca alguna cosa, míster?

El otro giró hacia él y le miró desde arriba.

—Pues sí, un hotel. Éste y el de más allá están llenos. ¿Sabes de algún otro?

Atilio sonrió ufano.

—Dio con la persona adecuada, míster. Yo trabajo en uno, en el mejor de toda La Ceiba, el Barcelona. ¿Oyó nombrarlo? Es famoso en el mundo.

—No, no lo escuché nombrar. ¿Tiene baño y agua caliente?

—No más que claro, míster, todo el confort. El mejor de La Ceiba y juntito al mar.

—¿Habrá habitación?

—Tal que sí, míster, yo me ocupo de todo.

—Vamos allá pues.

—No queda retirado, sólo unas cuantas cuadras. Apenas media hora caminando. Le llevo la bolsa.

—Mejor tomamos un taxi, chico. La carga es pesada.

—A su servicio, míster.

Resplandecía imponente la figura del negro Erasmo, al otro lado del mostrador de la recepción del hotel y enfundado en la chaqueta roja que sólo usaba para las funciones de acogida de huéspedes. Aquella mañana se sentía feliz: primero, porque habían llegado unos cuantos clientes y el negocio prosperaba; después, porque no llovía, porque al fin, tras una semana de aguaceros y chaparrones, el tiempo se había asentado y el cielo brillaba limpio de nubes. Siempre le reconfortaba el sol.

Incluso la cotorra *Melita* parecía haber salido de la melancolía en que se había sumido los días anteriores. Aquella mañana no paraba de gritar, y aunque Erasmo había colgado la jaula de un árbol del patio trasero, sus chillidos llegaban hasta el vestíbulo.

—Maldito pajarraco —dijo el negro en voz alta—. Ni que el gato le estuviese arrancando las plumas una a una.

Oyó detenerse un coche al otro lado de la puerta de entrada. Atilio entró el primero, el rostro iluminado por una sonrisa satisfecha. Cargaba a duras penas un gran saco a la espalda. Le seguía un hombre de mediana edad, alto, de cabellos y bigote negros y bruñidos, y aspecto fornido. Erasmo tiró hacia abajo de los faldones de su chaqueta y se irguió al otro lado del mostrador.

—Traje clientela, señor Erasmo —dijo Atilio—. Eficiencia, ¿eh?, esto es eficiencia.

El hombre se había acercado:

—El chico dijo que tienen habitación. Quiero baño dentro, servicio y agua corriente.

—Tendrá que ser la suite, pero es la más costosa, señor.

—¿Qué cuesta la noche?

—Treinta lempiras. Si paga en dólares, más económica.

—Pagaré en dólares.

—¿Cuántas noches le apunto?

—No sé fijo. Tal vez tres, o puede que cuatro, quizá seis.

—Con gusto. Tal que nos avise el día que vaya a dejarnos, para estar prevenidos…

—Descuide.

—Tendrá que dejarme su documentación.

Wilson le tendió el falso pasaporte y comenzó a rellenar el formulario de registro.

—Nacido… —Erasmo se había puesto las gafas para inspeccionar el documento del otro—. Ya veo: San Juan del Sur, Nicaragua. ¿Refugiado?

—Exiliado.

—Mala cosa el exilio, sí —comentó el negro.

Wilson no respondió.

—Los que no hemos abandonado nunca la patria no tenemos conciencia de lo que puede ser el sufrimiento del exilio —continuó Erasmo—. Supongo yo que será cosa dura. A la tierra de uno se la puede detestar, pero cuando uno se aleja por fuerza no es lo mismo, digo. Cuando yo era niño…

—¿Cuál es la habitación? —cortó Wilson.

—… la veintitrés —respondió el negro—. Cae del lado oriental, en el segundo piso, haciendo esquinazo. La más tranquila, y buena vista desde la terraza: la costa, la cordillera… Atilio, carga el equipaje del caballero y súbelo a la veintitrés.

El chico volvió a tomar la bolsa y se dirigió hacia la escalera. Giró aún el rostro:

—Eficiencia, señor Erasmo, eficiencia.

Wilson tomó la llave de su cuarto y ascendió detrás del muchacho.

Echó un vistazo a la habitación y los lavabos, mientras Atilio le observaba y canturreaba una canción:

*Dum tagayo navutí ma*
*cate naduay tú jatara nú*
*jamu gadia pero gudeme tuní...*

Wilson apagó la luz del baño y se volvió al muchacho:

—¿Qué es esa tontería que cantas, chico?

—Una canción «garifuna», míster, una «punta» de las mejores. Es canto de carnaval.

—No se entiende palabra.

—Dice que «el gallo quería picar el pie a una negrita. Y ella no quiere y llama a su tía para que la defienda». Bien bonito. ¿Le place la habitación, míster?

—No está mal. Toma —dijo mientras tendía al muchacho un billete de lempira.

—Ajá, míster, gran platal. Dios le guarde —respondió Atilio entre reverencias.

—Dime, chico, ¿vives en el hotel?

—Como sí, míster.

—¿Quién más vive aquí?

—Pues Olga Marina, la encargada. Y claro, la patrona, doña Claudia, en el otro ala de este mismo piso.

—¿Es hembra la propietaria?

—Bien que sí. El marido murió. Gran patrona la doña, como una madre.

—Anda, puedes irte.

—Si quiere cualquier cosa, míster, a su servicio. Y que tenga buen descanso —dijo Atilio entre nuevas reverencias.

Wilson prendió un cigarrillo, arrojó el paquete de tabaco y la caja de fósforos sobre la mesa, abrió la puerta de cristales y salió a la larga galería que servía de terraza común a toda la planta. Se apoyó en la baranda del esquinazo y aspiró el humo. Le complacía aquel lugar apacible. Desde la balconada podía alcanzar a ver un amplio panorama sobre la playa, los muelles del lado de occidente, las montañas que crecían broncas a sus espaldas y los lejanos cayos que parecían navíos perdidos en el horizonte del oriente.

El sol cegaba, el calor descendía pegajoso sobre la costa. Y el mar casi inmóvil, tenía la tersura de una sábana vítrea, mojada por un brillo de mercurio. El día era resplandeciente, con un leve rumor de brisa que venía desde tierra, tal vez del sudoeste. Flotaba una cierta densidad en el aire, el sol parecía derramarse sobre el mar como la miel. Y el Caribe, vasto y deshabitado, se tendía bajo un inmenso espacio cuya vaciedad no lograban llenar las nubes que corrían ligeras, como viajeros extraños a aquel mundo, por el anchuroso cielo. Pese a la pegajosidad de la atmósfera, el horizonte se dibujaba nítido. Las aguas reposaban voluptuosas bajo el mórbido abrazo del sol. Y la tierra semejaba temblar ante aquel paisaje de lujuria.

Un par de docenas de gaviotas reposaban en la arruinada escollera, inmóviles, cual si fueran una sucesión de lápidas blancas, un espejismo de cementerio abandonado por los hombres y donde reposaban marinos olvidados. Las únicas personas que se veían en toda la extensión de la playa eran un grupo de niños de color que, unos cientos de metros hacia el este, jugaban a la pelota con un perro brincador y ruidoso. El bando de pelícanos planeaba con pericia sobre las aguas solitarias, casi rozando con sus alas la superficie del océano.

Hacia el oeste el muelle registraba un gran bullicio en aquella hora. Desde la balconada distinguía las figuras de los estibadores que embarcaban mercancías y frutas en dos buques de regular tamaño. Otros hombres recogían cajas de pescado traídas a puerto por una frágil embarcación. Las gaviotas planeaban a decenas sobre el dique y se abalanzaban en picado sobre las aguas cuando alguien arrojaba restos de pescados o frutas podridas a la mar.

Otros trabajadores empujaban los vagones de carga que recorrían el último tramo de raíl del muelle, portando nuevas cajas de mercancías hacia los barcos.

Wilson giró el cuerpo y miró hacia el sur, en dirección a las montañas de la cordillera Nombre de Dios. La elevada cima del Pico Bonito, alzado sobre paredes escarpadas, cegaba el horizonte de La Ceiba, casi parecía surgido de los bordes de la ciudad. Desde su altura, que podía ascender a más de mil metros, dominaba la tierra con la certeza de su poderío rotundo. Quedaban prendidos en sus faldas mechones de nubes que podrían tomarse por humaredas de fogatas que ardieran en las barrancadas. El sol iluminaba el vigoroso monte con un resplandor metálico, mientras las últimas edificaciones de La Ceiba, humilladas al pie del Pico Bonito, brillaban en un color de cobre enmohecido.

Olía a mar adusto y sudoroso. Y hasta la terraza del hotel Barcelona llegaba el griterío histérico de las gaviotas, confundido con los ladridos alborozados del perro que jugaba en la playa con los niños.

Wilson arrojó el cigarrillo sobre el arenal donde la playa se salpicaba de matorrales salvajes y donde crecían, diseminados, cocoteros y arbustos de palma.

Le agradaba el hotel y le agradaba La Ceiba. No le había parecido una ciudad hermosa, pero sí viva. Tal vez, como le habían dicho, era también un lugar divertido. Le habían contado que nada era comparable en Honduras a la noche ceibeña. Sobre todo por las muchachas. Existía, incluso, un refrán popular para el caso: «En Tegucigalpa, las mujeres tienen el rostro duro y las nalgas blandas; en La Ceiba es al revés: cara blanda y culo duro.» Ya vería a la noche.

En cualquier caso, se hallaba lejos de la batalla y de la muerte. Bien pensado, él no buscaba nada allí, sino huir de los paisajes del peligro y el miedo, escapar de los bosques de la guerra. Y se sentía a su gusto, e incluso pensaba que le seguiría complaciendo estar allí aunque resultase que, al fin, las ceibeñas tuviesen el rostro duro y el trasero blando.

Claudia regresó al hotel cerca del mediodía. Se acercaba la hora del almuerzo y olía fuerte a las manzanas asadas con jugo de toronja que Olga Marina preparaba en la cocina. Había cumplido la visita que, un par de veces al año, le exigía don Nicanor, su médico de cabecera, un galeno antiguo amigo de Rafael que, al igual que todos los amigos de su marido, intentaban cuidarla como si aún fuera una niña. Aquella protección generalizada, tanto de Erasmo, como de Rolando y el propio don Nicanor, le resultaba cómoda y relajante a Claudia. Le hacía sentir que no eran demasiadas las responsabilidades que debía asumir en la vida. Y aunque, en cierta manera, pensaba en ocasiones que vivía todavía presa por la presencia fantasmagórica de Rafael, no le alteraba abandonarse y dejarse llevar. ¿Qué importaba continuar cercada por una especie de jaula de humo? A fin de cuentas, ella nunca se había planteado ser un pájaro libre, al estilo de su amigo el viejo pelícano *Matusalén*.

Como siempre, don Nicanor no le había encontrado nada en su reconocimiento. Era una mujer sana, tan sólo proclive a los insomnios y a unas fuertes jaquecas en épocas de menstruación. «Tu organismo es casi perfecto, como un reloj», le había dicho el médico mientras golpeaba con afecto en su mano.

—¿Qué hubo, Erasmo? —dijo al cruzar la puerta del vestíbulo.

El negro se desprendió de las gafas y dejó a un lado los papeles que amontonaba delante de él, sobre el mostrador.

—Gran día, niña, el hotel está casi al completo.

—¿Cómo eso?

—Parece que la gente se puso de acuerdo para venir

en riada a La Ceiba. Los otros hoteles de la ciudad andan llenos, no hay sitio en el París ni en el Iberia. Una invasión verdadera. Mire, tenemos dos viajantes, un marino de Puerto Cortés, una gatita mulata casi púber con cara de criatura perdida, una pareja que yo creo que anda en amoríos prohibidos y un tipo extraño que mira con ojos congelados, como de esquimal. Le di la suite.

—Ya sabes que prefiero que llenes antes los otros pisos. Me gusta estar sola en el mío mientras se pueda.

—Es que quería agua y servicio dentro. Y paga en dólares.

—Bien. Salvaremos la quiebra para un par de meses.

—¿Quién habló de quiebra, niña? Hay platal para un año, ando en las cuentas y vamos sobrados. No me sea ceniza, niña.

—¿Qué tiene de extraño el tipo de la suite?

—Eso, lo que dije, los ojos, parece que tuviera el alma en hielo.

—Los ojos no quieren decir nada.

—Los ojos de la gente lo dicen todo, niña. El tipo se registró como nicaragüense.

—¿Y qué hay de particular?

—Que no es nica, que no tiene el acento. Yo creo que es un «contra» de permiso. Hombre de guerra, niña. Llevaba bolsa militar.

—Siempre imaginas más de lo que hay. Hubieras sido un buen escritor de cuentos fantásticos, Erasmo.

—Suponer e imaginar no cuesta pisto, patroncita. Pero le apuesto que el hombre viene de la guerra.

—Tanto da. En el hotel no se pregunta mientras el cliente paga.

—Lo hará en dólares, ya lo tengo hablado. ¿Jugaría diez lempiras a que es «contra»?

—No apuestes, Erasmo, que sueles perder.

—Pierdo con el naipe. Con la gente, raro es el que se despinta.

—La gente se parece más a los naipes de lo que tú crees —respondió Claudia al tiempo que se alejaba camino de la cocina.

Olga Marina andaba a vueltas con el horno mientras Zunilda y Wendy pincheaban con la ensalada y la fritura de pescado. Al ver a Claudia, Zunilda se volvió. El vestido ligero de la negra hacía notar la rotundidad de su trasero y de su pecho poderoso. Su rostro, picado por las cicatrices de una viruela infantil, era grosezuelo y risueño. Pero estaba enfadada aquella mañana.

—Hubo un golpe de estado en la cocina, patrona.

Olga Marina sonrió a Claudia.

—¿Un golpe de estado? —preguntó.

—Yo soy la cocinera aquí —añadió Zunilda—. Y doña Olga Marina se impostó en mi lugar.

—Hace tiempo que quería preparar manzanas asadas, doña. Nada hay de malo en guisar un plato —se excusó Olga Marina.

—Bueno, Zunilda, nada sucede por un día —dijo Claudia.

—Hoy es un día y mañana pueden ser dos y pasado mañana tres. Así empiezan estas cosas, ya se sabe, y no hay modo de ver cómo terminan.

—Mujer, huelen bien las manzanas.

—También yo sé guisarlas. Y no sólo con toronja. También les pongo caramelo líquido y salsa de coco. Mejor saben así.

—Ya me dirás cuando las pruebes —intervino Olga Marina.

—Bueno... no pasa nada —terció Claudia—. ¿Hiciste la compra, Zunilda?

—Sí. En el «frigo» dejé la carne y los pescados. Y ahí tiene las frutas si quiere comprobar. Traje la cuenta para usted.

—Luego la vemos. Tengo hambre ahora. ¿Falta mucho para comer?

—Como diez minutos, patrona —dijo Olga Marina.

—¿Saben si Atilio recogió mis zapatos?

—En su cuarto dejó el par. Le vi subirlos hace rato.

—¿Y dónde anda?

Wendy, que había permanecido callada, habló entre risitas:

—Le andará poniendo velas al Diablo.

—¿Y cómo va ese rubio con el que andas, Wendy? —preguntó Claudia a la mulatita.

Ella compuso un gesto resignado. No era muy alta, pero sus formas resultaban proporcionadas. Su rostro, algo vulgar, cobraba un alegre atractivo cuando reía. Y lo hacía a menudo.

—Pues eso, me baila y me baila. Y ahí queda. Yo creo que a ese chele sólo le gusta bailar. Se ve que hay hombres que nada más son bailones.

—Bailando, bailando —intervino Zunilda— me hizo un hijo mi hombre. Y luego se fue bailando con otra y hasta ahorita. Y el chico en los Estados con familiares y yo aquí sola. Me bailaba, sí, me bailaba, y ya se ve.

—Nunca te fíes de un hombre, Wendy —dijo Olga Marina—, por mucho que bailen y nada más hagan. Pican como pulgas y luego saltan en busca de otra piel.

—No todos serán iguales, digo yo, señora Claudia —añadió Wendy.

—No siempre, claro.

—Hoy mismo —Wendy sonreía y ganaba en hermosura— llegó uno aquí al hotel que vaya pues. Lo trajo Atilio. Está en la suite, cerca suyo, señora. Bien me parece, mero chulo, como galán de cine. Y así de pelo negro y musculoso.

—Lo tuyo no es fisgar la clientela, Wendy —reprendió Claudia.

—Lo que se ve es cosa libre, como de todos —se excusó la mulata.

—No lo vi yo —dijo Olga Marina.

—Ya bajará. Mero chulo, mero galán de cine.

Wilson abrió los ojos. Tardó unos instantes en distinguir los contornos de los objetos de la habitación, sumida ya en la penumbra del atardecer. Se había quedado dormido después de una larga ducha. Y ahora le acuciaba el hambre.

Se levantó, fue al baño, orinó y luego se mojó el rostro varias veces en agua fresca. Regresó al dormitorio enjugándose con la toalla y se acercó al ventanal y descorrió el visillo. La tarde comenzaba a esfumarse, invadido el cielo por un aire uniforme y grisáceo. Regresó hasta la mesilla, encendió la luz y prendió un cigarrillo. Tenía gusto amargo en la boca y el humo le supo a diablos. Dejó el cigarrillo en el cenicero y comenzó a ponerse la ropa.

Cuando descendió al vestíbulo, Erasmo seguía en la recepción. Pero ya no vestía la chaqueta roja.

—¿Qué pasó? —dijo Wilson al tiempo que dejaba la llave del cuarto sobre el tablero—, ¿ya se despojó del traje de gala?

Erasmo le miró con gesto inexpresivo.

—Pasó mi turno.

—¿Y cómo es que sigue aquí?

—La vocación me puede, ya ve.

Wilson se apoyó en el mostrador.

—Mire, quería un par de informaciones.

—Para servirle, señor.

—Tengo un hambre de perro. ¿Dónde me recomienda que cene?

—Hay muchos lugares acá en La Ceiba. Incluso tenemos restaurante chino, de esos que preparan escarabajos con salsa dulce y reptiles bien frit，itos. No queda lejos.

—Olvide el chino, los detesto.

—¿Le gusta el pescado?

—Podría estar bien.

—Vaya a «Chavelita», es de los mejores. Queda cerca. Hummm... déjeme ver la hora.

—Casi son las seis.

—Estarán abriendo. Puede tomar allí una buena sopa de caracol, no se harta uno de comerla, se hace uno como barril sin fondo. Y de segundo demande un pez frito en aceite de coco. Volverá a «Chavelita» cada noche, ya lo verá.

—¿Cómo llego allá?

—Lo mejor es que tome la calle trasera y siga hacia el oriente. A un kilómetro o así, verá luces, las de la sandwichería «Freddy's». Pregunte a cualquiera por allí, todos saben.

—Y dígame otra cosa. Luego de cenar, ¿adónde se puede ir?

—¿Quiere pachangón o sólo muchachas?

—De todo un poco.

—Pues vaya a «El Piloto», queda donde la barra, algo más allá de la «Chavelita». Hay baile, buena salsa, y muchachas amistosas. Claro que si prefiere ir a lo directo, tiene ahí próximo el Barrio Inglés.

—¿Prostitutas?

—Como sí, señor. Allá sólo es la plata por delante. Pero hay que andar garza, hay mucho borracho, mucho bolo, y gente pendenciera.

—Veremos lo de «El Piloto».

—Buen lugar. Pero, ya sabe, no pueden traerse muchachas al hotel.

—¿Esto es una iglesia?

—Es la norma, la patrona dispone.

—¿Beata su patrona?

—Ni modo. Es por el orden de la empresa.

—Le agradezco la información.

—A su gusto, señor. Si llega tardío, llame en la casa

de atrás, Atilio saldrá a darle la llave. Y no toque el timbre del hotel, no hay sirvientes aquí a la noche.

Salió al aire libre. Miró el Caribe, terso y bruñido en el atardecer. El sol se había ocultado poco antes más allá del muelle carguero, pero el espacio guardaba aún la última claridad del día. A su frente, la línea del mar se dibujaba como tirada a regla y el horizonte, en ese punto, libre de nubes, cobraba un color rosa puro que se iba transformando en tonos lilas camino de las playas. En el extremo oriental del océano, un nubarrón parecía descargar un lejano chubasco sobre las aguas, y el aguacero se perfilaba nítido, como una cortina vertical que caía de la nube al mar en un intenso tinte magenta, semejante a una escalera cuyos peldaños uniesen el cielo con las aguas. Un pesquero, detenido en la rada próxima al muelle, parecía un recortable pegado sobre el paisaje inmóvil, bajo el espacio que arrojaba una campana de claridad sobre la costa. Las palmeras de la playa, en el atardecer calmo y sin aire, surgían de la tierra como si fueran mitológicas serpientes gigantescas, de cuerpo anillado y curvo, la frente adornada de un penacho de plumas verdes. El ocaso tenía, aquella tarde, el aire de una ingenua pintura dibujada por la paleta fantástica de un niño.

Bordeó la fachada del hotel y se dirigió al sur. Después llegó a la calle asfaltada y torció al este. Cruzaban algunos taxis a su lado y grupos de transeúntes, en su mayoría gente de color. La tarde se retiraba con urgencia y ya lucían las bombillas de las escasas farolas que alumbraban la avenida. Allí las casas eran bajas, de una sola planta, y de sus ocultos jardines asomaban por encima de los vallados promiscuas matas de flores y fornidos árboles frutales, en cuyas ramas maduraban los nances y los mangos.

Paró a un transeúnte a la altura de la sandwichería «Freddy's», un negro que a duras penas lograba expresarse en español, tal vez un «garifuna».

—Me dobla tal que aquí mismo, donde da vuelta mi casa, y como ciento cincuenta pasos no muy largos, hágase vuelta para mí. Y mira las luces fuertes, no las otras. Y ahí se llegó.

Encontró de todos modos el lugar y tomó asiento junto a una mesa de madera pintada en azul celeste. Llegaban a su olfato los sabrosos olores de la cocina.

Hacia las ocho de la noche entró en «El Piloto». Apenas una docena de personas se repartían en las numerosas mesas del espacioso local. La orquesta hacía sonar, en apáticas notas, los compases de *Los ojos de la española*, sobre el estrado que se levantaba junto a la despoblada pista de baile.

«El Piloto» era un recinto abierto que se cubría con un gran techado de maderos alineados en listones a los que sostenían decenas de macizos pilares. La brisa húmeda de la noche corría a su antojo bajo las mortecinas luces azules y naranjas. Una larga baranda de madera pintada se asomaba a las aguas de una lagunilla. Se oía croar a las ranas sobre las aguas quietas y la luna casi llena dibujaba en la superficie del estanque los perfiles de las imponentes montañas del sur y de los árboles exuberantes de las orillas, inmóviles figuras majestuosas sobre el umbrío espejo.

Se acercó hasta el mostrador y pidió ron con cola. Le sirvieron la bebida en un vaso de papel. Pagó y buscó una mesa solitaria junto a la baranda, de espaldas a la orquestina, del lado que daba a la barra y el mar. En realidad, aquella lengua de tierra que separaba el océano de la pequeña laguna no alcanzaba una longitud mayor de los cincuenta metros, mientras que la superficie del estanque se extendía sobre una superficie de cinco o seis mil metros cuadrados. Pero bastaba para mostrar dos paisajes diferentes: el mar móvil que transpiraba y latía al otro lado, y más acá las aguas desterradas e inmersas en una letal quietud.

Bebió con urgencia. Concluyó en pocos minutos el contenido de su recipiente y lo arrojó al lago. El vaso de papel cayó en pie y quedó detenido y flotando en el estanque como si se apoyara sobre una mesa de cristal ahumado. Su figura se repetía bocabajo en el espejo del agua, tocada por un destello azul y transparente.

Se levantó y volvió al mostrador. Pidió más bebida y salió del local, camino de la playa. Ahora la orquestina regalaba a la escasa clientela unos «blues» desafinados que el vocalista no lograba mejorar con sus esfuerzos. En la puerta se cruzó con un numeroso grupo de personas que entraban. Vio sombras de otros parroquianos que se acercaban desde el fondo de la calle oscurecida. La hora de la farra parecía más próxima.

Se alejó hacia la costa. La luna iluminaba con vigor la noche estática, con su rostro vacío, descarnado, el de una humana calavera pulida y abrillantada con esmero. Los cocoteros se encorvaban sobre la arena como estatuas de una civilización antigua y ya vencida. El espacio aparecía en su mayor parte limpio y arropado por una polvareda de estrellas anaranjadas. El mar se mantenía alerta, respiraba en su fondo oscuro, reverberaba dejando un breve salivazo de espuma sobre la arena, sumergido en sus profundos estertores. A veces, cuando una ola se movía y chocaba su cresta contra el río de la luna, arrojaba disparos de luz, centelleos de un fuego recóndito y hostil. Detrás, hacia la tierra, las montañas montaban guardia sobre la ciudad, abatidas bajo la luna en una palidez mortal, como las sombras de dioses fenecidos.

Se sentó en el tronco derrumbado de una palmera. En la penumbra, los cocoteros parecían mástiles desarbolados de un navío quebrantado por las tormentas y cuyos restos había arrojado el mar sobre la playa. Wilson dejó a un lado su vaso, encendió un cigarrillo y arrojó la primera bocanada de humo contra la cara ebúrnea de la luna.

Bebió y fumó un pitillo detrás de otro sin moverse del lugar. La música de «El Piloto» llegaba a sus espaldas y parecía ser el único rastro de humanidad en la tierra, tal era la sensación de soledad que comunicaba aquel misterioso mar que latía delante. Wilson recordó a duras penas algunas secuencias de su propia vida, pero las apartó de su memoria. Sentía apatía hacia el futuro. El murmullo del mar despertaba en el hombre confusos anhelos de eternidad y su biografía carecía ahora de importancia.

Permaneció allí casi una hora, como si fuera un ser vomitado del mar. Poco a poco, el trepidante ritmo de la salsa fue devolviéndole a la realidad. Wilson apuró el resto de bebida que quedaba en el fondo del vaso y se levantó y regresó camino de «El Piloto».

La pista de baile parecía ahora una caldera de pleno hervor. Las caderas de los danzantes se golpeaban unas a otras en el trasiego de cuerpos enfebrecidos que seguían el ritmo de la orquestina. El vocalista berreaba tras el micrófono y a duras penas lograba que se entendiera la letra de su canción.

*serás esposa de tu marido,*
*pero mujer sólo conmigo.*

Se habían ocupado la mayor parte de las mesas del espacioso local y no quedaba ninguna libre del lado de la baranda. Wilson se apoyó de espaldas en un extremo del largo mostrador después de lograr un nuevo trago. Miró alrededor: numerosas muchachas, casi todas en parejas, formaban mayoría en la clientela del establecimiento. La menguada luz que se derramaba triste sobre las mesas no dejaba ver si eran o no hermosas. Pero en la pista, donde unos cuantos focos multicolores iluminaban con golpes intermitentes, descubrió algunos cuerpos cimbreantes y esbeltos de mujer.

Conocía el sistema, en todo el Caribe resultaba parecido. Bastaba con acercarse a la pista, danzar un rato al lado de alguna muchacha solitaria, o un par de ellas si era el caso; sonreír luego, cruzar alguna palabra e invitar a una copa. Menos de una o dos horas solían bastar para llegar a la cama.

Sin embargo, no sentía ahora deseos de conquistar a una hembra para hacerle el amor. Y eso le resultaba extraño. Después de la larga temporada de la selva y los días vacíos de Puerto Lempira, se suponía que debía desear un cuerpo femenino tanto como el agua en el desierto. Y no obstante, no tenía ganas. Era una sensación nueva en su vida. Incluso en Vietnam, al regreso de una acción de combate, era capaz de burlar todas las normas de seguridad y acudir a los tugurios donde las prostitutas, muchas de ellas aliadas del Vietcong, podían esconder una cuchilla de afeitar en la vagina. Acudía a aquellos antros sin fatalismo, no porque careciera del sentido del peligro, sino tan sólo a causa de la llamada poderosa del sexo. El sexo le hacía olvidar la guerra, le reconciliaba con la sangre viva y no con la que se derramaba en los campos de batalla. Joder era vivir, a pesar de los riesgos. Y tenía que joder, pasando si era necesario por encima de los peligros, saltándose las normas. La carne le reconciliaba con el mundo al regreso de aquellos combates donde se rozaba la realidad del infierno.

Ahora, su propia frialdad le dejaba perplejo. Sonrió pensando que tal vez era ya un poco viejo. Oyó entonces una voz a su izquierda:

—¿Me invitas a un Tom Collins?

La muchacha era de corta estatura, apenas llegaba a su hombro. Tenía un rostro redondo y chato, algo tostado, tal vez la huella de un antepasado de color.

—¿Un Tom Collins? —preguntó a su vez.

—Eso, ginebra con seltz.

—Pídelo si quieres —dijo sin dudar.

—Agradecida.

La chica ordenó al camarero. Luego, se dirigió de nuevo a Wilson.

—¿Extranjero? Nunca te vi aquí.

—Hummm.

—¿De dónde?

—Del sur. Nica.

—Ah, qué bueno. Pues no das el aspecto. Los tuyos son más oscuros, tal que más mezclados.

—De San Juan del Sur.

—No conozco tu país; dicen que es lindo, pobre y peliador.

—Un poco de todo.

—Anda en la guerra siempre, eso cuentan.

—Sí, la guerra...

El camarero regresaba con la bebida de la muchacha. Wilson dejó dos lempiras sobre el mostrador. Ella bebió. Luego, apartó el vaso de los labios e hizo un mohín.

—Olvidé brindar contigo, disculpa. Brindemos ahora.

—No hay motivo para brindar —respondió Wilson.

—¿Por qué, acaso estás triste? Yo puedo alegrarte. Mira, brindo por nosotros. Chin, chin. Brinda también tú.

Wilson alzó el vaso y los dos recipientes de papel chocaron blandamente en el aire.

—No me has dicho tu nombre —añadió ella.

—No te lo dije.

—Yo soy Imelda. ¿Y tú?

—Fredy.

—Fredy qué más.

—Sólo Fredy, perdí el apellido hace siglos.

—Qué gracioso eres. Pero es preciso tener apellidos.

—Yo voy sin ellos y no pasa nada.

—Nadie va sin apellidos.

—Hay mucha gente sin ellos.

—¿Qué gente?

—Toda mi familia, para empezar.

Imelda rió y mostró su dentadura irregular, cercada en la parte superior por un fino alambre de plata.

—Me tomas el pelo —añadió ella.

—No.

—Eres embromador. Pero me gustas. ¿Quieres que bailemos?

—No sé bailar.

—Todos los nicas saben.

—Hay muchos que no. Tantos como los que no tienen apellidos.

—¿Y qué te gustaría hacer si no bailamos?

—Lo que hago.

—Yo puedo hacer cosas que te agraden.

—Quizás otro momento, otro día…

Una muchacha se había acercado hasta ellos. Era alta, algo flaca, de tez blanquecina y pelo largo y negro. Wilson le dedicó una fugaz ojeada y reparó en las formas mínimas de su pecho.

—Es mi amiga Nora María —presentó Imelda—. ¿La invitarías también a una copa?

—¿Qué quieres? —preguntó Wilson al tiempo que estrechaba la mano de la muchacha.

—Tom Collins —respondió ella.

—Vaya, era bien popular aquí el amigo Tom.

Pidió la bebida a voces al tiempo que depositaba el dinero sobre el mostrador.

—Éste —seguía Imelda— es Fredy, un hombre sin apellidos. Es bien embromador.

La mano del camarero, con el Tom Collins a bordo, cruzó sobre el hombro de Wilson y fue a parar a la de Nora María.

—No se puede ser alguien sin apellidos —dijo la muchacha.

Wilson tragó el último sorbo de su vaso.

—No hagas cuentas —dijo Imelda—. Tendrá alguno que no recuerde.

—En fin —concluyó Wilson—, creo que voy a irme.

Imelda le miró con asombro:

—Quédate un ratito. Las dos podemos ir luego contigo al hotel.

—No dejan muchachas en mi hotel.

—Buscaremos otro lugar.

—Cualquier día, hoy no.

—Cuándo, di un día. Mañana, el otro..., di.

—No sé, no hago planes así.

—¿Es que no somos hermosas?

La muchacha le había tomado la mano y la apretaba contra su seno derecho:

—Mira, soy prieta. También mi amiga, aunque delgada. Te haremos cosas lindas, ya lo verás. ¿O es que no somos hermosas?

Le miraba al fondo de los ojos, desde su baja estatura. Wilson retiró la mano, venciendo la frágil resistencia de los dedos de la muchacha.

—Dije no —terminó.

—Va pues... —oyó decir a la chica mientras se apartaba del mostrador y se abría paso entre la gente camino de la calle. El cantante voceaba una cumbia colombiana.

*Que se cuiden las mujeres de ese mal,*
*que se cuiden las muchachas que es mejor.*
*Es la nueva enfermedad que está matando a la gente*
*que no respeta la edad ni tampoco se detiene.*
*Eeees sida, es sida,*
*es sida, es sida, eeees siiida.*

La música se perdía mientras caminaba despacio hacia el interior de la ciudad. Apenas circulaba tráfico. Una brisa leve y salobre, viniendo desde el mar, extraía murmullos en las copas florecidas de los árboles de un jardín próximo.

Llegó al hotel poco después de las nueve y media. Bordeó la fachada occidental del edificio y se dirigió a la puerta principal. La luz iluminaba el porche desde el vestíbulo y dibujaba en la penumbra las sombras de tres personas sentadas al abrigo del cobertizo.

Al aproximarse, reconoció al recepcionista negro que le había alojado en el hotel. A su lado, se acomodaba un tipo de aspecto grotesco que se balanceaba en una mecedora. Entre ambos, una mujer.

Habían suspendido su conversación y le miraban. Se acercó aún más y se detuvo delante de ellos. Wilson miró de frente a la mujer y notó que ella posaba también sus ojos en los suyos. Tenía un vaso en la mano y la otra apoyada en la mecedora. Centelleó su mirada. Sus labios brillaban también y lo mismo el cabello. Su figura se acomodaba al asiento como si hubiera sido diseñado para acoplarse a las formas curvadas de aquel cuerpo femenino. Wilson recibió de inmediato el golpe de sensualidad que emanaba de la mujer. Logró hablar, pese a su turbación.

—Buenas noches —dijo sin apartar los ojos de ella.

Respondieron a su saludo. No obstante, la voz de Claudia quedó diluida, apenas audible. Wilson se dirigió a Erasmo, apartando por un instante sus ojos de la mujer.

—Olvidé el número de mi habitación. Es la suite, querría la llave.

Volvió a mirar a Claudia. Ella le contemplaba todavía.

—Es la veintitrés —dijo Erasmo al tiempo que se levantaba y caminaba hacia el interior del hotel.

Wilson no le siguió. Habló sin retirar la vista de Claudia:

—Una agradable noche.

La mujer movió los labios, que parecieron enviar un destello de luz empapada de agua, como las olas que

Wilson había visto estremecerse al irrumpir en el río de la luna.

—Bien rica la noche —respondió el hombre de aspecto grotesco.

Wilson no debió de oírle. Una brisa fugaz y salobre llegó desde el océano. Le pareció que la mujer, él mismo y aquel Caribe compartían, de pronto, algo común y misterioso, una soledad cálida y húmeda en el mundo deshabitado.

Erasmo regresó y, con torpeza, Wilson murmuró un buenas noches y caminó con pasos vacilantes, rodeando el espacio donde se asentaba aquel pequeño grupo. Al entrar en el vestíbulo del edificio, la luz poderosa le hizo el efecto de un golpe.

Ya en su cuarto, se tendió sobre la cama, a oscuras, después de desprenderse de sus zapatos. Miró hacia el ventanal y, entre los visillos descorridos, distinguió un pedazo de cielo donde punteaban las estrellas de brillo anaranjado. Oía el mar lamer en la escollera, con un rumor de salivazos y un murmullo de besos. La lengua salada del viento se colaba por los resquicios de las ventanas y mojaba las sábanas. Olía a sargazos, a bajamar y a hembra.

Cuando Wilson se perdió tras la puerta que daba al vestíbulo, Rolando Carreto retomó el hilo de la conversación.

—Lo peor, ya te decía, Claudia, no es enseñar lo banal, sino ocultar la verdad a esos muchachos que, en poco tiempo, serán grandes…

Claudia no escuchaba, sin embargo, como si un zumbido se hubiera instalado en el interior de su oído y embotara su capacidad de percepción de las palabras. Notaba un punzante ardor instalado de pronto en sus sienes, como un alfilerazo de calor, que extendía luego su fuego hacia la piel que bordeaba sus pómulos y sus labios. La brisa nocturna le parecía de repente cargada de intensidad, portadora de un polen invisible, de partículas calientes que tocaban su carne y la sobresaltaban.

—... no puedo quitarme esas ideas de la cabeza —seguía Carreto—, son como una obsesión. Es preciso que cambie. ¿No apreciarías en mí, Claudia, un vigoroso movimiento de rebeldía?

Ella escuchó su nombre entre la confusión de las voces de Rolando. Echó hacia delante la parte superior de su cuerpo y miró al profesor.

—¿Qué, qué decías?... Perdona, no te oí.

—Estabas distraída.

—Dime, ¿qué preguntabas?

—Algo estúpido, nada importante. ¿Qué pensabas tú?

—Seguía tu conversación, pero perdí las últimas palabras.

Erasmo regresaba de traer más hielo. Habló mientras se servía una copa:

—Ése es el tipo, niña.

—¿Qué tipo?

—Ese cliente extraño del que le hablé esta mañana.

—Ah, sí —respondió ella ocultando la mirada.

—El que puse en la suite.

—Te dije que no me gustaba que hubiese clientes en mi planta si no era necesario.

—Y yo le repuse, niña, que era necesario. Paga en dólares y quería baño dentro.

—Bien, deja, no importa.

—¿Qué tiene de extraño el tipo? —intervino Carreto.

—Los ojos —dijo el negro—. Tiene una mirada que parece que estuviese muerto por dentro.

—No será para tanto —señaló Claudia.

—Le digo que sí, niña. Tal vez no le vio bien, aquí está oscuro.

—Le vi perfectamente, no me pareció raro.

—A mí no se me despinta la gente y digo que su alma está seca. Y le apuesto a que es hombre de guerra, tal vez de la «contra».

Carreto pareció sobresaltarse:

—¿De la «contra» dice usted?

—Tal que sí, don Rolando.

—Son fantasías de Erasmo —terció Claudia.

—Se registró como nica —añadió el negro.

—No todos los nicas son «contras» —dijo ella—. Los hay sandinistas, refugiados y supongo que indiferentes.

—Lleva el aire de la guerra, niña.

—Suposiciones, o pendejadas —agregó Claudia.

—No olvide que paga con dólares, niña, y Atilio dice que le vio un pistolón en el equipaje.

Rolando parecía agitado:

—Tendrías que comprobar lo de la pistola, Claudia, enterarte bien de quién es ese tipo.

—La mitad de los hombres de este país llevan pistola —cortó ella—. Yo no tengo por qué oficiar de policía. Sea lo que sea ese hombre, no importa. Con que pague la cuenta, lo demás es cosa suya.

—Tal vez a tu marido no le hubiese gustado —dijo Carreto.

Se hizo el silencio unos instantes. Tintineó el hielo en el vaso de Erasmo. Rolando miró a Claudia. Luego, acercó su mano y tomó la de la mujer.

—Perdona, no quise ofenderte.

—No importa. Tal vez tengas razón y a Rafael no le hubiera gustado acogerle aquí. Pero...

Dejó en el aire el término de la frase. La mano del profesor apretaba en la suya.

—... pero Rafael ya no vive, yo soy la dueña del hotel y a mí no me importa quién sea ese hombre.

Soltó la mano de Carreto y se levantó con cierta brusquedad.

—Bueno —añadió—, da lo mismo todo eso. Estoy cansada, creo que hoy me dormiré pronto.

Los dos hombres se pusieron en pie.

—Seguid aquí si queréis —dijo ella—. No es tarde.

Erasmo intervino:

—Yo, niña, me iré a echar un trago por ahí fuera.

—No te emboles demasiado, controla el trago.

—Ya sabe que soy curtido, patroncita —sonrió el negro mostrando su poderosa dentadura.

Claudia se volvió hacia Carreto:

—Hasta mañana, Rolando.

—Disculpa mis intromisiones, no te enfades.

—No te apures, te espero mañana.

—Llevo unos días nervioso, algo fuera de mí...

—Duerme diez horas de corrido y te levantarás como nuevo. Adiós.

Subió las escaleras hasta el segundo piso. Oía el rumor del mar y un latido febril ondeaba en sus sienes. Sentía los pómulos como si quisieran crecer. Se detuvo en la galería un instante y luego, en lugar de girar a la izquierda, en dirección a sus habitaciones, se volvió hacia el lado opuesto. Con pasos cortos y lentos, evitando hacer crujir los tablones del entarimado, caminó hasta casi llegar al extremo de la terraza. Se detuvo cerca de la suite y comprobó que no salía luz por debajo de la puerta.

Regresó hasta el otro lado de la galería, agitada, como si el breve paseo la hubiese fatigado. Abrió la puerta de su habitación y la cerró a sus espaldas sin preocuparse del ruido del portazo.

Se desnudó y se tendió en la cama, bocarriba, tan sólo cubierta por la ligera sábana, dejándose acariciar por la suavidad liviana de la tela. La habitación guardaba un impreciso aroma de flores escondidas que llegaba desde la sala de baño.

Encendió la luz un rato después. Contempló unos instantes el rostro de su marido, en la fotografía que reposaba sobre la mesilla de noche. Lo tomó entre las manos y lo sostuvo frente a ella unos instantes. Luego, lo dejó de nuevo sobre la mesilla, bocabajo.

Notaba una extraña sensación de temor y un indeciso anhelo que crecía en su carne. Se dio cuenta que estaba mordisqueando los dedos de su mano y los retiró de los labios. Le temblaban las manos y un indefinido desasosiego recorría los poros de su piel. Percibía una débil quemazón a la altura de su nuca.

Se levantó y se puso la bata de tibio algodón amarillo sobre el cuerpo desnudo. Apagó la luz y salió a la galería, dejando la puerta abierta a sus espaldas. Iluminada tan sólo por la luna que iba debilitándose en su fastidioso viaje a través de la noche, se apoyó en la baranda dando frente al Caribe. Miró hacia la derecha, hacia la galería desierta en cuyo extremo estaba la suite. El viento había arreciado un poco y, más allá de la terraza, movía como abanicos las hojas de los cocoteros. El aire venía cargado de sal desde las aguas próximas. Lamía su piel, la impregnaba de una sensualidad caliente. El rumor de la brisa se unía al del oleaje, en un remoto bramido pleno de presagios. El cielo seguía terso y bruñido por las estrellas que claveteaban el gran manto azul del espacio.

Aquel aire salobre y pegajoso hacía nacer un hondo ardor en su carne. Encendía sus mejillas y sus labios, el eco de su sangre caliente batía bajo sus orejas y en el nacimiento del cuello. La serenidad de la noche, que envolvía la tierra con un tibio hálito, parecía dejarla a ella a un lado, como si fuera alguien que escapaba a la pureza del aliento venido desde el mar. Su agitado corazón mancillaba la paz de aquella vigilia piadosa.

Oyó un ruido. Miró a la derecha de nuevo. Vio la luz del cuarto del hombre que, surgiendo como una bronca llamarada, iluminaba de golpe la galería. Luego, la sombra de él se interpuso y, un instante después, apareció, tan sólo con un pantalón, el pecho desnudo, los pies descalzos, un cigarrillo humeante entre los dedos.

Un súbito terror la atenazó y los latidos de su corazón parecieron querer romper su pecho y escapar de su cuerpo. Sentía necesidad de huir al tiempo que el ardor de su carne se alocaba. Sus pies parecían clavados al entarimado, como si una pesada fuerza superior a ella la inmovilizase y la retuviese detenida junto a la baranda. El aire revolvía sus cabellos y apretaba contra su piel caliente la tela de algodón de la bata amarilla.

Los dos se miraban, permanecían quietos a una distancia de pocos metros. El fuerte torso de Wilson brillaba al contraluz. Una venda blanca rodeaba su hombro izquierdo. Los ojos brillaban sobre su rostro oscurecido por la noche.

Le vio arrojar el cigarrillo al otro lado de la baranda y comenzar a caminar hacia ella. Claudia cerró los ojos un instante. Le sudaban las manos. Dudó si todo aquello estaría sucediendo de verdad.

De nuevo alzó los párpados. Él estaba ya a dos pasos, podía ver las líneas de su rostro. A Claudia le ardían las mejillas. Y seguía sin ser capaz de moverse.

—Buenas noches —dijo él.

Ella intentó hablar, pero apenas brotó de sus labios un leve rumor.

—¿La asusté?

Claudia negó con la cabeza. No podía despegar su mirada de la del hombre, que clavaba sus ojos dentro de ella, como si leyera en su interior. Sintió que el viento podría arrebatarle de golpe la bata y dejarla desnuda ante el hombre.

Pudo, al fin, girar la cabeza, en dirección al mar.

—En una noche tan hermosa es casi un delito dormir —dijo él.

Se había apoyado cerca de ella, con naturalidad, y Claudia casi podía percibir su olor, el calor de su cuerpo. No respondió.

—Mi nombre es Wilson, Wilson Ramírez. Usted es la dueña del hotel...

—¿Cómo lo sabe? —acertó a hablar ella, con la mirada alejada aún sobre el mar.

—Me di cuenta antes, en el porche, al llegar. No diga que no me recuerda, fue hace un momento.

Él fumaba otra vez y el humo, empujado por la brisa, corría cerca del rostro de Claudia.

—Sí, claro, le recuerdo... —respondió.

Guardaron silencio. Oía al hombre cuando aspiraba el tabaco. El ardor seguía instalado en los poros de su piel.

Percibió que el otro volvía el rostro hacia ella. Vio, delante, volar la brasa del cigarrillo expulsado hacia el vacío. Y también miró al hombre.

En la penumbra, sus facciones se dibujaban imprecisas. Pero los ojos negros y los carnosos labios parecían refulgir, como gemas tocadas de un rastro de humedad. Claudia no sentía ahora miedo y mantenía su mirada posada en la del hombre.

Entonces él volvió a hablar:

—¿Quiere que entremos en su cuarto?

La pregunta le pareció a Claudia cargada de una naturalidad abrumadora. Pero respondió:

—Está usted loco.

—Nadie más hay en este piso —dijo él.

—Buenas noches —cortó ella.

Podía andar ahora. En dos pasos, ganó la puerta de su habitación. Y la cerró de inmediato, con un golpe sonoro, después de traspasarla. Echó el pestillo, caminó a oscuras y se sentó en la cama. Se quedó inmóvil, escuchando.

Tardó en oírse ruido. Al fin, los pasos del hombre

hicieron crujir los tablones. Unos instantes después, Claudia oyó cerrarse la puerta de la suite.

Una sensación de vacío crecía en el interior de su pecho. Se deprimía por segundos.

Se levantó, alcanzó la puerta y pegó su cuerpo a la madera. Percibía fría la superficie contra su cuerpo cálido. Fue subiendo la mano, acarició la hoja, dejó escurrirse los dedos por el bastidor y tocó el pestillo. Lo descorrió con lentitud. Luego, la mano descendió hacia el picaporte. Y abrió sin ruido.

De nuevo el aire, la brisa salobre, el rumor crecido del océano, la corona de estrellas en lo alto esparciendo su polvo en el espacio.

Salió. Con pasos lentos recorrió la galería. No se preocupaba de evitar los ruidos. Crujieron algunos tablones. Y alcanzó la habitación del hombre.

Una fina raya de luz escapaba de la ranura inferior de la puerta. Claudia puso la mano en el picaporte. Apretó y comprobó que no estaba echado el pestillo.

Empujó. La luz de la mesilla iluminaba apenas el cuarto. El hombre se cubría con la sábana hasta la cintura y recostaba los hombros en la cabecera de la cama. Ella avanzó unos pasos, hasta llegar casi al borde del lecho. Había dejado la puerta abierta detrás y, cuando el hombre apagó la lamparita, sólo la luz fatigada de la luna alumbró la estancia con un fulgor fantasmal. El hombre se echó a un lado, dejando hueco en el interior de la cama, y alzó con una mano el extremo de la sábana. Ella reparó en la desnudez de Wilson.

Claudia deshizo el ligero nudo del cordón de su bata y dejó caer la prenda de ropa a sus pies. Entró en el lecho junto al hombre. Al rozar el otro cuerpo sintió la piel de él también cálida y pegajosa, con un ardor semejante al suyo. Hundieron sus bocas en un beso que tenía sabor de humedad salobre.

## 4

Rolando Carreto desanduvo el camino hacia su casa sumido en la depresión, sintiendo que su comportamiento ante Claudia había sido ridículo y torpe. En realidad, desde días atrás se encontraba inquieto, dominado por el desasosiego que no le dejaba dormir más allá de tres o cuatro horas cada noche. En sus vigilias, le asaltaban pensamientos obsesivos, su corazón fermentaba emociones de frustración. Había adelgazado un par de kilos y bebía más cantidad de alcohol de lo que era su costumbre. Su desazón le llevaba, en ocasiones, a un alto grado de excitación, mientras que, en otras, le transportaba al borde del abatimiento.

Las causas de su zozobra eran diversas. Todavía podía reconocerlas, pese a su ánimo sobrepasado por la angustia. Se creía atrapado en un círculo agobiador, de un lado por su propio carácter pusilánime, de otro por la necesidad que alentaba de combatir contra ello. Era un cobarde que quería luchar contra la cobardía. Y al tiempo, deseaba que esa victoria sobre su propio corazón, si es que la lograba, pudiera mostrar ante Claudia la imagen de un Rolando templado en el coraje y no la de un ser quebradizo y atemorizado.

A ratos, en los momentos en que su alma se abatía dominada por el cansancio de su cuerpo, quería escapar, casi desaparecer del mundo y huir del círculo que le agobiaba. ¿A quién, después de todo, iba a importarle su muerte o su simple desaparición? Claudia le olvidaría también, como le olvidarían todos los demás. En otro momento, sin embargo, se decía que tenía que hacer algo y hacerlo pronto, que había que decir «basta» y, movido a la acción, invadido por el orgullo, realizar un acto de rebeldía, llevar a cabo un hecho significativo y singular en favor de su dolorida patria hondureña. La patria humillada, disgregada, esclava y vencida precisaba de pequeños actos de insurrección, de rebeldías singulares. Era la única forma en que podía nacer, poco a poco, un movimiento orgulloso en el corazón de la tierra hondureña.

Sin embargo, aquellos momentos de exaltación duraban poco. Al rato, invadían a Carreto una desidia amarga y un acre sentimiento de aflicción. Se hundía en la realidad de su falta de coraje. Tu linaje, se decía, es el de un hombre sin bríos y no hay en tu alma un rastro de bravura. Tienes agallas de conejo y cojones de trapo.

Claudia se convertía luego en el vértice de sus obsesiones. ¿Quién podría amar a un hombre así? Durante años había alentado la esperanza de que ella reparase en él sintiéndole como algo más que un buen amigo. Pero si era un cobarde, un hombre incapaz del más mínimo movimiento de heroísmo y rebeldía, ¿qué iba a encontrar Claudia digno de amor en un ser cuyo cuerpo era, además, ridículo y feo?

Aquella noche, además, había sido torpe y necio. No tenía por qué haber hablado de Rafael ni haber juzgado el derecho de ella a aceptar o no a un determinado huésped en el hotel.

Su sensación de ridículo aumentaba al recordar que ella no le había prestado atención cuando le hablaba de sí mismo. Probablemente no sentía ningún género de respeto hacia él. Claro, ¿qué razón había para estimar a un hombre así? Y él, que la veneraba con un ardor mudo y absoluto, tenía que aceptarlo resignadamente. ¿Podría alguna vez ganar su estima si era capaz de vencer sobre la cobardía? Tal vez nunca. Porque era necio, desmañado, feo. Y más todavía: un chorreado, un medroso, un guaje y un cagón.

Movía la cabeza con lástima mirando hacia el suelo. Caminaba hacia el sur, después de haber dejado atrás la línea de la costa. Al adentrarse en San Isidro, le llegó la música fuerte de un tugurio del cercano Barrio Inglés. Se detuvo y miró a su derecha. Las luces de neón refulgían al otro lado de la manzana. Se veía gente en aquel barrio malafamado y peligroso. Y una vez más, como siempre, le atraía a Carreto el lugar, tiraba de él con la fuerza de lo insondable.

Era el lado prohibido, la frontera que nunca había traspasado, la orilla oscura de La Ceiba y, quizá, también de su propia alma. ¿Se atrevería a cruzarla o, como siempre, volvería la espalda y apretaría el paso camino de su casa? ¿Ni siquiera tenía valor suficiente para un pequeño gesto?

Dudó, quieto sobre la acera, los ojos fijos en las luces que parecían reclamarle. La música batía en el aire bajo el cielo fatigado de la noche.

Luego de largos segundos de titubeo, echó a andar con pasos torpes hacia el reino de luces multicolores que alumbraban el lado sórdido del corazón de La Ceiba.

El Barrio Inglés se cerraba en cuatro manzanas de edificios de dos o tres plantas, construidos en madera y pintados de colores chillones. La zona debía su nombre a los días en que, tres siglos antes, eran frecuentes las incursiones de los piratas británicos del capitán Morgan. Se extendía a lo largo de uno de los flancos de la avenida de la República, carecía de asfalto y era atravesada por el tendido de ferrocarril de vía estrecha que, viniendo desde los lejanos campos bananeros, moría en los muelles de carga del puerto de La Ceiba. Era el Barrio Inglés un distrito reducido que albergaba prostíbulos y cantinas y alguna que otra tienda de licores.

Aquel área pecaminosa de la ciudad parecía haber sido diseñada tomando como modelo algún poblado de un «western»: las tabernas y lupanares se abrían a la calle a través de puertas batientes instaladas a mitad de las jambas; la clientela, en su mayoría campesinos venidos de las aldeas próximas, llegaba allí a caballo, y no era extraño ver parroquianos con revólveres semiocultos en los cinturones; muchos hombres se tocaban con sombreros de ala ancha de fieltro o de paja flexible; se oía la música de rancheras mexicanas saliendo del interior de las cantinas; las putas se asomaban a ventanas y portales luciendo vestidos de encajes multicolores, el rostro moreno y chato, los ojos hundidos en una capa oscura de pintura.

Todos los edificios dedicaban sus salones a servir los vicios más antiguos y más sencillos: sexo, alcohol y juego. Mientras en los bajos se bebía y se practicaba un póquer duro y peculiar, las habitaciones de los pisos superiores se alquilaban para los encuentros de urgencia con las rameras. La vida era caprichosa para quien decidía pasar allí unas cuantas horas: un hombre podía recibir una puñalada o un disparo por asuntos tan banales como negarse a pagar una copa a un borracho, intentar llevarse una mujer que otro pretendía o ganar unas cuantas manos en los naipes frente a un desconocido de hosco carácter. Las frecuentes broncas a puñetazos se saldaban con heridos casi a diario y un par de muertos por semana. La policía evitaba entrar en aquel barrio salvo para retirar cadáveres y cumplir fugaces trámites de investigación. Polvoriento y oculto en un rincón de La Ceiba, el sórdido distrito era un fértil yacimiento de chancros, gonorreas, sífilis galopante y sida.

Carreto cubrió a paso lento y desmañado la distancia que separaba el lado amable de la ciudad de aquel paraje rescatado del Infierno. Le latía con fuerza el corazón, notaba las piernas atacadas por una súbita fragilidad que recordaba sensaciones de hambre. Un sonido semejante al aleteo de un moscardón se había instalado en el interior de sus oídos.

El asfalto se cortó de súbito y caminó sobre un suelo de tierra. Cruzó sobre la vía del tren. Frente a él, en la acera opuesta, un edificio pintado de azul se perfilaba en el esquinazo. Del interior emanaba una luz naranja y la música de un huapango llegaba hasta la calle.

El profesor no dudó en dirigirse a la cantina con andar resuelto. Parecía atraerle como un imán dotado de un remoto poder. Y creía reconocer el lugar, como si lo hubiese visitado en sueños. Le eran familiares la luz, la música y el vivo color rojo de las puertas batientes. Hasta el extraño nombre del tugurio, «Perla Brava», parecía vivir en algún lugar recóndito de su memoria.

La misma sensación, los ecos del reconocimiento, persistieron cuando traspasó el umbral de la cantina. La luz de tono calabaza iluminaba la mitad del local, mientras el mostrador del fondo se alumbraba a duras penas con tres o cuatro pequeñas bombillas azules. Algunas mesas y sillas de madera, vacías y en desorden, se desparramaban sobre el suelo de cemento. Dos carteles se constituían como el único adorno de las paredes: uno mostraba al imponente Fujiyama que doblaba su imagen sobre el espejo de un lago de aguas quietas y el otro representaba a una pantera negra de fiero aspecto que se abría paso en la fronda de una selva color naranja. El humo de los cigarros trepaba hacia el techo del mezquino tugurio.

Se acercó a la barra. A su derecha, cinco mujerucas rodeaban a dos tipos que, sentados sobre sendos taburetes, les palpaban de cuando en cuando los muslos y los pechos mientras daban cuenta, a broncos lingotazos, de una botella de aguardiente de caña. El trago hacía ya efecto en uno de ellos y el vaivén que confería a su asiento cada vez que alargaba el brazo para palpar a una de las muchachas amenazaba con perder su frágil equilibrio y tirarle por tierra. El otro, más entero, soltaba grandes risotadas ante la torpeza de su compañero y una y otra vez dejaba caer con fuerza su manaza de plomo sobre el mostrador.

A la izquierda de Carreto, dos chicas solitarias permanecían en silencio, observando el grupo, los rostros fatigados, alzadas sobre taburetes frente a dos vasos medio llenos de una bebida color de cobre enmohecido. Detrás del mostrador, atendía una mujer entrada en años, enfundada en un estrecho vestido negro que remataban, a la altura del escote, cintas de encajes mugrientos que alguna vez pudieron ser blancos. Tras ella, una tosca estantería de madera sostenía una hilera de botellas, la mayoría sin etiqueta.

Se acercó a Carreto la mujer:

—¿Qué tomá vos?

—Una cerveza bien fría.

—Se averió el frigui. Si la quiere caliente...

—Me cambio a un trago de ron.

—¿Nacional o de importación?

—¿Hay cubano?

—Sólo jamaicano, caballero.

—Jamaicano, pues.

—¿Le pongo pizca de lima?

—No, seco.

Le temblaba algo la mano cuando tomó el vaso. Bebió la mitad del contenido de un sorbo. El líquido recorrió sus vísceras como si arrastrase en su camino un hierro candente.

Una de las chicas de su izquierda le sonreía. Giraba el rostro hacia él y mostraba una fila de dientes tan separados entre sí que parecía que hubiese perdido la mitad de la dentadura. Carreto no devolvió la sonrisa, pero logró sostener durante un instante la mirada de ella. Aquello debió de ser suficiente para la muchacha, pues abandonó su taburete y caminó hacia él. Era pequeña de estatura, de pelo negro y liso, rechoncha de cuerpo. Vestía una falda roja de volantes y una blusa de gasa blanca y transparente, que marcaba con nitidez los pezones, las aréolas y el canal que dividía sus dos senos menudos.

Carreto había vuelto la mirada hacia el mostrador. Le

ardían las mejillas y le sudaban las palmas de las manos. Ella llegó a su altura.

—Hola, ¿cómo le va? —dijo la muchacha.

—¿Qué tal? —acertó a responder el profesor después de dirigir una fugaz mirada a la chica. La sangre trepaba caliente por sus mejillas.

—¿Quiere un caramelo? Son ricos, traídos de México, me los dio un marino gringo.

Le tendía un dulce envuelto en un papelito de celofán color morado.

—Es hecho de moras de zarza —añadió ella.

—No, gracias, estoy con el guaro —se excusó Carreto.

—Usted es de los tímidos.

Enrojeció otra vez. La chica se arrimaba ahora un taburete. Le rozó con levedad el brazo.

—Los hombres tímidos son más delicados, me complacen —siguió—. Pero conmigo puede confiarse, soy discreta y bien cariñosa. ¿No le parezco cariñosa?

—Sí... yo no sé... bueno, qué sé...

—Aunque hay algunos tímidos que cuando se sueltan de la timidez se vuelven escualos. Si yo le relatase historias de mi vida, no saldría del asombro. Un tímido, una vez, la emprendió a puñadas conmigo. No estaba bolo, sino bien sobrio. Guardaba algún rencor a alguien. El dueño del local vino en mi ayuda. De no ser así, tal vez me hubiera matado y no lo contaría yo ahorita.

—No tenga apuro, yo no soy violento.

—Eso se ve. Aquel tipo miraba mal, no debí subir con él al cuarto. Yo era bien ingenua, luego los años me han hecho intuitiva. ¿Le gusta beber solo?

—No suelo hacerlo. A veces en casa...

Ella rió:

—No me entendió. Quería decir si me invitaría a un traguito.

—Ah, perdón, claro, sí. Tome lo que guste.

—Rosita —gritó la chica a la mujer de negro—. Guaro con cola, a la cuenta del caballero.

—¿No es muy fuerte para usted? —preguntó Carreto—. Parece niña aún.

—Y lo soy, don, pero bien bragada. Con lo que rodé, he tomado de todo. Pero gracias por la piropeada, de todos modos.

—¿No le emborracha el guaro?

—Preciso mucho para embolarme. ¿Quiere apostar a quién cae antes de los dos, si usted o yo?

—No, no. La creo.

—Ah, bien tímido usted, bien tiernito. ¿Cómo se llama?

—Rolando.

—Bello nombre. De héroe antiguo, ¿no?

—¿Cómo dice?

—Eso, nombre de gran personaje.

—Soy todo menos un gran personaje.

Ella volvió a reír:

—Ya le vi el alma. Tiene problemas.

—¿Cómo lo sabe?

—La amargura se huele enseguida en los hombres. Pero no le apure, todo se pasa al fin. El año próximo no se acordará de todo lo que sucedió en éste. O recordará sólo lo bueno. Hay que reírse de lo malo.

—Usted parece fuerte.

—O uno es fuerte o uno se muere. Pero ¿por qué la tristeza? ¿Le gusta mi cuerpo?

—Bien, sí, claro.

—Le gusta poco.

—No, no; es que no había reparado.

—Vaya, peor lo pone. Cuando uno no repara, es que no hay nada en lo que reparar.

—No lo tome así.

—No le apure. Con tal de que ahorita ya repare…

—Yo…

—La timidez. ¿No ve mis chiches?

—Yo..., sí, no sé...

—Tóquelas si quiere, están duritas.

—No, eso no.

—¿Le dio cobardía ahorita?

—¿Por qué dice eso?

—Por nada, una pregunta sólo.

—Pues sí, soy hombre cobarde.

—Yo no asusto, no como a nadie.

—No es por usted.

—Pues no tema y toque mis chiches. Es gratis tocar.

—¿Cómo notó que soy cobarde?

—Chucha, no noté nada. Fue por decir, un decir nada más.

—¿Y por qué dijo que tenía nombre de héroe antiguo?

—No me sea cuije, no me emburle.

—No hay burla.

—Tendré algo de bruja. ¿Está nervioso? Beba, termine su guaro y pida otro. Rosita, póngale al don otro trago.

Carreto no protestó y apuró su copa. Pensó que aquel ron podía abrirle un agujero en el estómago. La mujer de negro le llenaba de nuevo el vaso.

—Así está mejor —seguía la chica—. También es bueno el guaro contra la timidez.

—Perdóneme —dijo el profesor—. Tengo la cabeza algo loca estos días.

—Cuénteme lo que pasa. Yo sé escuchar historias, es mi oficio también.

—No pasa nada importante.

Volvió a beber Carreto. Se sentía algo más calmado. La chica había terminado el contenido de su vaso.

—¿Puedo tomar otra? —dijo—. ¿Me invitaría?

—Tome cuantas guste.

—Rosita, lléneme, por favor.

—¿Cómo se llama usted, señorita? —preguntó el profesor.

—Hacía tiempo que nadie me llamaba de usted. Tutéame. Y yo a ti, si no te disgusta.

—No me disgusta. ¿Cuál es tu nombre?

—Me dicen Nelly aquí en el Barrio Inglés. Pero mi nombre es Elena.

—¿Cuál prefieres de los dos?

—Da lo mismo. Elena es elegante, pero lo de Nelly suena a tierno.

—Te llamaré Nelly, pues.

—Lo que gustes. Pero ¿no te parece que Elena es nombre de princesa?

—Así se llamaba una princesa de Troya.

—¿Dónde queda eso, en algún lugar de Honduras?

—No, más allá del mar.

—¿Es lindo lugar?

—No, existió hace siglos.

—¿Y cómo conoces tú esas historias?

—Las estudié para mi trabajo. Te llamaré Elena si prefieres, como la princesa.

—Sí, la princesa del Barrio Inglés —rió Nelly.

Bebieron al tiempo, mirándose por encima de los vasos.

—¿Y tú —preguntó la chica— no tienes apelativo?

—No, sólo me llamo Rolando.

—Es raro, en nuestra tierra casi que cada cual lleva su apodo.

—Los chicos de la escuela... bueno, yo soy profesor, ¿sabes?... me dicen algo feo. Pero me importa poco.

—¿Qué te dicen?

—Es algo ridículo, como mi cuerpo.

—No te veo ridículo.

—Tampoco me verás hermoso.

—Tienes un algo, los ojos tal vez.

—¿Tú crees? Me llaman... bueno, no sé...

—Dímelo, no tengas apuro.

—El Tortuga.

—¿El Tortuga? ¿Cómo es eso?

—Tal vez mi aspecto.

—No pareces tortuga, se te ve bien hombre.

—Soy complicado.

—¿Qué te apena?

—Muchas cosas. Mi país, por ejemplo.

—Un país no es nada. Es una tierra y la tierra no habla. A mí el país ni me apena ni me entristece.

—Lo comprenderías si te explicara.

—Oye, estás triste. Se me ocurre que agarremos una botella y nos vayamos arriba, a un cuarto, y me cuentas. Y hacemos también cuanto te guste.

—Yo…

Nelly se había dejado caer del taburete y tomaba su mano.

—No te apures. Mira, lo mío son veinte lempiras. Y cuatro la habitación. Eso por cada hora. ¿No tienes plata?

—No es el dinero. Es que yo no sé, no estoy seguro.

Ella tiraba de su brazo.

—Vamos, sube conmigo.

Y le sonreía.

—Vamos…

Carreto sentía que sus pies fallaban sobre el suelo. Si tuviera el valor suficiente… Sólo era necesario dar un paso adelante, dejarse llevar por Nelly.

La muchacha vencía poco a poco su resistencia y le arrastraba a pasos lentos hacia una puerta que se abría en el rincón más oscuro de la sala. Oyó entonces, a su espalda, la voz de la mujer que servía en el mostrador:

—Eh, amigo, olvida pagarme.

Se detuvo.

—Ah, sí, claro. ¿Qué le debo?

—Con la botella que agarró la Nelly, son ocho cincuenta.

Regresó a la barra, junto a la muchacha que no soltaba su brazo, y dejó el dinero en la mano de la mujer. Después, caminó de nuevo hacia el fondo. Nelly se sujetaba a él. Cruzaron la puerta y comenzaron a ascender la lóbrega escalera camino del segundo piso. Algo parecido a una lejana sensación de euforia crecía en el espíritu de Rolando Carreto. Y un rastro de olvidado orgullo pugnaba por nacer en su humillado espíritu.

Se levantó con sabor de ranas muertas en el paladar y el corazón batiendo contra sus sienes y tronando en sus oídos. El despertador había sonado a las nueve y le pareció una locomotora que cruzara por encima de su cabeza. Retornaba a la vida después de tres horas escasas de sueño y a duras penas lograba recuperar su conciencia entre los nubarrones que cercaban su cerebro. Era medio vegetal y medio animal, con un atisbo de inteligencia humana que pugnaba por abrirse paso.

Consiguió moverse, sin embargo, y a gatas, en calzoncillos, se dejó caer de la cama al suelo. Así, sostenido a cuatro patas, bien podía parecer una tortuga, más tortuga que nunca, un quelonio enfermizo privado de caparazón y a punto de perecer. Carreto intuyó, en el desorden de su mente, que si en ese instante muriera, tan sólo quedaría de su ser un insípido charco, un charco de venenoso ron, destilado en quién sabe qué bodega clandestina de los arrabales y embotellado luego con una etiqueta jamaicana.

No obstante, no moría. Su cuerpo arruinado e inmundo escondía esa mañana un espíritu de imprecisa alegría, de ganas de vivir, un hálito de nobleza que le impulsaba a buscar fuerzas para ganar la vertical. Así es que, con lentitud y ahínco, pudo al fin incorporarse. Su cerebro nadaba en una laguna de aguas espesas y su equilibrio era precario. Tomó aire varias veces, la mente ganó alguna orilla y su cabeza pareció asentarse. Dio un paso adelante y sus músculos respondieron, aunque lo hicieron con torpeza, como presos por el óxido y faltos de grasa. No oía ruidos, pero sentía que sus articulaciones podían chillar igual que conejos pillados en un cepo. Renqueante, consiguió ganar la puerta en tres pasos más y salir del dormitorio.

Preparó café, comió un par de galletas y se tragó dos aspirinas. Los pensamientos trataban de volver, pero el cerebro se resistía y mantenía el cierre echado. En tropel, confusas, se amontonaban las imágenes del día anterior. Algunas le producían sensaciones de rechazo antes de reconocerlas; pero su ánimo no se encontraba aquella mañana en disposición de aceptar imágenes de signo negativo, de modo que de inmediato las obligaba a disolverse. Por el contrario, trataba de recuperar y fijar en la memoria aquellas impresiones que venían envueltas en un aire agradable. Pero cuando forzaba en exceso el cerebro en el intento de rescatar los recuerdos, los latidos de sus sienes atronaban hasta aturdirle.

Tomó tres tazas seguidas de café fuerte, muy caliente y sin azúcar. Las tripas saltaban como si las escaldaran y los nervios se afilaban cual cuchillas de afeitar. No obstante, la caldera parecía querer ponerse en marcha, recuperar el ritmo habitual de su funcionamiento. Dolía aún la cabeza, pero comenzaba a notar cómo un ser llamado Rolando Carreto se abría paso, poco a poco, entre aquel amasijo de carne, vísceras y sensaciones que se había escurrido del lecho con aire de reptil enfermo unos minutos antes.

Se levantó y percibió un fugaz amago de mareo. Logró controlarlo, sin embargo, y con pasos indecisos alcanzó el cuarto de baño, se sentó un rato en la taza en un vano intento por liberar su cuerpo de cargas inútiles e intentó reflexionar sobre el día que le aguardaba. Al rato, abandonó el retrete, se desnudó y se metió debajo de la ducha. Renacía un poco más mientras el agua, casi hirviendo, se escurría por su cuerpo desde la coronilla a las uñas de los pies. Y se sorprendió cantando con voz aguardentosa y disonante, plagada de falsetes desafinados cuando la quebrada garganta le fallaba en las notas más altas. Tal vez no cantaba así, a solas y a voz en grito, desde que era un niño.

Cuando se enjabonó la entrepierna, recordó a Nelly. El pene y los testículos, cubiertos por la espuma, bajo la redonda barriguita, eran ridículas miniaturas, torpes imitaciones de un sexo de hombre. Sostuvo el aparato genital con una mano para alcanzar a contemplarlo mejor. Nunca lo había visto tan reducido. Se rió pensando que quizás estaba seco para una larga temporada o que tal vez la muchacha se había quedado una parte del instrumento como trofeo de guerra.

Regresó desnudo al dormitorio. Se pondría uno de sus mejores trajes: el de lino blanco que tan sólo sacaba del armario para las bodas o los entierros. Y llevaría también su corbatín de seda roja. Y el flexible panamá cercado por la cinta negra de raso. Lamentaba ahora no tener bastón. Eso le hubiera dado un aire de vetusta dignidad, de maestro afirmado en el saber y poseedor de un intelecto sutil.

Procedió a arreglarse ante el espejo. No era un hombre bello, desde luego, y era bien cierto que el quelonio queda siempre en quelonio aunque se vista de seda, pues no había ropa que pudiese remediar la pequeñez de sus ojos y la nariz que saltaba con rotundidad de su fofo rostro y que adquiría una forma de gancho, como en las tortugas, a medio camino de convertirse en pico. Sin embargo, el traje dotaba a su figura de una cierta prestancia y de una indudable nobleza. Pensó que dejarse crecer un bigote podría conferir a su rostro una mayor severidad. Era una idea a considerar en los días próximos. De un cajón del aparador tomó un pañuelo de seda azul y se lo echó al bolsillo superior de la chaqueta, dejando asomar sus pliegues. No recordaba la procedencia del pañuelo, tal vez se trataba de un regalo antiguo. Pero ¿quién le regalaba a él nada?

He aquí al hombre, se dijo satisfecho mientras contemplaba su cuerpo entero. La imagen de Nelly se volvió ahora más precisa en sus recuerdos. Pero la retiró de inmediato y la sustituyó por la imagen de Claudia. Una cálida sensación acarició su deteriorado cerebro.

Su mente era ya capaz de organizar el día que le esperaba. Primero de todo, las clases de Historia. A mediodía, después de comer, el café y la tertulia con sus amigos escépticos y desesperanzados. Ya verían. Luego, a la noche, el aire fresco del mar junto a Claudia, ese importante momento que ahora, al recordarlo, hacía crecer en él una leve sensación de euforia.

Salió silbando de la casa. Un gato hurgaba en las basuras del portal y gruñó con fastidio al molesto ser humano que interrumpía su desayuno. Carreto le largó un imaginario golpe de bastón y el bicho se retiró un par de pasos con el pelo erizado.

Durante un par de minutos, paseó en silencio ante la veintena de alumnos que se sentaban en los pupitres. Antes, había mirado los papeles que guardaba en el cajón de su mesa para recordar que, según el programa, la clase del día debería tratar sobre la fundación de Tegucigalpa. Se preguntaba ahora, mientras caminaba como un viejo animal enjaulado, qué sentido podía tener explicar a aquellos niños tonterías tales como que el hombre de Tegucigalpa venía de un vocablo indígena, «Teguzgalpa», que más o menos venía a querer decir «cerro de la plata». Muy bien, volverían a casa a explicar a sus padres que la capital de su país tenía mucho que ver con la riqueza, que pisaban el suelo de una rica nación, dotada por Dios de inmensos dones que otras naciones envidiaban y desconocían. Los padres, con toda seguridad, se sentirían felices al comprobar que la escuela convertía a sus hijos en seres más sabios de lo que ellos alcanzaron a ser. Y todos, padres, hijos y hasta los abuelos si estaban vivos, celebrarían la fortuna de ser hondureños, nativos de una hermosa tierra repleta de tesoros naturales. Incluso serían capaces, en nombre de la cultura impartida en las escuelas, de olvidar la miseria cotidiana, comerían su dieta escasa en proteínas y en vitaminas pensando que transitaban sobre uno de los países más hermosos, feraces y repletos de minerales y materias primas que había en el planeta. Tal vez llegarían a morir con gusto sabiendo que el hijo aprendía lo que ellos nunca lograron aprender. ¿Cuántas felices muertes pueden producirse en nombre de la cultura?

Así es que paseaba como un felino atacado por la desidia de saber que nunca podrá escapar de la jaula, mientras reflexionaba sobre qué demonios estaría haciendo allí y por qué narices era profesor de Historia.

Miraba de reojo los rostros de los alumnos. Los veía expectantes y notaba que, al contrario que en otras ocasiones, percibían el cambio en su talante. Siempre había, en los días normales, tres tipos de actitudes entre los chicos: unos miraban con interés esperando aplicarse en lo que decía. Eran los menos. Otra parte, la mayoría, posaban sobre él su mirada ausente, entrenada para seguirle, mientras que tal vez sus pensamientos volaban en busca de ensoñaciones. El tercer grupo, no tan numeroso como el segundo pero sí más que el primero, buscaban los pupitres del fondo y cuchicheaban entre ellos mientras él hablaba. No contaba con ninguna prueba, pero estaba seguro que era en aquella pandilla donde lograba mayor fortuna su apodo de El Tortuga.

Ahora, sin embargo, todos fijaban los ojos en él. Claro, nunca le vieron pasear en silencio ante ellos, como un puma anciano. Y él nunca había acudido a las clases con un terno tan elegante como el que ahora lucía. Al mismo tiempo, se sentía como el gran actor que va a representar la gran obra de su vida, firme en su papel, seguro de sus gestos y de su triunfo. Los tenía en su mano, dominaba el escenario, el triunfo no podía esta vez escapársele.

De modo que se detuvo. Lo hizo súbitamente, pillando de improviso todos aquellos rostros que seguían su ir y venir en el breve estrado que separaba la mesa de los pupitres. Alzó primero el brazo derecho y apuntó con la mano hacia los rostros de los muchachos. Dejó que la mano hiciese un recorrido horizontal, como si buscara con un revólver el entrecejo de los chicos de la primera fila. Y luego dijo:

—No quiero papel ni lápiz ni bolígrafo. Quiero que guardéis los cuadernos. No habrá ningún examen sobre la explicación de hoy. Lo que quiero hoy es que escuchéis.

Le miraban todos, no había cuchicheos. ¿Temor en las miradas? Tal vez sólo extrañeza.

—La Historia es aburrida, la Historia no sirve para nada, la Historia es mentira. Tegucigalpa quiere decir «cerro de la plata», pero sólo hay plata para unos cuantos y mierda para los demás. ¿Me entendéis?

Calló y miró los ojos de los muchachos. No encontró un solo gesto distraído, una sola mirada de ensoñación, una sola muestra de aburrimiento.

—Honduras, vuestro país, es un nombre vacío. ¿Tenéis idea de cuál es el país donde habéis nacido?

El silencio era total y sabía que su éxito era completo, ya que el auditorio permanecía expectante. Así es que dio otro paseo de un lado a otro del entarimado. De reojo, percibió que todas las miradas le seguían, como se sigue una bola en un partido de tenis.

Se detuvo de golpe, con brusquedad, y giró de nuevo su cuerpo hasta dar frente a los muchachos.

—Bien, pues el país donde habéis nacido es una vergüenza, un gran cagadal con su historia llevada a putas. Toda la Historia de Honduras me cae a los huevos. ¿Entendéis ese lenguaje?

Lanzó ahora una sonrisa y escuchó la carcajada general. El teatro funcionaba.

Dejó unos instantes seguir las risas mientras mantenía en sus labios la mueca de su propia sonrisa. Luego, tornó el gesto y adoptó una actitud grave. Cesaron las risotadas.

—Ésa, ésa es la simple y mera verdad.

Hizo una pausa solemne antes de seguir. Irguió la espalda, dejó escapar una tosecilla y continuó:

—La vuestra es una tierra apática, carente de raíces, una nación sin hacer, sin voluntad de hacerse, un país deudor de todos y acreedor de nadie. Nuestros héroes nacionales son hombres corruptos vendidos a los intereses de países extranjeros. Sólo podemos respetar a Lempira, nuestro indio rebelde contra los españoles, y a Morazán, el patriarca de nuestra independencia. Los demás fueron y son corruptos, seres innobles que no merecerían una sola línea en nuestros libros de Historia.

Tomó aire. No se oía delante de él el más mínimo de los ruidos.

Y se disparó, sin cálculo, arrastrado por el vértigo de su apasionada impaciencia.

—¿Y qué se puede decir de nuestros movimientos de rebelión, de nuestras guerrillas, de las sublevaciones populares? Todas fracasaron antes de nacer porque nuestros hombres hondureños, desde la corrupción o desde el desánimo, no tienen valor ni tienen cojones.

¡Qué poco costaba ahora decir cuanto sentía, hablar cuando había decidido abrir la puerta a la sencilla verdad!

—Honduras no tiene una música propia y nuestro folklore es prestado. Honduras no tiene lenguas indígenas, no tiene artesanía, no tiene dioses propios ni una historia de orgullo. Honduras no es un país, es tan sólo un paisaje. Honduras es un gran cagadal... Sólo de cuando en cuando, algunos poetas entristecidos alzan su voz de protesta en nuestra tierra. La suya es la voz de una denuncia desesperanzada, un verbo lúcido y agónico que lleva a la esencialidad de la desolación. Leed a nuestros poetas, hijos, para comprender qué es la tristeza honda de vuestra patria desolada...

El agudo grito del timbre del pasillo anunció el fin de la hora de clase. Al otro lado de la puerta, se oyó de súbito una enorme algarabía que procedía de las otras aulas. Comenzaba el tiempo del recreo. Pero delante de Carreto los alumnos no se movieron.

—Bueno —dijo algo turbado, como salido de un sueño—, ésa es la Honduras que os espera a la vuelta de unos años y más allá de la puerta de esta escuela. Procurad ser indignos de ella.

Se dio la vuelta, tomó el panamá del perchero y recompuso su figura. Cuando atravesó la puerta y salió al pasillo, ningún muchacho se levantó de su asiento. El profesor Rolando Carreto dejó aquella mañana de ser El Tortuga y quedó apodado el Chivo Loco.

Ufano, Carreto entró en el cafetín «La Plata» alrededor de la una de la tarde. Algunos parroquianos daban cuenta de su almuerzo y otros saboreaban el primer café tras el almuerzo. El local cubría un espacio aproximado de cien metros cuadrados y sus estrechos ventanales le daban una apariencia sombría. Cruzó el salón, sorteando las mesas donde se apretaba la perezosa clientela, hasta alcanzar una que se arrimaba a la pared del fondo, cerca del mostrador. Los dos hombres le saludaron con una inclinación de cabeza. Carreto tomó una silla y se sentó dándoles frente.

—¿No vienen los otros? —preguntó al tiempo que dejaba su sombrero a un lado del velador.

—Creo que no —respondió Horacio Bonilla.

Bonilla era un hombre de edad avanzada, de lacios cabellos blancos y espeso mostacho nevado. Su piel mostraba un tono de yeso apagado y el rostro exhibía una geografía sembrada por decenas de arrugas. Era viudo, no tenía hijos y vivía de su pensión de funcionario jubilado. A los cuarenta años comenzó a escribir poesía y era apreciado como un magnífico vate en los círculos culturales del país.

El otro hombre, Pierre Sauvagard, jugaba con un largo veguero entre los dedos. Se había apagado, pero él no parecía interesado en encenderlo de nuevo. Tenía un rostro largo y descarnado, aunque su cutis brillaba en un encendido color carmesí que punteaban mínimos lunares sanguinolentos, consecuencia tal vez del largo número de vasos de ron que consumía a diario. Había nacido en Francia, pero desde treinta años antes vivía en La Ceiba. Ahora tendría alrededor de los cincuenta y en su cabello ensortijado las canas se enredaban con los restos de una pelambrera negra en retirada. Ocupaba su vida en negocios e inversiones que una y otra vez fracasaban, y era pertinaz en el relato de sus múltiples desdichas. No cedía, sin embargo, en su empeño de lograr la fortuna que había venido a buscar a América, para regresar entonces a Normandía y construirse allí un *château*. De momento, vivía con una mujer de color, de la que tenía tres hijos mulatos, y de los que siempre evitaba hablar cuando se le preguntaba.

Carreto sonrió arrogante. Sentía deseos de narrar a sus contertulios la crónica detallada de sus últimas veinticuatro horas, comenzar de golpe su relato diciendo algo así como «ayer estaba hundido en la derrota y, a la noche, me armé de valor y crucé la puerta de los infiernos en el Barrio Inglés. ¿Lo conocen? No, a ustedes les faltan agallas para ir allí. Verán, todo comenzó cuando…».

Pero se contentó con decir:

—Hace un gran día, da gusto respirar y vivir bajo un cielo como el que hoy luce.

—Pues usted tiene grandes ojeras, señor Carreto —señaló Bonilla.

¿Qué decía aquel viejo? Carreto se sintió levemente molesto. Siempre la desesperanza, el lado amargo de las cosas, no era otro el estilo de aquel hombre. Gran poeta, sí, pero sin un ápice de gallardía que lograra convertir en sangre viva su escepticismo. Así eran los poetas en Honduras.

—Es la fatiga que viene después de la batalla. Porque yo lucho, ¿saben?

Los otros dos le miraron con asombro.

—¿Qué dice? —acertó a comentar Bonilla.

—Nada, cosas mías. ¿Qué hace estos días, don Horacio, escribe usted?

—Siempre lo hago. La poesía es una flor delicada, desgranar sus pétalos es ardua tarea. Hay que ir despacio, como cuando se tiene una mujer hermosa en el lecho.

—Le dio por la lírica, ya veo.

—Señor Carreto, anda usted algo extraño esta tarde. Ya sabe que no soy un poeta lírico.

—¿Y como qué tipo de poeta se definiría?

—Me cuadra mejor poeta social. Yo soy un escritor, y usted lo sabe bien, comprometido con la causa de la justicia. El último libro que publiqué, *La miseria y el grito*, es ya suficientemente expresivo en su título, ¿no le parece? Pero la rebeldía no es incompatible con un lenguaje bello. Recuerde a Vallejo, a Neruda, a Rubén, a Dalton, a nuestro Roberto Sosa y a tantos otros. Con humildad, yo intento estar en esa línea que une la belleza al compromiso. Y algo alejado de la lírica.

—Pero ¿usted cree que bastan las palabras?

—La palabra es una forma de acción. Yo no sé manejar otro instrumento.

—La palabra, la palabra sólo, puede ser una forma de cobardía.

—Le veo alterado, señor. Pida un café, le vendrá bien.

—No, gracias, hoy llevo prisa. Vine apenas para saludar.

—Sus saludos son algo montaraces.

—No lo tome a mal, don Horacio. Sabe cuán sinceramente le respeto a usted y a su obra. Pero... bueno, hay días que uno se plantea la necesidad de ir más lejos que las palabras.

—Eso está bien, señor Carreto. Pero yo me pregunto cómo. Dígamelo usted si ya lo sabe.

—Uno está obligado a buscar la fórmula. Mire, si yo le dijera... es un ejemplo, tan sólo un ejemplo... si le dijera que hay en La Ceiba estos días un alto jefe de la «contra»..., imagine tan sólo. Nosotros sabemos que la «contra» es una vergüenza para nuestro país, una ignominia para Honduras. ¿Qué cree que habría que hacer?

—¿Propone un atentado?

—No voy tan lejos. Pregunto qué es lo que puede hacerse.

—Supongo que publicar un artículo en los periódicos. Yo ya he escrito sobre el tema, ya he denunciado varias veces que Honduras no puede convertirse en una base gringa desde donde se lanza un ejército de mercenarios contra la vecina Nicaragua.

—¿Y de qué ha servido? Papel que el viento se lleva o que termina en los basureros. Los gringos y nuestros políticos se ríen en nuestras barbas y califican sus escritos de palabrería. ¿De qué sirve escribir contra eso? Hay que hacer algo más.

—Las palabras son denuncia.

—¿Ante quién?

—¿Y qué quiere, señor, que formemos un grupo armado y comencemos a atentar contra las bases gringas?

—Sería más útil que escribir artículos de denuncia.

—Sería una huevonada, señor Carreto. Ni usted ni yo sabemos manejar un arma. Y a nuestra edad, bien ridículos que quedaríamos los dos. No me le imagino, profesor, de verde olivo y por el monte.

—El corazón rebelde no puede tener edad.

—Buena murga me trajo hoy, amigo mío.

—La injusticia es un hecho, no palabrería. Y a la injusticia hay que combatirla con algo más que palabras.

Ahora, Pierre Sauvagard alzó el cigarro que sostenía entre los dedos y lo apuntó hacia los ojos del profesor.

—En eso le doy la gazón, monsieur Cagueto. No hay justicia en Hondugas. C'est afreux. ¿Guecuegdan cuando tuve la finca de banano? Ega buena finca, buena tiega. Muchos años de trabajo echados allí con mis dos manos. Y vino el genegal y la expopió por cuato cuagtos. ¿Quién me hizo caso, quién escuchó mis gueclamaciones? Sí, monsieur Cagueto, faltan justicia y ogden en este país.

—Y eso no puede arreglarse sólo con palabras —añadió el profesor.

Horacio Bonilla había comenzado a recitar un poema:

*El frío tiene*
*los ademanes suaves*
*pero sus claros pies de agua dormida*
*no entran en las habitaciones de los poderosos.*
*Penetra en las chozas*
*con la tranquilidad de los sueños*
*y abraza la belleza de los niños.*

Hizo una pausa, tosió antes de añadir:

—¿Lo reconocen? Es de nuestro Roberto Sosa. Decir eso, aquí en Honduras, es una forma de acción, no me lo nieguen.

—Que sólo pueden leer los que saben hacerlo —dijo Carreto—. En Honduras, don Horacio, la mitad de la población es analfabeta. Se lo recuerdo.

—Pero no sorda, amigo mío.

Sauvagard intervino de nuevo:

—Pues tiene gazón, monsieur. ¿Cómo iba yo, cuando el genegal me quitó la finca, a levag poesías a los tribunales? ¿Y se acuegdan cuando me gobagon el ganado, toda la vacada? Me quedé agüinado. Y sabía quiénes egan los abigeos y mis vacas estaban magcadas. Y no se hizo nada pogque el que las había gobado ega amigo de un político influyente. ¿Qué hacía yo con poesías delante de la policía?

Bonilla se levantó. Parecía molesto:

—En fin, señores, les dejo a ustedes. Voy con prisas. Espero que mañana nos levantemos todos algo menos iracundos. Buenas tardes.

Se alejó hacia la puerta, la figura erguida, el bastón por delante, y desapareció al otro lado de la estancia en sombras.

Sauvagard encendía su veguero.

—Sí, monsieur, sí. Usted tiene gazón. En ota ocasión, hace cosa de siete años, no sé si se recuegda que yo tenía un pequeño hotel, allí por el sug de la ciudad…

Y se enfrascó de nuevo en el relato de sus desdichas ante la impotente y desarmada mirada de Carreto.

El mar moviente bajo la luna, tocado por un vivo estremecimiento, derramaba ondas luminosas sobre la playa. Una tormenta allá en las inmensidades remotas del océano, proyectaba en la línea del horizonte largas lenguas de un fuego escarlata, que ondulaban un instante, silenciosas, en la lejanía y al momento desaparecían sin dejar huella de su resplandor. Cerca de tierra, no obstante, la noche se endulzaba sobre el mar, sumida en una tibia belleza en penumbra, como si el día hubiese partido a regañadientes hacia el destierro y hubiera dejado un rastro de melancolía y una entristecida resignación en el corazón del trópico. El Caribe palpitaba en lo profundo de la noche, con un temblor que contagiaba a la tierra de una muda sensualidad.

Carreto asomó al porche del hotel Barcelona, surgiendo como una sombra fantasmal desde la parte trasera del edificio. Erasmo, pillado por sorpresa, dio un respingo. Estaba solo, sentado en la mecedora del extremo, la que siempre ocupaba, ante la mesita en la que reposaban los vasos, la cubeta de hielo, el cuenco con los limoncitos cortados y la botella de ron aún sin abrir.

—Chucha, don, me asustó. Ese traje... parece vos una aparición.

—¿No bajó Claudia todavía?

—Hoy no vendrá. Se retiró a sus habitaciones, parecía cansada.

—¿No dijo nada? ¿Algún recado?

—Ni palabra, don.

—¿Estará enferma?

—No lo creo.

—Vaya.

Carreto se sentó, dejando entre él y el negro la mecedora vacía de Claudia. Su ausencia le había desarbolado. Esperaba encontrarla y que ella alcanzase a notar el cambio en su actitud, su nueva manera de plantarse en el mundo. ¿Estaría enfadada por la conversación del día anterior?

—¿Y le dijo si bajaría luego más tarde? —preguntó aún.

—Pues no parece, me dio buenas noches.

—¡Qué extraño!

—No se enrede el coco, don. Está cansada la niña y punto. Y ya sabe que el físico de las mujeres es bien raro.

—¿Seguro que no estará enferma?

—Bien que no. Digo que cansada; ellas se cansan muchas más veces que nosotros los varones.

—No sabía eso.

—Es que se fija poco en las hembras, don. ¿Le sirvo un traguito? Esperé a que viniera para abrir la botella.

—Bueno, sí, ponga una copita.

Erasmo servía ahora el ron y el hielo. Carreto continuaba sumido en un leve desconcierto. Deseaba tanto verla aquella noche... Anhelaba que pudiera contemplarle, que reparase en el orgullo que a buen seguro trascendía de su imagen por primera vez en muchos años. Y le hubiera gustado hablarle de su nueva actitud ante la vida, de su valor renacido, lo que había sucedido en la clase de historia de la mañana. Claro, tendría que omitir su aventura con Nelly en el Barrio Inglés. Pero eso no era esencial.

Tomó el vaso que le ofrecía el negro.

—A su salud —dijo Erasmo.

Contestó al brindis alzando su copa. Bebió antes de hablar de nuevo:

—¿No cree que debería subir para saber cómo está? —preguntó.

—Ni punto, don, ya le dije. Cuando la niña se va a sus habitaciones, no quiere molestias. Si le hace falta algo, tiene un timbre en la mesita de noche que suena bien fuerte aquí en la recepción. El timbre lo hizo poner don Rafael hace años. A veces, cuando le daban fiebres, le entraba el capricho de una botella de guaro. Era bien brioso el patrón, bien recio.

—Le apreciaba usted, ¿no? —dijo Carreto.

—Clarito, y mucho. Gran tipo don Rafael, de los que no se ven a menudo. A otro hombre no he respetado como a él. Respeto digo, ¿eh? Alguna buena zumba juntos nos cargamos al cuerpo, una que otra gran borrachera. Recio macho. Podía echar en las tripas tanto ron como diez hombres. Y en la caza era bien águila. Cuando íbamos a cazar, allá atrás, en los bosques, eran grandes días. Sorprendimos una vez, en el río, una familia de venados. Matamos uno cada uno, buenas piezas, bien cuerneados. Ahí dentro, en el salón, están las puntas, ya las vio usted alguna vez. Y él bailaba de alegría a mi lado y me empujaba a bailar. Luego me retó a pelea. Le tumbé de una puñada, después él me tumbó a mí. Nos partimos los labios, el uno al otro, y luego me convidó a una botella en La Ceiba y a otra de seguido. Cargamos buena zumba aquella noche. Al regreso, de anochecida larga ya, veníamos sudados de guaro y cantando. La patroncita nos curó, bien enfadada estaba, como serpiente de cascabel. Aunque luego nos dio buena ración de aspirinas. Yo dormí en un cuarto para huéspedes, como mero invitado. Gran día, sí...

—Usted cuida bien a la niña, Erasmo.

—Es una obligación así como histórica. Ella era de él y es ahorita mi responsabilidad. Le diré algo. Un hombre de color, como yo, siempre se siente negro delante de los blancos. Yo no tengo complejos, pero noto que las miradas blancas le llaman a uno negro, le ven negro. Don Rafael no, con él nunca me sentí negro, sino su igual, aunque fuera el patrón. Por eso le apreciaba también,

—¿Y ella, le mira como negro?

—¿La niña...? Hummm... La niña no mira, vive para adentro, como ensoñada.

—¿Y yo, le miro como negro?

Sonrió el otro mientras fijaba en él sus ojos. Tardó en responder unos instantes:

—Usted es como de la familia, don.

—No me contestó.

—Con las lentes que lleva, no sé cómo me mira. Pero es de la familia, ya digo.

—¿Qué piensa usted de mí, Erasmo?

Rió el otro en media carcajada.

—¡Gran cuestión! Le creo un buen hombre, don, y bien ilustrado. Me simpatiza.

—¿Le parezco un hombre valiente?

Abrió Erasmo la mirada y sus ojos se agrandaron.

—¿Valiente? ¡Qué cuestión! Yo no le tengo probado, don. Pero a usted no le es preciso ser valiente, le sobra con ser sabio e ilustrado.

—Pues antes era cobarde y ahora me siento bien bravo.

—¿Qué se hizo, don?

—Algo así como pasar por encima de mis temores y afrontar la verdad.

—Eso es valor, sí. ¿Y qué hizo?

—Da lo mismo lo que hiciese. El asunto es que hoy no soy el de ayer.

Sonrió el negro.

—Nunca nada es lo mismo hoy que ayer. La cosa cambia cada minuto, como los ríos. Pero tenga cuidado, don.

—¿Por qué habría de tenerlo?

—No todos los días hay que andar demostrando el valor. Y le veo inquieto.

—Es cada uno quien mide cuándo hay que demostrar el valor.

—Sí, pero los excesos son dañinos, don.

—El alma no tiene por qué ser mesurada.

—Tal vez no sea mesurada, pero la cabeza debe intentar que el alma no se vuelva loca. Yo he conocido hombres, algunos hombres, a los que el alma les había enloquecido. Podían ser inteligentes y bien bravos. Pero cuando a un tipo le enferma el alma... el alma digo, no la cabeza... cuando le enferma el alma, está perdido.

—¿Me aconseja usted, Erasmo?

—Yo nunca doy consejos, soy negro.

—Mi alma no está enferma, sino curándose.

—Pues no le dé excesiva ración de medicamentos, don. Ése sí es un consejo. ¿Le pongo algo más de guaro?

—Eche otro poco, no tengo adonde ir ahorita.

—Vaya a la cama pronto, le veo inquieto.

—¿Usted cree?

—Eso me parece. Tenga su vaso.

—Gracias... No, no hay inquietud. Estoy satisfecho, eso es todo.

—¿De no ser como ayer era?

—Sí, eso... Usted... usted, Erasmo, perdone, pero hoy le veo como una persona misteriosa, algo bruja.

—Nada de misteriosa. Es que está oscuro aquí afuera.

—¿En qué cree usted, Erasmo?

—¡Chucha, gran cuestión! En casi todo y en casi nada y así sucesivamente.

—No se burle. ¿Por qué admiraba tanto a don Rafael? ¿Por qué cree que ella le amaba?

—Ah, don, una pizca de celos leo en sus palabras.

—No, no. Es por hablar de cualquier cosa.

—Yo admiraba su sentido. Ya sabe el dicho: hombre que elige su camino debe seguir su ruta. Y él lo hacía, como muy pocos lo hacen.

—No conocía el dicho.

—Pues así dicen.

—¿Y usted eligió su camino, Erasmo?

—Clarito.

—¿Cuál?

—Cumplir los cien años y, a ser posible, los ciento veinte.

—Tendrá que hacer una seria dieta. Menos guaro y buenos alimentos.

—No crea.

—¿Cuál es su receta?

—Hay que reír con frecuencia, todo lo que se pueda; beber siempre buen guaro, que no le den a uno destilería clandestina; pelear con furia si el cuerpo lo pide y la rabia sobrepasa; enamorarse cuando el corazón se acelera y no guardarse la pasión; dar a los amigos lo que se tiene... Ésos son mis mandamientos principales. Luego, hay otros menores.

—¿Y cuáles son?

—Pues también hay que tomar precauciones, sobre todo en lo de dar. Ya sabe, darlo todo, pero no prestar nunca, ni a los amigos siquiera, el caballo, la guitarra y la mujer.

—Usted no tiene ninguna de esas tres cosas, que yo sepa.

—Así me evito prestarlas cuando estoy borracho. Y como a mí me prestan siempre...

Erasmo rió con ganas.

—¿Perdió otra vez a los naipes? —preguntó Carreto.

—No últimamente, por suerte. Le dije a la niña que no me pagara estos días, así no lo gasto. Y por cierto, ¿no me prestaría usted unos centavitos para que eche unos tragos en «El Piloto»?

—Con gusto, ¿cuánto quiere?

—Siete u ocho lempiras bastarían.

Carreto echó mano al bolsillo.

—Tenga diez.

—Se las reembolsaré en unos días.

—No tenga prisa.

—Yo no gano barato, la niña es bien generosa. Le daré pronto la plata.

—¿Ya se va?

—Eso. Tengo ganas de baile esta noche. ¿Por qué no viene conmigo hasta allá? Tengo dinero y puedo invitarle.

—No, gracias, Erasmo. Me quedaré un rato aquí con este trago. Es mejor que duerma pronto.

—Pues buena noche, don, y agradecido por el empréstito.

—Espere, Erasmo, un instante, ¿querría atenderme un instante?

El negro permanecía en pie, delante de él, dando la cara a la luz que venía del vestíbulo.

—Con gusto, don, usted dirá.

—Dígame, ese hombre... Me refiero al tipo que llegó anoche, el nica. ¿Cree usted que es de la «contra»?

—Nadie puede decirlo.

—Pero ¿cuál es su opinión?

—Yo creo que es posible.

—¿Y por qué lo cree?

—Va armado.

—¿Piensa que Atilio vio realmente la pistola?

—De Atilio no puede estarse seguro. Pero Wendy, que arregló su cuarto esta mañana, vio el arma también. Y encontró vendas. Parece que cura una herida reciente, algo no muy grave.

—Un hombre armado, herido y con pasaporte nica es fácil que sea un «contra».

—O un delincuente. O puede que un policía.

—¿Si averigua algo me lo diría?

—Yo no fisgo. Lo que sepa lo sabré por casualidad. Sólo soy recepcionista.

—¿Me dirá las casualidades?

Sonrió el negro:

—Ta güeno, don. Ya me voy, mañana le veré, espero.

—Hasta luego, Erasmo, y gracias.

—Gracias a usted por la plata, don —respondió el otro alejándose entre las sombras.

Oía los cantos de los grillos cuando el breve oleaje de la playa recogía su son después de mojar la arena. La euforia que, durante la mayor parte del día le había poseído, se debilitaba por la ausencia de Claudia. Precisamente esa noche Carreto sentía que necesitaba verla como ningún otro día antes.

No obstante, pensó, no había que preocuparse en exceso. Un día no hace un mundo y con toda probabilidad, ella se encontraría allí mañana cuando él llegara, relajada en su mecedora, frente a la luna. Oiría sus palabras, su respiración, vería recortarse su figura en el contraluz y alcanzaría a sentir el olor de su perfume. Y tal vez ella le invitase a contarle cómo le iba y él podría, orgulloso, narrarle lo que había sucedido en la escuela, explicarle lo que significaba su honor recobrado. Tal vez ella llegara a sentir admiración por él.

En cualquier caso, ella no estaba lejos, sino tan sólo unos metros más arriba, en el extremo de la galería que formaba cobertizo sobre su cabeza. Aunque Claudia durmiera, aunque soñase otras imágenes que la suya, estaba a su lado. Si Carreto cerraba los ojos y pensaba, podía lograr la sensación de encontrarse a su lado y hasta de percibir, en el recuerdo, la respiración de Claudia, memorizar incluso el aroma de su cuerpo. Era hermoso: él, allí abajo, en vigilia, velando el sueño de la mujer; ella, dormida entre las sábanas de blanco tejido, tranquila y confiada en un mundo sin peligros. Tal vez, algún día cercano, ella llegase a comprender que él era el hombre que necesitaba, el que luchaba por merecer su amor, superándose a sí mismo en una dura e interna pelea viril. La merecería, sí, y ella habría de notarlo y valorarlo. Y por qué no, también admirarlo y amarlo.

Oyó un leve ruido de maderas que crujían sobre su cabeza y abrió los ojos. ¿Se habría levantado Claudia? Permaneció inmóvil y escuchando con la respiración contenida. El sonido no se repetía. Tal vez se trataba de un ratón o de un murciélago fisgador.

Se levantó y echó a andar hasta alcanzar la arena de la playa. Se dio la vuelta y miró hacia el edificio. Desde allí, de espaldas al mar, podía ver la galería del segundo piso, que permanecía en sombras. Sin duda, Claudia dormía.

Regresó hasta el porche. Tomó el vaso y apuró los restos de ron. Luego, arrojó los pedazos de hielo sobre la grama, se caló el panamá y abandonó de nuevo el cobertizo.

Cruzó el esquinazo del hotel y descendió en busca de la avenida próxima. Un renqueante taxi trotó sobre el asfalto esmerándose en soportar los numerosos baches. Los grillos habían enmudecido y a sus oídos llegaba la música de un cafetín cercano.

Alcanzó San Isidro y continuó caminando en dirección a su casa. Cuando llegó a la altura del Barrio Inglés, se detuvo y miró en dirección a los Infiernos. Sonrió: la euforia regresaba ante el paisaje de la batalla donde, la noche anterior, había salido victorioso. Sin reflexionar, echó a andar en aquella dirección.

Unos instantes después, entraba con paso decidido en el tugurio «Perla Brava». Vio a Nelly en el rincón, en el mismo lugar que la noche anterior. La muchacha compuso un gesto alegre cuando se acercó a ella y, en su sonrisa, exhibió su desangelada dentadura. Carreto le tomó la mano:

—¿Podemos subir ahora, Nelly?

—Cuando gustes.

—Toma una botella, aquí tienes la plata. Subamos ya.

—¡Qué bríos trae hoy mi señorón!

Carreto bajó la voz:

—Quiero que seas mi maestra, quiero que me enseñes cómo debe hacerse el amor a una mujer.

—Chucha, con gusto. Pero te llevará un tiempito, no eres ducho.

—Vendré todas las veces que haga falta.

—Por mí..., es buen negocio. Y me agradas.

—No hay problema de dinero.

—Ta güeno, ta güeno. Voy por la botella.

## 5

Vaga y blanquecina, la luz lunar de la noche de febrero se filtraba a través de los postigos y dibujaba rayas de claridad y sombras sobre la cama y los dos cuerpos que yacían en ella. Wilson fumaba un cigarrillo y arrojaba el humo contra la brasa, que al recibir el aire temblaba en un leve crepitar y un vivo resplandor. Claudia, echada a su derecha, los cabellos extendidos en desorden sobre la almohada, apoyaba su mano en el pecho desnudo del hombre. Llegaba hasta ellos el sosegado rumor de la marea y el canto melancólico de los grillos. La brisa cálida y espesa de la noche penetraba a través de los resquicios de las ventanas y cercaba la piel de sus cuerpos.

—No te vi hoy. Llegué a pensar que no vendrías esta noche —dijo él.

—Estuve fuera casi todo el día —respondió ella.

—¿Dormirás conmigo?

—No, me iré en un ratito.

—Me gustaría verte durante el día.

—¿Para qué?

—Quisiera saber cómo eres a la luz del día.

—Lo mismo que ahora. Tal vez se me notaran algo más las arrugas. Quizá no te gustase.

—Me gustará, seguro.

—La verdad es que no quiero que sepan nada en la casa.

—Terminarán por darse cuenta.

—No tienen por qué. En este edificio sólo duermen los clientes y yo. Y puedo hacer que las habitaciones libres de este piso no se alquilen mientras estés tú aquí. Nadie se va a dar cuenta.

—El negrazo de abajo tiene cara de hombre avispado.

—¿Erasmo? Si intuye algo, no dirá nada. Ni siquiera a mí.

—Ya veo, es perro fiel.

—No, es un amigo leal.

—Podemos hacer algún viaje —dijo Wilson.

—¿Tú y yo?

—Vives con muchas precauciones.

—No, vivo una vida normal. ¿Cómo es la tuya?

—Muy distinta, pero también tomo mis precauciones. Son distintas a las tuyas. Mis miedos son otros.

—¿Cuáles?

—No merece hablar de ello. Podríamos hacer un viaje.

—Sólo dos noches juntos y hablas de viajes.

—¿Por qué no? Algo hay que hacer.

—No veo que haya que hacer nada. Así está bien.

—Tengo que ir a Tegucigalpa. Asuntos de trabajo. Estaría allá dos o tres días. Podrías venir conmigo.

—¿Teguz...? —Claudia rió—. No tengo ningún motivo para ir. No me gusta esa ciudad, además.

—Acompañarme es lo que vale.

—Quiero decir que no hay ninguna razón ante la gente.

—¿Siempre miras lo que la gente pueda pensar?

—Es mi gente.

—Inventa un problema bancario. Podemos viajar separados y encontrarnos allí.

Ella movió la cabeza, la sonrisa detenida en los labios:

—Sólo sabes de mí que me llamo Claudia y que tengo un hotel en La Ceiba. Yo sé de ti que te llamas Wilson y que estás de paso. Y ya quieres que viajemos juntos.

—Sabes algo más: que te gusto y que me gustas.

—Tienes una manera extraña de ver las cosas.

—La tuya se me hace extraña a mí, es lo mismo.

Claudia acarició el pecho del hombre.

—¿Te parezco miedosa?

—Sí, pero no me importa. Yo soy también miedoso, a mi manera.

—¿En qué forma lo eres?

—Es difícil explicarlo. Tú tienes miedo a romper la normalidad de tu vida, a cambiar el curso de lo conocido. Yo tengo miedo a que la normalidad no se rompa, necesito romperla.

—Entiendo muy poco de lo que dices.

—Verás, yo debo intentar que mi vida cambie todo lo posible, hacerlo todas las veces que pueda.

—¿Por qué?

—Para evitar morir.

—Eso suena duro. ¿Eres un prófugo?

—Algo así.

Volvió a reír Claudia.

—Asesinaste a alguien, ¿eh? No tienes cara de asesino.

—Es al revés. Intento que no me asesinen.

—Esa herida, la venda... ¿Intentaron matarte?

—Claro.

—Dame un poco de tu cigarrillo.

—No sabía que fumases.

—Es por echar humo.

Claudia tomó el pitillo de los dedos de Wilson. Arrojó el humo sobre el pecho del hombre. Luego le devolvió el cigarro.

—Me parece —dijo después— que todo esto es irreal: estar aquí, contigo, alguien a quien no conozco y que me dice que es un prófugo, que huye de la muerte. Es bien raro, suena a que no fuese verdad y no me da miedo.

La mujer giró sobre su cuerpo y se tendió bocarriba, sus caderas rozando la piel del hombre.

—¿Sabes? —añadió—, nunca había vuelto a estar con un hombre desde que murió mi marido. Y nunca hasta ahora, en toda mi vida, me había acostado con un hombre que no fuera mi marido.

—¿Ni tan sólo una vez?

—Ni siquiera un beso. A lo mejor por eso todo se me hace extraño, como si no fuera cierto.

—¿Y qué sientes?

—¿Qué siento?

—Sí, después de haberte acostado conmigo.

—Supe que pasaría desde que te vi en el porche. No sé por qué, pero lo supe. ¿De qué estoy hablando?

—De ti, y eso está bien.

—Es gracioso, y apenas te conozco. Hay algo de desvergüenza en todo esto. Me veo como una golfa. Y sin embargo, me parece natural.

—Es natural. Ahora yo soy el hombre que mejor conoces en el mundo, después de tu marido. Sólo podrías hablar de todo esto conmigo.

—Me da algo de vértigo tu urgencia. Pero suena todo tan lógico...

—Lo es. ¿Vendrás conmigo a Tegucigalpa?

—Creo que no.

—Vendrás.

Hubo un instante de silencio. Luego, Wilson habló:

—¿Cómo era tu marido? No me has hablado de él.

Claudia rió:

—¿Cómo iba a hablarte? Sólo te he visto ayer y esta noche. Y ayer apenas cruzamos palabra. Ni recordaba que te conté que soy viuda.

—Alguien me lo dijo. ¿Cómo era él?

—Un hombre muy fuerte, muy expansivo, lleno de energía, con mucha personalidad. No sé... Yo le seguía adonde fuese, sin preguntarme, como...

—Como una soldadera.

—No así, pero casi.

—¿Te gustaba mucho?

—Supongo que estaba muy enamorada de él. Mejor: nada había fuera de él, como si el mundo fuera un lugar borroso y sólo existiese de concreto su figura.

—Eso suena a amor. ¿Sufriste mucho cuando...?

—¿Cuando murió? No tengo todavía plena conciencia de que haya sucedido de verdad. En realidad, todo es muy raro. Es como si estuviese aún aquí. Porque, cuando él vivía, era parecido: él ocupaba todo mi mundo, lo llenaba, y al mismo tiempo era como si yo no le sintiese real. No sé explicarlo bien. Su existencia era rotunda y, no obstante, era como si yo no alcanzase de verdad su alma ni él la mía. Es parecido ahora: no está cerca y, sin embargo, está... Bueno, es un lío, quizá no comprendes.

—¿Le tenías miedo?

—No... Después de todo, yo era suya y tenerle miedo era como tenérmelo a mí.

—Ya veo, un hombre posesivo.

—Algo de eso... Todo parecía ser suyo, yo en primer término. Parecía imposible que pudieran matarlo.

—Ah, lo mataron.

—Sí, un asunto medio político.

—¿Era un revolucionario?

—Sólo de palabra. Aquí no se metía en política. Fue un asunto casual: dio refugio a dos huidos políticos. Y bueno, le ajustaron cuentas.

—¿Era español, como tú?

—Sí, español.

—No es bueno meterse en política cuando se es extranjero.

—¿Tú estás en política?

Wilson apagó el cigarrillo en el cenicero que reposaba en la mesilla. Tardó en responder:

—No soy exactamente un político. Pero la política me afecta, como a todo el mundo.

—Eres un soldado —afirmó ella.

—¿Cómo lo sabes?

—Se ve. ¿Combates en la «contra» en Nicaragua?

Wilson se giró hasta quedar tendido sobre su costado derecho, dando frente a la mujer:

—Podría responderte como tú haces cuando te propongo viajar conmigo: que vas muy aprisa, que apenas nos conocemos. ¿Por qué quieres saber si combato en la «contra»?

—No quiero saberlo. Me da lo mismo lo que seas.

—No soy nicaragüense, mi pasaporte es falso. Sólo mi nombre es verdadero.

—No me importa, no sigas si no quieres.

—Nací en Nueva York, en el Bronx, soy portorriqueño de origen y gringo de pasaporte.

—No tienes por qué decirme nada.

—Es lo mismo, tú no lo dirás a nadie, lo sé.

—¿Y por qué estás aquí, en Honduras?

—Soy soldado, acertaste, soldado profesional. Mi oficio es pelear donde me ordenan. Ahora combato junto a los rebeldes sandinistas, aunque es posible que uno de estos días se acabe de una vez esta guerra pendeja.

—No sabía que hubiera gringos en la «contra».

—Algunos camuflados. Pero yo no soy exactamente un gringo. Soy un porto desarraigado con nacionalidad gringa. Y un soldado gringo. Pero no soy gringo. Es difícil de comprender, tal vez. Me siento, antes que nada, un desterrado que ha elegido serlo. Pero no me quejo.

—¿Por qué un desterrado?

—Pregunta mejor para qué. Para escapar de la miseria, de la cárcel, de la droga. Para no morir.

—Un soldado puede morir más fácilmente.

—No si aprende a escapar, si aprende a matar antes. En mi oficio, un buen profesional es el que no muere. Sólo mueren los profesionales mediocres. Yo debo ser bueno, la prueba es que estoy vivo.

—No tendrías que contarme todo eso. Sólo dos días y...

—Tal vez necesito hablar con alguien y tú me das confianza. Aquí, en Honduras, ni siquiera puedo conversar con mis compañeros de armas, ellos están diseminados por muchos sitios. Yo estoy casi solo aquí.

—¿Y eso te da miedo?

—No mucho. Esta guerra va a concluir pronto. Tengo menos posibilidades de morir aquí que en otras guerras.

—¿En cuáles?

—En Vietnam, por ejemplo.

—¿Estuviste allá?

—Durante cuatro años.

—Cuentan que fue horrible.

—Dicen que la peor guerra del mundo. Pero yo no lo sé, conozco muy pocas guerras.

—No entiendo por qué me has contado todo eso.

—Tú también estás sola. Y también me has hablado de ti.

—Yo no estoy sola; y sí puedo hablar con gente, tengo amigos.

—No, no... A nadie le dirías que estás conmigo durante las noches. Tú y yo somos iguales, estamos solos.

—Esto puede durar únicamente el tiempo que estés aquí.

—Sí, claro. Pero mientras dure es como si fuera para siempre. Así lo veo yo.

—Puedo venir mañana a tu cuarto o no venir más.

—Pero vendrás.

—¿Cómo lo sabes?

—No lo digo por orgullo o presunción. Sé que vendrás.

Claudia sonrió y se giró para darle frente.

—Sí, vendré.

—Pero no te vayas aún —pidió él.

—No me iba.

—Tu voz sonaba a despedida.

—Había pensado en levantarme, pero ya no.

—Háblame de ti.

—Ya te hablé todo, o casi todo. Mi vida es poco interesante.

—¿De qué parte de España eres?

—De Barcelona.

—No sé dónde está, no conozco España.

—En el mar, junto al Mediterráneo.

—¿Se parece a esto?

—En nada... Aunque en cierto modo sí.

—¿Cómo es la gente de allá?

—Ya no recuerdo, me fui hace muchos años. Sólo me acuerdo de algunas canciones.

—Cántame alguna.

—No, tengo un espantoso oído.

—¿Tienes familia allí?

—Creo que sí, pero olvidada. No tuve hermanos y mis padres murieron. ¿Y tú?

—Nos parecemos mucho. Tampoco tengo hermanos. Mi vieja murió hace unos cuantos años y a mi viejo no le conocí, se fue de casa cuando yo era chavalo. No sé de él, ni me importa: merece estar muerto. A mi madre la dejó en la miseria. ¿Regresarás algún día a España?

—Nunca. Mi familia está aquí: Erasmo, Olga Marina, Atilio... y unos pocos amigos, como Rolando Carreto, el hombre que estaba anoche conmigo y con Erasmo, cuando tú llegaste, en el porche.

—No reparé en él, sólo te veía a ti.

—¿También te fijaste?

—Claro. Y supe que pasaría esto, como tú. No sé, es raro, hay algo que me hace pensar que estaba como escrito. Por eso quiero que vengas conmigo a Tegucigalpa. Debes venir. Y pienso que vendrás.

—Iré.

—¿Lo ves?

—Bueno, puede que mañana me arrepienta.

—Será igual mañana. Y en Tegucigalpa será igual.

—Déjalo estar, Wilson. Lo hablaremos cuando tengas que irte.

—Es la primera vez que me llamas por mi nombre.

—Tú no me has llamado por el mío.

—Claudia.

—Suena bien... Tu nombre es raro, eso de Wilson.

—Así lo quiso la vieja, creo que por un presidente gringo que ella admiraba. Pero a veces me decía Bolly. No sé por qué. Puedes llamarme Bolly si no te gusta Wilson.

—No, prefiero Wilson.

—¿Te llamaban a ti de otra manera?

—Sólo Claudia.

—Es lindo nombre, Claudia.

El hombre acercó su rostro hasta ella y la besó en los labios, con densidad, con lentitud. La mujer le dejó hacer unos instantes, luego se retiró.

—Es tarde —dijo ella.

—Otra vez.

—Mañana mejor, hay que dormir.

—Duerme conmigo.

—No es conveniente.

—Vendrás a Tegucigalpa.

—Allí hay chicas bonitas.

—No más que tú. Vendrás.

—Sí... pero tal vez mañana cambie de opinión.

—No cambiarás.

—Deja que me vaya ahora.

—Te esperaré mañana.

—Vendré un poco más tarde.

—¿Por qué?

—Por la noche se llega al hotel Rolando y tenemos tertulia en el porche. Estaré un rato y luego subiré.

—Estaré esperando. No tardes.

Claudia se levantó. La luna, en retirada, enviaba ahora una luz entristecida por los postigos. Se puso la bata y se inclinó para dejar un beso fugaz sobre los labios del hombre. Señaló hacia la mesa antes de retirarse:

—¿Por qué tienes que tener ahí la pistola?

—Es un instrumento de trabajo, como el pincel para el pintor.

—No es lo mismo.

—Una pistola es tan absurda como cualquier objeto. No sirve para nada si no la usas.

—Preferiría que la quitases de la vista. Una de las chicas la vio esta mañana al limpiar.

—¿Y se asustó? Está bien, la guardaré bajo la almohada.

—Prefiero que la escondas en la maleta.

—Como quieras.

—Hasta mañana —dijo ella sonriendo.

Wilson la contempló mientras se alejaba. Al abrir la puerta, su cuerpo se dibujó desnudo al contraluz, bajo la bata ligera. Luego, la puerta se cerró con suavidad y volvió la oscuridad al cuarto.

Encendió otro cigarrillo. Pero lo apagó después de dar un par de bocanadas. Fue al cuarto de baño y se duchó con agua caliente. Al regreso, tomó la pistola de la mesa y la escondió bajo la almohada. Se tumbó desnudo.

Y cerró los ojos aspirando aún el perfume del cuerpo de Claudia que permanecía agarrado a las sábanas.

El sabroso olor del café inundaba el vestíbulo y el comedor del hotel. Claudia desayunaba un gran tazón, aún humeante, acompañado de bananos fritos, fríjoles volteados y arroz blanco. Tenía hambre aquella mañana. Y sin darse cuenta, rumiaba una canción, que salía como un murmullo de su garganta, mientras masticaba los alimentos. Pasaban unos minutos de las ocho de la mañana, pero hacía tiempo que el sol iluminaba con vigor la tierra y la actividad del hotel retomaba su ritmo normal. Zunilda había salido al mercado, Wendy arreglaba las habitaciones de la clientela más madrugadora, Olga Marina preparaba los guisos del mediodía en la cocina y Erasmo lucía su impecable chaqueta roja al otro lado del mostrador de la recepción. La mayor parte de los clientes habían tomado un temprano desayuno, mucho antes que Claudia, que ahora se sentaba sola a un extremo de la mesa, con el rostro iluminado y los ojos brillantes. Pensaba que Wilson no debía haberse levantado aún.

Entró Atilio. Apenas murmuró un buenos días y comenzó a fisgar en las estanterías de la habitación.

—¿Qué andas haciendo? —preguntó Claudia.

—Pucha, patrona, no encuentro el misal.

—¿Y para qué quieres un misal a estas horas? Además, no es domingo.

—Me hace falta, me es impresciso.

—Imprescindible, imprescindible...

—Bien, eso.

—Pero ¿qué te urge?

El muchacho se acercó a ella. Tenía el gesto serio, la mirada atenta.

—He tenido sueños, patrona, sueños bien significantes.

—Significativos… ¿Ya estás con tus cosas de magia?

—Los sueños no son cosas de la magia o la fantasía. Tienen que ver con la vida, como los símbolos meramente.

—¿Y para qué quieres un misal?

—Para aprender a decir la misa.

—¿Y eso para qué?

—Miré vos, patrona, hay sueños que… Llevo días que mi madre me habla en sueños.

—Los muertos no hablan y tú apenas la conociste, Atilio.

—Pero viene a las noches. Y me pide misas, misas para ella, quiere que le rece misas; debe de hacerle falta, tendrá deudas con Dios y se la ve miedosa de caer al Infierno.

—¿De cuándo acá los muertos piden misas?

—Cuando les hace falta, patrona.

—Ya andamos con supercherías. Ay, Atilio, tendría que enviarte a una escuela de Teguz para que olvidases todo eso.

—Los muertos demandan cosas a través de los sueños. Y mi madre quiere misas, le hacen falta.

—Poco le arreglan las misas a los vivos, con que a los muertos…

—Es mi deber de hijo darle misas.

—Aquí no hay misal, que yo sepa, Atilio.

—Tiene uno Zunilda.

—Espera a que regrese del mercado y no revuelvas por aquí.

—Si lograra pisto para pagar las misas…

—Ni lo sueñes, Atilio. Si tuviera que darte plata para cada una de tus necesidades enloquecidas, arruinaría este negocio.

—Bueno, si encuentro el misal puedo hacer yo mismo la misa en mi cuarto. ¿Cree que servirá, patrona?

—Seguro que a los muertos les sirve cualquier cosa, hijo. ¿No tienes ahora nada que hacer? Anda a la cocina y ayuda a Olga Marina. Lo de las misas puede esperar, los muertos tienen toda la eternidad por delante.

Salió el muchacho y Claudia se sirvió una nueva taza de café. Tenía más hambre, pero decidió contenerse.

Le llegó el sonido de unos pasos y su pulso se aceleró levemente. La sombra cruzó junto a la puerta del vestíbulo y, un segundo después, Wilson se sentaba frente a ella.

—Buenos días —dijo sonriente.

Claudia miró hacia los lados, sin responder al saludo.

—¿Puede todavía desayunarse? —preguntó el hombre.

—Creo que habrá algo todavía. —Claudia volvió el rostro hacia la cocina—. ¡Olga Marina, ven un momentito, por favor!

—Hummm. —Wilson estiraba los brazos y echaba el cuerpo hacia atrás—. Hoy pude dormir como hace mucho tiempo no lo hacía.

—Lo celebro —respondió ella.

—Su hotel es espléndido, señora.

—Le agradezco el cumplido, señor.

Olga Marina entraba limpiándose las manos con un trapo.

—Tráigame café, por favor —dijo Wilson—. Y toda la comida caliente que tenga en el fogón. Tengo hambre de tiburón.

—Queda poco —respondió Olga Marina—. Apenas unos fríjoles y unos trozos de banano frito. Si quiere panecillos…

—También panecillos, lo que sea.

Olga Marina se retiró. Wilson guiñó un ojo a Claudia. Ella enrojeció.

—¿Sabe usted? Tuve una noche estupenda —dijo él.

—Lo celebro —contestó ella.

Claudia se levantó nerviosa.

—Pues buen apetito —dijo.

—¿Se va? ¿No hace compañía a un huésped mientras desayuna?

—Lo siento, señor. Hay que trabajar mucho. Buenos días.

—Buenos días, señora.

Salió del comedor. En el vestíbulo, Erasmo la miró sonriente. ¿Habría malicia en su mirada?, pensó Claudia. Bah. Cuando alguien tiene algo que ocultar siempre piensa que los demás pueden saberlo. Se dirigió hacia la escalera.

—¿Sube, niña?

—Estaré en mi cuarto. Me llamas allí si hay algo.

—No creo que tengamos tormentas o huracanes esta mañana. Puede reposar tranquila, niña, todo está en orden.

—Bueno, allí estoy —contestó al tiempo que comenzaba a subir los escalones.

—Le avisaré si hay terremoto. Pero no se me ponga nerviosa, niña —dijo el negro.

Volvió los ojos. ¿Qué querría decir? Erasmo, sin embargo, había retirado la mirada de ella y se concentraba en el libro de registros. Sin duda era una broma, ¿qué podría él saber?

Cuando regresó, poco antes de la hora del almuerzo, el olor del pescado asado había sustituido al del café. Echó una breve ojeada hacia el desierto comedor al tiempo que entraba en el vestíbulo. Erasmo levantó la vista del otro lado del mostrador. Claudia se acercó y se acodó en el tablero.

—¿Nuevos clientes? —preguntó.

—Nadie nuevo, pero seguimos bien de gente.

Erasmo la miró ahora a los ojos:

—El que se va es el nica, el tipo extraño. Creo que a Tegucigalpa, un par de días. Ha reservado otra vez la suite para su regreso. ¿Cree que debo guardársela?

—¿Por qué no, si paga bien?

—Como diga.

—¿Y qué más hay?

—Pues nada, patroncita, tranquilidad en el frente de recepción.

—Oye, Erasmo... puede que me vaya unos días a Tegucigalpa.

—¿A Teguz? ¿Qué se le perdió allá, niña?

—Quiero ver unos negocios y también ir a la embajada.

Sonreía Erasmo. ¿Sospecharía algo?

—Todo se puede resolver aquí en La Ceiba. ¿Qué negocios son ésos?

—Supongo que puedo tener mis negocios propios sin necesidad de proclamarlo.

—Ah, claro, patroncita, es usted muy suya.

—No te molestes, Erasmo, es la embajada sobre todo.

—Sí, sí, no hay problema. ¿Quiere que reserve vuelo para mañana?

—Me espanta el avión. Iré en autobús.

—El viaje en bus es largo y cansado, niña, y hay larga parada en San Pedro Sula.

—No iré en el avión, me da miedo.

—Ya no caen como antes, la compañía Isleña tiene aparatos nuevos.

—De todos modos. ¿Tienes horario de autobuses?

—Déjeme ver. —Erasmo buscaba en la gaveta—. Por aquí andaba el libreto, digo. Sí, esto es... Mire, hay casi cada hora, a las ocho, a las nueve...

—Tomaré el de las ocho.

—Bien. Mañana se quedará algo vacío esto. ¿No quiere que la acompañe a Teguz, niña?

—No, alguien tiene que quedar aquí al cargo de todo.

—Olga Marina sabe.

Claudia apoyó su mano sobre la del negro.

—No es lo mismo que tú.

Erasmo movió la cabeza sonriente.

—No hace falta que me dé en la vanidad, niña. Si quiere ir sola, pues ta güeno, nada que objetar. ¿Le parece entonces que reserve la suite al nica para su regreso?

Las mejillas de Claudia ardieron un instante.

—Ya te dije que no veo nada en contra.

—¿Y si viene un cliente y la quiere alquilar mientras el tipo está fuera?

—La alquilas por ese tiempo, más vale lo seguro. ¿Qué te pasa con ese cliente?, nunca te vi igual.

—Nada, es por consultar, usted es quien manda.

—Suéltalo, Erasmo.

—Ta güeno. El tipo no me gusta.

—¿Qué te ha hecho?

—Hacerme, nada. Que no me gusta, y punto. Ya le dije que tiene la mirada de un hombre que está muerto por dentro.

—La mirada de la gente no es importante, puede engañar.

—La mirada es casi todo, niña, y ese hombre es violento, es un «contra».

—La política no te había importado antes, Erasmo.

—Ni me importa. Hombres malos hay en todas partes, ya sé, y hasta en el cielo, según dicen. El mismo Dios no es muy de fiar, con la vida que nos da aquí abajo. Pero hay sitios donde es mayor la proporción de hombres malos. La «contra» es uno de esos sitios.

—No veo que pueda hacernos mal ese hombre.

—¿Quién sabe? Uno no espera el mal hasta que sucede. No se fíe, niña.

—¿Y qué me da a mí? No tengo por qué fiarme o no, mientras pague la cuenta.

—Ya pagó la de estos días. Y se ofreció a adelantar la reserva. Tiene dólares, buen platal.

—¿Lo ves? No hay problema.

—Que tenga dinero no quiere decir que sea santo. No

se fíe, niña, los hombres que están muertos por dentro llevan la muerte afuera.

—Esta mañana te dio pesadita, Erasmo. ¿Bebiste mucho guaro anoche?

—A mí el guaro no me altera la razón ni las intuiciones.

—Eres demasiado suspicaz.

—Estoy para cuidarla, niña, y para advertirla. Usted es un pequeño ángel. No voy a dejar que le hagan daño, yo sí sé manejar mis armas.

—Deliras, Erasmo. Te recuerdo que no soy tan pequeña y quizá no tan ángel. Voy a la cocina a ver qué pasa con el almuerzo.

—Como quiera, niña, pero ya sabe que yo le guardo las espaldas.

—Procura bajar esta noche la ración de guaro, Erasmo.

Se retiró del mostrador y cruzó hacia la cocina. ¿Sabría algo Erasmo? Todo hacía pensar que sí, aunque pudiera tratarse de una casualidad. De todas formas, estaba decidida a mantener sus precauciones. La historia con Wilson le pertenecía a ella sola; puede que por primera vez en su vida estuviese haciendo algo sin necesidad de que nadie la llevase de la mano, protegiéndola o dirigiéndola.

Zunilda se afanaba en el fogón mientras Olga Marina disponía una fuente de ensalada de aguacates. Discutían entre ellas, como siempre, mientras Wendy, indiferente a la trifulca, lavaba en la pila los platos del desayuno y cantaba y meneaba las caderas con ritmo salsero.

—¿Dónde está Atilio? —preguntó Claudia.

—En su cuarto, haciendo misas —respondió Zunilda.

Wilson abandonó el hotel después de concluir el desayuno y se acercó hasta la playa. El arenal se extendía hacia occidente y adquiría una rubia tonalidad en la distancia. Los cocoteros se inclinaban hacia el mar, en dirección al horizonte que languidecía en los brazos del cielo. Apenas un liviano soplo de viento se agitaba en el aire sin vigor suficiente para mover las hojas de las palmeras. El sol, inclinado sobre la chepa del océano, pugnaba por trepar hacia lo alto de un espacio moteado de nubes exiguas y tan cercano aún que parecía mirar frente a frente a los ojos del hombre. Una tenue bruma empañaba la lejanía, cerrando la vasta inmensidad de un mar que reposaba como una estera enjoyada, tan deshabitada como el cielo.

Echó a andar hacia el oriente. Le atraía el anchuroso vacío tocado de una mayestática indiferencia. Bajo la luz de la mañana, el mar y la tierra resplandecían con un toque de inocencia, de la que emanaba una fuerza tangible y precisa. El mismo Wilson, de espaldas a la ciudad silenciosa, podía sentirse como un extranjero escupido del mar sobre las playas castas de aquella costa.

No era más extranjero allí que en otros lugares del mundo. De hecho, al paso de los años, había olvidado los perfiles de sus orígenes. Era extranjero allí en la tierra hondureña como lo había sido en los arrozales de Khe Sanh, al otro lado del mundo, en Vietnam. Era un extraño también en su propio apartamento del barrio de Queen's, donde no conocía a otro vecino que un teniente de raza negra, grandón y malhumorado, con el que se encontraba de cuando en cuando en el ascensor. Y posiblemente era también ya un forastero para su gente, los «portos» del barrio del Bronx. Incluso en los cuarteles se sentía como alguien diferente a todos los hombres que vestían un uniforme igual, a los oficiales llegados de otras castas sociales y a los compañeros de rango que ocupaban un puesto burocrático en las oficinas. Sólo era él mismo en la guerra, aunque la guerra se convertía para él, casi siempre, en una acción solitaria. Su patria verdadera no era otra que la desolación.

Pero eso no le dolía ahora. Pensaba en la mujer, en el aroma de carne femenina mezclado con un remoto perfume y en la dulzura caliente de la piel de ella, que parecía permanecer aún prendida en su propia piel. Deseaba otra vez, súbitamente, encontrarse junto a ella en el lecho. Los poros de su cuerpo parecían abrirse y despertarse cuando traía a la memoria la carnosidad de los labios de la mujer, la humedad de los besos derramados en su boca. Y el día, sin embargo, se abría delante irritantemente largo, pleno de interminables horas antes de que llegara la noche y pudiera abrazar a Claudia en su cuarto.

Dejaba atrás las últimas casas de aquel extremo de la costa ceibeña. Los palmerales se hacían más profusos, la exuberancia vegetal serpenteaba hacia las orillas hasta cubrir los arenales, el derroche tropical invadía el mundo y empalagaba el aire. El sol semejaba humedecerse, impregnarse de miel, contagiado por el vaho invisible que emanaba del suelo y que parecía capaz de derretir el fuego con la misma facilidad con que se funde una bola de helado en el verano.

Claudia leía junto a la ventana de su habitación. Pero las sensaciones de anhelo mantenían sus nervios a flor de piel y le impedían concentrarse en la lectura. Lograba seguir unos cuantos párrafos y, de inmediato, su cabeza se trasladaba lejos de las páginas abiertas delante de sus ojos. Se sumía entonces en una vehemente impaciencia y miraba el reloj. Todavía las cuatro y media. Quedaba hasta la noche una larga ceremonia de rutinas por cubrir: la cena a la caída de la tarde, y la tertulia en el porche con Erasmo y Rolando. Hubiera querido ahora que las noches se sucedieran con espacios tan mínimos como los que restan al sol invernal en los países del norte. Sentía la noche como el lugar natural de su vida, su reino privado. Y tan sólo hacía tres días que él había llegado…

Percibía un gusto morboso por su secreto. No es que le preocupase ahora que Erasmo, Olga Marina, Carreto y los otros supieran de su relación con Wilson. Eso no importaba. Se sentía feliz por el hecho de tener algo que ocultar a los demás. No recordaba algo similar. Y eso le hacía afirmarse en sí misma, percibirse como un ser más seguro de sí y dotado de una capacidad de decisión desconocida en su alma. Tenía un amante. La palabra sonaba hermosa y romántica: un amante.

Antes con Rafael, el sexo era una relación placentera y envolvente, pero carecía del encanto de lo prohibido. Y eso transformaba también su propia actitud ante la pasión. Con Rafael había sido una hembra pasiva. Ahora, algo la convocaba a ser una amante activa, a indagar en su propio cuerpo, a buscar en el de Wilson. Se volvía impúdica y osada, no dejaba que fuera sólo el hombre quien la llevara hacia el orgasmo, sino que ella también lo convocaba y provocaba el del otro. Gozaba del exceso.

Anhelaba que las horas volasen al encuentro de la noche y soñaba con que su viaje a Teguz con Wilson comenzase de inmediato. ¿Por qué el tiempo corría tan despacio cuando la ansiedad urgía a que las horas muriesen de pronto?

Salió a la galería y, despacio, procurando no levantar quejidos de los maderos del suelo, caminó hasta la puerta del dormitorio de Wilson. Dos veces golpeó con suavidad en el marco. Esperó unos segundos y volvió a llamar. Esperó otra vez. No respondía.

Regresó a su habitación. Abrió el libro. ¿De qué trataba? Lo había olvidado. Y se sentía desganada ante la idea de retomar la conciencia de la lectura.

Salió otra vez a la galería y se apoyó en la baranda. Todavía la tierra y el mar aparecían iluminados por un sol poderoso. Los bancos de nubes, dispersos en desbandada sobre la anchura del espacio, mostraban sus formas cambiantes teñidas de una blancura caliza. Fijó la mirada en aquellas formaciones: una dibujaba el rostro de un elefante adornado de una imponente trompa; más allá, otra nube simulaba volar como un gran pájaro; la otra perfilaba el rostro de yeso pétreo de un guerrero tocado de un casco de marfil; allí, un hongo; acá, un barco desarbolado que navegaba como un fantasma en busca de alguna costa perdida en las galaxias. El corazón de Claudia latía con fuerza, hermanado al mundo de lo gratuito, de las casualidades de la fortuna que habían hecho de la mujer, en tan sólo un par de días, un ser hambriento de vivir.

Acudió a una oficina de viajes, compró el billete de avión para Tegucigalpa y reservó habitación doble en la capital para las dos noches siguientes. Comió en un restaurante de lujosa apariencia que encontró en el centro de la ciudad. La sopa estaba fría y la langosta dura y correosa. No tenía nada que hacer y la tarde se abría larga y apática delante de él. Deseaba regresar cuanto antes al hotel, intentar ver a Claudia donde la encontrara, aunque hubiera de llamarla pomposamente «señora» ante los otros y pese a que quizá sólo lograra cambiar con ella algunas frases corteses. Se encontraba cercado por una especie de nerviosa ansiedad, una premura viva por ver de nuevo a la mujer. Pero las horas transcurrían perezosas, el sol marchaba con parsimonia e indiferencia por el espacio y Wilson estaba obligado a vivir las que creía las horas más estúpidas de su vida, las que restaban para que llegara la noche y su próximo encuentro con ella.

Retardó la salida del restaurante, hasta que los camareros le indicaron con gentileza que debían cerrar y limpiar el local para prepararlo para la cena. Calculó que habría fumado más de un paquete de tabaco desde que se levantó de la cama. Y no recordaba el número exacto de cafés consumidos en aquella media jornada interminable.

Echó a andar sin rumbo fijo, deteniéndose ante todos los escaparates que encontraba a su paso, contemplando las ropas masculinas y femeninas, las cámaras fotográficas, los electrodomésticos, y los tenderetes donde se vendían flores o cintas musicales piratas, y los quioscos de hot-dogs y de elotes asados. Compró tres periódicos, se sentó un rato en un banco del Parque Central y se dispuso a leerlos. En pocos minutos estaba al día de cuanto había sucedido en el país y en una buena parte del planeta. Según *La Prensa*, el índice de sida en San Pedro Sula era el más alto del mundo, con 2,6 por ciento de la población afectado por el síndrome. El mismo periódico afirmaba también que Honduras ocupaba uno de los últimos lugares en el otorgamiento de préstamos por parte del Banco Mundial. *Tiempo* anunciaba que un mayor del ejército, que asesinó a su esposa tres años antes, acababa de ser puesto en libertad; el mismo diario se hacía eco en otras páginas de una polémica nacional, a propósito de personajes notables del país que, como el presidente de la Corte Suprema de Justicia, tenían libros marxistas en su biblioteca. Y más asuntos para todos los gustos: encontrados casinos clandestinos en Tegucigalpa; detenida la banda de Los Intocables en San Pedro; la paz en Centroamérica se acerca; narcotráfico por toda la geografía latinoamericana; asesinato de una familia, con un niño de tres años incluido, por un problema de celos; aparecen los cadáveres de dos maestros liquidados en Tegucigalpa por los «escuadrones de la muerte»; un juez escapa a tiros del atentado de un grupo paramilitar; un editorial pide que, cuando la «contra» entregue sus armas, no quede un soldado norteamericano en territorio de Honduras; crisis hospitalaria; foco guerrillero en la cordillera Nombre de Dios; el comunismo en el este de Europa se hunde estrepitosamente; un editorial afirma:

«Madre hondureña, el mundo será más feliz para tus hijos sin comunistas...»

Los nervios, más que su voluntad, volvieron a poner en pie a Wilson. Arrojó los diarios a una papelera y anduvo un par de manzanas en dirección al oriente. En un esquinazo, topó con una peluquería. A través de los cristales, distinguió a tres muchachas que, con gesto aburrido, charlaban en espera de la aparición de algún cliente. Se acarició las mejillas. Y entró.

Una de las peluqueras se le acercó con el rostro iluminado:

—¿Qué desea el señor?

Dudó.

—¿Qué servicios ofrecen? —preguntó al fin.

—De todo, señor: manicura, limpieza de cutis, corte de pelo a tijera y navaja, lavado de cabeza, afeitado...

Volvió a pasarse la mano por las mejillas.

—Bien, déme un afeitado ligero... Y lavado de pelo. Y limpieza de cutis y manicura.

—Con gusto, señor, siéntese aquí.

En unos instantes se vio rodeado por las tres mujeres. Una preparaba la manicura, sentada a sus pies en un pequeño taburete; otra echaba el sillón hacia atrás y le empujaba el cuello para apoyarlo en una palangana de metal a la altura de la nuca; la tercera disponía las cremas y las toallitas para la limpieza de la piel y las navajas y el jabón del afeitado.

Cerró los ojos y se relajó. Los dedos de la muchacha de abajo embadurnaban con una pasta escurridiza los suyos y las tijeras comenzaron de inmediato a mutilar sus uñas. Al tiempo, un chorro de agua caliente se derramaba sobre su cabeza y sobresaltaba los poros de su cuero cabelludo. Entretanto, una toalla hervida en agua cubrió casi por entero su rostro. Quedó apartado del mundo y sintió deseos de suspirar. Su cuerpo se vio invadido por una sensualidad gratificante. Pensó que nunca más acudiría a una peluquería en la que atendiesen hombres. Y amó aquellas manos desconocidas que se apoderaban de él.

Cuando abandonó el local, después de dejar una generosa propina y prometer a las muchachas regresar cualquier día antes de marcharse de La Ceiba, el sol comenzaba a caer hacia poniente. Pero el reloj decía las cinco cuarenta y eso significaba que, cuando menos, tenía por delante otras tres horas.

Decidió echar a andar en dirección contraria a la costa, hacia las montañas que cerraban el paso de la ciudad por el sur. Los ariscos cerros se oscurecían en un violento púrpura y el imponente Pico Bonito ocultaba su cima bajo un desgarrado vendaval de nubes azafranadas. Las hendiduras de arroyos escondidos abrían cicatrices diamantinas y húmedas heridas en las caderas de los montes.

Llegó a los límites de la ciudad, donde las casas se diseminaban en la carretera que conducía al aeropuerto. Dio la vuelta y emprendió el camino de regreso. De nuevo en el Parque Central, miró el reloj. Todavía las manecillas no alcanzaban las siete de la tarde. Al menos, la noche se había cerrado ya sobre la ciudad y la luna ascendía desde la línea del horizonte.

Cruzó la calzada norte del parque y entró en el hotel París. Atravesó la amplia sala del vestíbulo y llegó al jardín. Las débiles luces de unas pocas farolas alumbraban las aguas de la piscina. En el quiosco que servía de bar, tan sólo un parroquiano se apoyaba en el mostrador rectangular, donde una muchacha delgada se ocupaba en el lavado de unos vasos. Wilson se acercó un taburete, tomó un cigarrillo de la segunda cajetilla del día y pidió una cerveza cuando la chica se dirigió a él.

—¿Nacional o de importación? —preguntó la muchacha.

—Sírvame la que esté más fría.

—Ambas están en el frigui, señor.

—Pues cualquiera, la importada mismo.

Tomó otras dos botellas más durante la interminable hora que transcurrió desde su llegada. El bar había ido llenándose entretanto: algunos compatriotas ante los que no sintió deseo de identificarse, tal vez por sus acusados rasgos de raza blanca, y mujeres que, con toda probabilidad, ejercían la prostitución, enmascarada bajo elegantes vestidos de alto precio. Cruzó algunas palabras en español con la camarera cuando el grupo de norteamericanos se situó a su lado. Y trató de divertirse escuchando su conversación, seguros como estaban de que nadie les entendía. Eran empleados de una empresa de ventas de lavadoras y habían llegado a La Ceiba para ultimar un contrato con el gobierno local. Parecían desconfiados por la forma de pago propuesta por los hondureños. Pero desviaron pronto la conversación para comentar lo que calificaban como agradable ambiente nocturno de la ciudad. Uno aseguraba que, a cambio de un par de tragos, era cosa hecha llevarse una chica a la cama. Otro advertía sobre los peligros del sida. Un tercero insistía que Santo Domingo era el mejor lugar del Caribe en cuestión de mujeres y que por unos pocos dólares se lograba la mejor mulata de la isla.

Le aburrió su charla. Al consumir la última cerveza, percibió el reclamo del estómago. El reloj marcaba unos minutos más de las ocho y su batalla contra el tiempo comenzaba a mostrar signos de victoria. Hizo una seña a la camarera, que se acercó a su altura:

—Dígame, señorita, ¿hay restaurante en el hotel?

—Sí, señor, al fondo del pasillo del vestíbulo.

—¿Y qué se puede comer allí dentro?

La otra sonrió:

—Nunca me invitaron, señor. Pero se dice que tienen buena res al carbón.

—Gran cosa —concluyó Wilson—. Estos días, precisamente, tengo una gana especial de carne.

La muchacha le respondió con un mohín de coquetería mientras se alejaba, marcando el ritmo de sus redondas caderas, hacia el otro extremo del mostrador. Wilson se escurrió del taburete y echó a andar camino del restaurante, ufano de saber que el día había caído derrotado ante su tenacidad.

Aquel hombre no estaba en sus cabales desde unos cuantos días atrás, pensó Erasmo mientras servía hielo y ron en los vasos. A comenzar por la forma de vestirse, con la camisa rosa adornada de un corbatín naranja y bajo un traje de inmaculado blancor. Ni al más audaz de los negros de La Ceiba, y los había por decenas, se le ocurría ataviarse de forma semejante. Todavía podría mirársele si tuviera un buen cuerpo, pero la figura rechoncha y desproporcionada de Carreto obligaba a retirar la cara y ocultar la gana de la risa.

Después de todo, eso era lo de menos. Lo peor eran los asuntos que el profesor se traía en la cabeza, sus obsesiones sin sentido, su discurso farragoso sobre el valor, la cobardía, la injusticia, el desorden, la ley, la corrupción y la rebeldía. Erasmo no intentaba ya seguir la nerviosa perorata de Carreto. Afirmaba o negaba con movimientos de cabeza cuando el otro se volvía hacia él buscando el acuerdo con sus opiniones. Si ello le hacía feliz al hombre, qué más daba. Lo triste es que cualquier día podría acabar encerrado en un psiquiátrico.

—¿Y qué es Honduras? ¿Lo has pensado, niña? —preguntaba Carreto dirigiéndose a Claudia—. Poco más que una palabra, porque a las naciones las hacen el orgullo y el coraje, no las banderas y la sumisión…

Y así, en esa línea seguía su discurso.

Erasmo acercó los vasos a los otros y se sentó en su mecedora. Se recostó en el respaldo dispuesto a aguantar con paciencia el monocorde chaparrón de ideas que lanzaba aquel hombre desquiciado.

Quien le preocupaba de verdad era Claudia. La veía ausente, como alejada del mundo. Es cierto que parecía más joven y acaso más bella. Pero le intranquilizaban sus silencios, las miradas que se perdían en el vacío y los pensamientos que volaban hacia quién sabe qué lugar. Tenía ese bobo aspecto de la gente enamorada.

Claro está que a él no se la daba. Sabía que el cambio de Claudia tenía que ver con la presencia del nicaragüense. Era un hombre hermoso y solitario, mientras que ella era también una mujer solitaria y hermosa. Las cosas, en ocasiones, casan en su simpleza y el negro se jactaba de poseer una inteligencia abrumadoramente lógica. Pero le intrigaba saber hasta dónde habría llegado el asunto entre los dos. Puede que más lejos de lo que imaginaba. Después de todo, estaban solos en la segunda planta del hotel y las noches del Caribe eran largas, cálidas, plagadas de una atmósfera agobiadora y sensual.

Lo importante no era lo que hubiesen hecho Claudia y el nica. Si ella necesitaba a un hombre, como cualquier mujer viuda de un largo tiempo, lo natural es que tomase la ocasión cuando se presentaba. Era joven, sólida y fuerte, en esa edad en que el cuerpo femenino afirma su sabiduría y exige lo que necesita. Pero el problema empezaba ahí: ¿y si se encaprichaba en exceso y confundía amor con necesidad de carne? Erasmo temía que, como sucede con frecuencia a las mujeres, la reflexión se pusiese a caminar detrás de su sexo. Él era un convencido de que la mayor parte de las hembras pensaban con el vientre y que no había barreras que pudiesen detenerlas cuando lo sentían arder. La niña Claudia, además, era una pieza sencilla para un cazador avezado.

Tendría que averiguar. Después de todo, era su obligación protegerla de cualquier mal. Se lo había prometido a sí mismo. Ya vería a la noche. Entretanto, bebió otro largo trago, casi el contenido entero de la copa, arrullado por el discurso pertinaz de Carreto, a quien no parecía violentarle en absoluto el silencio de Claudia y Erasmo.

Veía la dulce mirada de Claudia posarse sobre él y ello le hacía feliz. ¿Habría notado que, en tan corto espacio de tiempo, Carreto era ya un hombre distinto? Los ojos de la mujer refulgían como dos pequeñas gemas, le contemplaban con afecto y, tal vez, por qué no, con un leve toque de admiración. Y sus labios entreabiertos, húmedos, quizá comenzaban a elaborar los besos que él podría cosechar en el futuro. Carreto hablaba y hablaba, seguro de su brillantez y de la importancia de su discurso, dejándose arrastrar por sus propias palabras. Incluso Erasmo, tan dado a la chanza y a meter baza de improviso, guardaba un respetuoso silencio y asentía ante sus opiniones. ¡Qué gratificante la noche! ¡Cómo puede un hombre ganar la estima de los demás, en tan poco espacio de tiempo, cuando ha logrado comenzar a estimarse a sí mismo!

Las miradas de los otros dos giraron de súbito hacia la izquierda, cruzando por encima de su hombro, Carreto interrumpió su parlamento y volvió también la cabeza. Se oyeron pasos próximos. Entre las sombras apareció el alto cuerpo de aquel huésped extraño, del nica. Sintió rabia. Su momento de gloria se esfumaba ante la presencia de aquel tipo detestable.

—Buenas noches —dijo el recién llegado—. Buenas noches, señora —repitió. Carreto guardó silencio y miró al hombre desde su asiento. Luego, giró otra vez el rostro en dirección a Claudia. Ella contemplaba al hombre, que se había detenido ante ellos. La mujer había cerrado los labios y adoptado un gesto de grave seriedad. Carreto pensó que tal vez ella se sentía también irritada por la presencia del extraño.

—Las noches siguen bonitas aquí —añadió el nica.

Nadie le respondió.

—En fin —agregó—, me retiro a dormir. ¿No se sirven copas a esta hora en el hotel?

—No hay servicio de bar, señor —respondió Erasmo.

Bravo, pensó Carreto, el negro había contestado como la ocasión merecía. ¿Qué esperaba el tipo, que le invitaran a sentarse y tomar un trago con ellos? Aquello hubiera sido una profanación. Carreto contempló a Claudia. Los ojos de ella continuaban posados sobre el hombre, pero su mirada era vacía e inexpresiva, y sus labios se mantenían firmemente apretados. No había duda que se sentía molesta por la presencia del intruso.

—Bien, buenas noches —concluyó el nica, y se alejó hacia el vestíbulo.

Todo volvía, pues, a la normalidad. Carreto podía seguir con su discurso. ¿De qué estaba hablando antes de la llegada del nica? No lo recordaba.

—Un hombre extraño —comentó mientras buscaba el hilo de su parlamento.

—No me agrada —dijo Erasmo.

—Tampoco a mí —agregó Carreto.

Claudia no intervino. Miraba en dirección al mar, hacia el vacío. Sus labios habían vuelto a entreabrirse y una película de humedad los hacía brillar. Brillaron también sus ojos, de nuevo como mínimas esmeraldas que recogieran la luz de algún remoto punto de su alma.

Erasmo observaba a Claudia. Carreto había reanudado su parloteo, pero el negro continuaba sin escucharle. Si le quedaban dudas sobre la relación que pudiera existir entre el extranjero y la mujer, ahora se habían disuelto al observar el cambio de actitud de ella cuando apareció el hombre. Intentó simular, componer un gesto de tranquila indiferencia. Pero a Erasmo no podía engañarle. Y ahora… ahora esa vaporosa ausencia que la transportaba lejos del porche, tal vez a la habitación del nica, a la cama donde puede que él se dispusiera a esperarla. Todo aquello tenía mala pinta, muy mala pinta, pensó Erasmo. La niña estaba más agarrada por el tipo de lo que podía haber sospechado antes. Y agarrada por donde ellas nunca se sueltan.

Miró su reloj. Apostaría consigo mismo sobre el tiempo que tardaría Claudia en retirarse a sus habitaciones. Pongamos que diez minutos, era lo correcto. Ella calcularía que no debería irse demasiado pronto, pero tampoco podría esperar en exceso alterada como estaba por su ansiedad. Diez minutos era el tiempo adecuado, por diez minutos apostaba Erasmo. Tomaría una copa extra en «El Piloto» si acertaba y una de menos en caso contrario.

Marró. No habían transcurrido unos segundos desde que hizo su cálculo cuando Claudia se levantó, como empujada por un muelle interior, cortando de sopetón el discurso de Carreto.

—En fin —dijo—, estoy cansada, me voy a la cama. Os veré mañana.

Aún no conocía bien a las mujeres, pensó Erasmo. ¿Quién diría que la niña era tan apasionada? Si apuraba el paso, casi que tendría tiempo de agarrar al otro en la escalera.

Salió Claudia antes de que Carreto se recuperase de su asombro, mientras Erasmo sonreía vuelto el rostro hacia la oscuridad. Hubo un pesado silencio entre los dos hombres durante unos instantes.

—¿Qué le pasó? —acertó a decir el profesor.

—Pues lo que vio, que se fue —respondió el negro.

—Creí… bueno, me pareció que le interesaba lo que yo decía… Tal vez ni escuchaba.

—Le escuchaba, don Rolando, le escuchaba sin duda. Pero las mujeres son así, les vienen cansancios de pronto y deciden irse de donde están. Mariposas ellas.

—No bromee, Erasmo. Hace unos días me di cuenta que no me escuchaba. Y hoy sucedió lo mismo.

El profesor ofrecía un aspecto abatido.

—Chucha, don Rolando, no se apure. Las mujeres tienen esas cosas. ¿Sabe?, cuando están menstruando, y vaya usted a saber si eso es lo que tiene la niña, andan como animalitos, sin saber bien dónde ir ni qué hacer. Ellas mismas no son conscientes, no se lo tome en cuenta.

—Intentaré creer en lo que dice.

—Clarito, don, así es de sencillo. No le dé más vueltas al coco.

—Todo estaba bien hasta que cruzó ese extraño hombre. Tal vez la espantó.

—No vi yo el espanto.

—No me gustaba antes ese hombre y ahora me gusta menos. ¿Supo algo más sobre él, Erasmo?

—No mucho. Pero estoy seguro que es un «contra» de los que pelean contra los sandinistas al otro lado.

—¿Qué le hace pensarlo?

—Todo encaja: la herida, la pistola, su aspecto, su nacionalidad, la bolsa donde empaca sus cosas. Es hombre de guerra.

—¿Qué bolsa?

—Trae una bolsa militar. Wendy me dijo que, aunque le han borrado las letras que tenía pintadas, quedan claras las marcas de lo que traía escrito.

—¿Qué era?

—U.S. Army. Dígame, ¿qué hace un nica herido, armado y con una bolsa del ejército gringo? A lo mejor es un antiguo guardia somocista. Apostaría buen pisto a que es «contra».

—Todo parece claro.

Carreto dejaba ahora que su barbilla se hundiera en el cuello.

—Pero ya sabe —añadió Erasmo—, la patrona no quiere ponerle en la calle. Dice que si paga, pues que bienvenido y que lo que sea o deje de ser es cosa suya. Y paga con buenos dólares el pavo.

—Puede no ser cosa suya, pero sí nuestra.

—Ni usted ni yo gobernamos el hotel, don. Ella es la patrona y tiene su capricho.

—Pero si es un «contra», algo debe hacerse.

—¿Qué ha de hacerse? Aquí en Honduras andan a su antojo. Y tenga cuidado, es hombre fuerte. No trate de tirarlo por la ventana que puede que le arroje él a usted.

—Pero debe hacerse algo.

—¿Como qué?

—Hombres como él no merecen estar sobre la tierra, ensucian el mundo.

—Ni usted ni yo hemos nacido para limpiar el planeta. Hay demasiada basura por aquí abajo, don.

—Alguien tiene que hacerlo.

—¿Trajo la escoba? Hará falta una grande, el tipo es bien recio.

—No me embrome, Erasmo. Una escoba no es un arma.

El negro contempló un momento al hombrecillo que se sentaba cerca de él. Su imagen le pareció, al mismo tiempo, patética y peligrosa.

—¿Qué le pasa, don Rolando?

Carreto se levantó.

—Hay veces que, en la vida, tenemos que tomar decisiones excepcionales —dijo.

—Puede, pero yo creo que la mayor parte de las veces hay que adaptarse a lo que decide la vida —respondió Erasmo.

—Yo me voy a retirar —añadió Carreto.

—Cálmese un poquito, eche otro trago.

—¿Me ve nervioso? No crea, estoy más seguro de mí como nunca lo estuve en la vida.

—Eso es lo malo, don, que está usted muy seguro. Reflexione y cálmese un poco.

—¿Duda de mi buen juicio? Debería conocerme mejor. Piense en mi moralidad, amigo. Usted sabe bien que yo soy un hombre honrado y que nunca haría nada reprochable.

—Lo sé, don. Pero también sé que un hombre honrado puede ser un hombre peligroso.

—En fin, buenas noches.

—Adiós, don, duerma tranquilo. No hay mejor médico que la cama.

—No estoy enfermo —respondió el profesor mientras se alejaba.

Noche endemoniada, pensó Erasmo al quedarse solo, la niña cogida por el capricho y el profesor con el juicio desviado del eje. Se sirvió más ron y bebió tranquilo. Luego, apagó la luz del vestíbulo, cerró la puerta del hotel a sus espaldas y caminó hacia la playa.

Veinte metros más allá de la casa, buscó una palmera en un lugar oscurecido. Se sentó apoyado contra el tronco, sobre la arena. Desde allí, distinguía el edificio del hotel. Una mínima luz escapaba de los postigos de la suite donde se alojaba el nica. El resto de la casa permanecía en penumbra bajo la luz mustia de la luna que comenzaba a menguar a sus espaldas. Descorchó la botella de ron que había llevado consigo y dio un trago. Se dispuso a esperar y ver lo que sucedía allí arriba. Pero esta vez no apostó sobre plazos de tiempo.

Carreto no dudaba ya al llegar a la esquina de San Isidro y avistar las luces del Barrio Inglés. Torció ahora sin vacilaciones y recorrió con pasos raudos el tramo de calle hasta alcanzar la zona donde el asfalto desaparecía y la ciudad cobraba el aspecto de un poblado de otras edades. Había animación aquella noche. Grupos de hombres, como sombras, iban de aquí para allá en la avenida, entraban y salían de los garitos, algunos se tendían en los portalones o junto a las esquinas para reposar los excesos de la borrachera. La música de los tugurios se mezclaba en el centro de la vía como una demente sinfonía: salsas, rancheras, boleros y algún rock de importación en un guirigay de sonidos.

Entró en el «Perla Brava». El local aparecía abarrotado de clientela, con todas las mesas y el mostrador ocupados por gentes ruidosas y gesticulantes. El humo del tabaco ascendía al techo y se enredaba entre las luces, como si alguien acabase de apagar un incendio declarado sobre el suelo. Atronaba la música de la máquina con los sones de un merengue dominicano:

*A mí me gusta bailar de medio lao,*
*bailar muy apretao*
*con una negra bien sabrosa...*

Buscó con la mirada a Nelly y no la encontró. Se acercó al mostrador. La dueña servía interminables vasos de ron y botellas de cerveza a los ávidos parroquianos que formaban una cortina espesa y sudorosa apretándose en la barra. Carreto logró abrirse al fin un pequeño hueco en una de las esquinas. Hizo señas a la mujer. La otra tardó en verle y se acercó luego sonriente y apurada.

—¿No está Nelly, doña Rosita? —preguntó el profesor cuando la mujer llegó a su altura.

—Anda arriba con un cliente. Tendrá que aguardarla un ratito. ¿Le pongo un vaso para entretener la gana?

—Bueno..., está bien, póngalo. ¿Y sabe si tardará mucho?

—¿Quién lo sabe? Tenemos un día bien ocupado. Llegaron dos barcos españoles al muelle. Y los muchachos vienen con hambre de mujer. Con tanto mar en los huesos y en la sangre... Ella habrá subido hace cosa de media hora. Tal vez baje de pronto.

Ella le servía el vaso, con una generosa ración de ron. Carreto pagó de inmediato.

—Y usted me disculpa, señor —añadió doña Rosita—, pero ya ve la clientela que se me abalanzó de golpe. —Guiñó el ojo—. Traen dólar fresco…

—Sí, sí… —alcanzó a decir mientras la mujer se alejaba hacia el otro extremo del mostrador.

Se concentró en sus sentimientos, que navegaban sin tino entre la perplejidad, el abatimiento y la exaltación. Durante buena parte del día había cabalgado sobre sensaciones de euforia, seguro de su propia fuerza, firme en sus decisiones. Luego, cuando Claudia abandonó la tertulia nocturna y se esfumó camino de sus habitaciones, le había devorado el desánimo y hasta creyó notar cómo crecían en su interior sensaciones de ridículo.

La locura de su alma le empujaba, sin embargo, camino del entusiasmo. Quizá, se dijo, casi oculto en aquel rincón mugriento de la sala, las malas impresiones eran tan sólo fruto de su mente calenturienta, de su imaginación desbocada. Su fuerza estaba en su ánimo, y pensó que el vigor de los hombres reside en ser capaces de sobreponerse a la adversidad. Su voluntad estaba forjando un hombre distinto y esa voluntad debería dar el pulso a un ser merecedor del amor y la admiración de Claudia. El amor hay que conquistarlo, nada se entrega gratuitamente. Y menos a un hombre feo.

La imagen del nica saltó ahora en medio de sus pensamientos. Había un odio doble hacia el extraño. Por una parte, significaba todo lo ominoso y detestable que sus ideas podían enfrentar; de otro lado, era el causante directo de que el instante de su gloria aquella noche se hubiera roto. Había espantado a Claudia. Y era además el símbolo de la humillación de su país, de la humillación de los hombres de su patria.

Si fuera capaz de actuar, de destruir aquel símbolo… Más aún: si tuviese el valor de actuar. Esa idea se clavó ahora en su mente como una aguda espina. Actuar, acción, acto. Pronunció las palabras entre dientes, mientras regaba su lengua con pequeños sorbos de ron. Si fuese capaz... Actuar, acción, acto... Todo lo contrario de pasividad, de palabrería, de cobardía. Respiró hondo. Sus miedos de antaño parecían desvanecerse ante aquellas palabras llenas de significado. El riesgo no importaba. Si él fuera lo bastante valiente como para enfrentarse a sus humillaciones y convertir en acto una protesta tan esencial como el alma... El símbolo estaba delante: un hombre que significaba todo aquello que odiaba, un hombre que resumía en sí mismo la humillación de su patria, alguien que paseaba con desparpajo por su propia tierra los emblemas de la esclavitud hondureña. Si fuese capaz... Tal vez incluso Claudia podría sentirse orgullosa de un Carreto que recuperaba rastros de nobleza entre las cenizas del orgullo de Honduras. Tal vez le amara por un gesto hermoso y puede que suicida. Pero ¿qué significa el suicidio cuando está en juego el amor? Todas las sanciones de abatimiento y perplejidad se deshacían ahora ante la seguridad del espíritu de Carreto. Quizás, a causa de ello, no reparó en Nelly hasta que la muchacha llegó a su lado y le tocó en el hombro.

—Ah, Nelly... —dijo sobresaltado.

—Hola, no te esperaba.

—Bueno..., vine a verte.

—Como estuviste ayer...

—Sí, pues ya ves.

—Estaba ocupada. Qué día. Vinieron dos barcos repletos de marinos españoles. ¿Sabes vos?, hoy tuve que atender a cuatro de ellos. Traen hambre de tiburones y dan poco trabajo, enseguida van listos. Es la ventaja de las largas travesías, se beben a una mujer con la misma rapidez que a una botella. Buen día para los negocios. ¿Quieres que subamos ahorita?

—Sí, toma el dinero. Y compra ron a doña Rosita.

—Con gusto.

—Te espero arriba.

—No, aguarda. Hay mucha gente y casi todos los

cuartos están ocupados. Espera a ver cuál nos dan ahora.

La muchacha se alejó. Rolando se sintió súbitamente inquieto. Dio un largo trago de ron y esperó al regreso de Nelly.

—Oye —dijo sujetándola del brazo cuando ella volvió—. ¿Te habrás lavado bien?

—Como sí, amor. Yo soy muy pulcra, ¿no lo tienes comprobado?

—Pero todos esos tipos que llegaron…

—Les dan goma en el barco, en Europa se toman ahorita muchas precauciones. No tengas problemas. Confía, amorcito, y vamos arriba.

Siguió a la chica escaleras arriba, contemplando el voluptuoso trasero que se mecía delante de sus ojos.

A Claudia le exasperaba la lentitud del tiempo. A oscuras, en su habitación, miraba una y otra vez su reloj fosforescente para comprobar que las manecillas apenas se habían movido unos minutos. Y abajo, todavía, Erasmo y Rolando seguían con su charla. Las oleadas de calor recorrían su cuerpo dejando un rastro de humedad prendido en su piel. Se había desnudado y duchado. Luego, había echado sobre su cuerpo tan sólo la bata de seda. Y sabía que Wilson aguardaba su llegada en la suite del otro lado de la terraza, tal vez tan anhelante como ella.

Ahora se preguntaba el porqué de la simulación. ¿Acaso no era una mujer libre, con recursos suficientes como para no depender de nadie? ¿Para qué ocultar nada? Después de todo, Erasmo no era más que un empleado suyo y Carreto un amigo al que no le unía ningún vínculo de dependencia. No tenía que dar cuentas a nadie sobre su vida.

Pero se sabía incapaz, por el momento, de correr las cortinas de la simulación. Incluso, no quería siquiera plantearse la razón última de sus temores y acabar con ellos. Sólo quería que el tiempo corriese, que cesase la conversación allá abajo, que se apagasen las luces del vestíbulo y que pudiera sin riesgos salir a la galería y unirse a Wilson. Eran tan escasos los metros que ahora les separaban... Entretanto, parecía que el corazón se hubiera metido dentro de sus venas, que làtían con fuerza debajo de su piel caliente. Sentía también arder sus mejillas y su vientre y una extraña palpitación instalada en los labios.

Al fin oyó tan sólo el sonido del mar y, luego, el golpe de la puerta del hotel al cerrarse. Aguardaría aún unos minutos. Dudó entre encender o no la leve luz de la mesilla. Y decidió, en lugar de ello, caminar hasta el cuarto de baño.

Cerró a sus espaldas, bajó el interruptor y se miró en el espejo. Retocó su pelo con un movimiento impensado y luego miró en sus ojos. Los veía acuosos, como si no fueran sus propios ojos, sino los de otra mujer, una hembra desconocida; alguien ajeno al que, sin embargo, creía reconocer de siempre. Era el suyo el rostro de una pintura retratada en muchos cientos de cuadros, el gesto de decenas de estatuas de mujeres contempladas en decenas de museos. Sus pómulos parecían más gruesos y sus labios más carnosos. Ella no era ella y, al mismo tiempo, se parecía a todas las mujeres del mundo.

Ya no pensaba en el tiempo cuando apagó la luz, cruzó el aposento, abrió la puerta de la habitación y ganó la galería. El aire denso y caliente acarició su piel. La luna menguante parecía un extraño ser, muerto y petrificado, sujeto en el aire por algún clavo invisible. No escuchó sus pasos que hacían crujir los tablones desgastados. Creía flotar mientras andaba.

Wilson estaba desnudo sobre la cama y le tendía los brazos. Claudia no tuvo conciencia del momento en que se desprendió de la bata. Sólo sintió que algún género de reconciliación con el mundo se producía entre ella y la vida cuando su piel se estrechó contra la piel del hombre, cuando sus manos buscaron el otro cuerpo en un febril deseo y las bocas trataron de acoplarse en un ávido beso.

Allá en la arena, cerca de un oleaje que llegaba melancólico a la playa, Erasmo alzó la botella hasta sus labios. Bebió sin apartar los ojos del hotel. Luego de apurar el trago, se limpió la boca con el dorso de la mano y movió la cabeza de un lado a otro.

—Niña, niña —musitó—, estás jugando con fuego.

Se levantó, lanzó lejos de sí la botella casi vacía y emprendió camino hacia «El Piloto». Tenía decidido perdonarse la copa de menos que había perdido en la apuesta consigo mismo. Después de todo, uno guarda siempre el derecho de hacerse alguna que otra trampa.

## 6

Durante la noche cayó sobre La Ceiba un impetuoso chaparrón. A Claudia le despertó el bronco ruido del agua que descendía por los canalones y se escurría por la balaustrada de la galería. Apenas había dormido unas pocas horas. Y permaneció en la cama hasta que la marchita claridad del amanecer se coló por las rendijas de los postigos. Bajó poco después de las seis y media al comedor, donde el aroma del café recién hecho se imponía al olor de la tierra húmeda y yerba mojada que había levantado la lluvia. Zunilda le sirvió tostadas y una generosa ración de arroz blanco con fríjoles negros. Sobre la mesa permanecían el tazón y el plato usados de un servicio anterior.

—El nica partió recién —se excusó la sirvienta ante Claudia mientras retiraba taza y plato—. Bien madrugador, se fue para el aeropuerto hace cosa de nada.

Camino de la estación de autobuses, sentada en el

taxi junto a un Erasmo resacoso y callado, Claudia contempló la bruma metálica que un tenaz aguaviento se empeñaba en mantener prendida del aire. El cielo, encapotado y bajo, abrazaba la tierra como una mole de ceniza y hurtaba la visión de las montañas. El mar arrastraba un encogido oleaje manchado de pólvora y se tendía cenagoso en el horizonte. En el lado de oriente, la pesadumbre del cielo no lograba sin embargo evitar que el océano mostrara la hendidura de una llaga luminosa, un fulgor que teñía el agua de luces nacarinas. El aire salobre, empapado y carnoso, agitaba las palmeras de la barra y arrebataba de las orillas una difusa polvareda.

La estación de autobuses, una explanada que se abría alrededor de un barracón de madera, era un barrizal en aquella hora temprana. Los destartalados autocares esperaban en desorden sobre el suelo irregular y los viajeros se agolpaban en el interior de la caseta y bajo el cobertizo de gruesa hoja de lata. Allí esperó Claudia, esquivando el chorro de una imponente gotera, mientras Erasmo se abría camino entre la multitud para lograr billete en la línea Ceiba-San Pedro Sula-Tegucigalpa.

—Tendrá que hacer trasbordo de bus en San Pedro, niña —dijo el negro cuando regresó unos minutos más tarde—. Pero no hay cuidado, es sólo cambiar de carro en la misma estación, una media hora de espera. Tenga el billete, niña, y no me lo pierda.

—Vaya, parece que hablas. En el taxi llegué a creer que eras mudo.

—Tuve noche brava, patroncita.

—Trago y cartas, ¿no?

—Más guaro que naipe. Me limpiaron pronto. A su vuelta, tendrá que hacerme un anticipo.

—Llevas casi un año de anticipos.

—Si me muero de golpe, le dejaré deudas. Así que veré de trabajar el doble, pa que al menos me pague un buen entierro.

—Te levantaste alegre, según veo.

—No me gusta la lluvia. Y tampoco madrugar. Hoy tuve ración doble.

—Podía haber venido sola.

—No está bien eso, niña, para algo está el servicio.

—Sé moverme, Erasmo.

—Ya sé, ya sé. Y eso es lo que me da temor.

—¿Qué te da temor?

—Vos, niña, vos…

—No veo por qué.

—No me gusta ese hombre.

—¿Qué hombre?

—El nica, ya sabe.

—No entiendo a cuento de qué viene eso, Erasmo.

—Entienda o no entienda, le diré una cosa: no me enloquezca, déle al cuerpo lo suyo pero guárdeme fría la cabeza.

—No sé lo que intentas decirme, pero supongo que, en todo caso, puedo hacer lo que me venga en gana.

—No se encachimbe conmigo, patroncita. Ya sé que su vida es su vida. Pero también es cierto que yo la quiero bien. Y tengo que decirlo, es mi obligación: guarde la cabeza, ande con prudencia.

—Erasmo…

—No, no se encachimbe.

Un empleado se abría paso entre la gente y anunciaba a grandes voces: «Bus para San Pedro y Teguz, bus para San Pedro y Teguz…»

—En fin —añadió el negro—, que mucha suerte, niña, y que se me cuide.

—Tendré suerte.

Sonrió Erasmo al tiempo que tomaba la mano de Claudia y la retenía un instante entre las suyas:

—De todas formas, que lo pase bien y con gusto. El tipo no me gusta, pero como dicen aquí, quien anda con la miel algo se le pega. Es hombre de suerte.

—Vete al infierno.

—Buen viaje, niña —rió el negro.

Claudia se adelantó con pasos rápidos hacia el autobús, chapoteando sobre el barro y los charcos. Casi a empellones, ayudándose de los codos, pudo hacerse hueco en la cola de gente que se agolpaba frente a la estrecha puerta del autocar. Logró al fin subir y encontrar asiento junto a una ventanilla. Un instante después, una mujer de anchos hombros y prominente estómago se sentó a su lado. El olor ácido de sus axilas llegó enfurecido hasta la nariz de Claudia. Sacó un chicle del bolsillo y masticó con ganas, el rostro vuelto hacia el cristal, tratando que el sabor vigoroso del mentol inundara sus fosas nasales.

La lluvia arreciaba a la salida de La Ceiba y de las nubes colgaban jirones de niebla, como filamentos desgarrados, que se enredaban en las copas de los árboles. Dentro del autobús, todos los asientos tenían ocupante y algunos viajeros con menos fortuna se alineaban a lo largo del pasillo, entre los bultos y maletas esparcidos por el suelo del vehículo. El vaho se prendía en las ventanillas, donde la lluvia trazaba surcos como un rastro de lágrimas. Muy pronto, a poco de partir, un calor espeso e impregnado de olores humanos se apoderó del interior del vehículo.

La primera parada fue apenas diez minutos más tarde, en el control policial donde se revisaban todos los autos de transporte público. Mientras el chófer cumplía los requisitos y rellenaba un formulario, dos niños y una mujer subieron al autobús y recorrieron el pasillo ofreciendo los bocadillos que se amontonaban en sus cestas: «Carne asada a lempira, carne asada a lempira», repetían casi a coro. Claudia despejó de vaho el cristal ayudándose de un pañuelo: afuera, pocos metros más allá del vehículo, una docena de zopilotes, su plumaje negro brillando en azabache bajo el aguacero, buscaban alimento en un enorme montón de basura.

—Con tal de comer —oyó decir a su vecina de asiento— estos cutes aguantan la lluvia y lo que les caiga.

—Sí —respondió Claudia sin volver el rostro.

—Los cutes comen de todo —añadió la mujer—, desde carne de muerto a fruta podrida. Son bien carroñeros, no tienen asco de nada.

Claudia no respondió y siguió mirando a través de la ventanilla. A duras penas lograba esquivar el hedor de las axilas de su compañera de viaje.

De nuevo, el traqueteo del vehículo, sus bruscos saltos sobre la accidentada carretera, los muelles del asiento que se hincaban en sus nalgas y amenazaban con quebrar su rabadilla. Durante unos instantes se arrepintió de no haber viajado en avión. Pero se reconcilió consigo misma al pensar el angustioso vuelo que podría haber sufrido entre aquellas nubes espesas, cabalgando entre corrientes de aire bravo.

Marchaba el vehículo por una estrecha pista y, al dejar atrás San Alejo, bosques de palmeras se asomaban a los flancos del camino y cegaban el horizonte. El musgo y las plantas trepadoras cubrían los troncos de los vigorosos árboles y sus ramas se combaban hacia el suelo bajo el empeño del aguacero. Algunos manantiales y arroyos corrían entre la yerba. Durante cinco o seis kilómetros, el palmeral acompañó en su viaje al repleto vehículo, y cuando al fin lo abandonó perdiéndose hacia el interior, asomó un llano sembrado de pequeñas huertas de fríjol y milpa, donde menudeaban las casas levantadas en madera.

Más adelante, cuando dejaron atrás las praderas y las siembras, la carretera ascendía, hundida entre montañas que cerraban sus sólidas caderas sobre el maltratado asfalto. La espesura mostraba una apariencia virginal, pese a la presencia ocasional de algún que otro ranchito a los lados del camino. Ríos apresurados abrían quebradas en las paredes de los montes y caían veloces, sorteando piedras bruñidas, hacia las tierras bajas que cubría un techado de árboles. De golpe, un claro de las nubes mostraba una sucesión de colinas redondas, que trepaban hacia los altos de la sierra en forma de escalera y en cuyas laderas se dibujaba el perfil regular de los cafetales.

Oyó ronquidos a su izquierda y volvió la cabeza. Su maloliente vecina dormía desparramada sobre el asiento. Con los brazos apretados contra el cuerpo, su aroma axilar parecía dormir también. O tal vez, pensó Claudia, es que su olfato se había acostumbrado a los olores del autobús. Cuestión quizá de mera supervivencia.

Habían descendido de las montañas y a la vista se abría un huerto de pasmosa fertilidad: maizales, hileras interminables de cítricos, lagunas donde nadaban las plantas del arroz, cañaverales y carrizos junto a los canales de riego. La generosidad de la tierra parecía atraer a las nubes, que ahora bajaban a los llanos, rodeando las faldas de los cerros, al tiempo que dejaban libres a la vista los ariscos picachos. De cuando en cuando, los rebaños de ovejas y las vacadas moteaban los pastizales rebosantes de alta yerba. Un hálito de quieta eternidad envolvía el paisaje.

Hacia occidente, asomó entre las nubes el asolado perfil de una cordillera, como una aparición fantasmagórica. Pero la tierra se tendía llana, aplanada, en las cercanías de la pista, circundando las riberas del río Chamelecón. Y de pronto, todo el largo horizonte quedó borrado y cubierto por la inmensidad de los campos bananeros. Los desgarbados arbustos sostenían apretados racimos donde verdeaban los plátanos. Algunos braceros se hundían en la espesura. En los calveros que, ocasionalmente, se formaban en el interior del bosque de bananos, se podían ver tramos del ferrocarril tendido decenas de años atrás por la

United Fruit Company, la compañía norteamericana que tanto había influido en la política centroamericana durante más de un siglo y que familiarmente se conocía como «La Frutera». Todo el paisaje lucía en un verdor uniforme, un verdor humedecido por la lluvia, un verdor que cubría de un tono parejo la alfombra de la yerba, bajo el cielo encapotado y rebosante de agua.

La presencia de un cementerio de coches, atestado de cadáveres de buses, camiones, furgonetas y todoterrenos, anunció la llegada a San Pedro Sula, poco después de las once de la mañana. Cruzaron los arrabales de la ciudad entre una profusión de árboles y penetraron en el interior de la urbe. Al llegar a la estación de autocares había cesado de llover. Pero las nubes restregaban su barriga contra los tejados de las casas.

La visión de Tegucigalpa, en la mañana soleada y ventosa, le había traído a Wilson Ramírez, de golpe, el perfume de su niñez. Y no porque el paisaje urbano pudiera recordar el lejano Bronx neoyorquino, sino por el aspecto de las gentes que poblaban las calles miserables, que iban y venían sorteando el tráfico arrastrando su hidalguía destruida. Sus gestos, el color de su pelo y de su piel, el desconcierto de los niños y la perplejidad de los ancianos, la vejez prematura de las mujeres, componían un paisaje humano muy semejante al del Bronx. Y hablaban el mismo idioma que él aprendió en las callejas destartaladas de la ciudad remota.

Aquella identidad había surgido con violencia en su mente, como una bengala de dolorosa luz. Y le turbaba. Percibía nacer en su interior un cúmulo impreciso de sensaciones cálidas que se mezclaban con un agrio movimiento de rechazo. Las imágenes de la vida de Tegucigalpa que se sucedían delante de sus ojos retrataban en alguna medida el perfil de su niñez.

El taxi que le transportaba desde el aeropuerto se abría camino con esfuerzo en las calles colapsadas por un caótico tráfico de vehículos desgarbados. Wilson había sufrido un viaje bronco, un vuelo plagado de turbulencias, de saltos del avión en el vacío, entre nubes tormentosas que se abrazaban a los costados del aeroplano y jugaban con él a su capricho. Al llegar a Teguz, sin embargo, el sol asomaba al otro lado de la ventanilla, extraía un brillo pardo de los riscos que circundaban la ciudad, mientras celajes frágiles y policromados corrían veloces por el pecho del cielo.

Su vecino de vuelo, que se había identificado como un hombre de negocios de Puerto Cortés, comentó cuando la megafonía anunció el aterrizaje:

—Este aeropuerto lo hizo el Diablo. Tiene una de las pistas más cortas del mundo, no hubo manera de alargarlo. Peligroso, de veras.

Asintió Wilson y pensó que el otro tal vez trataba de asustarle.

—Acá, una vez, un avión chocó con un bus —siguió el hombre—. Se salió de la pista y se metió en la carretera. —El tipo rió ahora—. ¿Sabe que Honduras es el único país del mundo donde un avión chocó con un bus y un barco con un tren? Eso fue en Puerto Cortés. Allá hay canales que se meten en la tierra y la vía del ferrocarril del banco llega hasta los muelles. Un barco se entró dentro y ya ve, se dio de boca con la locomotora.

El aeroplano giró sobre un costado y tomó posición para acometer la pista. Luego descendió con suavidad bajo el cielo luminoso y tomó tierra entre las lomas que cercaban Tegucigalpa.

Así vio Wilson la capital hondureña, ya en el taxi, camino del hotel, como una ciudad hundida entre montañas, clavada en el fondo de una olla. El vehículo descendió de las colinas que bordeaban el aeropuerto y atravesó las «invasiones», los barrios miserables que formaba la inmigración descontrolada de gentes que venían a la capital en busca de su particular Eldorado y que sólo encontraban mugre multiplicada, desventuras que no pudieron imaginar al partir de sus aldeas, la escasez, el infortunio y el hambre. Aquellos barrios, carentes de agua corriente y luz eléctrica, tenían nombres hermosos: Campo Cielo, Laguna, Las Pavas, Alemania... Pero su realidad era una especie de calles irregulares sin asfaltar, casuchas levantadas con tablones mal acoplados, tejados de uralita o de hojalata, perros famélicos y olor dulzón de mierda. Las «invasiones» cubrían casi por entero las paredes internas del gran caldero de Teguz y trepaban por las faldas de las lomas, hasta los cerros pelados, como si quisieran aproximarse un poco más a Dios y suplicarle misericordia.

De allá bajaba a diario, rumbo a las calles del centro de la urbe, la muchedumbre de menesterosos, unos pocos con «licencia de mendicidad», que les daba derecho a pedir limosna un día por semana, y la mayoría sin otros legalismos que los que imponía la urgencia del hambre. Se repartían en parques, plazas y callejas. «Déme un veinte, déme un veinte», suplicaban los niños. «Cómpreme para que yo tenga», demandaba una mujer que ofrecía caramelos. «La vergüenza la perdí, pero no el hambre», clamaba un pordiosero con aplastante lógica.

Y cubrían también los limosneros los dos lados del Puente Mayor que ahora cruzaba el taxi de Wilson sobre el río Choluteca. Era el río la frontera natural que separaba Comayagüela y Tegucigalpa, las dos poblaciones convertidas en una sola, las dos grandes barriadas de la ciudad unificada por el tiempo. Abajo, el curso del agua negra y pestilente arrastraba plásticos y papeles, y toda la mierda y el orín de una urbe cuyo deficiente alcantarillado no se bastaba para recoger los despojos del medio millón de almas que la habitaban. En las orillas descoloridas, entre matorrales que parecían agonizar atacados por un letal veneno, las urracas urbanas, los zanates, se aventuraban en busca de cualquier desecho que pudiera servirles de alimento.

Al ascender la cuesta, camino del Parque Central, las pintadas cubrían las fachadas de los edificios: «Fuera los contras de Honduras», «Contra + CIA = Patria deshonrada», «Queremos a nuestros desaparecidos», «No a los escuadrones de la muerte…» Los soldados montaban guardia junto a los edificios oficiales, en tanto que la policía vigilaba bancos y joyerías.

La vista de las pintadas alteró el ánimo de Wilson. Él era un «contra», un enemigo de aquellas gentes que hablaban su misma lengua y que encerraban en sus venas su misma sangre de mestizo. Su oficio, en el fondo, consistía en matar cualquier instinto de insurrección que alentara aquella muchedumbre. Era la última razón de todo: de la «contra», de la guerra de la frontera, de la lucha contra los sandinistas, de su propio empleo de soldado de fortuna pagado por un ejército y disfrazado con un uniforme ajeno. Luchaba contra el comunismo, claro, contra el enemigo del universo. Pero al mismo tiempo combatía también por convertir la miseria en sumisión, el analfabetismo en silencio, la desesperación en una tristeza humillada. Peleaba contra el despertar de la ira, contra el grito, contra la rebelión y el orgullo de una sangre mestiza como la suya.

Pero él no era de ellos, como no era tampoco de los otros. Él era un superviviente, alguien que luchaba para no ser vencido, para no ser atrapado por la miseria, para no regresar a lo que fue y no caer abrazado en el regazo de la muerte. ¿Qué tenía él que ver con aquel clamor de cláxones, el olor de la nafta y el lamento de los limosneros?

Doblaban hacia una ancha avenida, en uno de los lados del Parque Central. Grandes árboles sombreaban la ancha y encalada fachada de la catedral. Junto a la verja que rodeaba el templo, la tropa de mendigos, mezclados con los últimos borrachos de la noche anterior, aguardaba la improbable llegada de un millonario generoso. Volaban las palomas sobre la arboleda del parque y, más allá, en el espacioso rectángulo que formaba la gran plaza, se esparcían los tenderetes de caramelos, frutas, elotes, refrescos, tortillas y chorizos. La estatua ecuestre del héroe Morazán ponía una nota de patriótica dignidad en la amplia explanada. Los vendedores de lotería cubrían una buena parte del extenso pavimento con los billetes alineados sobre el suelo y sujetos por piedras y pedazos de metal que evitaba se los llevase el viento. Gritaban a los transeúntes: «Lo tengo, lo tengo», y cantaban los números de las papeletas que revoloteaban como pájaros apresados delante de ellos. Cerca de la arboleda, la parada central de autobuses era un trasiego de gentes y autocares. Los vehículos no llevaban número y sí nombres caprichosos como El Chavalo, Edgar o Allan. Los revisores saltaban de la puerta al tiempo que el autocar se detenía y cantaban el destino del bus: Santa Fe, Miraflores, El Hato, Kennedy... Al pie de los bancos que sombreaban los árboles, los limpiabotas colocaban sus cajas repletas de cremas y cepillos y ofrecían su servicio al público: «Shaino, shaino...» No muy lejos, un embaucador, rodeado por un nutrido círculo de curiosos, procedía a sortear una radio de pilas y adornaba su perorata con exhibiciones de doma de una serpiente pitón adormecida por las drogas. El viento corría sobre el gran zoco, arrojando sobre el gentío el polvo que arrebataba de los cerros pelados, empujando a puntapiés nubes en forma de pelota sobre el terso azul del cielo. Era un aire correoso y apresurado, un aire duro que parecía empeñarse en que no le respiraran; un aire violento, urgente, que se revolvía una y otra vez sobre sí mismo encerrado en el caldero de Tegucigalpa, sin tiempo y sin espacio para limpiar la atmósfera envenenada que latía en el corazón de la ciudad. Los gritos de los loteros, de los revisores de los buses, de los zanates ocultos en la arboleda, de los mendigos y de los vendedores, se quebraban bajo el poderoso ruido que levantaba, de cuando en cuando, algún avión al despegar del aeropuerto próximo. Crepitaban entonces las paredes del caldero, el enorme son se multiplicaba en decenas de ecos dispersos, retumbaban las casas mientras las palomas y los zanates abandonaban espantados los campanarios y los árboles y, durante unos instantes, revoloteaban recelosos sobre los tejados, las calles y las plazas.

Era algo más tarde de las once cuando Wilson descendió del taxi y entró en el hotel El Prado. Un solemne conserje, uniformado de negro, le abrió la puerta del vestíbulo y le dejó paso, después de ahuyentar con gesto adusto a un par de niños mestizos que intentaban acercarse para pedir limosna al extranjero.

A esa misma hora, bajo un cielo encapotado que amenazaba romper en lluvia, Claudia se sentaba en un banco del Parque Central de San Pedro Sula. Le restaban aún unos minutos para regresar a la estación de autobuses y tomar el que había de llevarla a Tegucigalpa. La plaza, en aquella hora, aparecía poco concurrida, salvo en los alrededores del palacio municipal, en cuyas arcadas se agrupaban las gentes llegadas para realizar todo tipo de gestiones burocráticas. Cerca de la entrada del edificio, gestores particulares montaban su tenderete y ofrecían al público sus servicios por módicas cantidades. Allí, ayudándose de una mesa plegable, una silla de tijera y una vieja máquina de escribir, redactaban solicitudes de matrimonio, peticiones de pasaporte, exenciones fiscales, actas de defunción y «permisos en general». No muy lejos de allí, un vendedor de afiches extendía sobre el suelo sus carteles: la rosa roja con la leyenda «te amo y el amor nos obligará a una comprensión mutua», el arco iris que se dirigía como un dardo hacia un corazón sangrante sobre la leyenda «los viejos amigos se hieren con la verdad». El resto del parque, casi desierto, ofrecía una apariencia perezosa.

Claudia, sin embargo, no se sentía contagiada por aquella apatía de la mañana de San Pedro. Percibía latir en su espíritu una feliz excitación. Y no sólo por el próximo encuentro con Wilson, sino porque allí en San Pedro se sabía sola y ello le hacía saberse más mujer que nunca antes de toda su vida. El hecho simple de tomar un autobús y alejarse unos cientos de kilómetros de su casa, cobraba para ella el significado de una verdadera aventura, dotaba a su alma de un hondo sentimiento de orgullo. Nadie la protegía, se bastaba a sí misma, no había necesidad de que nadie cuidase de ella. Era libre como jamás lo fue.

Regresó poco después a la estación y tomó asiento, de nuevo, junto a una ventanilla. Esta vez ocupó plaza a su lado un muchacho por fortuna exento de olores corporales.

Guardaba un recuerdo confuso de su último viaje a la ciudad. Acompañó a Rafael, tal vez siete u ocho años atrás. Su memoria recuperaba las imágenes de un desvencijado bus como el que ahora ocupaba. Se daba cuenta, al intentar convocar el recuerdo de aquel último viaje, que el rostro de Rafael se desdibujaba también en su mente. No le era posible representar sus rasgos con precisión, el perfil de su marido se desvanecía en su memoria como una humareda. Notó una punzada de culpabilidad al darse cuenta de que los rasgos de Wilson se hacían cálidos y sensuales al convocarlos en su mente.

Lluvia de nuevo, sembrados y arbolado; cocoteros, mangos, tamarindos y naranjos. Dejaron atrás el curso del río Ulúa y las puntas de la sierra de Omoa, desde cuyas alturas se despeñaban las nubes hasta caer rotas sobre los bosques. Las hojas de las palmas refulgían en un verde bruñido. La carretera se abría paso entre murallones de piedra abiertos a barreno en el ascenso de un cerro. Volvía la lluvia como un tenaz chirimiri y el aire que penetraba en el autobús era más fresco. Y el cielo entristecido parecía la piel curtida de un mamífero de pelaje gris.

Algunas horas más tarde, ascendieron la última loma, una de las más elevadas, y ya en la altura, Claudia tuvo la primera visión de Tegucigalpa. Grande y extensa, la ciudad se recogía en el fondo de un círculo montañoso, exhausta en la hondura del hosco valle. El sol extraía del corazón de la urbe humaredas y restos de neblina, que ascendían hacia el espacio como escapadas del fragor de una forja escondida en la tierra.

Y el autobús enfiló hacia Teguz, descolgándose entre barrancadas de color mostaza, por la sólida cintura de los cerros hostiles. La visión que se ofrecía a los ojos de Claudia le hizo pensar que corría a hundirse en una de las bocas del infierno. Pero su corazón exaltado, sin embargo, le decía que marchaba derecha hacia las puertas del paraíso.

Wilson bajó al vestíbulo del hotel, dejó su llave y redactó una nota para Claudia: «Regresaré a media tarde, puede que entre las cinco y las seis. Espérame en la habitación.» Dudó un momento antes de seguir escribiendo. Añadió una última frase: «Estoy deseando verte.» Entregó el mensaje al recepcionista, salió a la calle y pidió un taxi.

De nuevo se hundió en las entrañas abigarradas de la ciudad. Su automóvil bordeó el mercado de San Isidro, donde en aquella hora próxima al mediodía se amontonaba la multitud entre puestos y tenderuchos. Olía a especias y a las basuras que se amontonaban en los puestos de alimentación, donde los tenderos arrojaban la carne y frutas podridas que el servicio de limpieza habría de recoger al atardecer. También se concentraban allí batallones de mendigos, que suplicaban a los vendedores una tortilla o un elote y monedas a los transeúntes que realizaban su compra. Había tullidos y pandas de niños desarrapados por todos los rincones del mercado.

El paisaje cambió cuando el automóvil trepaba hacia una de las colinas que rodeaban la ciudad. Allí las casas eran sólidas y hermosas, rodeadas de amplios y profusos jardines. La carretera ascendía en una suave pendiente salpicada de curvas, entre las lujosas mansiones de los banqueros, jerarcas del ejército y diplomáticos. Ya en lo alto, próxima a la cumbre del cerro, una sólida muralla protegida por alambradas encerraba el edificio de la embajada norteamericana en Tegucigalpa.

La reunión comenzaba a la una y treinta, después de un almuerzo, en una de las dependencias de la zona militar de la residencia diplomática. Nadie le presentó a ninguno de los otros tres sargentos del cuerpo de marines que, junto con él, habían sido citados aquel día. Ellos mismos lo hicieron mientras consumían sus raciones de pollo con puré de patata. Uno era de origen cubano, nacido en Miami, y la de Honduras era su primera acción de guerra. Los otros dos, veteranos como él de Vietnam, eran chicanos de Nuevo México. Todos hablaron en español durante la comida.

En la pequeña salita adonde fueron conducidos poco más tarde, les esperaba un gran jarro de café dispuesto sobre una amplia mesa de forma redonda, en la que se ordenaban cuartillas y lapiceros junto a los cinco asientos. Era un cuarto pequeño y funcional que daba a un patio silencioso. Como únicos adornos, colgaban de las paredes el escudo del águila americana y un retrato del presidente sobre el fondo de la bandera con las barras y las estrellas.

El mayor llegó puntual a la cita. Vestía de uniforme,

al contrario que ellos cuatro, y en el pecho lucía una banda de condecoraciones. Era alto, delgado y nervudo, de un rostro sólido y afilado, y pelo muy corto color maíz tostado. Wilson calculó que su edad se situaría entre los treinta y dos y los treinta y cinco años.

El oficial desplegó un mapa de la frontera de Honduras con Nicaragua sobre la mesa y lo sujetó en los extremos con los platos de café. Después, comenzó un largo monólogo, en el que explicó con cierto lujo de detalles y señalando puntos precisos de la carta, la situación en que se encontraba el ejército antisandinista de la «contra». Wilson siguió distraído el discurso del mayor. El oficial no añadía nada que él no conociera y sabía de sobra que los progresos de la «contra» en aquella larga guerra habían sido muy escasos, que no había victorias que sumar ni conquistas de territorio que señalar en el mapa, sino una estela de destrucciones y de muertes. Así es que su mente volaba, una y otra vez, al recuerdo de Claudia. De reojo, miraba su reloj, calculando las horas que quedaban delante para encontrarla en el hotel. Al evocarla, percibía una excitación urgente.

Los sargentos comenzaron a informar sobre algunos aspectos concretos de las últimas operaciones militares en que habían participado. Cuando le llegó el turno, habló de la última expedición a Nicaragua. Lo hizo en forma escueta, sin entrar a explicar demasiados datos concretos, y no mencionó su herida en el hombro. Pero el mayor se encargó de recordarlo:

—Fue usted herido en combate, según los informes.

—Nada importante —respondió Wilson.

Los dos chicanos le enviaron sendas sonrisas en tanto que el cubano mantenía los ojos sobre una cuartilla en la que dibujaba garabatos.

—Será propuesto para una condecoración —añadió el mayor en tono seco y sin que su rostro macizo se alterara.

Mientras el cubano daba su informe, sobre minados de puentes y carreteras en la zona de Olancho, Wilson desvió de nuevo sus pensamientos hacia Claudia. Pudo dibujar en su memoria los perfiles de su rostro y hasta convocar la sensación del sabor de sus besos. Notó que su sexo se movía bajo el pantalón en un principio de erección.

Finalmente, cuando el sargento cubano concluyó su informe, el mayor arrojó sobre la mesa el lápiz con el que había ido tomando notas mientras los otros hablaban. Alzó la barbilla e irguió el cuerpo.

—Hay también información para ustedes. Supongo que imaginarán de qué se trata. Nos vamos. Ya habrán leído que la guerra toca a su fin después de la derrota sandinista en las elecciones. La «contra» va a desintegrarse en los próximos meses y no tiene sentido nuestra ayuda militar.

El mayor miró hacia la ventana, como si buscase en el patio próximo la presencia de un enemigo imaginario.

—En Washington consideran que no hemos ganado la batalla militar —prosiguió el oficial—, pero que sí se ha ganado la política. La «contra» va a entregar sus armas y nosotros tenemos que esfumarnos con cierta discreción, sobre todo ustedes. No convienen ahora escándalos de ningún tipo. De modo que la orden es precisa: todo militar norteamericano que se encuentre en lugares del frente debe regresar a los Estados Unidos a la mayor brevedad posible. Ni siquiera pueden regresar a sus lugares de destino. Si guardan allí objetos personales, les serán recogidos y enviados a los Estados Unidos. En todo caso, ninguno de ustedes debe permanecer en Honduras más de una semana a partir de ahora mismo. ¿Hay algún problema que quieran plantear?

Sólo Wilson explicó, apresuradamente y tratando de poner en orden sus pensamientos, su necesidad de volver a La Ceiba durante unos pocos días. El mayor aceptó sus razones sin formular preguntas e insistiendo tan sólo en que el plazo máximo era una semana. Debería presentarse en Comayagua para ser embarcado a los Estados Unidos y comunicar con un día de antelación la fecha elegida.

Luego, el mayor agregó:

—Al menos, no es una derrota como Vietnam.

—Vietnam no fue una derrota —señaló uno de los sargentos chicanos—. Fue una guerra perdida por los políticos.

—Todas las guerras las pierden los políticos —sentenció el mayor—. No obstante, como sabrán ustedes por la prensa, en Panamá se ha dado una buena lección a ese gángster de Noriega. Parece que, finalmente, hemos podido ganar una guerra.

Eran las cinco y cuarto cuando la reunión concluyó. Rechazó una invitación de los otros sargentos para cenar juntos e ir luego en busca de algún lugar de «copas y mujeres». Cuando llegó al hotel, el atardecer se anunciaba muy próximo. Había una nota esperándole en recepción: «Salí a dar un paseo. Regreso pronto. Yo también estoy deseando verte. Claudia.»

Subió a la habitación. Olía a ella. Fue al cuarto de baño, arrojó al suelo la ropa, tomó una ducha y luego comenzó a afeitarse ante el espejo. Veía en las estanterías un par de frascos de crema, un cepillo de dientes de color rosa, un peine rojo y un perfume de mujer. Pensó que por primera vez en mucho tiempo no estaba solo. La presencia cálida y ahora invisible de otro ser llenaba el aire de aquel cuarto de hotel.

Claudia había leído la nota de Wilson. Tomó el ascensor hasta el tercer piso, entró en la habitación, prendió las luces y cerró la puerta. Se quedó allí, en pie, después de arrojar a un lado su maleta. Sobre la cama reposaba la bolsa de Wilson, aún sin abrir. Miró alrededor. Era un cuarto amplio, con un cuadro que representaba un paisaje chino sobre la cabecera del lecho. Todo le resultaba frío allí: los muebles oscuros, despersonalizados, la colcha color naranja, las paredes forradas de tela en tono siena, la moqueta marrón, la estrecha ventana cerrada y las gruesas cortinas de color beige.

Se sentó en la cama, atrajo hacia ella la bolsa de Wilson y soltó el cierre. Tiró de la ropa: dos pares de calzoncillos y una camisa aparecieron en sus manos. Acarició las prendas. Después, una por una, las olió despacio, las paseó por sus mejillas y las rozó con sus labios. Volvió a guardarlas con cuidado, abrochó el cierre de la bolsa y la dejó otra vez donde la había encontrado.

Salió a la calle a eso de las cinco menos cuarto, después de tomar una larga ducha de agua caliente. Antes, dejó en recepción una nota para Wilson. Sonrió al escribirla, divertida ante la falsa mirada distraída del recepcionista.

La tarde se iba y la multitud se concentraba en el cercano Parque Central, como si el lugar fuese el punto natural de encuentro de todos los ociosos de Tegucigalpa. Vendedores, limpiabotas, mendigos, loteros y embaucadores pugnaban en el gran zoco por llamar la atención de aquellos a quienes podían sacar las últimas monedas del día. El sol, retirado más allá de las colinas que bordeaban la ciudad, enviaba una luz todavía poderosa sobre el cielo limpio de nubes. La fuerte luminosidad, el fulgor casi metálico que impregnaba el espacio, mostraba, sin embargo, un temblor de agonía, un latido de belleza estremecida.

Algo así sucedía con las gentes que atestaban el zoco, su vitalidad era un signo de fatalidad y no de esperanza. En el ir y venir de la multitud, en la agitación de los vendedores, en la urgencia de los mendigos, en el ansia de los borrachos, en todo aquel gentío parecía palpitar una aflicción generalizada. Claudia reparó en que colgaban carteles con extrañas leyendas en los troncos de algunos árboles: «El orgullo acarrea deshonra»; «La sabiduría está con los humildes»; «El perezoso desea y no consigue, el que trabaja prospera y logra»... El griterío de los zanates, ocultos ya entre las ramas de la arboleda donde habrían de dormir durante la noche, atronaba en el espacio de la plaza y sus ecos obligaban a la gente a hablar a grandes voces. Algunas familias miserables buscaban su refugio para las horas de oscuridad, extendiendo en los rincones de la plaza anchos cartones y mantas raídas.

A Claudia, la visión del atardecer de Teguz, le parecía algo así como un nítido sueño. Un niño raquítico, que tal vez escondía quince años de edad en un cuerpo que podía corresponder a los ocho, cantaba rancheras con voz aflautada, rodeado por una veintena de curiosos, el sombrero charro tirado bocarriba, delante de sus pies, para recoger las monedas de los compasivos. Cerca de la catedral y la parada de autobuses, bajo la copa de los árboles donde brotaba el clamor de los zanates, un joven predicador sermoneaba a un par de docenas de personas. Agitaba una Biblia ante las miradas temerosas, entre agresivo y místico, mientras pregonaba el regreso del Mesías: «Aleluya, Cristo volverá y la tierra temblará y castigará a los injustos, aleluya, y a los que le ignoraron e hicieron caso de falsas promesas terrenales, aleluya, y a los que escucharon a los falsos profetas comunistas, aleluya...» Entre el público que atendía su apocalíptica perorata, se mezclaban cuatro o cinco cofrades del orador, que coreaban sus aleluyas y agitaban a su vez sobre sus cabezas libros sagrados como si fueran poderosas armas de letales efectos. No muy lejos, arrimado a un banco vacío, otro correligionario intentaba vender al público copias de la Biblia, escapularios y estampas, haciendo sonar una campanilla con cada aleluya del predicador.

En la atardecida de Tegucigalpa, la noche caía como

una veloz cortina sobre el cielo y las melancólicas farolas de la plaza se encendían para alumbrar aquella caprichosa función fantasmal, entre los gritos estentóricos de las urracas, el lamento desesperado de los limosneros que parecían temer a la noche como a la misma muerte, el clamor visionario de los sacerdotes y el frío que bajaba de los cerros cercanos para abrazar la ciudad.

Claudia sintió un temor profundo, su seguridad de las horas anteriores y sus sensaciones de libertad parecieron desvanecerse en apenas unos instantes. La invadía un miedo para el que no reconocía una causa concreta, pero que era vivo y agudo. Se apartó de los grupos y comenzó a desandar el camino hacia el hotel. No miraba hacia atrás mientras apretaba el paso. Percibía que era toda aquella multitud quien de pronto la seguía, que todos aquellos desesperados y dementes que pululaban la plaza en la hora abatida y angustiosa del atardecer de Teguz aceleraban su carrera detrás de ella.

Pudo cruzar la puerta del hotel unos minutos después, con la sensación de quien ha logrado nadar en una tormenta y alcanzado tierra después de un gran esfuerzo. El portero le cedió el paso con gesto solícito. Y una honda sensación de bienestar y seguridad la invadió al pisar la alfombra del vestíbulo.

En recepción la informaron que su compañero de cuarto había llegado unos minutos antes. Su corazón latía con fuerza cuando entró en el ascensor y apretó el botón del tercer piso. Anhelaba encontrarse con Wilson y ahora presentía en él una fuerza protectora.

La llave estaba puesta por fuera, bajo el pomo. Claudia giró el picaporte y entró. Sólo vio la ropa que reposaba sobre la cama y la luz que llegaba desde la puerta del cuarto de baño. Dio unos pasos hacia delante. Wilson giró sobre sí mismo. Estaba desnudo, con la cuchilla de afeitar en la mano, el rostro ya pulido y brillante y salpicado aquí y allá por pequeños restos de espuma de jabón.

Se acercó a él. Wilson dejó la cuchilla sobre el lavabo, tomó una toalla e intentó limpiarse las mejillas sin cesar de mirarla. Claudia retiró la toalla, se abrazó a él y buscó con sus labios los del hombre. Su lengua hurgó en la de Wilson mientras una de sus manos giraba alrededor de su cuello y la otra, con urgencia, le acariciaba la cintura. No hablaron mientras ella caminaba hacia atrás, tirando de él, las manos de ambos buscando los rincones de los cuerpos, en busca de la cama.

Se apretaba contra el cuerpo de la mujer que se tendía debajo, sumidos en un suave vaivén, borrada su memoria, la mente navegando tan sólo sobre sensaciones y olvidado de todo, salvo del presente que le envolvía en un vértigo de sabores y aromas, de latidos de la carne, de exaltación de los sentidos. Sus poros abiertos contra la piel de la hembra cálida que recibía sus caricias, que le enviaba olor de algas y de mareas, el ácido sudor que empapaba sus labios, la humedad desprendida de los muslos femeninos, la tibia y blanda redondez que se acoplaba a su propia piel. Vislumbraba el rostro de Claudia en la habitación que iluminaba la débil raya de luz saliendo del cuarto de baño. En la penumbra, en la proximidad del suyo, el rostro de ella parecía el de un ser ajeno, abultados los pómulos, los labios entreabiertos, gruesos y mojados; la mirada perdida en los ojos acuosos, que se estiraban hasta parecer achinados; un palpitar breve en la nariz, una difusa sonrisa alumbrando en la boca, un jadeo hondo que surgía de la garganta, gemidos entrecortados; el pelo extendido en círculo sobre la almohada, como la cola de un pavo real, y el cuello blando y abierto a los besos y a los pellizcos de los dientes; y las manos de ella, que subían y bajaban por su espalda, su nuca y su cuello, trémulas, ardientes en las yemas de los dedos, impregnadas de un leve nerviosismo.

Él sentía que su sexo no buscaba tan sólo su estallido, sino algo remoto y oculto en los recónditos rincones del cuerpo de la hembra. Perseguía algo más, también el otro placer, el de ella, aquella fibra oculta que habría de estremecerse y recorrer los cuerpos de ambos como una descarga de sangre enloquecida. Y se hundía en la mujer, una y otra vez, unido al ritmo que las piernas de ella imponían bajo su cuerpo, un ritmo prendido en el aire, liviano y cadencioso. Y se hundía en ella más y más mientras su boca se abría en busca de la otra para impregnarse de la humedad ajena y dar la suya, para mojarse en los labios que se apretaban a los de él. Y sus manos presionaban los frágiles hombros que reposaban sobre la sábana, en tanto que sus vientres, sudorosos y estremecidos, adquirían un ritmo equiparado, como el de una danza ritual y milenaria.

Sentía deseos de morder en el cuello de Wilson cuando él descendía a besar en el suyo. Pero se contenía y dejaba apenas que sus dientes se cerraran en un pellizco leve sobre la carne dura del hombre. Percibía también cómo sus deseos intentaban cerrarse sobre la espalda de él, hincar las uñas en su piel; pero tan sólo apretaba un instante y luego retiraba la mano para buscar otro lugar en el cuerpo de Wilson.

No llegaba a preguntarse si flotaba en un espacio ingrávido o reposaba sobre un colchón bajo el cuerpo masculino. No acertaba a pensar, sino sólo a sentir. El olor áspero del tabaco brotaba de la boca del otro cuando se acercaba hasta la suya y ello excitaba más aún su calor. Y el sudor, la carne empapada de una templada humedad que olía a sexo de macho, precipitaba su placer. Podían llorar sus ojos y no darse cuenta, su vientre se deshacía en un ardor mojado, el ácido aroma de su propia piel y el gusto a salitre de sus labios hacían que se sintiera como formada por una materia líquida, diseñada en el agua.

Ahora él se movía más aprisa, más profundo, y los labios de Claudia se abrían como pétalos, en murmullos imprecisos, en suspiros que parecían proceder del fondo telúrico de su alma. Así, así, dijo tal vez mentalmente o quién sabe si en un murmullo apenas audible. El ritmo de los movimientos de él se hacía regular, acompasado a la cadencia que ahora surgía de sus caderas y su vientre. Su corazón se disolvía, sus gemidos se acoplaban al son de la danza de su cuerpo. Así, así... Y él parecía comprender, parecía adivinar el mudo mensaje que el cuerpo de Claudia demandaba. La humedad crecía, dejando un rastro de ardor en todos sus poros, y quería ascender e invadir el cuerpo del hombre, contagiar su piel, impregnarla de su propio olor, libar los jugos del otro.

Así, así... Él adivinaba lo que Claudia quizá no acertaba a pedir. Sus sentidos parecían disgregarse, todo se diluía de pronto ante su mirada imprecisa, ante las formas descompuestas de los objetos. Y los nervios estallaron bajo su piel, en un ciego fulgor que ardía en los arcanos recovecos de su sexo.

Desnudos sobre las sábanas, rodeados por la penumbra de la habitación, Claudia apoyaba su cabeza sobre el pecho de Wilson. Él acariciaba el pelo de la mujer y ella el vello del tórax del hombre.

—Me haces cosquillas —dijo él.

—Eso es una debilidad para un hombre de guerra —dijo Claudia.

—¿Por qué hablas ahora de la guerra?

—No soy capaz de imaginarte ahora con un arma... matando.

—No se mata tanto en la guerra como cuentan.

—¿Tú has matado?

—La violencia es aburrida, matar es aburrido.

—No me respondes.
—Nadie responde a una pregunta así.
—Quiero saberlo.
—Sí, he matado.
—¿Y no es terrible?
—Es un oficio que puede llegar a ser tan monótono como cualquier otro. Un cadáver no es nada.
—Es un hombre, alguien que vivió hasta que…
—Mi oficio no es matar, es ganar guerras.
—Suena terrible lo que dices.
—Suena aburrido.
—¿Por qué no dejas tu trabajo? Hay muchas cosas que pueden hacerse aparte de la guerra.
—Yo sé hacer la guerra, sólo eso.
—¿Por qué no te marchas de aquí? ¿Por qué no nos marchamos?
—Yo me marcho pronto.
—Sí, ya sé que vuelves al frente. Pero ¿por qué no dejas la guerra, por qué no dejas la muerte?
—Claudia, los hombres siempre han matado, de la misma manera que construyen casas. Es inevitable.
—Es inhumano.
—Al contrario, es lo más humano que hay. La guerra es una de las tareas más específicamente humanas, tal vez la más humana de todas.
—Parece que odiaras a la humanidad.
—No es eso. La conozco. Lo humano no es lo mejor de la creación. Tal vez es lo peor.
—Vámonos a algún lado tú y yo, Wilson, a algún lugar oculto para siempre. Deja tu oficio, deja la guerra.
—Vuelvo a los Estados Unidos.
—¿A los Estados Unidos?
—Sí, a Nueva York, a eso que podría llamar mi patria.
—¿Cuándo?
—Tengo una semana de plazo. Ya no volveré al frente. Sólo a La Ceiba, a recoger las cosas que dejé en tu

hotel, a..., bueno, a estar los últimos días contigo, si tú lo deseas.

—Iré contigo. O no. Vámonos a otro lado, a algún lugar perdido, tú y yo juntos.

—¿Adónde?

—No sé, tal vez Europa.

—No me llama aquello.

—A tu país si quieres.

—¿Vendrías?

—Sí... no... mejor al sur. América es grande, a un lugar donde fuésemos extraños.

—No me conoces, Claudia, tú y yo somos extraños el uno para el otro.

—No conozco a nadie, ni siquiera a mí misma. Eres el hombre que mejor conozco en la tierra. Tú lo dijiste hace unos días, y tienes razón, es verdad.

—Eso no quiere decir que estés enamorada.

—Yo no he dicho que lo esté. Sólo digo que vayamos juntos a alguna parte donde seamos extranjeros. Quiero ser extranjera.

—¿Así de pronto? Ni siquiera sabes si yo te amo.

—¿Tengo que preguntarlo?

—No sabría qué responderte.

—Lo mismo me sucede a mí. Pero me gusta tu cuerpo y eres el hombre a quien mejor conozco.

—También tú me gustas.

—Ésa es una buena razón para ir juntos a alguna parte.

—Pero ¿cuánto tiempo?

—No sé, lo que dure.

—Aún me queda una semana en La Ceiba.

—¿Por qué te quedas?

—Porque estás tú, Claudia.

—Me gusta que pronuncies mi nombre. ¿Es una declaración de amor?

—No sé. Volveré a los Estados Unidos.

—Tal vez vaya contigo.

—No vendrás. Están tu hotel y tu gente.

—Soy capaz de dejar muchas cosas, más de lo que crees, más de lo que creo…

—Pero has dicho que soy un hombre de guerra y eso no te gusta.

—Puedes cambiar de oficio. Te iría bien recepcionista de hotel, hablas dos idiomas.

—No me veo con chaqueta roja detrás de un mostrador.

—Entonces yo trabajaré para ti.

—Te cansarías. Acabarías aburriéndote de mí.

—Si sucede eso, pues te vuelves al ejército.

—¿Te aburrirías pronto?

—No, no, lo juro. No me aburriré nunca si me haces el amor como esta tarde.

—Anda, vístete, vamos a cenar algo. ¿No tienes hambre?

—Hambre de ti.

—Nunca me has dicho algo así. Eres bien osada.

—Nunca fui osada, todo es extraño contigo. Pero está bien.

—Sí, está bien. ¿Vamos a cenar?

—¿Por qué tan pronto?

Claudia alzó la cabeza retirándose del pecho del hombre. Se incorporó levemente y volvió a besarle en los labios. Luego, hundió la lengua en la boca de Wilson y él respondió a su beso. La dejó hacer cuando ella volvió a acariciarle, sin separar los labios de los suyos, provocando de nuevo la excitación en la sangre del hombre.

Cenaban en la terraza de un pequeño restaurante que, por alguna ignorada razón, se llamaba «Mac Arthur». Hasta ellos llegaba, adormecido por la distancia, el rumor que aún invadía el cercano Parque Central. La música que brotaba del interior del local recitaba una extraña letra amorosa:

*Soy el hombre al que no quieres mencionar,*
*soy el ladrón de tu amor.*
*Tú sabes que me iré cuando despierte el día.*
*Pero apréndete esto:*
*que quien te hace llorar es quien te ama.*

Wilson retiró de la boca el muslo del pollo asado y sonrió:

—¿Tú crees que el que te hace llorar es el que te ama?

—Eso decían en mi tierra, más o menos —respondió Claudia—. Hay un refrán allí que dice que quien bien te quiere te hará llorar. Yo no estoy de acuerdo. Quien bien te quiere te hace feliz.

—Y si me voy cuando despierte el día, ¿te hará llorar eso?

—No te irás.

—Estás segura.

—No te irás, lo sé.

—¿Por qué sabes que no me iré?

—Porque me amas.

Movió la cabeza Wilson de un lado a otro, aún sonriente.

—Ése es un lujo que no puedo permitirme.

—No es un lujo, es inevitable.

—Ya sabes que antes de una semana me iré.

—No podrás si no me llevas contigo.

—¿Me embrujaste?

—Yo a ti y tú a mí.

—¿Y quién dice eso?

—Lo dice el destino, estaba ya escrito.

—¿Dónde lo leíste?

—No lo leí, lo supe solamente. Y dicen que contra el

destino no puede lucharse. Ni siquiera tú, un hombre de guerra.

—Yo no creo en el destino, creo en la casualidad.

—Nada es casual, todo está escrito.

—¿Y qué futuro crees que nos dará el destino, qué destino habrá para ti y para mí?

—No lo sé. Pero lo que sea, será juntos.

Una mestiza embarazada, rodeada por tres niños de corta edad, se acercó a la mesa y pidió limosna. Wilson le dio unas monedas.

—Dios guarde a usted y a la señora, siempre unidos en la felicidad y en la salud —dijo la mujer.

—¿Lo ves? —sonrió Claudia, tomando la mano de Wilson mientras la mendiga se alejaba—. Ella ya lo sabe, lo escuchó del destino.

Wilson miró unos segundos hacia el vacío:

—Hace mucho que esas gentes ni siquiera saben qué es el destino.

## 7

Apenas lograba dormir. El estado de sus nervios, la excitación en que vivía sumido a todas horas del día y una buena parte de las horas de la noche, le mantenían en una prolongada vigilia y le hacían poseedor de una extraña fuerza surgida de su interior. Rolando Carreto estaba orgulloso de ello y pensaba que el vigor del espíritu mantienen firmes y seguros el músculo y la carne.

La noche anterior no había acudido al hotel. Claudia se encontraba fuera y no se sintió con gana de conversar con el negro Erasmo. Tal vez hoy se acercara, para confirmar que ella regresaba al día siguiente. Deseaba verla con todas sus fuerzas, pues había decidido pedirle una conversación en privado, para confesarle su amor y ofrecerse a ser su marido. Y aunque temía la idea de que ella no estuviese aún preparada para comprender cuanto tenía que decirle, su decisión no ofrecía fisuras. Cuanto antes supiera Claudia lo que alentaba su corazón, más aprisa comenzaría a comprender.

Su anhelo, no obstante, pasaba a un segundo plano cuando otras ideas batían en su cerebro. Había decidido ir más allá de los pensamientos y de las palabras. Consideraba necesario actuar. Y se había fijado como objetivo realizar una acción ejemplar. Los periódicos decían que la guerra terminaba, que la «contra» se disolvía. ¿Iban a irse aquellos mercenarios del suelo de su patria dejando detrás de sí el reguero de la humillación y de la vergüenza hondureñas? Un acto simbólico podía servir para recuperar la honra de su país. Y había resuelto matar al «nica» que se alojaba en el hotel de Claudia. La suerte había querido poner a aquel hombre en su camino y su acción podía ser el campo de batalla donde asesinar la humillación de su patria e, incluso, la suya propia. En la Honduras degradada y vendida, un acto, un simple acto de heroísmo y venganza, podía levantar el honor nacional.

Pensaba que, en alguna medida, su decisión tenía algo de obra superior, de misión si se quiere. Sentía que algo de fatal, de predestinado, se escondía en su tarea, y que él no era ya capaz de burlar un sino que le superaba, como si todo estuviera ya escrito. Por ello, admitía sin resquemor lo que de maléfico tenía la obra que iba a emprender, aquel asesinato calculado.

Todos los crímenes tienen una justificación y quedan expiadas las culpas si la causa es noble, se dijo. ¿Y qué mayor nobleza que la causa del amor? El amor a su país, el amor a Claudia, el amor a los humillados de su tierra, incluso el amor a sí mismo. El crimen, desde esa perspectiva, podía transformarse en una acción sublime. Dios y el Diablo caminaban aquí de la mano, la frontera entre el bien y el mal se desvanecía.

Su corazón no albergaba dudas. Pensaba que las dudas eran el refugio de los cobardes y que su propia vida había transcurrido bajo el dominio de la indecisión. El acto, tan maligno como justo, le habría de convertir en un verdadero hombre, en un ser realizado; daría luz a un nuevo Rolando Carreto, pese a la sangre del otro. Si vencía el miedo, su bala entraría no sólo en el corazón de un hombre, sino en la esencia misma de la historia de su patria.

Por encima de todos aquellos pensamientos exaltados y abstractos, sentía que Claudia habría de ser el feliz testigo de aquella acción majestuosa y noble. Y le amaría, comprendería que no podía haber para ella, en la tierra, otro amor que el que Rolando Carreto le ofrecía.

La tarde caía cuando salió de la casa. Celajes anaranjados permanecían como formas pétreas sobre el cielo teñido de malva. Carreto vestía uno de sus mejores trajes, de color tabaco, y una corbata de un verde almendrado. Pero bajo su apariencia de hombre pacífico e inofensivo, latía un corazón enfebrecido y enfermo, el alma demente de su ser dispuesto al asesinato redentor. Sujeto a su cinturón, oculto por la chaqueta abrochada sobre la barriga prominente, se apretaba un revólver.

Era un viejo Colt calibre 38 que perteneció a su abuelo Hipólito y con el que su antepasado, según leyendas familiares, había matado a más de un hombre. Lo había engrasado por la mañana y había dispuesto las balas en el tambor. Y aunque nunca en su vida disparó un arma de fuego, se sentía seguro de poder utilizarlo en el momento oportuno.

Era un objeto frío y sólido, bien acabado, tan perfecto como antiguo. Desechó la idea de que los años de abandono lo hubieran vuelto inservible y pensó que las armas no envejecen como los miembros de los hombres o los pétalos de las flores. Y él había decidido que su disparo sería lo más próximo posible, casi a quemarropa, lo que eliminaría cualquier error previsible de puntería.

Cuando lo rescató del viejo arcón, tembló dominado por la emoción. Limpió y engrasó el arma con esmero, lustró el metal con fuerza ayudándose de un paño y borró los restos de óxido. Las cachas, fabricadas en hueso, mostraban el perfil repetido de una mujer grabado a mano por un hábil artesano.

Había resuelto llevarlo consigo a todas horas para acostumbrarse a su contacto, familiarizarse con el instrumento de su dignificación, hacerlo casi parte de sí mismo. La herramienta del ejecutor debía llegar a ser la prolongación del brazo para que el objeto inanimado cobrase forma de vida y se fundiera al sujeto de la acción. Le gustaba esa idea, confería grandeza a la tarea que había emprendido.

Así pues, cuando concluyó la limpieza del revólver, lo introdujo en su pantalón, sujeto por el cinto. Luego, paseó por la habitación, se sentó de nuevo, volvió a ponerse en pie, caminó por el pasillo hasta la cocina, leyó el periódico con el revólver clavándose en su estómago, se preparó la comida, fue a orinar dos veces, y siempre con el objeto frío y extraño instalado contra su cuerpo, pese a las protestas de su piel y de su carne. Pero siguió firme en su propósito de llevarla consigo a todas horas e, incluso, decidió que dormiría con ella oculta bajo la almohada.

Ahora, en la calle, lo notaba apretarse contra su cintura. Le divertía pensar que todos aquellos transeúntes con los que se cruzaba, algunos de los cuales le deparaban un cortés saludo, ignoraban la clase de hombre que era Carreto. Un hombrecillo feo y deforme, desde luego. Pero mucho más que eso: un alma en rebeldía, un corazón dispuesto a estallar en un fulgor ignorado. Y el arma era el elemento principal del rito que debía acometer muy pronto. Toda gran empresa, toda acción hermosa, precisa de un ritual, y todo ritual necesita, a su vez, de una ornamentación adecuada. El revólver formaba parte del decorado... O no, no era así, se estaba complicando en sus pensamientos: el revólver era el rito en sí mismo, como el puñal de Edipo o Clitemnestra, una parte de la esencia misma de la tragedia.

A veces, dejaba que la mano se escurriera bajo la chaqueta y acariciaba la suave empuñadura. Unas cachas con rostro de mujer, cosa curiosa, se dijo. ¿Tendría la muerte rostro de mujer? Le gustaba que fuera así, que el revólver tuviera un rostro delicado, en lugar de la faz de un hombre o la figura de un caballo brincador. Mejor una mujer. Incluso cobraba un valor simbólico ese hecho. Su patria tenía nombre femenino. Y al mismo tiempo, él luchaba también por el amor de una mujer singular.

Corría la noche a devorar los últimos vestigios de la luz cuando Carreto alcanzó la línea de la playa y torció a la derecha, en dirección al hotel Barcelona. Esperaba encontrar a Erasmo y obtener noticias del «contra» con cuya sangre comenzaría a lavarse la vergüenza de Honduras y la humillación del corazón de Carreto. Y esperaba también noticias sobre el regreso de Claudia.

Erasmo no andaba de buen humor en esa hora, a pesar de que el tiempo era dulce, no se percibía amenaza de lluvia y la tarde desfallecía esplendorosa, serena y amable, como debería ser todos los días si el mundo fuera lógico y gentil con los seres humanos. Le habían avisado, a media mañana, que en «El Pajarillo» iba a celebrarse una buena timba. Y él, que muchas noches soñaba con naipes, con jugadas perfectas que con seguridad limpiarían los bolsillos de sus contendientes, no tenía posibilidad de acudir. No había nadie a quien pedir unas lempiras para, al menos, echar las primeras manos y tentar la suerte. Para colmo, el hotel se había vaciado, sólo quedaba la reserva del nica para las noches siguientes y su trabajo en la recepción carecía de sentido.

Gran diabla, se decía a sí mismo. ¿Hay algo peor que quedarse en un lugar donde se es por completo inútil sabiendo que, en otro lugar cercano, la suerte puede sonreírte?

Un rato antes, había colgado su chaqueta roja en el armario y, desde hacía unos minutos, se dedicaba a abrillantar con un trapo la redonda superficie del timbre de recepción. Mascullaba su malhumor llamándose a sí mismo un catálogo de insultos, pero sin perder todavía una esperanza remota en el milagro. Por ejemplo, que la patroncita apareciese de súbito por la puerta con el nica, que le dijese que prefería estar sola en el hotel y que, para quitárselo de encima, le prestase quince o veinte lempiras con cargo a su mensualidad. ¿A qué mensualidad? A la de dos o tres meses más tarde. Ahora no podía calcular con exactitud cuánto debía a la niña, tal vez ciento veinte o ciento cincuenta lempiras. Mucho, desde luego. Pero si esa noche pudiera echar unas manos, la cosa podía cambiar, estaba casi seguro, su intuición de jugador bregado así lo anunciaba.

En lugar de Claudia, la figura grotesca de Carreto atravesó la puerta de entrada y en el corazón de Erasmo se instaló una especie de alegre cascabeleo. ¿Tal vez el profesor...? Pero recordó de pronto que, desde días atrás, debía al hombrecillo diez lempiras. Y su ánimo volvió a ensombrecerse.

—¿Qué tal, amigo? —dijo el otro, al tiempo que se acodaba en el mostrador, dando frente al negro.

—Pues ya vio, poco que hacer, aquí ando dándole lustre al timbre y pensando pendejadas. ¿No se llegó demasiado pronto, don?

—Pasaba cerca. Y tenía deseos de saber de Claudia. ¿Regresa finalmente mañana?

—Llegará en el bus de Teguz. ¿Quiere que nos sentemos un rato afuera?

—Si no le quito de trabajar...

—Ni modo, don Rolando. No hay un solo huésped en el hotel, como quien dice ando en la guardia.

—Vamos pues.

—A su gusto, don. Vaya sentándose mientras busco el guaro y los hielos.

Carreto ocupaba ya su mecedora cuando Erasmo regresó. El negro sirvió los vasos, dispuso el hielo y exprimió los limoncillos. Luego, tomó a su vez asiento, dejando libre entre los dos la mecedora vacía de Claudia.

—Se la echa en falta —dijo el maestro.

—Bien cierto, no es costumbre que la niña se nos vaya. Si hago memoria, creo que es la primera vez que viaja sola. Y hacía años que no salía de La Ceiba.

—Habría que haberla acompañado.

—Desde luego que me ofrecí, don Rolando, no imagine otra cosa. Pero la niña es bien terca y tiene gana de vivir su vida.

—¿Qué quiere decir?

—Nada, lo que dije pues. Su gusto era irse sola y así lo hizo. Al fin, ella es quien manda aquí.

—Me hubiera dejado más tranquilo que usted la acompañara, Erasmo.

Miró el negro al maestro un instante antes de responder. Veía a aquel deforme hombrecillo como tocado por una luz extraña, como un tipo poseído por un sueño. ¿Se habría vuelto loco del todo?

—Pues la verdad, don, tendría que haber sido usted quien le dijera que le dejaba tranquilo que fuera yo con ella. Eso de tranquilizarle a usted no entra en mi salario.

Carreto no le miró. Sonreía en la penumbra con las dos manos apoyadas sobre la pelota de su barriga.

—Ya, ya —repuso el maestro—. Usted dice, sin embargo, que su deber es cuidar de ella.

—Y lo hago... hasta donde ella consiente. No es únicamente una mujer sola. También es el ama.

—Pronto no estará sola.

A Erasmo le sorprendió aquella respuesta. ¿Sabría el profesor lo del nica y la niña?

—¿Cómo dijo, don?

De nuevo sonrió Carreto con la vista detenida frente a él. Y sus manitas se movieron sobre el estómago, como si guardase algún secreto en el interior de su panza.

—Nada, Erasmo, nada.

Giró ahora el rostro hacia el negro.

—Pero ¿no cree que una mujer como ella —añadió Rolando—, tan dulce y tan hermosa, tan inteligente y sensible, merece tener al lado un gran hombre?

Erasmo comprendió de golpe.

—Desde luego que sí, don, desde luego —respondió cogido aún de sorpresa.

Carreto había vuelto otra vez la cara hacia el mar oscurecido.

—Claudia es como un ángel caído por casualidad desde los cielos. Mejor que eso. Diría que es como una flor única de la naturaleza.

—No conocía su vena poética, don Rolando.

—No es poesía, es exactitud.

—Bueno, los mejores poetas son los exactos, pues.

Ahora Carreto se volvió y le miró con cierta sorpresa.

—¿Usted lee poesía?

—Los negros hemos nacido de la poesía y de la música, don.

—No lo digo por negro.

—Las mejores poesías que he conocido son cantadas. Y hablan de cosas que se conocen: de bodas, de muertes, de historias de la vida. Eso, pues, son exactas.

—Le veo filosófico, Erasmo.

—Ni modo, nada de filosófico. Más bien ando de mal talante.

El negro pensó, por un momento, en pedir un nuevo préstamo al profesor. Pero el otro parecía olvidado de cuanto venían hablando y miraba absorto hacia el mar.

Resignado, Erasmo rellenó las copas de ron y sirvió un poco más de hielo. Carreto, sin volver la vista, tomó el vaso y vació de un solo trago la mitad de su contenido.

—¿Sabe? —dijo el maestro después de una larga pausa de silencio entre ambos—. Resulta curioso pensar que el mar está ahí mismo, aquí delante, y que no podamos verlo. ¿Quién asegura que está ahí realmente?

—Esta tarde estaba, yo lo vi —respondió Erasmo.

—No diga eso, amigo, suena vulgar. Habría que ir a tocarlo para cerciorarse. Y es probable que no se haya movido de su sitio. Pero ¿estamos seguros? Mi pensamiento es más profundo. Verá, si no está el mar, es que todo es un sueño. ¿Y no puede ser un sueño la vida? Y si no está, si era una ilusión, si se ha ido, es que nosotros somos parte de ese sueño. Pero si lo hemos imaginado y luego nos acercamos y resulta que existe, que sigue ahí, ¿qué sucede entonces?

—Pues eso, don, que no se ha ido a ningún lado.

—No, no. Lo que sucede es como un símbolo, una metáfora de la vida: las cosas están y no las vemos. Pero si suponemos que están y luego es así, entonces es que el sueño no nos engaña. Los sueños, las ideas, Erasmo, no nos engañan, aunque parezcan irreales.

—Sobre todo con la geografía, don.

—Y con el amor y con la guerra y con la muerte. ¿No cree que Claudia merece un gran hombre a su lado?

—Ya me perdí, don Rolando. No sé qué tiene que ver la niña con eso del mar que es y que no es.

El profesor se levantó casi de un brinco. Se situó ante Erasmo, dándole frente. Su rechoncho y frágil cuerpecillo se dibujaba pálido, iluminado de pleno por la luz que llegaba del vestíbulo.

—¿Y a mí —preguntaba—, no ve en mí ningún cambio?

—Bueno, don, va usted muy elegante hoy, como de boda.

—No es eso, no es eso. ¿Qué nota en mí?

Mientras hablaba, se palpaba la chaqueta, a la altura de la cintura, con la mano abierta, como si acariciase su panza.

—¿Nada, nada, no ve nada? —insistió.

—Pues mire, don, que le vendría bien un régimen de adelgazar.

Entonces Carreto desabrochó su americana y con las dos manos tiró hacia atrás de la prenda, hasta dejar al aire la camisa y exhibir bajo el cinturón la culata del revólver.

—¿Qué, qué… ya vio?

—Sí, ya lo veo. ¿Y para qué me lleva eso, don? Se le puede disparar y quitarle la hombría.

Carreto manoseaba ahora el arma, sin sacarla del cinto.

—La prolongación del brazo, un instrumento de purificación. Hace un rato le hubiera parecido un sueño imaginarme con una pistola. Y aquí la tiene.

—¿Para qué la quiere, don?

El otro sonrió. Con lentitud, volvió a abrocharse la americana, ocultando el revólver, y a paso calmo, regresó a la mecedora y se sentó.

—Eso es mi secreto —dijo al tiempo que comenzaba a balancearse.

—Mire, don —repuso el negro moviendo la cabeza de un lado a otro—. A mí no me asustan las armas. Aquí, en La Ceiba, muchos las llevan. Yo las usé un tiempo, para cuestiones que no vienen al caso. Pero, ¿sabe?, a usted no le casan. Es… como si ahorita se vistiese usted de boxeador y se subiese a un ring, con su barriguita y todo lo demás.

—Claro, a usted también le parezco ridículo.

—No, don. Usted me parece un estudioso, no un pendejo abroncador. Los libros no tienen que ver nada con los tiros.

Carreto inclinó la cabeza hacia atrás y rió antes de responder:

—Eso dicen todos, Erasmo. Eso dicen todos. Pero no es así, no es así. Sólo la acción justifica el pensamiento, se lo digo yo.

—¿Qué acción, don?

—Una acción justa.

—Nunca me fié de los hombres que hablan de la justicia con un arma en la mano, don Rolando.

—Eso es porque no sabe hasta qué punto son necesarias las armas cuando no basta el pensamiento.

—Mire, las armas matan la vida. Y sin vida no hay pensamientos. ¿Conoce usted algún muerto que piense?

—Pero hace falta que algunos mueran para que la humanidad salve su vergüenza y prospere el pensamiento libre.

—No me embrolle, don, que yo prefiero vivir largo a pensar mucho.

Aquel hombrecillo se había vuelto loco de remate, pensó Erasmo. ¿Qué pretendía hacer? El negro había olvidado ya la partida de «El Pajarillo» y sentía que una amenaza extraña pendía en el ambiente. Desde luego que el maestro, bajo su apariencia inofensiva, se veía ahora capaz de disparar una pistola. Podía cometer cualquier locura. Y tal vez esa locura podría afectar a Claudia en alguna manera.

—Ta güeno, doctor, mate usted a quien quiera. Pero procure que no sea yo la víctima que se necesita para que el mundo piense.

—Dígame, Erasmo, es una pregunta de amigo: ¿dónde anda el nica?

—Mire, niña, pasan cosas graves y he tomado decisiones.

Erasmo había ayudado a Claudia a descender del autobús y se había apartado unos pasos, sosteniéndola de la mano. No quería darle tiempo a que hablase.

—Vamos, vamos —dijo mientras tomaba la maleta y la llevaba a paso rápido hacia la parada de taxis. La tarde se marchaba trémula camino de la noche y Erasmo hablaba con prisas.

—Decisiones necesarias, niña, no había otro remedio. Cosas de vida o muerte, de esas que cuentan los libros y que parece que nunca van a pasarnos a los vivos. Pero pasan, sí, pasan..., claro que pasan.

—Pero ¿qué sucede, Erasmo? Parece que has enloquecido.

—Tomé decisiones, patroncita, decisiones necesarias.

—¿Qué decisiones?

—Deje que explique, deje. Esta mañana, cuando el nica regresó, le comuniqué que no tenía habitación y le envié al hotel París. Como había pagado por adelantado, le dije que corríamos con los gastos. Atilio le acompañó para llevarle la bolsa y pagar el taxi.

Claudia se detuvo como si quedara hincada en la tierra y obligó al negro a hacer lo propio.

—¿Cómo? —casi gritó.

—Deje que siga, niña, es necesario hacerlo.

Ella le cortó:

—Pero, tú... ¿con qué derecho intervienes en mi vida?

—No es su vida, es la de él. Mire, niña, debe comprender, no es hora de simulaciones. El caso ahora no es si me gusta o no me gusta a mí el nica.

—Erasmo, yo soy la dueña del hotel, no hagas que lo recuerde —cortó de nuevo la mujer.

—Déjeme seguir. No es cosa de discutir ahora ni de simulaciones. Mire niña, al nica lo quieren matar.

—¿Cómo?

—Ésa es la cosa. Y he tenido que quitarle de en medio, engañarle y enviarle al París. Se puso como serpiente y dijo que vendría luego a verla. Pero no debe venir, sino que vos tenés que ir a su hotel. Yo le explicaré al profesor que el nica se marchó para la Mosquitia.

—Pero ¿quién quiere matarlo? ¿Por qué?

—Ésa es la cosa: don Rolando ha enloquecido. Anda con una pistola al cinto, que le cuadra lo mismo que a un mono unos calzones. Habla pendejadas, dice que hay que matar para hacer posible el pensamiento. Y quiere matar al nica. Y además le quiere proponer matrimonio.

—Todo suena a chifladura, Erasmo.

—Chifladura la de don Rolando. Créame, niña, el nica no me gusta, pero no voy a consentir que se lo maten. El profesor se volvió majareta.

—Pero...

—Mire, ahorita agarramos un taxi y la dejo en el París. Le explica usted al nica lo que pasa y le convence para que se vaya de La Ceiba. Éste es un poblado chiquito y don Rolando va a enterarse muy pronto adónde anda. Yo me jalo su valija, vuelvo a casa y le explico al chiflado que vos llegá mañana en otro bus, y que el nica tomó vuelo para la Mosquitia. Y cerramos este asunto sin que haya sangre.

Claudia se dejaba de nuevo empujar hacia la cola de los taxis.

—Resulta todo increíble —dijo mientras Erasmo abría la puerta de uno de los automóviles para dejarle paso.

—Ya me dirá si es increíble cuando platique con don Rolando y le proponga casamiento.

Había dicho que sí a Claudia, había aceptado ir con ella a las Islas de la Bahía y alejarse de La Ceiba. Cuando despertaron juntos, en la habitación del hotel París, la mujer había insistido, entre frases de amor, besos y caricias. Ahora, sin embargo, ya a solas, dudaba en que fuera a cumplir su promesa.

Tendido en la cama, en calzoncillos sobre las sábanas, Wilson fumaba cigarrillo tras cigarrillo. Pensaba si su destino sería siempre el mismo, un encuentro con la muerte en cada recodo de su vida. Una guerra terminada ahora y, sin embargo, la amenaza contra su existencia no se esfumaba, sino que otra vez se cruzaba en su camino la presencia de un riesgo letal, aunque viniese de la mano de un hombrecillo débil y estúpido que nunca había matado ni a un lagarto.

Ni siquiera con el fin de la guerra se apartaba de su lado la violencia. ¿Por qué sucedía de esa forma? ¿Tendría que morir algún día brutalmente?

Se irían al día siguiente y él, entretanto, habría de permanecer escondido en el hotel. Así lo había prometido, después de que Claudia le rogara una y otra vez, desnuda a su lado, abrazando su cuerpo. Y él, dejándose arrastrar por la blandura del sexo, había cedido.

Ahora, sin embargo, otros pensamientos acudían a su mente. El primero de todos era, de nuevo, tan mediocre como verdadero: él nunca le había dado la espalda al peligro, un soldado profesional nunca huye ante el enemigo. Sonrió. Para Wilson, el valor no pasaba de ser una palabra vacía. Pero era parte de su oficio, un elemento fundamental de su trabajo. Y más aún: también la necesidad le había hecho valiente, pues volver la espalda al peligro daba oportunidades a la muerte, lo había comprobado en más de una ocasión. Como aquel día en Vietnam, cuando hubo de tragarse su propio terror, el temblor de su cuerpo acobardado, y enterrarse entre los cuerpos de sus compañeros muertos, simular que era un cadáver más caído en la emboscada del Vietcong y esperar durante horas, cubierto por la muerte, por los cuerpos que primero se volvieron rígidos, luego se enfriaron, después comenzaron a calentarse por el sol, con un calor distinto al de la vida, más tarde comenzaron a oler entre los zumbidos de las primeras moscas, hasta que llegó una voz que hablaba inglés, una palabra que no era un sonido en un idioma extraño, y él mismo pudo gritar pidiendo ayuda y escapar de los brazos de la muerte. Él había aprendido a burlar a la muerte, cuando no a derrotarla, con actos de valor que suponían sobreponerse al pavor profundo de su alma.

Y ahora huía. ¿Podía permitirse ese lujo, sabría combatir en ese terreno de la deserción y de la huida?

O tal vez es que se había enamorado. Se daba cuenta ahora de que imaginarse solo, en su apartamento de Nueva York, levantaba oleadas de amargura en su espíritu. El recuerdo de Claudia le sumía en una suerte de relajada tibieza. Y eso le confortaba.

Tal vez no era el miedo, sino el amor, lo que le había hecho ceder ante los ruegos de la mujer.

¿Y por qué no, por qué no intentarlo en una ocasión? Quizá rompiera así el círculo de la violencia, los círculos de su soledad. Era probable que no volvieran a presentarse ocasiones así en su vida.

Entretanto, sin reflexionar sobre ello, acercó la mano hasta la bolsa que reposaba junto a la cama. La introdujo entre la ropa y revolvió hasta palpar el sólido y helado objeto. La pistola salió del saco, firmemente sostenida entre sus dedos. Decidió llamar al servicio de habitaciones para que le subieran una botella de güisqui y emborracharse a solas.

Desde los últimos días su cuerpo era como una esponja de calor, un material tibio y húmedo que bullía envuelto en una densa sensualidad. Y sus pensamientos, disueltos en una cálida confusión ante la rotunda vitalidad de los sentidos, tan sólo alcanzaban a iluminar imágenes de anhelo, de febril anticipación a una presencia que sabía próxima. El cuerpo y la mente de Claudia vivían inmersos en Wilson, como si permaneciera a su lado rodeándola con un invisible abrazo. Ahora, sin embargo, cuando descendía la escalera camino del porche, fundida en las sombras de la anochecida, percibía el aliento de la tristeza, una rara sensación de amenaza, un presentimiento de pérdida. No era capaz de olvidar que, pese a todas las precauciones, la vida de Wilson estaba en peligro.

Había algo insólito que sumar a lo terrible de aquella amenaza y ello era el hecho de que la amenaza partía de un trozo de su vida. Carreto era un amigo, casi «el amigo», el verdadero, el primero, alguien que ocupaba en su corazón un lugar familiar y hondo. ¿Cómo un hombre que tiene sitio en tu alma puede llegar a convertirse en el ejecutor de tu esperanza? Pensarlo no sólo le resultaba terrible, sino también absurdo. Y ante aquella paradoja esencial, Claudia no sabía responder nada más que con un sentimiento en el que se mezclaban el temor y la perplejidad.

Desde unos pocos día atrás, una suerte de casualidad magnífica había convertido su soledad en un milagro de sensaciones. Sabía con certeza que estaba enamorada. Y otra vez la muerte, como cuando se llevó de golpe a su marido, venía a interponerse en su felicidad. Ahora resultaba, incluso, peor que entonces, porque su felicidad de los últimos días era lúcida y libre, consciente y elegida, mientras que los años al lado de Rafael se aparecían en su recuerdo como un sueño irreal.

Bueno, no había que alarmarse, ella y Erasmo habían preparado todo de suerte que Rolando no pudiera encontrar a Wilson. Pero la amenaza total no había desaparecido. El peligro seguía rondando alrededor de su amor.

Debía hablar claro con Rolando, no bastaba con escapar unos días con Wilson a las Islas de la Bahía. Era necesario terminar con aquella amenaza para siempre, lograr que Rolando comprendiera. Y se lo haría comprender, con dureza si era preciso, o rogando y suplicando si el profesor así lo demandaba.

Vio su figura balanceándose en la mecedora a la media luz del cobertizo. No había nadie más, tal vez Erasmo se había marchado a jugar una partida, o andaba dentro, en la cocina del hotel. Él no reparó en su presencia hasta que Claudia casi llegó a su lado.

Al verla, se levantó con urgencia. Dio dos pasos hacia la mujer y, al girar el cuerpo, la luz del vestíbulo iluminó su rostro. Claudia lo contempló con atención. ¿Imaginaba? Le parecía que la cara familiar del viejo amigo ya no era la misma. Había en el gesto de Carreto una especie de serenidad salvaje. Y su sonrisa tenía algo de sonrisa macabra.

—Claudia, deseaba tanto verte...

Las dos manos del hombrecillo apretaban la mano derecha de la mujer. Ella recordó lo que le había dicho Erasmo, que Carreto quería proponerle matrimonio, y sintió asco, creyó percibir que la piel del hombre era viscosa y sucia. Se adelantó un paso hacia su mecedora, desprendiéndose de los dedos de Carreto.

—¿Y Erasmo? —acertó a decir.

—Está dentro —respondió Carreto acercándose de nuevo a ella.

Claudia hizo intención de darse la vuelta y dirigirse hacia el interior del hotel, pero la mano del profesor se agarró a su brazo. Volvió a retirarse un paso, librándose de la mano de Carreto.

—Espera —dijo él—. Le pedí a Erasmo que nos dejase a solas un momento, tengo que hablar contigo.

Notó un movimiento de pánico en sus nervios.

—Estoy algo cansada —pudo decir, casi de espaldas al hombre.

La mano de él, otra vez, tocaba su brazo.

—Ya sé, Claudia, sé que has hecho un largo viaje. Pero son apenas unos minutos.

Ella se giró. Miró al hombrecillo, a las ridículas facciones alumbradas de pleno por la luz que llegaba del vestíbulo. ¿Cómo podía Rolando imaginar que ella amaría nunca un rostro así?

—Di, ¿qué quieres?

—Sentémonos, Claudia.

—No, no... Quiero ir a dormir pronto. Dime, ¿de qué querías hablarme?

—Así se hace difícil. Siéntate conmigo unos minutos, no más de cinco o diez minutos, por favor.

Deseaba de pronto herirle, hacer sentir su desdén. Después de todo, aquel hombre, ya un extraño para ella, quería matar su amor. ¿Qué piedad podía sentir por él?

—No quiero sentarme.

—Bueno, yo...

Carreto se parecía más ahora al hombre que fue, al ser tímido y acobardado, grotesco y temeroso. Pero tras la primera indecisión, su rostro recobró de nuevo el gesto decidido y seguro.

—Quiero proponerte que te cases conmigo —dijo de pronto.

—No —respondió ella con la misma determinación, casi de inmediato.

—Parece que no te hubiera sorprendido... Bueno, no tienes que responder ahora, estaba preparado para escuchar una negativa. —Dudó un instante—. Yo quiero protegerte, quiero que conozcas en mí al hombre que no imaginas.

—No necesito protección.

—No es sólo eso. Es también amor. Tú necesitas amor, yo necesito amor.

—No necesito amor.

—No lo sabes, no lo sabes aún. Todos necesitamos del amor. Conmigo serás feliz. Tú y yo... es algo que está escrito, Claudia. Comprenderás muy pronto que lo necesitas, como yo sé ahora que te necesito a ti.

—Sé muy bien lo que siento.

—No, aún eres una niña. Una niña grande, pero niña. Verás, conocerás a otro hombre en mí, a alguien que no imaginas.

Claudia tomó aire. Sentía una aversión honda y rotunda hacia el hombre que tenía delante. Y quería humillarlo, hacerle patente su menosprecio.

—Sé quién eres. Tal vez muy pronto un asesino.

Carreto la miró con asombro, no supo responder.

—Sé que quieres matar a un hombre —siguió ella— y sé que ese hombre es el nica, que ese hombre es Wilson Ramírez. Pero tú no sabes algo de mí.

Hizo una pausa. Él la miraba todavía desconcertado.

—... y además, ese hombre se ha ido —añadió ella.

Ahora la sonrisa floreció, como una mueca gélida y desangelada, en los labios de Carreto.

—No, no se ha ido. Eso es lo que Erasmo y tú queréis hacerme creer. Lo habéis escondido en algún lugar. ¿Creéis que soy tonto? No hay aviones a Puerto Lempira hasta dentro de cuatro días.

—¿Quién ha dicho que fue a Puerto Lempira?

—Erasmo. ¿Dónde dices tú?

Era Claudia ahora quien se sentía desconcertada. Pero el rostro desencajado y repulsivo de Rolando volvió a irritarla.

—Todo eso no importa, sin embargo —seguía el profesor—. Sobre las cosas escritas no nos corresponde hablar. Tú y yo debemos hablar de nosotros. Tienes que pensar despacio en lo que te he pedido, no es necesario que respondas ahora...

Era el momento para golpear. Pronunció con lentitud sus palabras:

—Ese hombre al que piensas matar es el hombre que amo. Wilson es mi amante, Rolando.

Los labios del profesor se abrieron, comenzaron a temblar. Boqueaba casi como un pez al que han sacado del agua.

—Ahora ya sabes mis respuestas, Rolando —añadió—. Sólo queda que tires al mar esa pistola que escondes.

Parecía que un enorme fardo repleto de piedras hubiera caído sobre los frágiles hombros de Carreto. Su cuerpo era incapaz de soportar aquel peso invisible y sobrehumano. Se encogió sobre sí mismo y sus manos, temblorosas, se tendían de pronto hacia delante, hacia Claudia, como si deseara asegurarse de que aquella mujer que le hablaba era real, parte del universo de lo tangible.

Claudia dio un paso atrás y las manos trémulas del profesor se retiraron entonces, después de palpar unos instantes el vacío. Miraba como un animal desorientado, ignorante de la causa de su inesperada mala fortuna.

La barbilla de Carreto cayó luego sobre su pecho, cual si el cuello careciera de fuerzas para sujetarla. Una especie de hondo ronquido se asomó a su boca, algo parecido a un grito contenido o a una palabra imposible. Luego, sus manos se alzaron hasta cubrir el rostro. Dio dos pasos hacia atrás, giró sobre sí mismo, y con andar torpe comenzó a alejarse del porche. Su sombra se perdió camino de la playa. Y su sombrero blanco quedó abandonado sobre la mesita, junto a los vasos vacíos y la botella de ron sin abrir.

Claudia creía notar que sus pies estaban clavados en el suelo mientras su cuerpo permanecía paralizado. Desde sus tobillos trepaba hasta sus sienes un aire fresco y aliviado. Sentía también cómo nacía la lástima, levemente, en su corazón. Dio la vuelta, al fin, y entró en el hotel. Le ardían las sienes.

Erasmo se asomó desde la cocina cuando ella alcanzaba la escalera.

—¿Lo vio, niña? Enloqueció nuestro licenciado.

—¿Por qué me dejaste a solas con él, Erasmo?

Notaba húmedos los ojos.

—Ya es crecida, patroncita. ¿No dice vos siempre que no interfiera en su vida?

—Erasmo, eres…

—¿Y qué hubo, le dijo que sí a la propuesta de boda?

—Le escupí la verdad. —Le temblaba la voz al hablar—. Fue espantoso, fue duro, cruel… también necesario… Espero que abandone la idea de matar a Wilson.

—Ahora sí que no lo hará, niña, no lo hará. Es una fiera que va herida.

Unos súbitos deseos de llorar le subían desde la garganta. A paso rápido, comenzó a ascender la escalera camino de sus habitaciones.

Caminaba hacia el interior de la ciudad, dejando el mar a sus espaldas, dirigido por la inercia, guiado por la costumbre. Una suerte de ligereza, de flojedad liviana, poseía sus nervios y sus músculos, como si su cuerpo quisiera escapar al encuentro del aire dejando atrás una conciencia hundida en la zozobra. Notaba una tersura seca en la piel de su rostro que la humedad del viento marino no lograba penetrar. Miraba sin ver, las figuras que cruzaban en su camino eran perfiles borrosos, sombras móviles e ignoradas. Llevaba el alma rota y un ronco zumbido, que nacía del interior de sus oídos, ahogaba para él los sonidos de la noche de La Ceiba.

Carreto no alcanzaba a organizar sus pensamientos o, tal vez, ni siquiera lo intentaba. Las palabras de Claudia, la revelación de su fracaso, habían embotado su capacidad para la reflexión. El oleaje de sensaciones encontradas, de emociones dispares y pasiones frustradas, le incapacitaba siquiera para preguntarse si en realidad todo sería cierto, si no estaría viviendo en la ingravidez de un sueño disparatado.

El valeroso Carreto de los días anteriores había muerto sin vislumbrar apenas la batalla, sin ocasión para entrar en el combate que determinara su éxito o su derrota. Era un don Quijote al que incluso se le negaban los molinos, un luchador sin guerra. Pero la honda congoja que le impedía reflexionar e, incluso, sentir en toda su pesadez el inmenso dolor que soportaba, le incapacitaba también para volver atrás, para recuperar el ser que fue durante tantos años, el humilde, fatigado, sereno y ridículo profesor del instituto de La Ceiba.

La imagen grotesca de aquel hombre perdido, que transportaba un alma naufragada y confusa, llegó al cruce con la avenida de San Isidro y dobló hacia el sur de la ciudad, hacia el camino que tantos cientos de veces había tomado rumbo a su casa. Con movimientos imprecisos, cruzó el asfalto y cambió de acera.

Anduvo todavía unos cincuenta metros antes de detenerse. Lo hizo en forma automática, como en otras ocasiones lo había hecho durante los últimos días, para calcular su decisión antes de dirigir sus pasos al «Perla Brava» y buscar a Nelly. No reflexionaba tampoco cuando sus ojos de miope se movieron en dirección a la calle que iluminaban las multicolores luces de neón. Los perfiles de los edificios bordeados por la penumbra nocturna fueron cobrando precisión. Comenzó a ver lo concreto, su vista abandonó el vacío, dibujó los contornos de las cosas, las puertas iluminadas por letreros de luces rojas y anaranjadas. Pero no fue capaz aún de ordenar sus desbaratadas emociones y convertirlas en pensamientos. Tan sólo giró el cuerpo y echó de nuevo a andar hacia aquellas luces que, tal vez, en ese instante constituían su único lazo con el mundo de lo real.

No alcanzó a ver a tiempo a aquel borracho que, en el mismo instante que llegaba al «Perla Brava», salía a trompicones del local. La puerta batiente golpeó con fuerza contra el rostro de Carreto. Perdió el equilibrio. Dio dos pasos atrás antes de caer al suelo. Sus gafas volaron a algún lugar lejos de su cuerpo. Sus sentidos, durante unos segundos, parecieron cabalgar a lomos de un vertiginoso tiovivo.

Cuando logró sentarse, notó que algo líquido se escurría por su mejilla. Se palpó, puso luego la palma de la mano ante sus ojos miopes, forzó la vista y distinguió la mancha de sangre. El zumbido uniforme que se había instalado en sus oídos desde que abandonó el hotel de Claudia, había desaparecido ahora. En su lugar, escuchaba la música de salsa que llegaba desde el interior del local. Y un instante después, la voz quebrada y chillona de aquel hombre de quien no alcanzaba a distinguir más que la figura grande y borrosa, del beodo que le había arrojado al suelo y hecho perder las gafas. Recobró de golpe la conciencia de cuanto sucedía, calibró la magnitud del lamentable estado de su cuerpo y de su alma. Pero el borracho le gritaba:

—¡No tiene civilidad...! ¡Mequetrefe de la mierda...! ¡Dundo hijueputa! ¿No vio dónde caminaba? ¡Pendejo badulaque...!

—Mis lentes, ¿ve mis lentes? —acertó a decir Carreto.

—¿Lentes...? Pide lentes el pendejo... ¿Esto, es esto...?

Oyó el crujido de cristales cuando el borracho alcanzó a poner el pie sobre las gafas caídas en el suelo.

—Lentes... para la mera mierda los lentes, badulaque del diablo.

Carreto logró levantarse. Dio dos pasos hacia la pared. Pero aquella sombra grande caía ahora sobre él.

—Te enseñaré algo, pendejo. Tendrás que aprender comportamiento de hombre civil...

Un cuerpo gigantesco y musculoso le atrapaba ahora. Notó la manaza que buscaba su garganta. Se debatió para escapar de aquella mole que intentaba aprisionarle. Los dedos desgarraron el cuello de su camisa.

Oyó entonces otras voces de hombres y unos gritos de mujer. Otras manos se interponían entre él y su agresor. Lograron separarle al fin de aquella humanidad que le enviaba olores de sudor y de alcohol. Los insultos del borracho se mezclaban con el sonido de la música, las amenazas que otros hombres proferían, el prolongado clamor de la mujer.

Iba regresando de la nada y del dolor, su mente se tornaba fría, sus pensamientos se reorganizaban, su ser penetraba en la sórdida realidad que conformaba su vida.

Era la voz de Nelly la que le hablaba desde aquel rostro que no alcanzaba a distinguir con precisión. El paño humedecía su herida, empapado en el alcohol que casi hacía gritar de escozor al contacto de la herida.

—El bolo pendenciero... —decía la chica—. Te abrió bien. Quietito así, no me tiembles, ya te curo, profesor...

—Las gafas —dijo Carreto—, rompió mis lentes.

—Suerte que no te rompió el cuello. ¿No tienes otros?

—Sí, en mi casa.

—Enviaré alguien por ellas.

—No, no; debo irme.

—¿Y qué prisa? Puedes descansar aquí.

—Debo ir a la casa.

—Como gustes. Pero tengo que curarte un poco más aún. Y limpiarte la sangre. Bien se te puso el traje con la sangre.

—Me cambiaré en mi casa.

—Espera a que cierre la herida. Uff, está grande. Tendrán que cosértela. Hay que ir al médico ahoritita.

—Iré mañana.

—Las heridas hay que coserlas pronto. Te dejará huella si no.

—¿Y qué importa? No voy a ser más feo por una cicatriz... Tengo que irme.

—Deja que seque, profesor. Sólo son unos minutos.

Carreto se relajó, tendido sobre la cama. Cerró los ojos. El dolor se dormía, al tiempo que sentía agrandarse la herida de su alma. Por un instante, notó deseos de llorar. Pero no tuvo necesidad de contenerse. ¿Sobre dónde lloraría, sobre el vacío? Pensó que incluso se le estaba muriendo la lástima de sí mismo. Y que delante de él no había nada, ni una calle, ni una ciudad, ni otros seres, ni siquiera una vida.

Se levantó con brusquedad, sin dar tiempo a Nelly a retenerle.

—¡Pero qué prisa! —dijo la muchacha.

—Tengo que irme.

—Bien inquieto, profesor. Está bien, yo te acompañaré a tu casa.

—Puedo ir solo.

—¿Sin lentes? Te puede agarrar un carro —respondió la chica al tiempo que tomaba con decisión su brazo.

Sintió el aire húmedo del mar y la herida le dolió fuerte por un instante. Nelly le empujaba con suavidad hacia un mundo de bultos informes y luces imprecisas.

—Te pagaré el servicio —dijo Carreto.

—Profesor, yo no cobro por todo lo que hago. Es de humanidad simple ayudar a un herido.

—Gracias —respondió Carreto.

—No hay por qué, tú hubieras hecho lo mismo..., supongo.

—No estés tan segura.

—Algo te conozco, profesor... Espera, no cruces, viene un carro.

—Gracias.

—No me des las gracias a cada paso.

De nuevo caminaban.

—Venías a verme cuando el bolo te tiró, ¿no? —seguía Nelly—. Es lástima pero podemos hacerlo esta noche en tu casa. Es más allá del Parque Central, ¿no?

—Algo más allá. Te avisaré. Sabré cuándo llegamos, no te preocupes.

—¿Quieres que me quede contigo esta noche? Hoy no teníamos mucha clientela en el «Perla Brava», no llegaron barcos.

—Quiero estar solo.

—Pero venías a verme.

—No sé a qué iba.

—¿Y qué otras cosas encuentras en el «Perla Brava», amor?

—No sabía con certeza que estaba en el «Perla Brava».

Rió la muchacha.

—Pero los lentes te los rompieron en la puerta, no antes.

—Hacía rato que no podía ver ni pensar.

—¿Venías bolo, cielo?

—Algo así.

—Pues bien sereno te puso el golpetazo. Hay golpes que le traen a uno de nuevo a la vida.

—Y otros que te llevan a la muerte.

—Huy, profesor, tienes negro el pensamiento.

—Lo tengo vacío.

Llegaron a la altura de la casa. Carreto indicó el número a Nelly y ella le dirigió hacia la puerta.

—¿Subo contigo, amor?

—Quiero estar solo.

—Mirá, hoy no te cobraré. Eres buen cliente y precisas de cariño.

Se encogió de hombros en la oscuridad:

—Haz lo que quieras.

Dejó a Nelly en la sala, tomó los lentes del dormitorio y fue al cuarto de baño. Echó el pestillo por dentro y se detuvo ante el espejo. Contempló la deteriorada geografía de su cuerpo: el pómulo herido, los restos de sangre seca prendidos en la barbilla y la mejilla; y observó el cuello desgarrado de la camisa, la sangre otra vez que empapaba la pechera y las solapas del traje. Vio frente a él su propia imagen grotesca, su ser humillado y ridículo. ¿Cómo habría llegado a imaginar que ninguna mujer pudiera amarle?, ¿hasta dónde había llegado su locura?

—La vanidad te volvió demente, hermano —dijo en voz alta mirando en sus propios ojos.

Así quedó detenido unos instantes: sus ojos posados en sus ojos, su propio rostro devuelto por el espejo. ¿Podía reconocerse? Se contemplaba como un extraño ser de súbito ignorado para él mismo, alguien ajeno y lejano. Era capaz de distanciarse de aquella ridícula figura, situarla más allá de su propia alma. Sí, su alma era más noble, más hermosa sin duda que la faz que le miraba desde el espejo.

—Te llamas Carreto —dijo a aquel hombre que le contemplaba—, pero tú no eres Carreto, sino tan sólo una apariencia. Carreto soy yo, soy otro, alguien distinto de ti.

Se desprendió de la chaqueta y la arrojó a un rincón del cuarto. Aquel cuerpo extravagante... No, no podía ser él, no se sentía capaz de admitirse. Cerró los ojos y quiso pensar que, cuando los abriera, aquella figura se habría esfumado y, en su lugar, aparecería un ser más bello, un ser más acorde con su corazón.

Pero no, allí seguía, imperturbable, el mismo retrato de un instante anterior.

Vio la culata de la pistola asomando del cinturón, la cacha blanca en la que aparecía cincelado el perfil ebúrneo de una mujer.

La tomó y la alzó hasta apoyarla en la sien. Era tan sencillo verse así, la imagen previa a un suicidio necesario. Bastaba con quitar el seguro y apretar el gatillo. Ni el peor de los tiradores podría fallar.

Pero retiró el arma de su cabeza y la mirada del espejo. Contempló ahora el revólver que descansaba entre sus manos, próximo a su estómago. Aquel arma había sido durante unos días el objeto en el que reposaban todo el valor, la decisión y la ilusión de un hombre iluminado por la seguridad de su propia fantasía. Ahora se trataba tan sólo de un instrumento. Pero continuaba poseyendo su carácter letal, su capacidad para destruir la vida en un segundo.

¿La suya o la del otro? ¿Era el nica aún su enemigo? Sintió crecer el odio, al tiempo que volvía la pena por el amor perdido. ¿Por qué tarda tanto en morir el amor?

Todavía podía matar. Su odio encontraba más razones para la muerte. El nica no era tan sólo el símbolo de la humillación de su patria, era también el hombre concreto que había asesinado su felicidad.

Pero ¿era justo para Claudia?

¿Y acaso era justo para él?

¿No importaba, sobre todo, su propio dolor?

Un hombre tiene el deber de ser generoso, pero también el derecho al egoísmo y la venganza.

¿Y a quién podía amar salvo a sí mismo?

Pensar así le sumía en sensaciones tibias de alegría, como si recuperara los rescoldos de su gana de vivir.

Ahora había llegado a ser lo que era preciso para convertirse en un ejecutor: un desesperado. Su deseo de destruir cobraba fuerza y se convertía en la razón más poderosa. Se había transformado en un destructor sin alma y sin misión. Su destino consistía en devastar y en arruinar la vida. Ya no había posible vuelta atrás. Y sentía crecer un extraño placer al pensar en la obra que iba a acometer. Amaba esa fatalidad que le empujaba al crimen.

Levantó de nuevo la vista. Allí estaba la imagen detestable que nunca le abandonaba. No, aquel ser no era él, sino alguien que pertenecía al pasado impreciso. Alzó la pistola, después de quitarle el seguro, y disparó a su imagen. Saltaron los pedazos del espejo, la figura se esfumó delante de él, el suelo se pobló de cristales rotos. Era fácil destruir.

Cuando abrió la puerta del baño y salió al pasillo, encontró a Nelly en pie, mirando hacia él, temblorosa, incapaz apenas de moverse.

—¿Qué... qué pasó? —dijo al fin la muchacha.

—Se disparó el revólver, un accidente —dijo mostrándole el arma con desgana.

—Creí que te habías matado, profesor. Me asusté.

—Algo de eso hubo... Anda, debes irte.

—¿Irme?

—No tienes que estar aquí, yo no quiero que estés.

—Eres raro, profesor, muy raro. Y me das miedo.

No pudo descansar durante la noche. Sumido en ocasiones en un duermevela, otras despierto y con los sentidos alerta, sus obsesiones no le abandonaban. Tenía urgencia por cumplir el rito, por realizar lo que era inevitable. Le excitaba, le euforizaba la idea de matar. Otra vez había recuperado su sentido de misión. Y calculaba las horas que faltaban para el amanecer al tiempo que imaginaba las posibilidades que tenía de encontrar al nica. Estaba seguro de que no había abandonado La Ceiba, que Erasmo y Claudia lo escondían en alguna parte. Sin duda no estaba en el hotel Barcelona. ¿Dónde andaría oculto?

Se levantó poco después del alba. Tomó un café sin azúcar, buscó ropa limpia y acarició la pistola. De nuevo la ocultó en el cinturón, bajo la chaqueta. No se afeitó y apenas se arregló el pelo frente al espejo del vestíbulo. No quería verse el rostro más de lo imprescindible. Salió a la calle y respiró hondo la primera bocanada del aire matutino, todavía fresco a poco del amanecer.

Sus pasos le llevaron hacia la zona del mercado municipal. A pesar de la hora temprana, las callejuelas del zoco registraban una febril agitación. Se descargaban frutas y verduras y olía ya a especias, tortillas calientes, café recién hecho y cuero curtido. Se mezcló entre la multitud que iba y venía entre los tenderetes, un gentío bullidor, animado por las voces de los descargadores de mercancías y de las músicas madrugadoras de los magnetófonos de algunos comercios. Tomó un café y devoró unas tajadas de banano frito. Había olvidado que el día anterior no cenó y repitió ración de plátano.

Atilio vio primero a Carreto y, desde lejos, hundido entre la gente, le llamó:

—¡Eh, don Rolando, don Rolando!

El muchacho se acercó corriendo a su lado.

—Madrugó, don Rolando. ¿No tiene clases que dar hoy?

Carreto reparó, de pronto, en que había olvidado por completo su empleo de profesor.

—Hoy libramos, chavalo.

—Pues sé que las escuelas abrieron.

—Fui yo quien libró. ¿Y tú, qué haces temprano por acá?

—Unos mandados del ama.

—Andarás ya rondando la tienda del chamán.

—Callé vos, don Rolando, que trajeron la herradura de Don Simón y no me alcanza la plata.

—Pendejadas, chavalo.

—Es cosa cierta que la herradura trae milagros y felicidad a los hogares.

Carreto miró unos instantes al muchacho antes de hablar.

—¿Qué dinero te falta?

—Un platal, don; ocho lempiras, ni más ni menos.

—Yo podría dejártelas..., si me averiguas cierta cosa, confidencialmente.

—¿Podría emprestármelas?

—Claro, chavalo.

—¿Qué debo averiguar? Soy buen indagador, don.

—Nada importante. ¿Recuerdas al nica que se alojaba en el hotel de tu patrona? Necesito verle. Pero, bueno, es cosa de negocios de hombres y no quiero que tu ama lo sepa. El hecho es que no sé dónde anda y debo dar con él.

El rostro del muchacho se iluminó en una ancha sonrisa.

—¿Y sólo eso por emprestarme las ocho lempiras?

—La herradura puede merecer la pena, chavalo.

—Pues bien facilito que es, ni que investigar tengo. Antianoche mismo se marchó al hotel París. Don Erasmo le largó del Barcelona nada más llegar de Tegucigalpa. Le tenía sus cosas en la puerta y la factura preparada. Bien furioso que se iba el nica. Ni quiso que se le jalara yo el equipaje y lo llevara al taxi.

—¿En el hotel París?

—Allá que se fue. Lo oí dar la dirección al taxero.

Carreto hurgó en sus bolsillos. Contó los billetes y se los dio al muchacho.

—Te los ganaste —dijo.

—¡Gran día! —exclamó Atilio—. Se los devolveré en un mes o dos, don Rolando.

—No corre prisa.

—Tenga por cierto que pediré la herradura de Don Simón por su felicidad, don.

—No olvides hacerlo.

Atilio se perdió entre la gente. Carreto palpó el bulto del revólver bajo su chaqueta. Luego, con paso sereno, enfiló la calle en dirección al Parque Central. Apenas le separaban doscientos metros del hotel París. Era feliz en ese instante.

El timbre del teléfono sacó a Wilson de un sueño denso y profundo. Hubo de sonar en tres ocasiones para que pudiese cobrar una cierta conciencia de lo que sucedía. A oscuras, palpó la mesa, derribó la lamparilla y logró al fin hacerse con el auricular. La voz de la recepcionista se clavó hondo en su cerebro.

—Pero ¿qué hora es…? ¡Las siete y cuarto…! Yo no dije que me llamasen hasta las nueve… ¿Visita…? ¿Quién…? No lo conozco… ¿Señor Carreto…? Ah, sí, ya sé… ya, sí… bajo en un instante, el tiempo de ducharme… Que espere en recepción…

Colgó el teléfono. Se levantó y, a tientas, llegó a la ventana. Tiró de las pesadas cortinas. La luz le cegó durante unos instantes. La resaca del güisqui se agarraba a su garganta y a su cerebro, sentía latir el corazón contra sus sienes, como un tambor implacable.

¿Cómo no lo había presentido? Era inevitable. Su destino no era huir, no podía dar la espalda a lo que siempre había sido. ¡Maldita cabeza y maldito güisqui!

Regresó hasta la cama y se acercó a la bolsa. Se frotó los ojos e intentó pensar mientras la abría. La pistola permanecía encima de las mudas, donde la dejó la noche anterior. Comprobó que estaba cargada.

Vio claro entonces que el otro no iba a esperarle abajo, que con toda probabilidad subiría a buscarle, tal vez por la escalera de incendios. Echaba de menos el primer café. Eso le serenaría.

Sin dejar la pistola, caminó con torpeza hacia la puerta del cuarto. Quitó el pestillo. La dejó lista para que se abriese con sólo un giro del picaporte.

Regresó hacia el cuarto de baño. Echó las cortinas de plástico de la bañera y conectó el agua caliente de la ducha en toda su potencia. Sintió deseos de meterse debajo, pero se contuvo. Dejó entreabierta la puerta y se escondió, en cuclillas, detrás de la hoja. Quitó el seguro del arma y se dispuso a esperar. Por la rendija que quedaba entre las bisagras, al lado de su hombro derecho, distinguía una breve raya de la habitación principal. Si el otro llegaba, Wilson vería su sombra. Parecía que su cabeza comenzaba a marchar.

El vaho iba levantándose al otro lado de la cortina, inundaba la estancia, cegaba el espejo con una película opaca de humedad. El agua atronaba contra la bañera. Le latía con fuerza el corazón, pero se sentía seguro de que nada podía sucederle. Su vista se afirmaba.

Todo era vertiginoso otra vez, como en tantas otras ocasiones en su vida. Pero lo cierto era que de nuevo se vería obligado a matar. Con toda probabilidad tendría que matar. Lo aceptaba con fatalidad, sin desesperanza, sumido en una resignación esencial. ¡Qué más daba lo que pensara nadie, ni siquiera Claudia! Era su oficio y era su destino. Nada podía hacer para evitar lo que sucedería en pocos minutos. Él no era culpable ni inocente, él no había querido aquello. Era otra vez la perra muerte, Muerte con mayúscula, quien iba en su busca. Y él debía actuar contra ella para seguir viviendo.

Borró todo pensamiento de su cabeza. Acarició el cañón de la pistola con la mano izquierda. Se cercioró de nuevo de que el seguro estaba liberado. Sudaba, encogido detrás de la puerta, y rodeado por aquella espesa nube de vapor, los ojos clavados en la rendija que daba al dormitorio. Un cigarrillo le hubiera caído bien ahora, habría despertado la sequedad de su lengua. Echaba de menos los ritos de la mañana.

Vio entonces la sombra detenerse al otro lado de la rendija. No había marrado en sus cálculos. Se dirigió a sí mismo una sonrisa entristecida. ¿No era en exceso torpe aquel hombre que quería convertirse en asesino? Pensó que el otro no iba ya a tener tiempo de aprender el oficio.

La sombra se movió y desapareció de la rendija. Con lentitud, la puerta que escondía a Wilson se abrió un poco más. El cañón del revólver asomó, seguido de la mano que lo empuñaba. Apuntaba a las cortinas de la ducha. Wilson levantó su arma y la dirigió hacia donde calculaba que se situaba el cuerpo de su enemigo.

El revólver de Carreto se movió en dos golpes secos hacia arriba al tiempo que escapaban los dos disparos. Entonces Wilson apretó por tres veces el gatillo de su automática.

## 8

Una brisa vivaz, venida desde el norte, limpiaba el aire de calima. Y el mar y el espacio y las playas se ofrecían como recién lavados ante la mirada de Claudia. Acodada en la baranda del segundo piso de su hotel, contemplaba aquel paisaje conocido y pensaba que, tal vez, todo se conciliaba para una despedida amable en su último día en La Ceiba. El Caribe dibujaba a su frente un horizonte nítido, como trazado por tiralíneas, teñido de un pálido azul que iba ofuscándose en la lejanía, hasta casi parecer color prusia en la raya más remota. En el cielo se desprendían unas pocas formaciones de nubes para caer apretadas y blancas sobre el perfil marino y sobre los picachos de la cordillera Nombre de Dios, formando una corona de platino alrededor de la frente de la tierra y el océano. Llegaba desde detrás de la casa la algarabía de un grupo de niños que jugaban quizás a policías y ladrones. Cercano ya el fulminante ocaso de los trópicos, La Ceiba respiraba perezosa debajo del sol sesgado y de la brisa humedecida.

Un bando de varias decenas de pelícanos sobrevolaba en disciplinada formación la línea de la costa, cual si regresaran de una expedición militar: el capitán al frente, los otros componiendo una larga uve de la que destacaban en sus extremos los vigías. Algunos pesqueros fondeaban en el muelle de poniente y dos cayucos regresaban a puerto con las redes formando un grueso bulto recogido sobre las popas.

En todo aquel cuadro vivo que palpitaba a su frente, Claudia prefería dirigir su atención hacia su amigo *Matusalén*, el viejo pelícano que pescaba en solitario utilizando como base de operaciones la derruida escollera de la playa. *Matusalén* alzaba el vuelo y planeaba sobre las aguas, casi rozándolas, mirando hacia abajo en busca de sus presas. Si distinguía peces, se elevaba una decena de metros en el aire, daba un amplio giro alrededor de la pieza escogida y, de inmediato, descomponiendo su elegante planeo, quebraba el vuelo y caía en vertical sobre el mar, como si sus alas se hubieran roto y se desplomase herido por un disparo mortal. No obstante, al llegar al agua, cuando ya casi iba a chocar con ella, sus alas se recogían hasta quedar pegadas a su cuerpo y entraba en el océano, brillante y veloz, como una luminosa espada de mármol.

Miraba con tristeza al gran pájaro. Puede que no volviera a ver nunca más en su vida a aquel amigo de tantas tardes. Y quizá no viera tampoco a los otros. Al negrito Atilio, que la miró sorprendido cuando le anunció su marcha. «Falló la herradura de Don Simón —dijo perplejo—. No trajo la felicidad al hogar, sino que se la lleva.» Ni a Olga Marina y Zunilda, que lloraron sin ocultar las lágrimas. Ni a Wendy, que se quedó muda y con los ojos fijos en ella. Sólo Erasmo había sabido sonreírle. Luego movió la cabeza hacia los lados, se levantó para regresar a la recepción y dijo con parquedad: «Ya conversaremos después, niña.»

Lo había decidido la noche anterior, tras leer por séptima u octava vez la carta de Wilson. Durante algunas semanas, no había sabido nada sobre él. Tras el escándalo que siguió a la muerte de Rolando, el silencio cayó sobre el asunto. Y Claudia había vivido durante ese tiempo sumida en una desoladora angustia.

No había llorado por Rolando. Era la ausencia de Wilson lo que le hacía sentir aquel hueco abierto de pronto en su alma. Temía haberle perdido para siempre. Y le parecía que, en unos pocos días, una lluvia de años había caído sobre sus espaldas.

Su carta explicaba con toda suerte de detalles las gestiones del gobierno norteamericano para echar tierra sobre la muerte de un súbdito hondureño a manos de un militar de los Estados Unidos; su encierro en la embajada de Tegucigalpa, incomunicado, hasta que se logró el acuerdo para extraditarlo del país; finalmente, el regreso a su nuevo destino y a su casa en Nueva York.

La carta concluía con una larga justificación sobre lo sucedido en el hotel París. Wilson pedía perdón por la muerte de Carreto y añadía unas últimas líneas: «Quiero que vivamos juntos. Por favor, respóndeme pronto. O llama a mi puerta cualquiera de estos días. Te quiero. Wilson.»

Leyó muchas veces aquel último párrafo, aquel «te quiero» con que concluía la misiva. Y ahora pensaba que los días anteriores a su decisión de marcharse con él habían sido una inútil pérdida de tiempo. No enviaría carta de respuesta. Tan sólo enviaría un telegrama anunciando su llegada al aeropuerto de Nueva York. Lo pondría en Miami, adonde volaba al día siguiente desde La Ceiba.

Los pasos de Erasmo hicieron crujir las tablas del entarimado. Claudia esperaba ese momento. Y volvió el rostro, sonriente, hacia el negro.

Él llegó y se acodó a su lado, la vista tendida sobre el mar.

—Buen día para recordarlo —dijo él.

—Sí, Erasmo, me llevaré una bonita imagen. Por eso llevo un rato aquí, para fijarlo todo bien en mi memoria.

—Tal vez vuelva, niña.

—Sí, tal vez. Si todo sale mal, bueno... ésta es mi tierra y vosotros sois mi gente.

—Espero ser un buen administrador. Y que las cosas vayan bien aquí.

—Todo irá bien, Erasmo. Viene una buena época, además. Los periódicos hablan de paz, la guerra se ha parado ahí en Nicaragua. Quizá mejore todo.

—Ellos volverán, de todas formas.

—¿Quiénes son ellos?

—¿Quiénes han de ser? Los gringos. Son de ida y vuelta, y vendrán otra vez, aunque se vayan ahora. Tal vez le toque volver con el suyo. Aquí estaremos.

Claudia posó su mano sobre la del negro.

—No quiero que estés disgustado conmigo, Erasmo.

—No lo estoy, patroncita.

—Te hubiera gustado que te consultara, seguro.

—Vos es quien toma las decisiones, niña.

—¿Tú crees que me equivoco, Erasmo?

Se miraron a los ojos. Los del negro, hundidos en una humedad levemente amarilla, le parecieron a Claudia teñidos de una intensa ternura.

—No, niña, no se me equivoca.

Volvió la vista Erasmo hacia el mar antes de seguir hablando.

—Ya sabe, él no me gusta, no me gustan los hombres de guerra. Pero los sabios dicen que cuando uno elige su camino debe seguirlo.

—¿Sólo por eso?

—No sólo por eso. Es que... es que al amor no se le puede dejar escapar cuando se le encuentra. Sólo nos queda el amor.

—¿Aunque salga mal?

—Nunca sale mal. Un solo minuto bueno de amor y ya compensa todos los males que traiga luego. Es lo que nos llevamos a la tumba. ¿O es que no vinimos aquí no más que pa ser felices? Ésa es nuestra única obligación, ser felices.

—¿Y tú?

—¿Yo? Tengo mis naipes y mis tragos.

—Cómo te añoraré, Erasmo...

—Escriba alguna vez, niña.

—Lo haré.

Quedaron unos instantes en silencio, la mano de Claudia apoyada sobre la del negro. Luego, Erasmo se irguió, separándose de la baranda, y soltó su manaza de la de Claudia.

—Bajo a ver cómo andan las cosas en el hotel. Los otros quieren cenar con vos, patroncita. Después, echaremos los dos la última botellita en el porche.

—Me acordaré siempre de esas noches en el cobertizo.

—Ahora queda todo el ron para mí.

Contempló a Erasmo mientras éste se alejaba, hasta que llegó a las escaleras y se perdió de vista. Luego, giró de nuevo la cabeza hacia el frente.

Una rara sensación se apoderaba de ella. No podría decir ahora si era feliz o infeliz. Anhelaba volar cuanto antes al encuentro de Wilson pero sentía deseos de llorar al pensar en su marcha de La Ceiba, al alejarse de los seres que allí dejaba. Veía cuanto la rodeaba, y cuanto sucedía dentro de ella misma, como determinado por una fatalidad superior e implacable. Su amor se constituía en una fuerza enorme y egoísta y, por ese amor, todo se justificaba: la muerte de Rolando, la exculpación de Wilson, su partida de La Ceiba. Percibía que nada podía hacer para oponerse al poder de lo necesario, a la vehemencia de lo fatal.

Atardecía. El sol, oculto tras un nubarrón, arrojaba sus rayos cegadores sobre el muelle. Parecía una explosión atómica detenida en una instantánea fotográfica, la luz como una llamarada escondida detrás de las nubes espesas y marmóreas, la humareda virulenta del bombazo apocalíptico.

En esa hora, allí debajo, el mar reverberaba tocado por una crispación viva. Era blanca casi el agua al arrimarse a la playa y, más al norte, su superficie lucía en tonos dorados, con reflejos de azul violáceo bajo las nubes graníticas. A occidente, las nubes recibían la luz azafranada y el Caribe era un mar y rubio. Los Cayos Cochinos se perfilaban en el horizonte oriental en un uniforme color perla.

La brisa se había detenido, cual si quisiera dotar al paisaje de una apariencia de óleo imaginario, y las palmeras, sobre la playa, formaban un pequeño bosque petrificado, con las copas tendidas suavemente hacia el mar. La serenidad palpitaba en aquel instante de mar, cielo y tierra detenidos.

Bajaba el sol más aún y ahora su reflejo llegaba a golpearlo todo, incendiando con sus llamaradas el horizonte. Ardía el Caribe entero, igual que la tierra, en rojo color de fuego, en violentos amarillos, en cegadores topacios. Ardía en un bárbaro escarlata, como si las venas del mar se hubieran abierto para mostrar a Claudia el dolor de un alma escondida en las profundidades. Claudia sentía que un ser salvaje podría ahora surgir del océano, teñido de sangre, rojo de ira, gritando a la vista de sus heridas, impregnando el cielo con las salpicaduras que expulsaba su pecho acuchillado.

Fue un instante apenas. La luz del sol bajó de pronto en su intensidad y el fogoso mar se apaciguó en sus tonos, cerró su furia. Se volvió amarillo como un campo de trigo y, más tarde, agostado como una pradera de cenizas.

La primera estrella saltó al espacio como un chispazo, un tímido diamante que dudaba de la oportunidad de su llegada. Mientras el sol descendía a sus aposentos arropado por nubes calientes, y en tanto que la marea comenzaba a rizar su espuma sobre la arena de la playa, el día pareció atacado por una brusca crispación. Claudia supo que, en un instante, la luz iba a romperse bajo un tijeretazo y que la noche súbita se cerraría sobre la tierra.

Pero aún pudo distinguir la figura de *Matusalén* que, concluida su jornada de pesca, regresaba hacia la costa con un planeo majestuoso en busca de su secreto refugio. Tan viejo como el mundo incomprensible.